LES AILES DU DESTIN

ROMAN

Catherine Lanigan

Traduit de l'
Sylvie F

D1413671

ADA
édition

Copyright © 1999 Catherine Lanigan
Titre original anglais : Wings of destiny
Copyright © 2009 Éditions AdA Inc. pour la traduction française
Cette publication est publiée en accord avec Health Communications, Inc.
Tous droits réservés. Aucune partie de ce livre ne peut être reproduite sous quelque forme que ce soit sans la permission écrite de l'éditeur, sauf dans le cas d'une critique littéraire.

Éditeur : François Doucet
Traduction : Sylvie Fortier
Révision linguistique : Féminin Pluriel
Correction d'épreuves : Nancy Coulombe, Jeanne Morin, Sylvie Valois, Suzanne Turcotte
Graphisme de la page couverture : Sylvie Valois
Typographie et mise en pages : Sébastien Michaud, Matthieu Fortin
ISBN 978-2-89565-743-9
Première impression : 2009
Dépôt légal : 2009
Bibliothèque et Archives nationales du Québec
Bibliothèque Nationale du Canada

Éditions AdA Inc.
1385, boul. Lionel-Boulet
Varennes, Québec, Canada, J3X 1P7
Téléphone : 450-929-0296
Télécopieur : 450-929-0220
www.ada-inc.com
info@ada-inc.com

Diffusion
Canada :   Éditions AdA Inc.
France :   D.G. Diffusion
              Z.I. des Bogues
              31750 Escalquens — France
              Téléphone : 05-61-00-09-99
Suisse :   Transat — 23.42.77.40
Belgique :   D.G. Diffusion — 05-61-00-09-99

Imprimé au Canada

Participation de la SODEC. $\mathcal{S}$ODEC
Nous reconnaissons l'aide financière du gouvernement du Canada par l'entremise du Programme d'aide au développement de l'industrie de l'édition (PADIÉ) pour nos activités d'édition.
Gouvernement du Québec — Programme de crédit d'impôt pour l'édition de livres — Gestion SODEC.

Catalogage avant publication de Bibliothèque et Archives Canada

Lanigan, Catherine

    Les ailes du destin
    Traduction de : Wings of destiny.
    ISBN 978-2-89565-743-9

I. Fortier, Sylvie, 1955 29 août-   . II. Titre.

PS3562.A64513W5614 2009   813'.54   C2009-941190-3

Ce roman est dédié à mon père, Frank J. Lanigan, avocat et héros de guerre décoré, mort le 14 février 1992, et à tous mes ancêtres qui m'ont précédée, qui m'aiment et me guident chaque jour de ma vie.

Remerciements

Il y a plus de douze ans, la création de ce roman commença tandis que je déjeunais avec ma sœur, Nancy Porter, sur le site du Grand Canyon. Nous étions là parce que nos parents étaient tous deux à l'hôpital de Flagstaff, en Arizona. Mon père avait fait une crise cardiaque, à la suite de laquelle il est demeuré mort durant vingt minutes avant d'être réanimé.

C'est à partir de son incroyable expérience spirituelle que mon destin me fut révélé.

Tant de gens ont aimé ce livre et y ont cru, toutes ces années. Chacun d'entre eux a fait partie de ma vie. Certains sont encore là. D'autres sont partis et ont suivi leur destin, tant sur cette planète qu'au paradis.

Ma vision de cette histoire et de son but n'a jamais faibli. J'y ai toujours cru. Je voue un amour éternel à tous ceux et celles qui nous ont insufflé un nouvel espoir, à mon livre et à moi, et qui ont été le vent sous mes ailes.

Mitch Douglas, mon agent chez ICM qui, le premier, a entendu mon histoire et m'a encouragée à l'écrire et à ne pas avoir peur : je ne vous oublierai jamais, ton inspiration et toi.

Kimberly Cameron, de l'agence Reese Halsey, qui a travaillé d'arrache-pied pour vendre cette histoire et essuyé tellement de refus qu'elle a bien failli céder au découragement : je t'offre en retour mon amour éternel.

Charlotte Dial Breeze qui m'a maternée autant qu'elle a encouragé le énième remaniement de ce roman : je te suis sincèrement reconnaissante de tout ce que tu as fait pour moi.

Jodee Blanco, de Blanco and Peace, sœur de mon âme qui, après avoir lu *Les ailes du destin*, m'a demandé comment il se faisait que j'aie écrit sur sa vie : toute ma gratitude. Je continue d'espérer que ce que nous avons accompli ensemble avec amour n'est qu'un début. Il nous reste encore beaucoup à faire.

Dianne Moggy, mon mentor chez MIRA Books, qui a offert au public un si grand nombre de mes histoires : tu es mon amie, toujours dans mes prières.

Ellen Edwards, mon ancienne éditrice, dont le génie continue d'illuminer mon écriture à ce jour : merci d'être un ange, le deuxième sur la droite.

Page Cuddy, ma première éditrice chez Avon : à mes débuts dans le milieu de l'édition, il y a vingt ans, tu m'as appris qu'il n'y a pas de coïncidence et que seul le destin existe : nous sommes encore sur notre voie, Page. Que Dieu te bénisse !

Amy Moore, Laura Shin et Martha Keenan, de chez MIRA Books, mes éditrices et mes enseignantes : vous avez béni mes textes, et grâce au travail accompli avec vous, j'ai pu donner à ce roman le meilleur de vous trois.

Dorothy Lanigan, ma mère aimante qui, bien qu'elle n'ait jamais failli comme meneuse de claque, partisane et recherchiste, a dû fouiller profondément en elle pour continuer à croire aux anges qui feraient de ce livre une réalité.

Ryan Pieszchala, mon fils, longtemps ma seule raison de vivre et toujours la lumière de ma vie : je veux que tu saches que mon bonheur est sans équivoque.

Vicki Bushman, Stacy Stoker et Cherry Hickson, mes amies fidèles au cours de ces douze longues années : je vous remercie d'avoir écouté les innombrables versions remaniées de ce roman et d'avoir continué à m'aimer tout ce temps.

Mon cercle d'amis angéliques, Sharon Reese, Terry Anzur, Wendy Birkenshaw, mes innombrables amis libraires, mes partisans : je vous aime et je vous remercie de tous vos encouragements.

Michael Adamse, Ph. D., auteur de *Anniversary : A Love Story*, que j'ai surnommé mon « archange » parce qu'il a lu mon manuscrit, qu'il en est tombé amoureux et s'en est fait le défenseur : mes remerciements éternels.

Matthew Diener, mon éditeur chez Health Communications, Inc., dont le génie a poncé et poli mes imperfections pour en faire des gemmes : ce que je ressens dépasse la reconnaissance, c'est de l'émerveillement.

Kim Weiss, directrice des relations publiques chez Health Communications, Inc. : je ferai toujours honneur à ta foi en moi et en mon désir de changer le monde, une vie à la fois.

Erica Orloff, éditrice extraordinaire : je suis renversée par ton intelligence et l'immense somme de connaissances que tu as investie «à froid» dans ce livre pour manifester des miracles, même sous pression.

Peter Vegso, président de Health Communications, Inc., qui a compris ma vision et m'a aidée à développer davantage ce que je croyais au-delà de tout développement : j'ai pour toi plus que de la gratitude et un respect éternels. Tu es un héros pour beaucoup de gens, car tu changes des vies, une à la fois. Tu es et tu restes ma muse et mon guide.

Et enfin, Jim Alexander, mon âme sœur qui, de toutes ses pensées et de toute la force de sa volonté, m'a encouragée à ne jamais abandonner. À toujours persévérer. À toujours croire en ce que nous aimons.

Prologue

Les journaux
de Rachel

Un

« Il gronda au-dessous des flots. »

— SAMUEL T. COLERIDGE,
LE DIT DU VIEUX MARIN, VIIᵉ PARTIE, L. 33

San Francisco, 17 avril 1906

A *près aujourd'hui, ta vie ne sera plus jamais la même,* songea Jefferson Duke en s'appuyant sur sa canne à pommeau d'or devant le bureau de Barbara Kendrick, au journal *Call. Est-ce que ce sera pour le meilleur ou pour le pire ?*

Absorbée par le remaniement de son plus récent article dénonçant les pots-de-vin et la corruption qui règne au bureau du maire, Barbara ne remarqua pas l'homme de quatre-vingt-onze ans qui se tenait sur le seuil de sa porte. Ses sourcils se froncèrent de rage tandis que son crayon volait sur la page.

— Jeune fille, si tu serres ce crayon plus fort, il se brisera en deux, déclara Jefferson.

Brusquement tirée de ses pensées, Barbara s'adoucit en voyant son cher ami. Elle se leva et lui adressa un large sourire.

— Jefferson, fit-elle en ouvrant les bras. Quel plaisir de te voir !

Comme il portait une grosse mallette de cuir sous le bras gauche, il se contenta de lever la main. Elle s'en empara et l'embrassa sur la joue, sans manquer de remarquer combien il était devenu frêle depuis quelque temps. Le gris dominait sa chevelure autrefois dorée, elle était plus clairsemée, certes, mais la calvitie ne l'avait pas encore atteinte. L'âge avait voûté sa haute silhouette de 1,93 mètre, et il avait souvent mentionné à quel point il détestait vieillir. Mais, en dépit de ses récriminations, Jefferson restait un homme digne — un homme qu'elle aimait et en qui elle avait confiance.

— Je t'en prie, assieds-toi, dit-elle en lui offrant un siège.

Il obtempéra, puis la regarda à travers les lunettes à monture dorée qui grossissaient ses yeux vert jade.

— Est-ce que je peux t'offrir quelque chose? demanda Barbara, caressant son épaule amaigrie.

Elle se souvint que lorsqu'elle était enfant, Jefferson était déjà septuagénaire, mais qu'il avait l'air plus jeune de vingt ans. Aujour-d'hui, pourtant, ses yeux se voilèrent d'un air de défaite qu'elle ne lui avait jamais vu.

Le plus vieux et le plus riche fondateur de San Francisco, Jefferson Duke, avait mis sur pied des établissements d'enseignement, des orphelinats et des bibliothèques. Il avait introduit l'opéra, le ballet et l'orchestre symphonique dans la ville. Comme c'est le cas pour toute légende vivante, les rumeurs l'entouraient. Jefferson avait tou-jours été un homme extrêmement secret, peu de gens le connaissaient intimement, par conséquent, les rumeurs n'avaient jamais été confir-mées ou niées, seulement recyclées périodiquement d'une décennie à l'autre. Toutefois, au bout du compte, aucune ne l'avait ralenti, ni fait trébucher.

Plus jeune, Jefferson exerça un pouvoir formidable dans le monde du commerce. Il soutint des politiciens, servit comme sénateur d'État durant plusieurs années, et depuis 1837, il était l'ami intime de tous les gouverneurs de la Californie. Lorsque Theodore Roosevelt était de passage à San Francisco, il descendait chez Jefferson Duke.

Barbara connaissait Jefferson mieux que quiconque à San Francisco or, même à ses yeux, il resta une énigme, un puzzle auquel il man-quait des morceaux.

— Je ne veux rien, répondit-il en déposant la mallette avec soin sur le bureau de Barbara.

— Tu as l'air en pleine forme, Jefferson, mentit-elle.

— J'ai l'air pitoyable, ronchonna-t-il affectueusement d'une voix rauque. Mais toi, ma petite demoiselle, tu es un véritable régal pour mes yeux de myope.

En dépit de son âge, son visage raviné et ridé irradiait l'allégresse.

— Quand même, tu sembles très préoccupée au sujet de cet article que tu écris.

— C'est vrai.

Nerveuse, elle se mordilla la lèvre.

— J'ai suivi ton exposé. Le maire Schmitz et son copain Abe Ruef volent l'argent des coffres de la ville depuis assez longtemps pour pouvoir engager d'excellents assassins, ma chère. As-tu songé à cela ?

— Michael me rappelle les dangers que je cours, chaque jour.

Jefferson remarqua qu'à la simple mention de Michael Trent, le froncement des sourcils de la jeune fille s'atténua.

— Tu l'aimes, fit-il d'un ton neutre.

— C'est heureux que je ne sois pas comédienne, railla-t-elle. Surtout en présence de Peter.

— À vrai dire, ma chère, avoir un agent spécial comme amoureux est un coup passablement intelligent, surtout si tu tiens à fouiller dans les ordures des promoteurs immobiliers corrompus de cette ville.

— Je n'ai pas planifié la chose, Jefferson. C'est arrivé..., c'est tout.

Jefferson sourit.

— C'est plutôt pratique, je dirais, étant donné que le pire contrevenant est Peter Kendrick. Tu aimes bien courir des risques, n'est-ce pas ?

Sur la défensive, elle croisa les bras.

— Je t'ai dit que j'avais demandé le divorce.

— Oui. Comment Peter a-t-il pris la chose ?

— Il est resté apathique. Il semble incapable de s'arracher des bras de sa maîtresse, répondit-elle, l'air impassible.

Jefferson posa ses mains l'une sur l'autre sur le pommeau de sa canne et regarda Barbara.

— Tu as bien fait, mon enfant. Tu n'as aucune affection pour Peter.

— Je n'en ai jamais eu. Tu le sais, rétorqua-t-elle, avec un geste de la main pour écarter le sujet.

— Peter, c'est de l'histoire ancienne.

Jefferson baissa les yeux sur la mallette.

— Ce qui m'amène à la raison de ma visite.

Il inspira profondément et l'atmosphère de la pièce s'alourdit d'un mauvais présage.

À la façon dont il s'était exprimé, Barbara comprit qu'il ne s'agissait pas d'une visite de courtoisie ordinaire. Quelque chose n'allait pas, pas du tout, et elle n'aimait pas la façon dont il détourna les yeux au lieu de la regarder. Jefferson avait toujours été un homme incroyablement secret, ce qui contribua à nourrir son statut légendaire. Tout le monde voulait savoir si la rumeur de sa liaison avec la grand-mère de Barbara, Caroline Mansfield, était vraie. Jefferson n'avait jamais abordé la question. Il s'était confié à Barbara de temps à autre, et la raison pour laquelle il la choisit pour confidente resta un mystère autant pour elle que pour le reste du monde. Or, la rumeur était fondée.

Barbara posa une main affectueuse sur celle de Jefferson, car elle sentit intuitivement qu'il avait besoin de courage. Elle sentit sous ses doigts les jointures arthritiques, vit les nombreuses taches de vieillesse. De façon inattendue, les larmes lui vinrent aux yeux. C'était absurde, mais elle avait cru que Jefferson serait toujours là pour elle, pour l'aimer et la guider. Elle ne voulait pas qu'il s'éloigne d'elle... vers la mort. Comme tous les héros, il est immortel, non ?

Les yeux de Jefferson scrutèrent le visage de la jeune femme.

— Je te connais depuis toujours, Barbara. J'étais présent le jour de ta naissance. J'ai chéri notre proximité plus que tu ne peux l'imaginer. Je sais que tu ressens la même chose.

— Je t'aime, Jefferson. Tu le sais.

Son ton était grave et les mots ne lui vinrent pas facilement quand il ajouta :

— Alors, je fais appel à cet amour pour te demander une faveur.

— N'importe quoi.

Il la fixa du regard.

— N'accepte pas trop vite. Peut-être que tu me haïras après coup.

— C'est ridicule ! Je ne pourrais jamais te haïr. Ce n'est pas dans ma nature de haïr les gens. Pas même Eugene Schmitz et Abe Ruef. Je méprise leurs agissements. Je hais le fait qu'ils installent des bornes d'incendie qui ne sont même pas raccordées à la conduite principale d'alimentation en eau. Le fait qu'ils aient volé l'argent destiné à acheter du béton pour bâtir des ponts et des routes, qui s'écrouleront à la première tempête en tuant des centaines de gens. Mais je ne hais personne. C'est toi qui m'as enseigné cela. Haïr est aussi infâme que les méfaits des infâmes.

— En effet, c'est ce que je t'ai enseigné.

— Et cela m'a bien servie. Mais quel est le rapport avec ta visite ?

— Je vais mourir, Barbara.

Il parla sans émotion, comme s'il avait déjà quitté la vie. Elle attendit que sa voix tremble ou s'étrangle. Rien. Il n'y eut pas non plus l'ombre d'une émotion dans ses yeux. Elle y découvrit cependant ce qu'elle craignait le plus : la détermination et l'acceptation.

Le cœur de Barbara s'emballa, générant assez de friction pour s'enflammer et se consumer dans un brasier de déni. Son esprit rationnel engloutit ses émotions sous une vague de logique.

— Je sais que tu as quatre-vingt-onze ans, mais de quoi s'agit-il ? C'est ton cœur ? Le cancer ? Ton foie, peut-être ? Et que dit le médecin ?

Elle débita toutes ces possibilités à la vitesse d'une mitrailleuse Gatling. Tout aussi rapidement, elle était prête à énumérer les remèdes et les causes de chacune de ces maladies. Au fond d'elle-même, elle voulut croire qu'ensemble, ils pourraient l'emporter sur la mort.

Elle devait le garder près d'elle, encore un peu.

— Pas un médecin, fit-il en baissant un regard vide vers le plancher.

Il leva le visage vers Barbara. Celle-ci perçut alors un rayonnement incroyable, un sentiment de paix. Elle étouffa un cri en prenant conscience que Jefferson avait lâché prise. Il était prêt à passer à autre chose.

— J'ai... vu ma mort en rêve, murmura-t-il.

Sa voix vibra d'une vénération presque spirituelle.

— Je ne veux pas entendre cela.

Elle frémit sous l'emprise d'un frisson glacial et se frotta les bras. Mais Jefferson poursuivit :

— J'ai déjà eu un rêve de ce genre. C'est difficile à expliquer parce que je n'ai jamais parlé de mes rêves à personne. Du moins, à aucun intime. Pas depuis très longtemps. Mais le rêve est tellement réel. Je peux toucher, voir et sentir. As-tu déjà eu un rêve de ce genre ?

Il la regarda avec des yeux émerveillés, pareils à ceux d'un enfant.

Barbara le dévisagea, étonnée. Tout à coup, il avait l'air beaucoup plus jeune ; son charisme s'était atténué pour faire place à la naïveté. C'est comme si elle était devenue le maître, et lui, l'étudiant, alors que leur relation avait toujours été l'inverse. Il avait besoin d'être rassuré, et elle pouvait le faire.

— Oui, j'ai déjà eu des rêves qui semblaient plus réels que la réalité. Comme si la vérité était révélée dans mes rêves. Claire et accessible.

— Exactement. Voilà pourquoi je sais que ma fin est proche.

Il s'adossa à son siège, soupira, et ce faisant, redevint un vieil homme.

— Ce que j'ignore, c'est si Dieu m'emportera pour me punir de mes péchés, ou si je serai victime de la haine.

Barbara fut totalement prise au dépourvu par cette confidence. Sa confusion se logea sur son front et creusa une ride profonde entre ses sourcils.

— Je ne comprends rien à tout cela. Tu es l'homme le plus droit que je connaisse. Tu es pratiquement un parangon de vertu. Bien sûr, tu as des ennemis, mais personne n'oserait te tuer, j'en suis certaine.

Il s'esclaffa.

— Tu sais fort peu de choses. Mais c'est obligé. J'ai travaillé assez fort pour te préserver de la vérité.

— Je ne comprends pas.

— Je sais, mais cela viendra.

Il posa amoureusement la main sur la mallette.

— Je t'ai apporté quelque chose.

Il passa lentement la main sur le cuir de la mallette, comme s'il caressait une amante.

— C'est mon héritage. Lis soigneusement ce qu'elle contient, et par là je veux dire : lis avec ton cœur, et non avec ta tête. Ma vie tient tout entier dans ces pages. C'est bizarre, tu sais...

Sa voix s'éteignit.

— Bizarre, Jefferson ?

— C'est bizarre de penser qu'une vie se réduit à des lignes sur du papier.

— Jefferson, tu as accompli tellement de choses. Il y a le musée, l'opéra, la bibliothèque...

Il l'interrompit d'un geste sec de la main.

— Des jouets! Des divertissements peut-être, mais certainement pas ma vie! Ne confonds jamais les monuments et la vie. La vie est amour. Les gens que tu aimes.

Il lui lança un regard espiègle, et sa gravité s'allégea.

— Ma vie compte tout simplement plus de lignes que celle d'autrui.

Il lui tendit la mallette.

— Cette mallette contient les lignes que j'ai écrites.

— Tes journaux intimes?

Barbara inspira profondément. Elle ressentit un profond respect, mais aussi un lourd sentiment de finalité. Pensive, elle serra la mallette contre elle de façon possessive.

— À vrai dire, ce ne sont pas tous les miens. Pour connaître la vérité, il faut remonter au début de l'histoire. Par conséquent, certains écrits sont de la main de ma mère. Je les intitule *Les journaux de Rachel.*

— Rachel. Tu m'en as parlé. Ce devait être une femme merveilleuse, car tu m'as toujours parlé d'elle avec beaucoup d'amour.

— J'espère que tu seras encore de cet avis après avoir lu ceci. J'ai toujours admiré ton besoin de chercher la vérité, autant dans ton travail, il eut un geste du bras pour désigner le bureau du journal, que dans ta vie privée. Cela exige du courage.

— Le courage peut se révéler douloureux, répondit Barbara d'un ton de regret.

Elle baissa les yeux sur la mallette. Assurément, il ne pouvait y avoir dans ces réflexions intimes quelque élément exigeant du courage à la lecture.

— Il y a plusieurs vérités, Barbara et ce que tu liras dans ces pages te fera peut-être souffrir. Néanmoins, c'est la vérité. Je veux que tu lises ces journaux. Je le fais par égoïsme, ma chérie. J'ai besoin de savoir si tu vois la même chose que moi.

— C'est-à-dire?

D'un air de conspirateur, Jefferson se pencha tout près d'elle. Sa voix était si basse et si intense qu'elle en était presque inaudible.

— Si tu arrives aux mêmes conclusions que moi. Je parle plus précisément du meurtre de ton père.

Barbara réprima le choc qui l'assaillait.

— Tu *sais* qui l'a tué?

— Je ne peux en être absolument certain. Du moins, pas avant le moment où il me prendra en chasse.

— C'est ce que tu as vu en rêve ? Le meurtrier de mon père en a maintenant après toi ?

— Je l'ignore. Peut-être Dieu interviendra-t-Il, comme Il l'a fait souvent durant mon existence, et qu'Il le privera de cette opportunité. Jefferson pouffa. Ce serait une bonne blague à jouer à mon assassin, non ? J'ai toujours cru que Dieu avait un sens de l'humour étrange. Je crois que j'aborderai la question lorsque je Le verrai.

Barbara essaya de se défaire de la tristesse qui l'accablait.

— Jefferson, je suis honorée que tu veuilles me faire lire tes journaux intimes et ceux de ta mère. Mais pourquoi moi ?

Jefferson secoua la tête.

— La réponse à ta question se trouve dans ces pages.

Il désigna la mallette d'un index noueux.

— J'ai gardé ces renseignements toute ma vie. Ils sont à toi, maintenant. Tu es la seule à pouvoir parcourir ce labyrinthe.

Il se leva brusquement, vacillant un peu en dépit du support de sa canne. La détermination lui redressa le dos. Son regard adopta la fermeté d'un formidable sabre.

— Il y a beaucoup de péchés en ce monde, Barbara. Certains ne sont pas aussi visibles que le vol et la corruption que tu as découverts dans ton travail. Beaucoup sont invisibles, mais tout aussi noirs. Toute ma vie, j'ai eu honte de qui je suis.

Sa voix se fit soudain hésitante, et ses paroles sortirent en grinçant, dans un effort pour se faufiler à travers la barricade de ses émotions.

— Je ne peux pas t'expliquer.

Il jeta des regards furtifs autour de la pièce, cherchant frénétiquement la sortie, la fuite.

Barbara se leva de sa chaise.

— Il n'y a rien que tu ne puisses me dire.

— Oh ! mais si, justement.

Il s'éloigna d'elle, et sa main trembla, agrippée à sa canne.

Il oublia de la serrer dans ses bras comme il le faisait habituellement et se dirigea vers la sortie. Voûté sur sa canne, il tourna le dos et s'éloigna en traînant les pieds. La jeune femme n'avait jamais vu

Jefferson Duke effrayé, mais en ce moment, il était terrifié. Mais le plus intrigant était qu'il avait peur d'elle.

Il agrippa la poignée et ouvrit la porte. Un courant d'air froid s'engouffra à l'intérieur et tourbillonna un long moment autour de Barbara. Elle frissonna.

Jefferson était presque sorti de la pièce quand il tourna brusquement la tête et transperça Barbara du regard.

« Je n'oublierai jamais ses yeux. C'est comme s'ils voyaient mon avenir. »

— Lis-les, ma chérie. Et tu me diras ensuite si tu m'aimes encore.

Il se tut, puis reprit :

— Je te lance un *défi*.

Et il sortit en fermant la porte derrière lui d'un geste décidé.

Barbara posa la main sur la mallette. Elle avait hâte d'entamer la lecture de ces mystérieux journaux, mais au même moment, William Melton, le rédacteur local, survint en courant et passa la tête par la porte de son bureau.

— Tu es en retard pour la réunion. On m'a envoyé te chercher. Apporte ton bloc-notes. Il semble que le conseiller que tu as accusé la semaine dernière a été pris à accepter un pot-de-vin, ce matin.

Barbara en eut le souffle coupé.

— Je n'arrive pas à y croire !

— Crois-le, ma petite. Tu as provoqué un sauve-qui-peut général, ajouta-t-il en lui assenant une claque dans le dos d'un air bonhomme.

Barbara jeta un regard de convoitise aux journaux de Rachel. Elle savait qu'ils devraient attendre.

— Dis donc, ce n'était pas Jefferson Duke que je viens de voir sortir ? demanda William.

— Oui.

— Un vieux bonhomme sympathique. C'est lui qui t'a eu cet emploi ici, non ?

Barbara fronça les sourcils à l'adresse de William. Elle n'aimait pas qu'on mette le nez dans sa vie privée. Et tout ce qui entourait Jefferson Duke était sacré.

— Tu pensais que j'étais trop jeune. Et pas assez intelligente.

— C'est vrai, admit-il. J'imagine que je n'avais pas compris à quel point tu es crâne et stupide. Personne ici ne courrait de risques comme tu le fais.

Elle sourit par-devers elle tandis qu'ils s'éloignaient de son bureau.

— Oui, mais j'ai eu mon article, n'est-ce pas?

Bill éclata de rire.

— On te fera couler une statue en bronze.

La jeune femme roula des yeux.

— Je préfèrerais qu'on fasse couler Ruef et Schmitz par le fond.

* * * *

Allongée contre Michael, Barbara était alanguie d'amour. Elle était nue, à l'exception d'un collier de perles qui luisait à peine moins que les gouttelettes de sueur constellant son visage et sa poitrine. Elle admira le bel homme aux cheveux bruns qu'elle aimait profondément et inconditionnellement. La jeune femme était renversée lorsqu'elle songeait à la transformation inexorable que Michael avait imprimée à son monde au cours des cinq derniers mois.

Elle roula sur le côté et se lova en cuiller tout contre lui. Lorsqu'ils firent connaissance, il y a quatre ans, elle était tombée follement amoureuse de lui au premier regard. Son cœur débordait de joie. Mais Michael l'avait brusquement quittée un soir. Il fallut à Barbara des années de tourment avant de découvrir la vérité à propos de ce qui s'était passé là-bas, à Washington. La vérité s'était révélée encore plus terrifiante que ce qu'elle avait cru possible. Même si leur vie était remplie de dangers, Barbara avait enfin trouvé le genre d'amour dont elle n'avait rêvé que dans ses fantasmes. Elle avait vingt cinq ans. Un an auparavant, elle en était arrivée à croire que sa vie était terminée. Michael lui avait redonné l'espoir.

— Je t'aime, Barbara, murmura Michael en posant la main sur la hanche de la jeune femme.

— Je t'aime aussi, répondit-elle en posant sa main par-dessus la sienne.

Elle caressa les longs doigts effilés qui l'avaient aimée et lui avaient donné du plaisir.

Michael lui caressa la joue.

— Tu ne dors pas. Je te sens inquiète, mais pas à propos de ton travail, ni de notre enquête, n'est-ce pas ?

— Pour une fois, je ne fais pas de cauchemars à propos d'incendies qui éclatent aux quatre coins de la ville, si c'est ce que tu veux dire.

— C'est la visite de Jefferson qui t'a bouleversée. Plus tôt au dîner, j'ai bien senti que tu étais préoccupée.

— C'est tellement étrange, Michael. La façon dont il a fait allusion à des mystères et à des secrets. Ensuite, il m'a mise au défi de lire les journaux de Rachel comme s'ils contenaient quelque chose qui pourrait me blesser.

— Jefferson t'aime autant que moi. Il ne te ferait jamais de mal. Je pense que tu devrais lire ces journaux au plus vite.

— Je ne t'en ai pas parlé plus tôt, mais il a mentionné qu'il y avait dans ce dossier quelque chose à propos du meurtre de mon père.

— Chérie, ton père est *mort* dans un accident. Il n'a pas été assassiné.

— Tu n'en sais rien, Michael. Personne n'a jamais rien prouvé.

— J'ai fouillé les registres pour toi. J'ai retrouvé de vieux témoins. Leurs témoignages sont identiques à ce que les journaux ont rapporté. C'était un délit de fuite. Un attelage emballé sur la côte de Barbarie. Ces bordels sont dangereux pour n'importe qui...

— Il ne se rendait pas dans un bordel ! Lawrence Mansfield n'était pas le genre d'homme à faire une telle chose. Il ne buvait pas et il ne jouait pas non plus. Toute cette histoire est insensée.

Michael repoussa une mèche de la longue chevelure brune de Barbara derrière son oreille.

— Il n'aimait pas ta mère, Barbara. Tu me l'as avoué. C'est déjà un effort pour moi de me montrer poli envers Eleanor. Je n'ai jamais rencontré de femmes plus égoïste, ni plus exaspérante. Je n'arrive d'ailleurs pas à comprendre comment il se fait qu'ils se soient mariés.

— Un jour, papa m'a confié qu'elle était éblouissante quand elle était jeune. Elle était pleine de vie à l'époque, et je crois qu'au début, il se peut qu'elle l'ait aimé, du moins assez longtemps pour lui soutirer une demande en mariage.

— Eh bien ! Ce ne serait pas le premier homme à être ensorcelé par une femme, fit-il en embrassant le lobe de son oreille.

Elle se retourna pour lui faire face. Il forma un cercle de ses bras et l'attira contre lui.

— En tout cas, toi, tu m'as ensorcelée, souffla-t-elle avant de l'embrasser tendrement.

Michael lui rendit son baiser avec tout l'amour qu'il portait en son cœur.

— Ma chérie, je voudrais bien te croire, mais la vérité est que, pour ce soir du moins, c'est Jefferson qui t'a ensorcelée. Pourquoi ne pas te faire du thé et lire un moment ? Tu te sentiras peut-être mieux une fois que tu auras exorcisé tes démons ?

— Tu ne m'en voudras pas ?

— Bien sûr que non, reprit-il en lui tapotant le bout du nez du doigt. Allez, file.

— D'accord.

Elle se leva et enfila un peignoir en satin crème.

Le clair de lune filtrait à travers les rideaux de dentelle et projetait des ombres sur l'édredon garni de duvet. En sortant de la chambre, Barbara constata que Michael était déjà endormi.

Elle entra dans la cuisine et glissa vingt-cinq cents dans le compteur de gaz au mur, ce qui lui fournirait trois heures de combustible pour la cuisinière. Elle alluma ensuite le brûleur avec une allumette en bois, tout en se questionnant sur la sécurité du gazoduc qui alimentait son domicile. Pour empocher de gros profits, bien des entrepreneurs avaient soudoyé les inspecteurs municipaux afin que ces derniers ferment les yeux sur leur travail médiocre et mal fait. Dans cette ville, aucun citoyen n'était à l'abri d'un risque quotidien d'incendie. En fait, tous les membres du conseil municipal se servaient dans la caisse. Demain, Michael devait remettre son rapport officiel au président des États-Unis. Barbara avait écrit des articles pour le journal où elle abordait toutes ces questions. Ce faisant, elle s'était mise en danger de mort — et elle y avait aussi exposé Michael.

La jeune femme remplit la bouilloire d'eau, la déposa sur la flamme du brûleur et versa dans un infuseur en argent une pleine cuillerée d'orange pekoe importé, qu'elle avait acheté dans Chinatown.

Barbara adorait le thé : sa préparation, son histoire, ainsi que les accessoires indispensables à son service, dans le plus pur style britannique. Chaque fois qu'elle préparait une tasse de thé, elle se rappelait ce que Jefferson lui avait raconté à propos de son ancêtre, Andrew Duke, qui avait travaillé pour la Compagnie des Indes orientales, à la fin du XVIIIᵉ siècle. Pendant plus d'un siècle, la famille Duke avait été dans l'importation, tout comme son père, Lawrence Mansfield.

Barbara était toujours curieuse des liens qui rapprochent les vies, tant présentes que passées. Des routes qui se croisaient pour ensuite s'éloigner l'une de l'autre avant de se voir réunies de nouveau. La jeune femme savait bien que Michael essayait simplement de la tranquilliser quand il lui disait que la mort de son père était un accident. Barbara ne croyait pas aux accidents, quels qu'ils fussent. Si elle n'arrivait pas à découvrir la main de l'homme derrière un quelconque événement mystérieux, elle était assez sage pour savoir que chaque retournement de l'existence relevait du destin. Il suffisait de creuser assez profondément et de retourner assez loin en arrière pour découvrir la vérité.

Barbara versa le thé dans une tasse rose à motif floral Haviland, puis se dirigea vers le salon. Elle alluma la lampe électrique Tiffany, s'installa confortablement sur le canapé et ramena ses pieds sous elle. D'ordinaire, l'arôme du thé épicé suffisait à la calmer sur-le-champ, mais pas ce soir.

Les rideaux de velours étaient ouverts sur les grandes fenêtres qui dévoilaient une vue magnifique de la baie de San Francisco. Traversiers, voiliers et barges de transport illuminés pointillèrent l'eau comme des lucioles dansantes. Elle se souvint que plus tôt, elle avait fait remarquer à sa mère combien la nuit était belle — elles étaient allées entendre Caruso —, mais comme d'habitude, Eleanor était tellement absorbée par elle-même qu'elle n'eut pas conscience de la beauté de la nuit, ni de la distraction de sa fille.

Barbara se frotta le front de la main.

« Jefferson, es-tu la seule attache émotionnelle que j'aie jamais eue ? Comme tu vas me manquer, si tu pars. »

Un serrement la crispa. Même si elle avait Michael maintenant, pour l'aimer et la réconforter, Jefferson avait été son mentor, le grand-père qu'elle n'avait jamais connu. Elle se refusa presque à lire ses journaux intimes. On vit parfois plus heureux dans l'ignorance que dans la connaissance.

— Quoi qu'il en soit, se dit-elle en ouvrant la mallette dont elle sortit des parchemins incroyablement vétustes.

— Mon Dieu ! souffla-t-elle d'un ton à la fois émerveillé, respectueux et rempli de vénération.

Elle frissonna en voyant ces feuillets jaunis, couverts d'une écriture féminine en pattes de mouche.

«Ne t'aventure pas là où les anges hésitent à s'engager», songea-t-elle, mais sa curiosité innée de journaliste fut la plus forte.

C'est cette curiosité qui l'avait guidée durant treize mois tandis qu'elle enquêtait sur la corruption qui régnait à San Francisco. C'est elle qui lui avait fait découvrir que son mari couchait avec sa meilleure amie, et qu'elle avait épousé le diable en personne. Barbara était incapable de détacher son regard des vieux feuillets. Ni le tintement des cloches d'église, insolite à cette heure, ni le nombre inhabituellement élevé de chevaux qui hennissaient dans les écuries de louage municipales ne l'avertirent des dangers qui l'entouraient.

Barbara ne vit que les mots sur les pages. Elle affronta déjà un danger qui la guettait.

Fascinée, elle entama courageusement sa lecture.

Livre 1

La maison des Duke

La maison des Duke

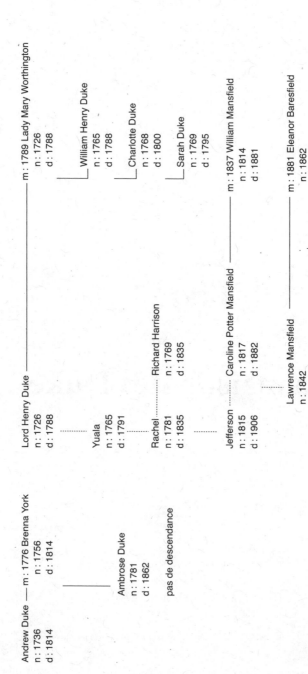

Deux

« [...] la terre, fiévreuse,
à ce qu'on dit, trembla. »

— WILLIAM SHAKESPEARE,
MACBETH, ACTE II, SCÈNE III, L. 62-63

Montego Bay, Jamaïque, 1774

D ans la jungle, Yuala émergea en courant d'un bosquet de banians, et sans ralentir son allure, repoussa les branches plates et largement nervurées des bananiers. Sous les pieds de l'enfant de neuf ans, des bourgeons floraux éclatèrent et laissèrent échapper des millions de graines d'orchidée vanille. Elles se mélangèrent aux spores des fougères écrasées et s'élevèrent en minuscules nuages en forme de champignons, d'un vert jaunâtre. Bien qu'ils aient été presque invisibles aux yeux de la plupart des humains qui envahissaient la jungle, Yuala était consciente de la présence de ces petits nuages, car elle percevait leur potentiel de vie. D'ordinaire, elle prenait grand soin de ne jamais déranger quoi que ce soit dans la jungle. Mais aujourd'hui, elle était pressée, aussi demanda-t-elle pardon aux formes de vie qui l'entouraient pour la disharmonie qu'elle causait.

La vénération que Yuala portait à la forêt pluviale, et à toutes les créatures vivantes qui la peuplaient, était ancrée profondément dans la moelle de ses os. Elle faisait partie de son âme. Elle ne profanerait jamais les fleurs flamboyantes comme le faisait la memsahib en les coupant et en les disposant dans des vases de porcelaine. Yuala cueillait les fleurs des frangipaniers, des orchidées ou des cannas qui avaient besoin d'élagage, mais elle déposait tendrement les fleurs fanées sur le sol pour qu'elles s'y décomposent, nourrissent les végétaux et participent à un nouveau cycle de vie. La fillette percevait l'esprit de vie de chaque arbre de la forêt pluviale, de chaque graminée cespiteuse, de chaque oiseau, de chaque roche calcaire, de chaque pierre de bauxite, de chaque rayon de soleil brûlant, de chaque goutte de rosée. Elle recueillait les graines de muscade, d'arrow-root, de citron, de lime, d'ananas et de cacaotier des cuisines de la grande maison. Connaissant leurs pouvoirs régénérateurs, elle les semait derrière sa hutte, dans le terreau fertile du compost qu'elle avait créé en se fiant à sa connaissance innée des végétaux et de la matière vivante.

Elle avait mis plus de vingt lunes pour créer son compost. Elle avait dérobé les restes végétaux de la table du maître, Lord Henry Duke, et les avait mêlés à des feuilles mortes, à des fleurs fanées et aux tiges flétries du moulin de canne à sucre. Elle avait mélangé le tout soigneusement, amoureusement, puis elle avait laissé le mélange se décomposer et générer une énergie nouvelle grâce à laquelle ses semences s'épanouiraient.

Chaque herbe aromatique, chaque plante que Yuala faisait pousser était un enfant de la jungle, tout comme elle.

Yuala était née sur la plantation neuf années auparavant. Elle était la fille de Ona, une esclave qui appartenait au maître précédent, Lord Halpern. Lord Halpern avait vendu la plantation de canne à sucre à Lord Henry Duke, l'année de sa naissance. Ona était morte en accouchant de Yuala près de la cascade, dans les hauteurs surplombant la plantation. La fillette considérait la cascade comme sa source de vie. Un jour, elle retournerait à la cascade.

Avant que la face orange du soleil ne lui ait souri, tandis que la terre dormait de son sombre sommeil, Yuala avait entendu la voix de la cascade l'appeler. Grondant comme le tonnerre des tropiques, la voix avait dit son nom, comme si elle sortait du ventre même de Dieu. Sans hésiter, la fillette avait quitté son lit en silence et laissé derrière elle sa hutte de torchis au toit de chaume. Elle ne pouvait que répondre à la voix.

Yuala sentait qu'elle n'avait pas beaucoup de temps. Elle ne regarda pas derrière elle en sautant par-dessus les racines noires des palétuviers et en s'écartant du chemin d'un long serpent argenté. Jamais l'enfant n'avait ressenti un tel sentiment d'urgence.

Yuala croyait que la cascade était un lieu sacré et hanté, car c'était là que le cri qu'elle avait poussé à la naissance s'était mêlé au cri d'agonie de sa mère. À l'instar de la puissante énergie qu'elle avait sentie lorsque, en jouant avec l'aimant de Lord Duke, elle l'avait rapproché de l'acier, la force de la cascade l'attirait et la rebutait à la fois. Mais jamais encore les factions de la vie et de la mort, du négatif et du positif, ne s'étaient transformées en une voix capable de prononcer son nom.

Yuala allait à sa rencontre, sans peur, ni réserve.

Un gros crucifix en bois suspendu à son cou par un lacet de cuir battait sa poitrine osseuse au rythme de sa course. La memsahib de la plantation, maîtresse Mary, avait donné le crucifix à Yuala une fois que celle-ci eut répondu correctement aux questions sur la religion que lui avait posées l'évêque anglican qui leur avait rendu visite, l'année précédente. Pour faire fuir les mauvais esprits de la nuit, le crucifix était presque aussi puissant que la corde d'arrow-root que Yuala avait tressée de ses mains. La fillette tirait une grande fierté de son crucifix, car c'était le premier talisman que lui avait donné l'homme blanc pour célébrer ses pouvoirs particuliers. Le peuple de Yuala la considérait déjà comme son *obeah man* : elle était le chaman qui savait guérir les malades, s'adresser aux esprits de la forêt, communier avec les morts et invoquer les « loa ». Bien qu'elle ne soit encore qu'une enfant, Yuala se sentait très, très vieille.

Elle ne voyait pas les pikas[1] détaler sur son passage, ni les chauves-souris suspendues aux branches basses des lianes couvertes de champignons et entremêlées en masses serrées. Elle n'entendait pas les croassements des rainettes, les cris des perroquets et des toucans qui s'interpellaient. Yuala ne se servait pas des organes limités de son corps pour voir et entendre la forêt pluviale. Elle se servait de son esprit.

Des palétuviers, des feuillus et de gigantesques cocotiers dissimulaient la cascade à la vue. Aucun Blanc ne connaissait l'existence de cet endroit, et Yuala en faisait le serment, aucun ne l'apprendrait jamais. À l'exception de la fillette, la sage-femme de sa mère était la seule à savoir.

---

1. N.d.T.: Petit mammifère de la taille d'un rat qui possède de petites oreilles rondes, une queue minuscule et quatre membres courts, et qui vit dans des environnements rocheux des montagnes d'Amérique et d'Asie.

Des roches métamorphiques dorées et rose vif s'élevaient en une pyramide d'une grande beauté symétrique. L'eau la plus pure de toute la Jamaïque cascadait par-dessus la formation rocheuse. Yuala s'arrêta au bord du lagon, comme toujours fascinée par la beauté et la puissance de la cascade.

Les rayons du soleil perçaient la voûte serrée de la forêt tropicale et illuminaient la brume compacte qui dansait au-dessus de l'eau agitée. Les trombes d'eau cristalline se fragmentaient en joyaux scintillants. L'union des gouttes d'eau cristalline et des rayons du soleil donnait naissance à un million de prismes de lumière. L'or, l'argent, le violet, le bleu, le vert, le jaune et le rouge miroitaient autour du lagon, réverbéraient sur les rochers, et se réfractaient encore et encore, jusqu'à donner aux couleurs et aux lumières l'apparence d'étoiles filantes.

Émerveillée, presque en transe, Yuala contemplait ce fabuleux ballet cristallin.

Tout à coup, une femme blanche d'une grande beauté apparut au milieu de l'arc-en-ciel. Elle avait les yeux d'un bleu très pur, plus brillants que les gouttelettes d'eau. Sa chevelure était brun foncé, et non noire comme celle de Yuala. Des reflets d'or et de cuivre formaient une sorte de halo autour de son visage. Yuala n'avait jamais vu sourire plus compatissant. La femme portait une robe blanche ajustée, sans la tournure, ni les paniers caractérisant les robes de la memsahib. Elle portait d'étranges chaussures montantes en cuir boutonnées jusqu'à la cheville, qui ne ressemblaient en rien aux souliers en chevreau ou aux ballerines en satin que la fillette avait vus dans la maison du maître.

Yuala tomba à genoux, le souffle coupé.

— C'est la mère du Christ souffla-t-elle en se remémorant l'histoire de Noël que l'évêque anglican avait racontée aux enfants de l'île.

Une mélodie tinta au-dessus du lagon. Yuala l'avait souvent entendue, mais cette fois, les notes éclatantes sortirent de la bouche de l'apparition.

— Je m'appelle Barbara. Je t'ai apporté un cadeau.

L'apparition désigna le sol aux pieds de la fillette. Au creux des fougères et des mousses était niché un bébé de sexe féminin. Ses yeux étaient verts, comme les précieux morceaux de jade que Yuala avait vus dans la grande maison. Ses cheveux frisés brillaient de reflets inhabituels, d'or et de cuivre. Sa peau était beaucoup plus claire que celle, noire, de Yuala. La fillette brûlait du désir de prendre le bébé dans ses bras. Elle la cueillit et la berça doucement. Elle savait que l'enfant n'était pas réel. Elle était faite de la lumière, du chant et des brumes de la forêt pluviale. Elle n'avait rien d'un être de chair et de sang.

— Elle s'appelle Rachel. C'est ta fille, déclara la voix haut timbrée de l'apparition.

Levant des yeux rêveurs sur Barbara, Yuala répondit :

— Elle ne peut pas être ma fille. Elle n'est pas africaine. Je vais devenir l'*obeah man*. Je dois épouser un Africain et garder notre race pure pour mon peuple. Ici, il n'y a que des Créoles, des mulâtres et des *conchy joes*[2]. Je vais perdre mes pouvoirs.

— Cette petite est ton destin. Tout comme son fils. Tout comme moi. N'oublie pas que son nom est Rachel. C'est mon arrière-grand-mère. Tu es mon arrière-arrière-grand-mère.

L'esprit de Yuala tourbillonnait à une vitesse qui lui était inconnue jusqu'ici. Elle finit par conclure :

— Alors, cela voudrait dire que vous venez du futur.

— Je suis de maintenant. L'humanité ne le comprend pas, mais il n'y a ni passé ni futur. Seulement le présent... le maintenant. L'humanité ne comprend pas, comme toi tu le comprends, que tout ce qui vit est relié. Tout ce qui vit est un.

— Si je fais ceci... si je m'accouple avec mon maître..., je perdrai certainement mes pouvoirs.

L'eau s'abattit avec fracas autour de l'apparition, agressant les oreilles de Yuala. On eut dit que les esprits de l'eau étaient en colère contre elle. Elle entendit leur frustration dans les cris d'agonie qu'ils poussèrent en se catapultant dans les airs avant de s'écraser sur les rochers.

La colère fit place à la sérénité lorsque l'apparition répondit :

— Tu fais preuve d'un préjugé autant que l'homme blanc, Yuala. De toutes les personnes au monde, tu devrais comprendre que les émotions mauvaises comme le jugement, la cupidité et la jalousie divisent les puissances naturelles de la Terre. Les tempêtes et les séismes prennent naissance dans le cœur des hommes. L'homme qui ferme son esprit aux voix, aux vibrations et à l'harmonie de l'Univers,

2. N.d.T.: Dans les Caraïbes, ce terme péjoratif désignait une personne de race noire qui agissait comme si elle était blanche.

qui ferme son esprit à ses semblables, ne peut engendrer que désastre.

— Prends cet enfant, Yuala. Son destin est très important. Grâce à toi, et grâce à Rachel et à son fils qu'elle appellera Jefferson, une nouvelle ville sera fondée. Ce sera la plus belle ville du Nouveau Monde, érigée au cœur de sept collines. Si les vibrations sont positives, elle offrira une grande promesse pour le plus grand bien. Tu dois enseigner à Rachel tout ce que tu sais, les harmonies contenues dans les créatures vivantes et les végétaux, les mélodies qu'on entend dans la lumière du Soleil, de la Lune et des étoiles. Apprends-lui à communiquer avec son esprit, et non avec sa langue. Rachel doit prendre en note tes philosophies et tes talents. Elle enseignera toutes ces choses à Jefferson. Dans les générations qui viendront, même après moi, une grande partie du monde spirituel aura été perdue. Tu dois m'aider à sauver tout cela pour mes petits-enfants et les enfants de leurs enfants du XXIe siècle.

— Je souhaite que Dieu contemple avec fierté la ville que Jefferson bâtira. Cependant, je peux te dire qu'aujourd'hui même, à ton époque, des hommes mauvais orientent le cours de leur destin pour la détruire. Je ferai partie de cette nouvelle ville, et mon destin sera de combattre leur méchanceté. Je veux que tu comprennes que tu fais partie de mon destin aujourd'hui, dans ce temps et cet espace qui est le tien, et aussi de mon monde futur. Sans toi et sans Rachel, mon destin ne pourra s'accomplir.

La très vieille âme de Yuala accueillit les paroles du spectre et les grava dans son cœur.

— Je n'oublierai pas, soupira la fillette avant de rassembler à nouveau son courage. Alors, c'est vrai, Lord Duke sera le père de Rachel?

— N'aie pas peur. La peur te fera perdre tes pouvoirs. Lord Duke t'aimera, Yuala, comme tu le mérites. Et tu l'aimeras de tout ton cœur. Si l'amour règne dans ton cœur, il n'y aura jamais de place pour la peur. La lignée de Lord Duke sera importante pour Rachel, pour Jefferson et pour moi.

L'apparition se tut. Puis, se tournant vers la droite, elle invita Yuala à regarder dans la bulle d'eau scintillante qui forma sous son bras étendu un miroir translucide.

— Dans quelques années terrestres, tu approfondiras davantage la leçon de l'interrelation des êtres humains. Regarde cet homme, que tu connaîtras sous le nom d'Andrew Duke.

La fillette vit sans peine un homme présentant une ressemblance remarquable avec Lord Henry Duke, en plus jeune. Il était entouré de gens à l'allure exotique, à la peau dorée, aux yeux foncés et bridés, et à l'abondante chevelure noire et lustrée.

L'apparition reprit :

— Son destin est d'être le catalyseur qui fera vibrer une corde sensible. Elle résonnera à travers le temps et influera sur ma vie et sur celle de Jefferson. Bien des années plus tard, ses choix et ses actes pourraient être responsables de ma mort.

— Mais comment cet homme pourrait-il vous nuire ?

— Dans les jours qui viennent, tu entendras par toi-même que tout ce que je te dis est vrai. Reste à proximité des Duke et écoute ce que dit Andrew. Ses paroles seront pour toi le signe que je dis vrai.

Saisie de frissons, Yuala luttait contre ses peurs. Elle répondit :

— Je promets que j'écouterai. Je transmettrai tout mon savoir à ma fille.

Les yeux de Barbara débordèrent d'amour.

— Tu es toujours déçue que je sois d'une autre race. Mais souviens-toi, Yuala : nous sommes tous un aux yeux de Dieu.

Barbara sourit à Yuala. En voyant ce sourire, la fillette songea que jamais encore, on ne l'avait gratifiée d'autant de joie, d'amour et de paix. Soudain, l'eau sembla se précipiter du sommet de la falaise en redoublant de vitesse et en augmentant son débit des milliers de fois. Les prismes de couleurs devinrent plus intenses et se multiplièrent. Les yeux, les oreilles et l'esprit de Yuala furent bombardés par la magnitude de la puissance contenue dans la lumière et dans l'eau. L'eau rugissait et tonnait en se fracassant sur les rochers. Brusquement, Barbara se désintégra en fragments qui se mélangèrent aux couleurs. Les couleurs explosèrent dans le ciel, fulgurèrent à nouveau sauvagement, puis disparurent.

Les derniers éclats argentés de la lumière mourante vrillèrent les yeux sombres de Yuala, tel un souvenir de l'illumination intérieure qu'elle venait de vivre.

La fillette resta agenouillée tandis que la cascade reprenait son bourdonnement mélodieux et que les rayons du soleil recommençaient à chasser les embruns entre les banians. Elle n'avait pas conscience du mouvement berceur qui animait toujours ses bras. Lorsqu'elle baissa les yeux au creux de ses bras, elle découvrit que l'illusion avait disparu, mais l'amour qu'elle ressentait pour Rachel était toujours présent.

La spiritualité était au cœur de la conscience de Yuala. Il en était de même pour la majorité des gens de son peuple. Ses ancêtres venaient d'Afrique, mais elle ne savait à peu près rien à leur sujet. Son père avait été vendu au propriétaire d'une plantation voisine, des mois avant sa naissance. Elle ne savait rien de lui. C'était comme si elle avait pris vie par un phénomène de combustion spontanée. Si elle devait donner naissance à Rachel, Yuala voulait que son enfant sache tout ce qu'elle pourrait glaner sur Lord Henry Duke et sur sa lignée ancestrale, en vivant dans la grande maison.

Le maître, sa famille et sa maison n'avaient jamais eu grande importance pour Yuala, mis à part les restes d'herbes aromatiques, de nourriture et de détritus qu'elle avait dérobés aux cuisines. Yuala appartenait à Lord Duke, mais comme elle n'avait que neuf ans, elle n'avait pas assez de valeur pour qu'il la vende. C'est ainsi qu'elle pouvait vivre sa vie dans la forêt. Elle ne s'intéressait pas aux entités qui préoccupaient les Blancs — ambition, gains matériels et érection d'empires. L'apparition lui avait parlé de beaucoup de concepts dont elle n'avait jamais entendu parler, mais en son cœur, Yuala en comprenait la valeur.

La fillette avait été témoin d'un miracle. La sagesse lui soufflait d'accepter le message. Il ne lui serait jamais venu à l'idée de remettre ces choses en question.

En quittant la cascade et la forêt, Yuala se promit qu'elle se souviendrait de la majesté de sa vision et qu'elle embrasserait son avenir sans réserve. Mais plus important encore, les paroles extraordinaires qu'elle venait d'entendre restèrent gravées dans son esprit.

Trois

« La terre ouvre grand la bouche pour engloutir les hommes, et les paroles qu'il prononce rédiment nos âmes de l'esclavage de nos corps[3]. »

KHALIL GIBRAN,
THE VOICE OF THE MASTER

Montego Bay, Jamaïque, octobre 1781

L'alizé balaya l'île, rafraîchissant le sable, la flore, les animaux et les humains. Tirée de son rêve en sursaut, Yuala repoussa le présage familier du phœnix aux couleurs brillantes qui faisait irruption dans ses vagabondages nocturnes. Depuis des mois, le phœnix l'avertissait que des changements s'annonçaient, des transformations qui affecteraient le destin des gens de la plantation. Comme dans toute naissance, il y aurait beaucoup de souffrances, pour Lady Mary, pour les enfants Duke, pour Lord Henry, et même pour elle, Yuala.

Maintenant âgée de seize ans, Yuala reconnaissait aisément les fluctuations dans les vibrations de la terre et les corrections aux schémas énergétiques de l'île. Depuis presque un an, les nuits de la jeune esclave étaient peuplées de spectres et de dieux telluriques, qui lui ordonnaient de ne pas résister au courant du destin.

— Votre frère arrive de Chine pour nous rendre visite, annonça Mary après avoir lu la lettre de Lord Andrew à voix haute à la famille réunie pour le petit-déjeuner.

---

3. N.d.T.: Traduction libre

Henry sourit gaiement et s'adossa à son siège tandis que Yuala lui servait des fruits dans un bol. Il la remarqua à peine tandis qu'elle passait silencieusement d'une assiette à l'autre. La jeune esclave remarqua que William raidissait le dos, sur la défensive. Bien que William et elle aient été du même âge, elle était invisible à ses yeux. Âgée de treize ans, Charlotte, au moins, lui sourit platement tandis que Yuala remplissait son bol de porcelaine bleu et blanc. Sarah n'avait que douze ans, et ses grands yeux vert-jaune rappelaient à Yuala ces éponges qui absorbent tout, sans discerner grand-chose.

Intuitivement, Yuala savait que les paroles qu'elle entendrait ce jour-là auraient beaucoup d'importance pour elle dans les heures et les semaines à venir.

— Ne vous arrêtez pas, Mary. Poursuivez votre lecture.

— Il écrit que Brenna vient d'accoucher. D'un garçon. Ils l'ont prénommé Henry en votre honneur. Ambrose Henry Duke.

Sa main retomba dans son giron.

— Je ne savais pas qu'Andrew voulait fonder une famille. Il a attendu si longtemps pour se marier. Quel âge a-t-il ? Quarante-cinq ans ?

— Un fils ? s'exclama Henry avec exubérance. Mon homonyme ! Nom d'un chien, il faut fêter ça !

Il abattit sa main sur la table, faisant bondir l'argenterie.

— Mais père, comment Ambrose peut-il être votre homonyme puisque c'est moi, votre fils ? demanda William du haut de ses seize ans.

— Parce que votre mère a insisté pour vous appeler William.

Henry lança un regard furibond à Mary. Elle lui rendit son regard, les yeux glacés.

William ajusta son nouveau gilet de brocart de soie d'or, commandé par sa mère pour aller avec sa culotte brun clair. Il plaqua sur son visage un sourire charmant à l'intention de son père.

— Peut-être auriez-vous dû insister davantage, père.

Henry écarta la pique sans ménagement.

— Ce qui est fait est fait. Nous parlons d'avenir ! Pensez-y ! Andrew, ici ! Je pensais que rien au monde ne le ferait quitter Canton.

Mary baissa de nouveau les yeux sur la lettre.

— Apparemment, Brenna s'est montrée plus que persuasive. Ils sont à Londres depuis presque un an. Il semble qu'elle ait là un médecin qu'elle préfère entre tous.

— Logique, laissa tomber Henry.

Les yeux de Mary s'écarquillèrent.

— Lorsque je vous ai demandé la même chose, vous m'avez répondu que vous n'aviez pas les moyens.

L'air mal à l'aise, Henry bougea la tête comme si un nœud coulant se resserrait autour de son cou.

— Nous ne les avions pas à l'époque. Andrew est incroyablement riche, Mary. Il l'est depuis qu'il a posé le pied en Chine. Quoique, je parierais que nous sommes aujourd'hui sur un pied d'égalité.

— Et... dans quelle mesure est-il riche ? s'enquit William en faisant glisser ses doigts délicats le long du manche d'une cuiller en argent.

— Assez riche pour traverser les mers et nous rendre visite ! Nous allons abattre un porc bien gras. Inviter nos voisins à une fête. Toute une série de fêtes !

— Ne soyez pas ridicule, Henry, le gourmanda Mary. Et s'il ne venait pas ? Il ne dit rien quant au jour de son départ, ni de son arrivée.

— Faut-il toujours que vous soyez pessimiste ?

— Je suis pragmatique. Par ailleurs, depuis quand Andrew veut-il partager quelque chose avec nous, y compris son précieux temps ? N'est-il pas trop occupé à faire fortune pour s'occuper de sa famille ?

— Mary, ce n'est pas parce que mon frère réussit en affaires, et que je préfère jouir de la vie plutôt que de la gaspiller en comptant mes avoirs dans un château qui menace ruine en Angleterre, comme vous aimeriez que je le fasse, que l'un de nous est forcément meilleur que l'autre.

Jetant sa serviette sur la table, Henry se leva, sourcils froncés.

— Êtes-vous toujours obligée de tuer toutes mes idées dans l'œuf ? Andrew a écrit qu'il arrivait. Il viendra, et je serai prêt !

Sur ces paroles, Lord Henry quitta la salle à manger en trombe.

Yuala baissa les yeux et franchit la porte menant à la cuisine. Mais elle fit alors une chose qu'elle n'avait jamais faite : elle laissa la porte légèrement entrouverte et écouta la suite.

Les trois enfants jetaient des regards furtifs en direction de leur mère.

— J'imagine que je devrais me retirer, jeta William d'un ton peu amène, sans cacher le dédain qu'il ressentait envers sa mère.

— Je vous y autorise, répondit-elle sèchement.

William ne changea pas d'attitude pour autant. Il en était venu à prendre plaisir à mettre sa mère dans l'embarras. Ce petit jeu rachetait l'insécurité qu'il ressentait face à son père. En effet, le jeune homme avait le sentiment que pour une raison quelconque, il ne serait jamais assez bien pour son père.

— Père est enthousiaste à l'idée de recevoir Andrew. Vous voulez toujours davantage de fêtes. Selon moi, vous tenez là l'excuse parfaite.

— Je veux des fêtes à Londres, William. Est-ce clair ? Votre père se montre ridicule. Andrew ne viendra jamais ici. Je ne compte plus le nombre de fois où la même chose s'est produite par le passé. Nous recevons une lettre dans laquelle il nous annonce qu'il viendra nous rendre visite en rentrant de Londres. Les mois passent. Les années. Et il n'écrit jamais pour annuler sa visite. Aucune explication. Il fera la même chose cette fois. Vous verrez, répliqua Mary en mettant finalement la lettre de côté.

Sarah jouait avec sa fourchette et ne leva pas les yeux en demandant humblement :

— Pourquoi faut-il toujours que vous vous disputiez, père et vous ?

La vérité frappa Mary telle une lancette crevant un furoncle suppurant depuis longtemps.

— Parce que je déteste vivre ici. Je veux rentrer en Angleterre. Je veux retrouver ma roseraie, les soirées londoniennes et les chevauchées au petit matin avec mes amis. Je veux que mes enfants reçoivent une éducation convenable. Aucun de vous n'a établi le genre de relations indispensables à la vie en Angleterre. Mais votre père n'est pas de cet avis. Il pense qu'il n'existe rien, à part la vie parmi les sauvages et sa précieuse canne à sucre.

William tapota le bord de la table du bout du doigt.

— Est-il vrai que vous soyez plus riche que père ?

Mary expulsa d'une expiration la pression qui montait en elle, puis renifla pompeusement et reprit :

— Il a vécu à mes crochets durant les quatre premières années de notre mariage. Nous sommes partis de Charleston pour vivre à Londres, afin qu'il puisse faire fortune dans l'indigo, ce qu'il a fait. Mais lorsque votre père a entendu parler des profits qu'il y avait à faire avec la canne à sucre, il ne m'a même pas demandé l'autorisation de déménager. Il a commencé à démanteler notre maison pendant que j'étais en ville où je faisais des courses. Je crois que je n'oublierai jamais le jour où je suis rentrée et j'ai vu ces barges alignées l'une derrière l'autre sur la rivière Ashley, non pour transporter notre récolte au marché, mais pour embarquer les briques des murs de notre résidence !

— Je ne m'en souviens pas, fit Sarah en regardant sa sœur.

— Mais mère, nous avons ici tout ce que vous aimez. Même des pêchers et des pacaniers, interjeta Charlotte, soucieuse de défendre son père.

— Charlotte, vous n'avez jamais caché que vous aimez la plage et les fleurs tropicales. Je vous ai d'ailleurs surprise à parler avec Yuala dans le jardin d'herbes aromatiques, après que je vous aie avertie de ne pas fréquenter les esclaves.

— Mais elle est intéressante, mère.

— Charlotte ! Ne me défiez pas encore une fois ou vous le regretterez !

Charlotte se recroquevilla sur sa chaise.

— Oui, mère.

— Voilà exactement de quoi il est question. Comment pourrais-je vous blâmer ? Vous n'êtes jamais allés en Angleterre. Vous ne savez pas ce que vous manquez. Et tout cela, par la faute de votre père.

William fit chorus :

— Eh bien, moi, je sais ce que je manque ! Je lis les livres et les journaux que nous recevons d'Angleterre.

Il ajouta, dithyrambique :

— Je donnerais tout pour étudier à Oxford et apprendre à chasser dans le Surrey.

Mary reprit :

— Et pour votre gouverne, Sarah, nous avons de jolies choses dans cette maison parce que j'ai insisté pour que tous les vases, toutes les théières et tous les miroirs français soient soigneusement emballés et emportés quand nous avons quitté la Caroline du Sud.

Elle baissa les yeux sur les carreaux italiens du plancher de la salle à manger, qui ornaient autrefois celui du vestibule de leur hôtel particulier de Charleston.

William demanda :

— Et aujourd'hui, père est-il aussi riche qu'il le prétend ?

Yuala secoua la tête et murmura :

— Ne voient-ils pas combien ils sont pauvres en esprit ?

Elle prit conscience que Lord Duke était le seul être joyeux parmi eux. Elle ouvrit la porte un peu plus, de façon à ne rien perdre de l'échange.

— Il distille son propre rhum depuis cinq ans. Il est assez riche pour nous permettre de rentrer en Angleterre, laissa tomber Mary.

Yuala devait convenir que sa maîtresse avait raison. Lord Duke venait tout juste de faire installer une nouvelle colonnade devant la maison surplombant Montego Bay. La jungle entourant le manoir avait été défrichée, là où les cultures poussaient au flanc de la montagne. Lord Duke avait même fait construire une route privée qu'il avait fait recouvrir de sable et de coquillages broyés. Le régisseur avait confié à Yuala que le maître possédait plus de mille acres qui produisaient assez de canne à sucre pour faire de Lord Henry le Duke le plus riche de tous les temps.

En accord avec sa fortune, Lord Henry avait commandé à Andrew et à la Compagnie des Indes orientales les céramiques, les tapis et les meubles orientaux les plus raffinés. Lady Mary ne manquait d'aucun produit de luxe.

À l'exception du bonheur.

Yuala se demandait s'il n'était jamais venu à l'idée de sa maîtresse que faire son propre bonheur relevait de sa responsabilité personnelle.

Charlotte demanda :

— Alors, pourquoi ne le persuadez-vous pas de nous rendre heureux ?

Mary jeta un regard courroucé à sa fille :

— Où sont vos manières ? Parler de ce genre de sentiments n'est pas convenable.

Charlotte insista :

— Mais je veux savoir.

Mary soupira :

— C'est ma faute, je suppose, si vous avez tous votre franc-parler. Dans ma solitude, j'ai été trop ouverte avec vous. Si j'avais eu des amies, comme c'était le cas en Angleterre, je me serais confiée à elles.

— Malheureusement, il n'y a personne d'autre que nous quatre, n'est-ce pas, mère ? lança William d'un ton hargneux.

Yuala en eut le souffle coupé : jamais elle n'avait été aussi irrespectueuse envers qui que ce soit, comme William l'était parfois avec sa mère.

Mary serra les mâchoires et chassa sa colère. Elle ne releva pas la pique de son fils, mais reprit :

— Je n'ai jamais eu beaucoup d'influence sur ce qui se passe dans la tête de votre père. À l'inverse, Andrew a fait forte impression. Votre père a toujours été en compétition avec son frère, en raison des histoires à dormir debout que celui-ci lui a racontées à propos de l'Orient, des Indes et de l'argent qu'il a fait. Je crains fort qu'Andrew n'encourage votre père à investir davantage dans le commerce à l'étranger, ce qui nous retiendra ici plus longtemps. Il pourrait même le persuader de se rendre en Chine. Je ne peux rien imaginer de pire.

— Vous voulez dire que père pourrait envisager cette possibilité ? s'exclama Charlotte avec enthousiasme. Que c'est exotique ! Et excitant.

— Charlotte ! Pour l'amour du ciel, que je ne vous entende jamais tenir de tels propos !

Regrettant son emportement, Charlotte baissa piteusement la tête.

— Si nous montons à bord d'un navire, ce sera pour rentrer en Angleterre. Souvenez-vous-en. Depuis les quinze dernières années, je n'ai œuvré que pour atteindre ce seul objectif. C'est la faute de votre père si vous n'avez aucune aptitude sociale, mes enfants. Aucun ami. J'ai été folle de le laisser me convaincre de vous élever dans cette contrée impie.

Mary grinça des dents, bouillonnante de rage. Ses yeux se braquèrent sur le visage des quatre enfants assis autour de la table.

Ils se recroquevillèrent manifestement sous son regard brûlant.

— J'ai dit que vous pouviez vous retirer.

En silence, ils se levèrent d'un seul mouvement et s'enfuirent loin de la colère dévorante de leur mère.

Mary se couvrit le visage de ses mains.

— Je hais cette île. Et je hais Henry Duke pour m'y avoir emmenée.

* * * *

Durant des semaines, les domestiques, y compris Yuala, s'affairèrent à cirer meubles et planchers, et à astiquer l'argenterie. Les chambres d'invités reçurent une nouvelle couche de peinture. Les couturières de la plantation taillèrent et cousirent de nouvelles tenues pour Lady Mary, ainsi que des robes pour Charlotte et Sarah.

Des dizaines de chandelles à la cire d'abeille furent trempées et mises à sécher pour les bras de lumière et les chandeliers dorés de type français qui éclairaient la salle à manger, le salon et le vestibule.

Les lèvres de Yuala brûlaient quand elle pensait à Lady Mary. Cela lui indiquait que le ressentiment de sa maîtresse envers la Jamaïque se transformait en jalousie acide, un acide si puissant qu'il la détruirait, et peut-être aussi ceux qui l'entouraient.

Les pouvoirs magiques de la jeune esclave resteraient sans effet si elle tentait de les utiliser pour contrer le destin, même le sien. Elle ne pouvait que s'effacer et accepter la récolte que les dieux avaient ordonnée pour elle.

Le jour de l'arrivée de Lord Andrew, Yuala se rendit aux cuisines à l'aube, avant le réveil des cuisinières. Elle était aussi anxieuse que sa maîtresse de s'assurer que tout était parfait pour leurs invités.

Elle fut étonnée d'y découvrir Lady Mary, arborant une nouvelle robe estivale pêche, en soie miroitante. La maîtresse de maison faisait le compte des jambons traités au sucre, du rôti de porc laqué au miel et à la papaye, des épaisses tranches de bacon, des carrés et des quartiers de bœuf qui devaient être rôtis au cours de la journée.

Le visage blême de Lady Mary portait les marques profondes de son existence malheureuse.

Yuala s'adressa à elle à voix basse :

— Memsahib.

Lady Mary sursauta légèrement et perdit sa concentration.

— Seigneur, Yuala ! Ne t'approche pas ainsi de moi sans faire de bruit !

La jeune fille garda les yeux baissés et enfila le tablier de toile à douze poches qu'elle avait cousu de ses mains des années auparavant. Dans chaque poche de ce tablier spécial, elle avait soigneusement glissé les épices et les herbes aromatiques qu'elle avait fait pousser et sécher. En mariant aux méthodes de cuisson anglaises les saveurs de la lime, de la noix de coco, du sucre et de la papaye de son île, Yuala avait créé des mets réputés pour être les meilleurs et les plus audacieux de la Jamaïque.

— Je fais ça, dit-elle en faisant référence à la question culinaire.

Tout en se tordant les mains, Lady Mary jeta un regard affolé sur la table en bois massif dont ses quatre cuisinières africaines se servaient pour faire boucherie.

— Je n'arrive pas à croire qu'Andrew a débarqué. Je veux que tout soit parfait, Yuala. C'est très, très important, soupira-t-elle.

Elle rêvait toujours de s'embarquer pour l'Angleterre.

Toujours consciente de la quatrième dimension, Yuala voyait des vapeurs de frayeur sombres et plombées s'échapper des poumons de sa maîtresse à chacune de ses paroles. Lady Mary n'avait jamais appris à tirer son bonheur de ses enfants, de son mari, ou de la beauté de la Jamaïque. Son seul réconfort avait toujours tenu à sa capacité de se plaindre sans arrêt.

« Qu'il est triste que la memsahib ne comprenne pas que ses pensées de peur attirent encore plus de peur. »

— Oui, memsahib, murmura Yuala.

Surprenant le regard lointain de sa maîtresse, elle se prépara à entendre, elle le savait, un long épisode de verbiage. La jeune esclave éprouvait de la pitié pour sa maîtresse. Lady Mary avait fort peu d'amies blanches sur l'île, à l'exception des «concubines» des autres planteurs, qu'elle ne voyait qu'au moment de la récolte et des vacances. La vie de Lady Mary n'était pas riche et remplie comme celle de Yuala, qui s'occupait constamment des malades et de ceux et celles de sa race qui souhaitaient étudier la sagesse, afin de «voir» les autres plans de l'existence. Lady Mary se sentait seule, et Yuala savait qu'il n'y avait aucun remède à cela.

— Pouah! Parfois, je ne comprends pas pourquoi je m'échine à vous enseigner quoi que ce soit, à vous autres, païens. Il y a des «manières» de faire les choses. Des manières convenables. Anglaises. Lady Brenna est beaucoup plus jeune que son mari, et en dépit du fait qu'elle a quelques gouttes de sang écossais, il n'en reste pas moins que c'est une Tudor jusqu'au bout des ongles. Mon Dieu! Qu'est-ce que je ne donnerais pas pour pouvoir prononcer ces paroles à la cour!

Lady Mary tapota sa jupe ample et sentit sous ses doigts la soie française incroyablement luxueuse.

— Prends cette robe, par exemple. Je n'ai aucun moyen de savoir à quoi ressemble la mode à la cour, parce que Henry ne veut pas me ramener en Angleterre. Bien entendu, comme Lady Brenna a vécu en Angleterre presque un an, elle sera vêtue à la dernière mode.

Lady Mary posa le dos de sa main sur son front moite, puis la retira et l'examina.

— Dieu miséricordieux! Que je déteste la Jamaïque! L'aube vient à peine de poindre, et déjà, la chaleur m'accable.

— Oui, memsahib, répondit Yuala humblement, comme elle était censée le faire.

Elle vaquait à ses occupations, frottant les épaisses côtelettes de veau d'un mélange de romarin, d'huile d'olive et d'ail odorant finement émincé. Elle savait que ces gouttelettes de transpiration nerveuse étaient la manifestation des pensées envieuses de Lady Mary et qu'elles n'avaient rien à voir avec le climat tempéré de la journée.

— Yuala, tu *superviseras* les cuisines, aujourd'hui. Arrange-toi pour que ces idiotes de cuisinières préparent les repas à l'heure. Je veux que les plats chauds soient chauds, et les vins... Oh, Seigneur! J'ai oublié les vins. Henry sera mortifié!

Les yeux de Lady Mary roulèrent dans ses orbites, et ses joues pâles rougirent, tandis qu'elle se fustigeait jusqu'à l'apoplexie.

Yuala projeta prestement son bras sur le passage de Lady Mary et le retira tout aussi rapidement. C'était une méthode qu'elle avait utilisée de nombreuses fois pour calmer et consoler sa maîtresse, sans outrepasser les bornes de la familiarité que nul esclave n'osait franchir.

— Toi pas t'inquiéter, memsahib. Je vois que tout soit en ordre.

Ayant entendu quelques récits inquiétants sur les étranges pouvoirs vaudou de Yuala, Lady Mary avait délibérément gardé ses distances avec la jeune esclave, de plus en plus belle. Cette froideur allait à l'encontre du besoin d'attention et de compassion que Lady

Mary ressentait intérieurement. Parfois, elle avait le sentiment que la jeune fille l'écoutait discourir avec une profonde attention. C'est ce qu'elle aurait aimé obtenir de son mari, mais qu'elle recevait rarement.

— Tout ? s'enquit Lady Mary.

— Oui, memsahib.

Yuala lui donna la réponse ferme qu'elle s'attendait à recevoir. Puis, elle releva la tête et, le regard lointain, poursuivit dans un anglais châtié :

— Rendez-vous à la colonnade de devant. Vos invités sont arrivés. Ils sont aussi inquiets que vous l'êtes.

Ensuite, elle baissa les yeux et continua de hacher finement les tomates qu'elle avait fait sécher au soleil. Elle les incorpora avec du basilic et de l'ail dans les boules de pâte à pain fraîchement levée.

Lady Mary sentit les poils de sa nuque se hérisser en entendant la jeune esclave s'exprimer avec la voix basse et étouffée d'une étrangère. Elle avait été témoin d'autres occasions où Yuala avait brusquement changé d'intonation pour s'exprimer dans un anglais parfait, et sur un ton de commandement contre lequel elle n'avait osé se rebiffer.

— Oui. Oui, c'est ce que je vais faire, balbutia-t-elle.

Elle sortit en hâte de la cuisine et s'enfuit par le chemin de briques rouges qui traversait le potager et le jardin d'herbes aromatiques qu'elle avait plantées avec l'aide de Yuala. Elle passa devant les rangées de rosiers hybrides anglais pour la survie desquels elle avait si vaillamment combattu. Lorsqu'elle avait réussi, la grande maison avait été embaumée par le parfum des roses, cet arôme paisible qui la ramenait en esprit à la sérénité de sa jeunesse.

Le fracas des sabots des chevaux et des roues d'équipage sur l'allée de coquillages broyés résonna à travers les fenêtres ouvertes, plus fort qu'un coup de clairon.

— Ils sont arrivés !

La voix de Henry éclata en haut de l'escalier. Il essuyait le savon à barbe de son visage fraîchement rasé à l'aide d'une serviette de lin.

— Sacrebleu ! Je n'arrive pas à croire que la journée passe aussi vite. William ! Par le diable, où êtes-vous passé, mon fils ?

— Ici, répondit William sans émotion.

Il essayait bien de ne pas montrer le dédain qu'il ressentait envers ses parents et ses sœurs, mais le fait était qu'il n'éprouvait qu'indifférence à leur égard. Néanmoins, il aurait plus de chance de quitter ce purgatoire que son père aimait en continuant d'appuyer les sentiments que sa mère éprouvait pour l'Angleterre et pour l'existence raffinée à laquelle il aspirait de toutes ses forces. William s'était même juré que s'il n'avait pas séjourné en Angleterre avant d'avoir atteint sa maturité, il s'y rendrait à la nage. Et au diable les requins et les monstres marins !

Henry toisa son fils.

— J'ai l'impression que vous avez encore grandi depuis le petit-déjeuner, ronchonna-t-il, fronçant les sourcils devant la longue silhouette filiforme de William, qui lui rappelait beaucoup trop ces dandies qu'il avait connus en Europe.

Secrètement, il ne pouvait s'empêcher de regretter que son fils ait hérité du physique frêle des ancêtres royaux de Mary, plutôt que de l'allure plus musculeuse de sa famille.

— Vous n'êtes pas satisfait de mon apparence, lança effrontément William en regardant sombrement son père de ses yeux bleus.

— Votre culotte est trop serrée, William. Faites en sorte que votre mère la fasse ajuster convenablement.

— Oui, monsieur, répondit-il.

Il passa devant son père et dévala l'escalier pour échapper à l'écrasante censure paternelle.

L'attelage à quatre chevaux arriva enfin dans un cliquetis et s'arrêta.

— Henry ! Vieux sacripant !

Lord Andrew Duke agita la main par la fenêtre ouverte.

Sautant en bas de son perchoir, le conducteur ouvrit rapidement la portière.

Andrew qui, à quarante-cinq ans, avait dix ans de moins que son frère, avait l'allure d'un homme de trente-cinq ans. Sa chevelure blonde avait commencé à se clairsemer, tout comme celle de son aîné, et les deux frères avaient presque la même taille. Mais le feu qui brûlait dans les yeux d'Andrew faisait rayonner son sourire et son visage.

Andrew saisit son frère dans ses bras vigoureux et le serra affectueusement dans une accolade virile.

— Palsambleu, Henry, vous avez l'air en pleine forme! Vous n'avez pas changé du tout depuis votre départ d'Angleterre. C'est formidable de vous revoir, mon frère, s'écria-t-il.

Yuala glissa silencieusement le long du couloir principal jusqu'au vestibule. Plusieurs femmes de chambre se joignirent à elle : elles aussi étaient curieuses de voir le genre d'homme pour lequel le maître avait tant de paroles admiratives.

— Seigneu', le p'u jeun' maît'e être bien joli ga'çon, murmura Ceena, la vieille cuisinière, à l'intention de Yuala.

— Oui.

Elle baissa les yeux et sourit à la femme tassée par l'âge. Alors que la jeune esclave levait les yeux pour regarder les Duke réunis sur les marches de l'escalier de la véranda, elle sentit un vent froid traverser le porche et s'engouffrer dans la maison. Le fichu de coton imprimé de couleur vive dont elle se couvrait les cheveux lorsqu'elle cuisinait voleta légèrement contre sa nuque. Bourdonnant dans la moelle de ses os, son intuition s'éveilla. Ses yeux se posèrent sur la voiture, et elle attendit impatiemment le présage, le catalyseur qui modifierait leur avenir à tous. La vision que Barbara, le fantôme métamorphosé, avait prédite.

Lady Brenna apparut à la portière, tenant dans ses bras un nourrisson âgé de quatre mois, l'homonyme de Henry.

Yuala retint son souffle en observant les yeux d'un bleu argenté, intelligents, remplis d'expectative, mais aussi assombris par un voile de peur.

— Elle a un secret, confia Yuala à Ceena.

— Quelle so'te de sec'et?

Yuala sentit son esprit entrer en contact avec celui de Brenna, de la même manière qu'elle arrivait à lire les pensées de Lord Henry sans avoir besoin de voir son visage.

— Elle a peur de mourir. Mais elle n'est pas malade. Tu ne vois pas, Ceena? La mort. Je vois la mort autour d'elle et de son enfant.

Mais Ceena n'avait d'yeux que pour le magnifique ensemble de voyage de Lady Brenna.

— Brenna, comme vous avez l'air dispose après un voyage aussi long et aussi assommant, s'exclama Mary en se précipitant vers la voiture.

— Je vous remercie, Lady Mary.

La voix mélodieuse de Brenna flotta sur la brise tropicale.

Andrew aida sa femme à descendre de voiture. Prenant son fils qui babillait des bras de Brenna, il le présenta fièrement à son frère.

— C'est un petit bagarreur, Henry. Il est fort comme un bœuf.

Henry prit à son tour le bébé aux cheveux blond vénitien et lui fit un grand sourire. Bébé Ambrose assena une gifle en plein sur le nez de son oncle.

Andrew éclata de dire.

— Je vous l'avais bien dit!

— Et vous aviez raison! C'est un aventurier, comme vous et moi! Un vrai Duke, jusqu'au bout des ongles!

Lady Mary fit un signe à Yuala qui se porta immédiatement en avant.

— Yuala s'occupera de l'enfant et défera vos valises.

— Je vous remercie encore une fois, Lady Mary, répondit gentiment Brenna tandis que ses yeux parcouraient le beau visage de l'esclave d'un air soupçonneux.

— Mais je ne permets pas aux sauvages de toucher à mon enfant. Ma nourrice arrive avec nos bagages dans la voiture qui nous suit.

Mary se raidit.

— Malheureusement, Lord Henry n'a jamais jugé nécessaire que je fasse venir d'Angleterre une nourrice ou des précepteurs convenables pour les enfants.

— Je ne sais pas comment vous pouvez le supporter, Lady Mary. En vivant à Canton, et en parcourant la Chine et le Tibet comme Andrew aime à le faire, j'ai appris que les sauvages ont fort peu de respect pour la vie.

Lady Mary passa son bras sous celui de Lady Brenna.

— Je ne saurais être plus d'accord avec vous. Franchement, ma chère, je ne sais pas comment vous avez fait pour vous accommoder de l'Orient si longtemps. Je suis impatiente de vous entendre en parler.

— Je prie tous les jours que nous survivions à l'expérience. C'est incroyablement pénible.

Lady Mary dressa l'oreille. Elle avait l'habitude de la routine ennuyeuse. Des désagréments. De la solitude. Mais d'une existence *pénible*? Quel genre de vie Andrew offrait-il à sa famille pour l'amour de l'argent?

— Venez tous, rentrons nous abriter du soleil, proposa Lady Mary en invitant les nouveaux venus à entrer.

Pieds nus, les femmes de chambre descendirent les marches de brique en trottinant, franchirent sans mal l'allée aux coquillages coupants, et se saisirent des sacs en tapisserie et des malles de cuir entassés dans la charrette envoyée du navire. Molly Smythe, la nourrice de Lady Brenna, descendit de la charrette, saisit le petit Ambrose des bras de Lord Henry et disparut d'un air efficace dans la grande maison.

* * * *

Henry et Andrew s'étaient installés dans des berceuses blanches sur la véranda à colonnade pour siroter un grand verre de boisson parfumée au citron. Aucun des deux hommes ne remarqua que William était accroupi un peu plus bas, dans les épais massifs de crotons rouges et jaunes. Le jeune homme avait l'intention d'en apprendre le plus possible sur Ambrose Duke, le nouveau chouchou de son père.

En remplissant le verre de Lord Henry, Yuala remarqua William qui espionnait son père. « Ce n'est pas bon pour toi, William. Tu n'aimeras pas ce que tu vas entendre. S'il te plaît, pars avant qu'il ne soit trop tard. »

Mais William resta où il était.

La jeune esclave se posta dans l'embrasure de la porte-fenêtre, dissimulée derrière les rideaux en coton blanc. Elle ne pensa pas un seul instant que ce qu'elle allait entendre l'affecterait autant que William.

— C'est vraiment le paradis, Henry.

— Parfaitement d'accord. Je souhaiterais seulement que Mary soit de cet avis. Ce doit être merveilleux d'avoir une femme qui s'intéresse aux mêmes choses que soi.

Andrew fronça ses épais sourcils blonds.

— Brenna m'aime, Henry, et moi aussi. Je ferais n'importe quoi pour elle. Je fais tout mon possible pour dissiper ses appréhensions à propos de la vie à Canton. Mais si elle insistait, je partirais.

— Allons donc. Vous faites une sacrée fortune là-bas.

— L'affaire comporte aussi certains côtés fastidieux, mon cher frère. Mais les jours où je chevauche mon pur-sang arabe dans les contreforts des montagnes tibétaines à la recherche d'un jade, de sculptures ou mieux, d'une relique ancienne, je sais que j'ai fait le bon choix. Et le bon choix pour mon fils. En Chine, la Compagnie des Indes orientales est plus puissante que le gouvernement britannique, Henry. Ahurissant est en fait le mot juste. Toutefois, je n'aurais jamais pensé que ce serait si difficile. Si... dangereux, ajouta-t-il en regardant au loin.

Puis, se reprenant, il reporta son regard sur le visage de son frère, rempli de confusion.

— Corbleu, j'ai fermement l'intention de léguer à mon fils non seulement ma fortune, mais aussi mes relations d'affaires, lança-t-il d'un ton de bravade forcée.

— Dangereux? Qu'est-ce que vous voulez dire par là?

Andrew renifla.

— Si vous pensez que la Chine est une terre placide comme celle-ci, Henry, vous vous trompez lourdement. Pas une seule journée ne passe sans que je me fasse menacer par les mandarins. Et ils nous traitent de barbares, *nous*! Pouvez-vous imaginer une telle chose? Ils nous détestent. Ils détestent notre puissance... je veux dire, celle de la Compagnie des Indes orientales. Ils essaient de m'expulser depuis des années. J'ai distribué en pots-de-vin plus d'argent que je n'en ai amassé personnellement. Mais ce n'est jamais suffisant. Je ne vous raconte pas ce que j'ai dû faire pour obtenir l'argent qui m'a permis de racheter notre domaine familial en Angleterre.

— Quel... genre de choses?

Andrew baissa les yeux et leva son verre.

— Henry, ne posez pas de questions dont vous ne voulez pas connaître les réponses.

Henry sentit les poils de sa nuque se hérisser.

— Il y a donc une raison derrière votre visite, n'est-ce pas, Andrew?

— Henry, vous devriez le savoir depuis le temps, il y a toujours une raison derrière chacun de mes actes, répondit Andrew d'un ton glacial.

— Expliquez-vous.

— J'aimerais que vous hébergiez Brenna et le bébé pour environ six mois. Le temps que je retourne à Canton pour y régler quelques affaires.

— Je ne comprends pas. Pourquoi n'est-elle pas restée en Angleterre ? Mary donnerait tout pour y retourner...

Andrew ricana :

— Vous êtes un imbécile, Henry ! Brenna est la plus belle femme que j'aie jamais vue. J'ai remarqué votre expression quand vous l'avez rencontrée. Vous avez été très impressionné. Votre fils aussi, d'ailleurs.

— Andrew, je n'oserais jamais...

— Ce n'est pas ce que j'insinue. Vous aimez la beauté. Comme moi. Comme n'importe quel homme normalement constitué. Mes voyages en Chine durent des années, Henry. Pas des mois. Brenna finirait par se sentir seule. Un homme plus jeune n'aurait pas beaucoup de mal à me la prendre. Mais ici, elle serait en sécurité. La Jamaïque est tellement isolée qu'ils ne pourraient pas nous retrouver.

Des frissons glacés parcoururent l'échine de Lord Henry.

— Ils ?

Andrew expira profondément. Il eut soudain l'air d'un homme défait.

— D'accord. J'imagine que je ferais mieux de tout avouer. La famille Su. N'importe quel membre de la famille Su. Ce sont tous des sauvages. Probablement comme vos esclaves.

Henry secoua la tête.

— Mes esclaves ne sont pas des sauvages. Ils sont...

Il leva les yeux vers les collines et contempla les champs de canne à sucre ondulant sous la brise.

— Ils sont comme des enfants, en fait. Je prends soin d'eux. Certains sont même comme de la famille. Je n'ai pas de régisseur. Je me charge de ce travail. On n'a pas besoin d'une plantation immense pour faire de l'argent ici, alors je n'ai pas besoin de beaucoup de gens. Mais Andrew, je ne cours pas de danger avec eux. En fait, j'ai le sentiment d'être leur protecteur.

Andrew étudia le visage de son frère.

— Vous avez toujours été un rêveur, Henry. Vous auriez dû devenir poète. Vous avez toujours cru que l'homme pouvait bâtir le paradis sur terre.

— Oui, l'Utopie.

Andrew fourragea dans sa chevelure.

— Eh bien! Vous avez réussi. De mon côté, je vis en enfer.

— Sortez-en, rétorqua Henry, pragmatique.

— J'ai bien essayé. Mais un membre du clan Su a réussi à me suivre en Angleterre. Il s'est introduit dans notre maison. Il n'a rien volé, l'enjeu n'était pas là. Il voulait me faire comprendre qu'il pouvait me trouver et me tuer n'importe quand, de jour comme de nuit. J'ai caché la chose à Brenna aussi longtemps que j'ai pu. Mais un matin, elle a découvert un rossignol mort dans le berceau du bébé.

— Mon Dieu, Andrew! Mais qu'avez-vous fait à cette famille Su?

— Je lui ai vendu de l'opium. La drogue vient des Indes et coule à flots en Chine. Je savais que si les Chinois me prenaient à en vendre, ils m'exécuteraient sur-le-champ. Mais les profits sont faramineux. J'avais l'intention de ne faire qu'une seule transaction. C'était tout ce qu'il fallait. J'en ai vendu une seule fois à la famille Su. À Nan-Kang. C'était son nom.

— Et c'est pour cela que son clan veut vous tuer?

— Nan-Kang s'est donné la mort après avoir tué sa femme et son fils alors qu'il était sous l'emprise de l'opium. Depuis, le reste de la famille a juré de se venger de moi.

— C'est pour cela que dans votre lettre, vous n'avez précisé ni la date de votre départ ni celle de votre arrivée?

— Précisément. Les Su m'ont déjà suivi à la trace autour du monde. Je dois protéger mon fils, Henry. J'ai besoin de votre aide.

— Bien entendu, Andrew, je ferai tout ce que je peux. Mais que pourrez-vous faire de plus en retournant là-bas?

Andrew plissa ses yeux bleus en deux fentes qui donnaient froid dans le dos.

— Terminer ce que j'ai commencé.

Henry lui saisit le bras.

— Ne faites pas cela, Andrew. Tuer n'a jamais rien réglé. Jamais. De tels actes nous survivent.

— Henry, ne me servez pas des banalités quand je lutte pour ma survie.

Henry était sur le point de répliquer quand les deux hommes entendirent un hurlement effrayant en provenance de la chambre à coucher à l'étage.

— Brenna! Andrew laissa tomber son verre, qui se brisa sur le plancher de la véranda. Il s'engouffra en courant dans la maison, Henry sur ses talons.

Les deux frères grimpèrent l'escalier quatre à quatre.

— Brenna! cria Andrew en faisant irruption dans la chambre à coucher.

Henry vit deux femmes de chambre, les yeux écarquillés par la peur, enlacées dans un coin de la pièce. Il y avait des sacs de tapisserie ouverts et des vêtements de bébé empilés sur le lit. Tout semblait normal.

Brenna se précipita dans les bras d'Andrew.

— Ils savent! sanglota-t-elle avant de cacher son visage contre l'épaule de son mari.

— Lady Brenna, dites-moi ce qui ne va pas, voulut savoir Henry.

Éperdue de frayeur, la jeune femme était incapable de parler. Elle se contenta de montrer du doigt les piles de jaquettes en coton blanc orné de dentelle. Un oiseau mort gisait sur le dessus de la pile.

— Un rossignol? demanda Henry à Andrew.

Andrew opina gravement.

— J'ai bien peur d'avoir fait entrer l'enfer dans votre Utopie, Henry.

Quatre

« Comme nos ombres, la liste de nos désirs s'allonge
à mesure que notre soleil décline[4]. »

— EDWARD YOUNG,
LOVE OF FAME

— L'as-tu vu, Yuala ? s'enquit Charlotte tandis que Yuala
enroulait les mèches blondes de sa jeune maîtresse autour
du fer à friser chaud.

Celle-ci joua l'ignorance, mais elle savait pertinemment à quoi
Charlotte pensait. Elle ne lisait pas dans les pensées de la jeune fille :
cette dernière était transparente.

— Vu quoi ?

— L'oiseau mort, idiote. Père a interdit que nous entrions dans la
chambre. Mère a dit que c'était dégoûtant et tout à fait dans le genre
des païens d'essayer de faire peur à Lady Brenna. Est-ce ainsi que
les païens agissent, Yuala ?

— Seuls ceux qui ont eux-mêmes peur doivent susciter la peur,
répondit la jeune esclave.

Lord Henry, qui descendait dîner, passa devant la porte de la
chambre de sa fille au moment où Yuala répondit. Comme la porte
était entrouverte, il ne put s'empêcher d'écouter. La plupart du
temps, il prêtait rarement attention au bavardage de ses filles. Mais
ce soir, c'était différent. Tout dans la maison lui paraissait inhabituel.

Au début, il se dit que la présence d'Andrew était à l'origine de
cette impression. Ensuite, il pensa que c'était parce que son frère lui

---

4. N.d.T.: Traduction libre

avait révélé des vérités effroyables sur lui-même. Henry n'idolâtrait plus son cadet, maintenant. Il le plaignait.

C'est autant le ton de voix de Yuala que les paroles qu'elle prononçait qui arrêtèrent brusquement Henry sur ses pas. Depuis seize ans qu'il la connaissait, qu'il en était le propriétaire, il ne l'avait jamais entendu répondre aux ordres par autre chose que des marmonnements et des monosyllabes.

S'approchant de la porte en catimini, il l'observa qui coiffait sa fille.

— William dit que Lord Andrew déteste les Chinois autant qu'il hait les esclaves.

— C'est triste pour William. Les pensées sont de la matière. Les émotions sont de la matière. La haine revient toujours à celui qui la projette.

— Et comment le sais-tu ?

— J'observe les humains.

Charlotte réfléchit aux paroles de la jeune esclave, mais n'y comprit pas grand-chose.

— William dit que père a passé un savon à Andrew, à cause de ses préjugés.

— Mon maître est un homme sage, répondit Yuala en brossant la chevelure de Charlotte.

Henry en avait assez entendu. Il poussa lentement la porte et pénétra dans la pièce. Yuala ne se retourna pas, pas plus qu'elle ne réagit à sa présence. Elle avait déjà senti qu'il écoutait à la porte.

— Père ! cria Charlotte d'une voix aiguë en ramenant autour de ses épaules son peignoir en dentelle. Vous n'avez pas frappé. Vous frappez toujours, ajouta-t-elle, plus par curiosité qu'en réprimande.

Henry opina de la tête, sans quitter Yuala des yeux.

— Et si je l'avais fait, vous auriez cessé de parler, et cela aurait été bien dommage. Je ne savais pas que vous aviez des pensées si profondes. J'ai fait preuve de négligence en ne prenant pas le temps d'explorer avec vous des sujets plus terre-à-terre, poursuivit-il en dévisageant toujours la jeune esclave.

Charlotte regarda son reflet dans le miroir de la table de toilette.

— Je croyais que vous les gardiez pour William. C'est ce qu'il a toujours affirmé.

Henry joignit les mains derrière le dos, tout en continuant d'observer Yuala qui coiffait Charlotte.

— Tu as vraiment des doigts de fée pour ce qui est de coiffer ma fille, Yuala.

Il ajouta :

— Et dis-moi, qu'est-ce que tu sais faire encore ?

— Oh, elle peut tout faire, père. Yuala est une prêtresse, vous savez.

Les mains de la jeune fille s'immobilisèrent. Elle retint son souffle.

— Est-ce vrai ? interrogea Henry.

— Les gens de mon peuple ont besoin qu'on s'occupe de leur corps, de leur esprit et de leur âme. J'ai été formée pour prendre soin d'eux.

— Par qui ?

Yuala était prise au piège. Si elle répondait la vérité, le maître ne comprendrait pas. Comment expliquer le savoir d'un millier d'incarnations en un seul mot, une seule phrase ? Mais si elle ne répondait pas, il insisterait. C'était peut-être le chemin qu'elle était destinée à emprunter.

— Que voulez-vous de moi, maître ?

— Yuala, j'ai payé pour que les meilleurs précepteurs de la Jamaïque enseignent à mes enfants et aux gens de ton peuple à lire, à écrire et à calculer. Je crois que l'éducation est la seule voie qui peut rendre le monde meilleur. Et tu me dis que tu n'as pas profité de ma générosité ?

— Je sais certaines choses. J'ai étudié votre façon de parler, mais j'étais trop occupée à apprendre à soigner les gens. Apprendre les herbes. Les médicaments. Je ne sais pas lire.

— Alors, je t'ordonne de suivre des cours quand les précepteurs reviendront le mois prochain.

— Vous êtes très généreux, maître.

— Bien. Maintenant, réponds à ma question. Comment as-tu appris de telles choses si tu ne les as pas lues dans les livres de ma bibliothèque ?

Yuala hésita.

— Pas de bégaiement. Réponds-moi simplement.

Pour la première fois de sa vie, la jeune esclave leva les yeux pour regarder son maître dans les yeux. Elle n'avait pas l'intention de le défier elle voulait simplement lui parler d'égal à égal. Mais même, elle n'était pas prête pour l'électricité qui passa entre eux. Elle la traversa de part en part, comme l'éclair. Depuis sa naissance, jamais Yuala n'avait ressenti un lien si étroit avec quelqu'un. C'était comme si elle venait de retrouver un de ses fragments manquants. Ses doigts brûlaient du désir de le toucher, mais elle n'osa pas.

Une éternité parut s'écouler avant que ses pensées s'organisent.

— J'ai des réponses simples, mais vous ne les comprendriez pas.

Henry inspira fortement. Il avait le sentiment d'avoir été frappé par la foudre. Il n'arrivait pas à déterminer exactement ce qui venait de lui retourner les sangs. La beauté de Yuala. La puissance de ses pommettes saillantes. Le reflet argenté dans ses yeux sombres — compréhension, compassion, chaleur. Il eut le sentiment d'être l'étudiant qui venait de rencontrer son maître. Il se sentait attiré sexuellement par la jeune fille comme par aucune autre femme de sa connaissance. Et pourtant, le lien qu'il percevait entre eux était un lien de l'esprit, et plus encore. Dans son âme, quelque chose se mit à chanter. Il eut le sentiment qu'il se tenait au bord du précipice du temps; rien de l'avenir ne ressemblerait au passé. Il avait la bouche sèche. Il se lécha les lèvres, sans parvenir à les humecter.

— Essaie tout de même, balbutia-t-il.

— Les fantômes.

— Qu'est-ce que tu dis?

— Ce sont les fantômes du passé qui m'ont enseigné les vérités universelles. Les fantômes du futur. En fait, c'est la même chose.

Henry fut obligé de secouer la tête pour se libérer de la confusion que son esclave venait de toute évidence de semer en lui par une sorte de sortilège.

— Avez-vous déjà entendu ceci auparavant, Charlotte?

— Jamais, père.

— Bien.

Yuala ne changea pas d'attitude pour autant.

— Avez-vous un préjugé contre moi, maintenant, maître?

— Tu sais que je ne crois pas aux préjugés, Yuala. Combien de fois m'as-tu entendu dire que nous serons tous des esclaves tant qu'un seul humain entretiendra un préjugé dans son cœur?

— Souvent, maître, répondit-elle. Mais ces paroles parlent de la terre. Mon travail porte sur tous les mondes.

Il se pencha vers elle.

— Est-ce là le sujet de ton vaudou ?

Elle secoua la tête.

— Non. Il s'agit d'amour inconditionnel. De toutes les créatures de Dieu, petites et grandes.

Elle déposa la brosse à cheveux.

— J'ai terminé. Puis-je me retirer ?

— Non. Ou plutôt oui, bien sûr.

Il s'écarta à contrecœur. Yuala quitta la pièce en laissant la porte ouverte derrière elle.

Henry la regarda s'éloigner, observant l'élégance de sa démarche et la façon silencieuse dont ses pieds nus traversaient le tapis d'Aubusson, puis le parquet. Il remarqua qu'elle sentait la vanille, et non la rose comme Mary.

— Père, si vous voulez bien m'excuser, je dois m'habiller pour le dîner.

Tiré de sa rêverie, Henri murmura :

— Oui. Oui. Mes excuses, Charlotte. Je vous verrai à table.

Il se pencha et l'embrassa sur le sommet du crâne.

Il sortit en fermant la porte derrière lui, sans remarquer le regard stupéfait de sa fille.

« De toute sa vie, père ne m'a jamais embrassée avec tant d'affection. Je me demande bien ce qui lui a pris. »

Le lendemain, Henry était aussi électrisé qu'à l'instant où Yuala l'avait regardé dans les yeux. Il n'avait pas dormi de la nuit. Il partit chevaucher plutôt que de partager le petit-déjeuner en famille. Il se dit qu'il avait besoin d'être seul pour réfléchir. L'orage qui menaçait le força à rentrer avant qu'il soit arrivé à résoudre la puissante attirance qu'il ressentait pour la jeune esclave.

Lorsqu'il remonta l'allée au galop, il vit Yuala qui soignait la bougainvillée dans le jardin devant la maison. La jeune fille avait enveloppé sa chevelure dans un turban immaculé. Elle portait une tunique vaporeuse en coton blanc, qu'elle avait drapée autour de son corps et sur ses épaules, à la manière africaine. Ses mouvements étaient gracieux tandis qu'elle se penchait pour élaguer le feuillage flétri des branches basses. Puis, comme une ballerine, elle s'étira sur la pointe des pieds et cueillit une fleur fuchsia sur une longue liane accrochée au mur du jardin.

Henry songea qu'elle ressemblait à une déesse exotique d'un de ses vieux rêves sur la Côte d'Ivoire.

— Est-elle réelle?

Il se frotta les yeux pour mieux voir.

— Comment sa beauté a-t-elle pu m'échapper tout ce temps?

Yuala cueillit une autre fleur et la laissa tomber dans le panier tressé posé à ses pieds.

Henry fronça les sourcils devant son incapacité à faire la différence entre la réalité et le fantasme. Il souhaita de toutes ses forces pouvoir empêcher ses longues jambes de franchir la distance qui le séparait de Yuala. La jeune fille était comme un aimant qui l'attirait à elle. Il voulut se détourner, mais en fut incapable.

— Yuala! l'interpella-t-il d'une voix forte en marchant vers elle à grands pas.

Elle s'immobilisa. Puis elle se redressa, sans se retourner. Elle garda les yeux fixés sur les fleurs, droit devant elle et non sur le sol comme on le lui avait appris. Elle savait ce qui était sur le point de se produire.

«Mon destin commence aujourd'hui.»

Elle était prête.

— Pourquoi ne portes-tu pas le nouvel uniforme noir qui vient d'arriver de Liverpool? Pourquoi n'obéis-tu pas à mes ordres?

Il désirait la toucher, aussi joignit-il ses mains dans le dos pour qu'elles ne le trahissent pas.

— Le noir est trop chaud et il a des odeurs de teintures étranges, répondit-elle. Je l'ai trouvé désagréable.

Bouche bée d'indignation, il s'écria :

— Tu fais l'insolente? Toi, Yuala?

La jeune esclave se retourna lentement pour lui faire face. Elle leva les yeux et rencontra le regard de son maître. Comme la veille, ils sentirent une puissance incroyable fulgurer entre eux.

— Yuala, balbutia-t-il, le souffle court.

La brise moite faisait claquer le coton vaporeux contre le corps svelte de la jeune esclave, dévoilant ses seins généreux, sa taille de guêpe et ses hanches étroites. Ses cuisses fuselées qui bridaient le tissu enroulé serré s'effilaient jusqu'à ses genoux galbés. Elle était pieds nus, à l'exception des tongs qu'elle avait lacées à ses pieds et décorées de plumes aux couleurs vives. Henry distinguait le contour de ses mamelons sombres aussi clairement que si elle avait été nue.

Il retint son souffle et sentit son corps qui réagissait.

— Mon seigneur, souffla-t-elle, comme si elle était son égale.

Sa maîtresse.

Pareilles à la lumière des étoiles, des lueurs d'argent brillèrent dans ses yeux noirs comme l'onyx. Sa bouche sensuelle esquissa un sourire, ténu et bienveillant. Henry ne put qu'imaginer la pleine puissance de sa beauté. Debout devant les hibiscus aux fleurs rouges et jaune vif, et la bougainvillée d'un rouge violacé, Yuala ressemblait à une jeune reine de la Babylone antique.

Il s'approcha d'elle, les yeux fixés sur sa bouche.

— Nous ne devrions pas nous regarder ainsi.

— Je sais ce qu'il y a dans votre cœur, mon seigneur. Je lis dans votre esprit. Vous vouliez me toucher hier soir. Elle leva la main. Allez-y. Touchez-moi.

Le vent fit voleter la chevelure d'un blond grisonnant de Lord Henry. Il entendit dans le caye un pêcheur parler de la tempête tropicale qui fonçait vers la Jamaïque. Les frondes des palmiers s'entrechoquèrent tandis que le vent s'enflait et fouettait la végétation. Les longs bras sinueux de la bougainvillée semblèrent faire signe à Henry. Yuala était debout devant lui, son corps semblable à un jeune saule, cédant sous la force du vent, vacillant légèrement de temps à autre.

Henry se rappela qu'elle était une esclave, et pourtant, elle avait un port de reine. Elle le regardait comme si elle était son égale, et peut-être plus tout à fait. Il ne voyait en elle aucune indication de la frayeur qui cloue l'homme au sol ; au contraire, elle semblait défier la gravité, comme si elle s'élevait au-dessus de la terre et de ses préoccupations. Comment avait-il pu ignorer cet aspect, alors qu'elle lui appartenait depuis toutes ces années ?

— Ce n'est pas ce que je veux, laissa-t-il tomber.

— Je sais, répondit-elle en prenant sa main et en la posant sur son sein. Vous voulez mon corps, mon seigneur. Mais moi, je veux votre cœur. Vous ne l'avez jamais donné à quiconque, et je dois savoir qu'il est à moi.

Ses doigts pressèrent la chair tendre.

— Je pourrais t'aimer. Je le sens.

— Nous sommes tous censés donner de l'amour, mon seigneur. Si nous échouons, nous mourons.

Henry se força à détourner les yeux de sa poitrine et à rencontrer son regard. Le choc qu'il ressentit en y découvrant l'amour le remplit du courage dont il avait besoin pour dépasser ses dernières appréhensions. Ses derniers préjugés.

Il pressa sa bouche contre la sienne et découvrit le paradis. Ses mains tremblèrent en l'attirant contre lui. Il sentit son sexe en érection distendre le tissu de sa culotte brun clair. Il avait déjà la peau brûlante et marbrée de sueur. Quelle sorte de pouvoir cette enfant avait-elle sur lui?

Tous ses muscles étaient bandés. Ses nerfs s'enflammèrent de désir, forçant son sexe à se durcir encore. Et encore davantage.

Il sentait l'appel sexuel qui émanait du corps de Yuala comme un tambour tribal. Il sentait les éléments — vent, soleil et pluie — les entourer, les envelopper. C'était comme si la jeune fille avait ordonné aux puissances terrestres et célestes de forcer leur union.

Yuala sentit la moiteur perler entre ses cuisses. Elle les écarta imperceptiblement. Baissant les yeux, elle fixa la formidable érection de Henry. Sans même le toucher, elle sentit qu'en écartant les cuisses, elle attisait une fièvre ardente dans son sang.

Tout cela était prédestiné. Elle percevait sans peine la force de vie qui circulait entre eux. Tous les éléments de la nature les encourageaient et poussaient le ciel et la terre vers l'apogée de leur union.

Le vent forcit en même temps que la pluie s'approchait du rivage. Les volets de la maison claquèrent jusqu'à ce qu'un domestique les verrouille de l'intérieur.

Un éclair zigzagua dans le ciel, secouant le sol et envoyant des ondes de choc dans les profondeurs terrestres. En remontant, elles traversèrent leurs corps et accrurent encore l'intensité de leur désir.

Presque hypnotisée, Yuala ne quittait pas du regard les yeux verts de Henry.

— Aimez-moi, mon seigneur.

Elle sentit ses larmes se mêler à la pluie.

— Je sais que Dieu m'a mise sur terre pour faire l'amour avec vous aujourd'hui, et que vous me donnerez une fille. Mais je vous en conjure, je vous en supplie, donnez-moi votre amour. J'en ai désespérément besoin.

— Oh, mon Dieu ! Yuala, murmura-t-il d'une voix rauque en la pressant contre sa poitrine. Je le jure, jamais aucun être humain ne m'a parlé ainsi. Jusqu'à présent, je n'avais jamais compris que j'avais besoin de les entendre.

— Mon seigneur, reprit-elle en le regardant dans les yeux tandis qu'il prenait son visage entre ses mains. Notre enfant aura vos yeux. Dans vos yeux, je vois les générations qui remontent jusqu'aux rois d'Angleterre. Moi aussi, je suis de sang royal, car je descends des rois d'Afrique. Du sang royal coulera dans les veines de notre fille. Pour le reste, elle sera le mélange du meilleur de chacun de nous. Vous et moi, mais un seul cœur. Une seule âme.

Le tourbillon de leur histoire fit naître un vortex dans l'esprit de Yuala et effaça ses pensées, laissant toute la place au désir.

Henry reprit sa bouche. Il n'avait jamais connu de femme aussi souple, aussi désireuse de se soumettre entièrement, de corps et d'esprit, à ses besoins, à ses désirs.

Il voulait assouvir ce désir, éteindre cet incendie, mais la langue veloutée de Yuala le caressait avec amour, et jamais il n'avait été touché ainsi. Moins d'une minute s'était écoulée, un instant microscopique, mais déjà l'esclave était devenue le maître et le maître, l'esclave.

— Qu'est-ce que tu m'as fait, Yuala ?

Ses paroles moururent dans une inspiration brutale.

— Dieu Seul connaît la réponse, fit-elle.

Posant la main sur sa joue, elle força Henry à reprendre sa bouche.

Sans rompre leur baiser, celui-ci tira sur la tunique qui séparait le corps de Yuala de ses mains. Il déchira le tissu vaporeux et, l'arrachant de ses épaules, dénuda ses seins, puis son ventre et son sexe. Le voile diaphane tomba en tas à ses pieds. Au moment où il touchait le sol, la tempête tropicale s'abattit sur les deux amants, bombardant la terre d'un torrent de pluie.

La pluie pinça la peau de Henry tandis qu'il arrachait son gilet, sa chemise de lin blanc et sa culotte. Nus dans le jardin, ils étaient dissimulés à la vue des habitants de la maison par les frondes agitées des palmiers, les lianes de la bougainvillée et les branches des hibiscus. Leur peau trempée glissait l'une sur l'autre, lubrifiant chaque centimètre, chaque creux.

L'esprit de la jeune esclave appelait à toute force la pénétration, l'apogée de son destin, mais son cœur désirait davantage. Yuala voulait l'amour de Henry.

Celui-ci saisit à pleines mains les seins généreux de la jeune fille. Il fit glisser ses mains le long de son dos, de ses côtes, de ses hanches, de ses cuisses et de ses mollets. Sa peau était lisse comme le marbre, mais trop brûlante pour être de la pierre. En dépit de la pluie fraîche qui les martelait, la peau de la jeune esclave irradiait la chaleur, palpitait au rythme des battements précipités de son cœur. Yuala caressait Henry doucement, expertement, comme s'il était un trésor. Elle entoura ses testicules de ses mains et les pétrit. Henry trembla lorsqu'elle colla sa bouche contre la sienne. Cette fois, ce fut la langue de la jeune fille qui devint l'agresseur.

Tremblant, défaillant, Henry tomba à genoux comme un pénitent devant son dieu. Il aurait voulu demander grâce, mais il était trop égoïste.

Pressant ses mains sur les épaules de Henry, Yuala le força à s'allonger sur le sol et s'assit à califourchon sur lui. Elle s'empala sur son sexe aussi profondément qu'elle le put, dirigeant elle-même la perte de sa virginité. La douleur la transperça comme une dague, mais lorsque la bouche de Henry s'empara de son sein, elle sentit le désir l'envahir à l'unisson avec la pluie battante. Yuala savait seulement qu'elle voulait davantage.

Elle dansa sur le pénis de son amant, en bougeant les hanches et les cuisses dans un mouvement giratoire.

Au grognement animal rempli de désir qui s'échappa des lèvres de Henry, la jeune fille comprit qu'il était sur le point de déposer sa semence en elle.

D'un seul coup, elle s'écarta de lui, le laissant éberlué.

— Qu'est-ce que tu fais? demanda-t-il, le souffle court, ses yeux verts écarquillés et stupéfaits.

— C'est votre terre, pas la mienne. Je ne concevrai pas mon enfant ici. Nous devons nous rendre au lieu sacré.

Henry avait l'esprit tellement grisé par le désir et la passion qu'il ne comprit pas ce que ses paroles signifiaient. Il ne voyait que la lumière de son sourire qui rayonnait, se mêlait à la pluie et paraissait enflammer l'atmosphère. Si Yuala le lui avait demandé, il l'aurait suivie jusqu'en enfer.

— Montre-moi, dit-il volontiers.

Yuala ramassa leurs vêtements.

— Suivez-moi.

Nue, elle courut sous la pluie jusqu'au bout de la pelouse que Henry avait fait défricher, passa devant le quartier des esclaves, poursuivit sa course jusqu'à sa hutte au toit de chaume et la dépassa pour se rendre à l'orée de la forêt.

Presque aveuglé par la pluie torrentielle, Henry ne s'inquiéta pas de savoir si on les observait de la maison, ni où se trouvaient ses enfants ou ses esclaves. Son désir pour la jeune fille avait anéanti toute logique, toute pensée rationnelle. Il songea qu'après s'être rassasié d'elle, il en aurait terminé avec cette histoire, et que l'esprit lui reviendrait. Mais son cœur savait qu'il n'en serait rien. Il ne pourrait plus jamais la quitter. Ni aujourd'hui, ni jamais. Il l'avait crue lorsqu'elle lui avait dit qu'ils partageraient un destin. Un enfant. Il n'avait pas peur.

Ils foncèrent entre les feuilles de bananiers et atteignirent la combe près du lagon. À cet endroit, la pluie ne parvenait pas à traverser la voûte forestière. La cascade dévalait les rochers, chantant son éternelle mélodie. Yuala sourit en entendant la musique familière et en tira de la force. Elle ferma les yeux et imagina les rayons dorés du soleil tourbillonnant autour d'eux, les enveloppant de chaleur. Elle ouvrit les yeux et en regardant Henry, elle prit conscience qu'il pouvait lui aussi voir le cercle doré.

— C'est un lieu sacré, murmura-t-il d'un ton plein de crainte et de vénération.

— Je suis née ici. J'ai gardé ce lieu secret pour que vous et moi y devenions amants.

— Notre union était prédestinée.

— Oui, mon seigneur.

— Est-ce du vaudou ou de la sorcellerie?

— Non, mon seigneur.

En plongeant son regard dans celui de Yuala, Henry prit soudain conscience que ses yeux avaient une forme légèrement en amande, révélant une trace d'un sang égyptien qui devait remonter presque au début du monde. Fugacement, il songea à Marc Antoine, ensorcelé par Cléopâtre. Mais Yuala était plus qu'une déesse tellurique. Elle irradiait d'une façon que Henry n'arrivait pas à décrire, bien que le qualificatif «angélique» lui soit venu à l'esprit.

— Étendez-vous là, ordonna-t-elle, d'une voix brûlante de désir et de puissante sexualité.

Henry se laissa tomber sur les fougères et les herbes accueillantes, en songeant qu'à son âge, et après un tel effort, il n'arriverait jamais à avoir une autre érection. Cette pensée venait à peine de traverser son esprit que Yuala se pencha et prit son sexe dans sa bouche. Usant de sa langue avec art, elle titilla chaque centimètre de sa virilité. Il poussa un gémissement de délicieuse souffrance.

La jeune Africaine s'empala à nouveau sur son sexe et reprit le même rythme giratoire dont Henry songea qu'il s'agissait d'un instinct mystique ancestral, puisqu'un quart d'heure plus tôt, elle était encore vierge.

La chevelure sombre de Yuala caracolait sur la poitrine de Henry au rythme de ses mouvements : elle penchait et relevait la tête comme un lion agitant sa crinière. Elle écarta ses doigts sur la poitrine de Henry et les pressa sur son cœur, protectrice.

— Je prendrai toujours soin de vous, mon seigneur.

Henry souleva les hanches pour la pénétrer plus profondément. Il plongea en elle encore et encore. Elle lisait dans son esprit aussi facilement qu'elle pouvait prédire l'avenir, guérir les malades et consoler un cœur brisé. Henry lui appartenait.

Alors qu'il était sur le point d'exploser en elle, la jeune fille vit qu'il ouvrait les yeux, émerveillé. De brillants rubans de lumière bleue et pêche rayonnaient de leurs profondeurs. Yuala comprit à ce signe qu'il lui avait donné son cœur. Mais ce qui la surprit davantage fut de voir les mêmes lumières colorées couler de ses yeux, se mélanger à celles des yeux de son amant, et les envelopper tous deux.

— Je t'aime, souffla-t-il.

— Moi aussi, mon seigneur, murmura-t-elle à son intention et à l'intention de l'Univers, en atteignant l'orgasme.

Henry explosa en elle avec un grognement de jouissance.

Yuala poussa un soupir.

— J'ai mon enfant. Elle s'appellera Rachel.

* * * *

La jeune esclave avait raison. Henry devint obsédé par elle et l'aima chaque jour davantage. Il ne s'intéressait plus à rien d'autre qu'à elle et à l'enfant qu'ils avaient conçu.

— Tu m'as rendu heureux pour la première fois de ma vie, lui confia-t-il, un dimanche après-midi, alors qu'il la tenait enlacée dans la combe. Je me demande ce qu'aurait été ma vie si je t'avais rencontrée en premier.

Yuala secoua la tête et les longues boucles torsadées de sa chevelure dansèrent autour de son visage.

— C'était censé se produire ainsi.

— Mais tout ce que j'ai fait est amasser des richesses et bâtir cette plantation pour la léguer à mes enfants. Il y a des années, je rêvais d'un amour comme le nôtre, mais je n'avais jamais imaginé qu'il viendrait à moi.

— Tes réalisations seront importantes pour tes enfants. Le destin de notre enfant sera différent, mais tout aussi important, le rassura-t-elle en couvrant de petits baisers son torse nu.

— Comment cela se peut-il ?

Le regard de Yuala se fit sombre et pensif.

— Il y a très peu d'inspiration dans ta vie, Henry. Je vois que je dois y remédier.

Henry se redressa sur les coudes, écrasant une orchidée sauvage sous lui.

— J'ai étudié à Oxford...

La jeune esclave posa un doigt sur ses lèvres.

— Ce n'est pas ce que je veux dire. Je vais t'enseigner ce que je sais, et tu m'enseigneras ce que tu as appris à Oxford. Je devrai enseigner ces choses à notre enfant.

Il posa un baiser sur sa joue.

— Tu es plus disposée que moi à apprendre.

— Apprendre à lire et à calculer est simple. Mes leçons seront ardues pour toi, parce que l'homme blanc ne voit qu'avec ses yeux.

— Ha ! Et pas toi ?

Espiègle, Henry attira Yuala contre lui. Il regarda profondément dans ses yeux et en suivit les lumières argentées jusqu'à l'orée de son âme. La lumière était aveuglante, presque douloureuse. Il y avait là pureté et bonté, recueillies avec soin, immobiles, prêtes à nourrir tous ceux qui seraient attirés vers elles.

Henry contemplait toutes les couleurs du spectre, dansant et tourbillonnant les unes autour des autres, générant un pouvoir qui, il le savait, pouvait défier la gravité, soulever des montagnes, guérir les maladies et vaincre le mal. Il était bouleversé par l'amour qu'il découvrait.

— Il est vrai que j'ai beaucoup à apprendre, conclut-il.

* * * *

— Comment a-t-il pu me faire cela ? Prendre une esclave pour maîtresse ! C'est un blasphème contre Dieu !

Mary se frappa la paume du poing.

Atterré, Andrew observait Mary qui arpentait la pièce.

— Je n'y aurais pas cru si je ne l'avais vu moi-même avec elle. Mary, j'ai bien peur que cela m'oblige à emmener Brenna et le bébé loin d'ici.

Mary avait l'esprit douloureux tant il débordait de colère et de condamnation.

— Brenna. Le sait-elle ?

— Je ne lui ai rien dit et je ne veux pas qu'elle apprenne que mon propre frère... qu'il a pu...

Mary l'arrêta d'un geste.

— Ne dites rien. Je ne pense pas pouvoir en supporter davantage.

— Comment allez-vous faire pour cacher la chose aux enfants ?

— Croyez-moi, Andrew, il y a des jours où je souhaiterais qu'ils l'apprennent. Ils le détesteraient encore plus que moi.

Même s'il avait choisi de prendre le parti de Mary, Andrew eut un mouvement de recul.

— J'ai réservé nos places sur le bateau qui appareille vendredi matin. J'ai annoncé à Brenna que nous partions, et à vrai dire, elle n'y comprend rien. Un jour, je lui dis que je ne l'exposerai plus jamais aux dangers de la Chine, et le lendemain, que nous nous embarquons.

Mary s'arrêta devant la fenêtre et ouvrit le rideau. Elle vit Henry qui se dirigeait vers la maison. Un peu plus loin derrière, elle vit Yuala debout dans le jardin. La jeune esclave leva les yeux et rencontra le regard de sa maîtresse. Mary laissa brusquement retomber le rideau de dentelle.

— Vous devez lui dire la vérité. Autrement, elle ne partira pas. Je ne veux pas qu'elle reste ici et qu'elle soit témoin de ce qui se passe. C'est une chose de l'entendre. C'en est une autre de le voir. Yuala a totalement ensorcelé Henry.

— Bon sang! C'est dégoûtant, répliqua Andrew d'un ton moralisateur.

Mary lui fit face.

— Ne vous inquiétez pas, Andrew, je m'assurerai que Henry sera châtié.

— Je ferais mieux de m'occuper de nos bagages, lâcha-t-il en tirant sur son col, comme si la pièce était soudain devenue inconfortable.

* * * *

Le cœur de Mary agonisait. Elle n'avait jamais mesuré la force de l'émotion qu'elle avait refusée à Henry. Maintenant qu'elle débordait, Mary était choquée par l'intensité de l'explosion. Son amour s'était transformé en haine.

Le lendemain du départ de Brenna et d'Andrew, Mary apprit des domestiques que Yuala avait célébré des rituels païens dans le vallon, non loin du quartier des esclaves. Elle soudoya le jeune garçon chargé de l'entretien des bottes de Henry pour qu'il informe son maître du rituel, qui était prévu pour la nuit même.

— Une fois qu'il saura que Yuala prend part à des sacrifices sanglants et à des rites de fertilité, il mettra fin à sa liaison et reviendra à sa famille, dit-elle à voix haute à son reflet dans le miroir.

Henry s'assit sur le long banc recouvert de damas placé au pied de son lit. Levant une jambe chaussée d'une botte sablonneuse, il attendit que le jeune esclave lui tourne le dos pour la retirer. Posant son pied gauche déchaussé dans le dos du garçon, Henry poussa..

Le garçon trébucha et tomba par terre. Il leva les yeux vers son maître.

Motivée par le racisme, la colère lui donna le courage de faire ce que sa maîtresse lui avait ordonné.

— Ce soir, Yuala faire magie à la cascade.

— Quoi? Qu'est-ce tu dis, *garçon*?

— Yuala appelle démons. Ouais, *monsieur*. Elle jeter sorts. Elle mauvaise.

— Mensonges! Qui t'a dit de me raconter cela?

Henry agrippa le garçon par les manches volumineuses de sa chemise blanche.

— C'est la vérité!

L'esprit de Henry s'emballa. Yuala lui avait expliqué à quel point la clairière de la cascade comptait pour elle. C'était là qu'elle était née et que leur enfant avait été conçu. C'était leur nid d'amour. Pas un refuge pour les démons et la magie noire.

— Je n'en crois rien! Je connais Yuala. Il n'y a rien de mauvais en elle!

Henry bondit sur ses pieds. Depuis des années, on murmurait des histoires à propos de la jeune esclave et du vaudou. Or, en dépit de ses efforts, même Mary, la fausse dévote, n'avait jamais réussi à prouver la véracité des rumeurs.

Henry sortit de sa chambre à grands pas. Mary n'en savait peut-être pas assez sur Yuala et sa façon de vivre pour savoir comment s'y prendre pour découvrir la vérité.

En quête de sa maîtresse, il fit irruption dans la chambre à coucher de Mary.

— Où est votre femme de chambre?

Lady Mary eut un sourire triomphant. Elle comprit que le jeune valet avait fait son travail.

— Au bout du couloir. Je l'ai envoyée chercher du linge de maison. Pourquoi?

Henry ne répondit pas et repartit à grands pas le long du corridor au sol couvert d'un tapis persan. Il ouvrit à la volée la porte de la lingerie, vaste pièce de plus de trois mètres de longueur : Yuala soulevait d'une tablette une pile de coûteuses serviettes belges. Elle tourna la tête vers lui. Derrière elle, le soleil du matin qui brillait par le vitrail de l'œil-de-bœuf l'enveloppa dans une aura bleue et verte, la baignant de lumière comme une princesse arabe à ses oraisons matinales dans une mosquée. Le visage de la jeune femme s'éclaira lorsqu'elle vit Henry. Elle inspira largement, ce qui fit gonfler sa poitrine et le titilla même dans sa colère.

— Mon amour, murmura-t-elle avec tout l'amour que contenait son cœur.

Henry se sentit fondre. Il n'avait jamais rencontré un être capable de harnacher ses émotions et de les soumettre à sa volonté, comme Yuala le faisait avec lui. À cet instant, il avait peur que les rumeurs à son sujet soient vraies. La jeune esclave était une sorcière : c'était sur lui qu'elle pratiquait sa magie.

— Tu es en colère parce que tu as entendu parler de la cérémonie de ce soir.

Henry était stupéfait.

— Comment le sais-tu ?

Elle eut un petit rire, comme un gloussement cristallin de lutin, issu d'une âme heureuse.

— Je l'ai entendu ici, Henry, fit-elle en touchant sa tempe, et ici, posant la main sur son cœur.

Henry regarda la main de Yuala, qui épousait la courbe de son sein. Il tendit le bras et s'approcha vers elle.

— Oui, Henry, viens sentir les mots dans mon cœur.

Elle sourit et souleva son sein dans sa main, en le lui offrant comme une bénédiction.

Henry tomba à genoux et enfouit son visage contre le ventre de Yuala.

— Seigneur ! Je crains d'être possédé par toi.

Le visage de la jeune femme s'assombrit.

— Ne dis jamais cela ! Je ne suis pas un démon. Je suis un être de chair et de sang, et je porte notre enfant !

Elle saisit le visage de Henry entre ses deux mains et l'obligea à lever la tête.

— Pour que tu sois possédé, il faudrait que mon esprit soit en toi. Je suis ici, Henry. Ici pour t'aimer.

— Et je t'aime.

Elle posa ses lèvres sur le sommet de son crâne, et il se demanda si elle lisait encore dans son esprit.

Cinq

« L'espèce humaine actuelle n'est pas la première, une autre l'a précédée, dont tous les membres ont péri. Nous appartenons à la deuxième race qui descend de Deucalion. Quant aux hommes de la race précédente, on raconte qu'ils étaient pleins d'orgueil et d'insolence, et qu'ils ont commis de nombreux crimes [...]. Ils ont été punis par un terrible désastre. Soudain, d'énormes trombes d'eau ont jailli de terre[5]. »

— LÉGENDE DE LA DÉESSE SYRIENNE,
TELLE QUE RACONTÉE DANS L'ANTIQUE SANCTUAIRE
ARAMÉEN DE HIÉROPOLIS

Rachel naquit le 22 octobre 1781. Dès son premier souffle, elle fut très malade. Tout petit bébé à la chevelure dorée, Rachel souffrait de violentes fièvres. Son ventre distendu et ses selles dures et noires comme du charbon laissaient présager qu'elle ne vivrait pas longtemps.

— Le médecin de Montego Bay est d'avis qu'elle ne survivra probablement pas plus de deux semaines, dit Henry, morose.

5. N.d.T.: Traduction libre

— Je n'ai pas peur, mon amour. Je vais guérir notre bébé en exorcisant les démons qui ont malicieusement cherché à affaiblir mes pouvoirs en s'emparant de notre fille.

— Yuala, je t'en prie. Le médecin n'en sait peut-être pas autant qu'il le devrait. Laisse-moi emmener notre fille à l'hôpital de San Juan. Si je me mets en route aujourd'hui... Henri voulait désespérément sauver son minuscule rejeton.

La jeune femme posa la main sur la joue de Henry.

— Elle guérira. Son destin n'est pas de mourir.

L'eau qui se précipitait au-delà des rochers de la cascade était presque transparente. Suspendue au-dessus d'un grand palmier, la pleine lune argentée jetait une brillante lumière sur la combe jonchée de fleurs. Il n'y avait aucune ombre. Aucun endroit où la peur pouvait se dissimuler. De grosses chandelles en cire d'abeille de huit centimètres de diamètre étaient allumées dans la nuit et formaient un cercle autour de Yuala et de Rachel, âgée de deux mois.

La jeune esclave indiqua à Henry où se cacher, derrière les néfliers et les crotons.

— Mes adeptes ne doivent pas te voir. Tu n'es pas un *oungan*, lui expliqua-t-elle, c'est-à-dire un membre masculin de la secte. Moi, je suis la Mambo, la guérisseuse, la prêtresse et la conseillère qui célèbrera la cérémonie.

— Très bien, opina Henry.

Yuala déposa Rachel dans le cercle de lumière et se mit à réciter d'anciennes incantations africaines incompréhensibles pour Henry.

La jeune femme portait des colliers de coquillages et un turban blanc serré. Elle avait revêtu une robe ample d'un blanc neigeux, ornée de broderies de même couleur, dont les manches flottantes rappelaient à Henry le vêtement sacerdotal du prêtre catholique. Groupés autour du cercle, les participants étaient assis en retrait de la lumière.

Yuala souleva Rachel vers la lune. La petite hurla. Elle sanglotait et hurlait sans discontinuer, et ses cris perçaient la nuit avec de tels accents de souffrance et de tourment que Henry était bien près de croire qu'elle était possédée.

La jeune esclave déshabilla entièrement l'enfant, et Henry vit de nouveau le petit abdomen horriblement distendu. Les joues de Rachel étaient cramoisies par la fièvre. À chaque expiration, elle cessait de hurler, ouvrait des yeux verts vitreux, inspirait à pleins poumons et recommençait à s'égosiller.

Fasciné, Henry observa Yuala tandis qu'elle guidait sa «congrégation» dans un chant africain d'une beauté envoûtante. Elle déposa le bébé sur une natte de paille, puis posa ses mains sur le petit ventre.

Elle récita d'abord une prière en silence, puis entama une incantation à voix haute.

— Seigneur, Seigneur, s'exclama-t-elle d'une voix tonitruante à l'adresse du ciel nocturne et des étoiles scintillantes. Sauve cette enfant de l'enfer, Seigneur Jésus-Christ, le plus grand de tous les dieux qui parcourent le ciel et la terre. Sauve cette enfant! Dissipe la fièvre de son corps, de son cœur et de son âme. Sauve cette enfant, et fais qu'elle puisse marcher entre les palmiers.

Tandis que Yuala priait, sa tête ballottait d'avant en arrière sur ses épaules, comme si elle était dissociée de son corps. Sa voix se fit de plus en plus forte. Henry ne l'avait jamais vue ainsi, car elle s'exprimait toujours d'une voix douce et mélodieuse. Or, cette voix était presque une voix d'homme. Elle vibrait de puissance.

Henry vit que les oscillations de tête continues de Yuala avaient défait son turban. Celui-ci tomba comme une avalanche immaculée et scintillante sur le sol, et la chevelure de la jeune femme — cette cascade rebelle et bouclée de cheveux sombres et soyeux qu'il adorait — se répandit sur son dos, couvrant presque entièrement Rachel. Lorsque les pointes de cheveux touchèrent l'enfant, Henry vit que l'abdomen distendu commençait à désenfler.

— Dieu du ciel! s'exclama-t-il un peu trop fort.

Il reprit instantanément ses esprits et plongea sous le bosquet de néfliers. Il cligna des yeux, puis les frotta pour s'assurer qu'il n'était pas en train d'halluciner.

Yuala priait toujours, les yeux clos, le visage tourné vers le ciel. Ses mains reposaient, délicates, sur son enfant.

— Les anges et les saints du Seigneur sont venus pour sauver cette enfant du mal! clama-t-elle, ses yeux clos toujours dirigés vers le ciel.

Henry braqua de nouveau son regard sur Rachel.

— C'est un miracle.

L'enfant se tut brusquement, et sa respiration redevint normale. La rougeur de ses joues avait disparu, ses yeux verts étaient calmes.

Yuala entra dans le cercle de lumière. Portant la main à son épaule, elle défit l'attache de sa robe, puis retira son corsage, révélant un sein lourd de lait. Rachel se mit à téter avec voracité, tandis que les membres de la secte se détournaient en silence, laissant l'enfant en paix.

Henry était sidéré. Il attendit que tous les participants soient partis. Les yeux pleins de larmes, il se dirigea vers Yuala et Rachel, et les enlaça toutes les deux.

* * * *

Durant cinq ans, Henry vécut dans un monde de rêve, débordant d'amour, de bonté, et de cette magie curative que Yuala pratiquait sur les malades de sa secte. Il ne posait jamais de questions au sujet des pots, des potions ou des prières de la jeune femme. Les remèdes de Yuala guérissaient parce qu'elle croyait, comme ses patients, en leurs vertus curatives. Comme Henry autorisait la jeune esclave à donner les soins qu'elle jugeait nécessaires, sa plantation était la moins touchée par le paludisme et la fièvre tierce, lorsque ceux-ci s'abattaient sur l'île comme des nuées de sauterelles invisibles.

Au cours de cette période, Henry fit bâtir une maison en pierre pour Yuala et Rachel, et la meubla aussi splendidement que son manoir.

Il ne prit rien de la grande maison, mais commanda plutôt un nouvel ameublement — tables, chaises et lits. Après avoir découvert la liaison de son mari, Mary avait banni Yuala de la maison. Elle avait déclaré à Henry qu'elle ne voulait plus le revoir, sauf pour préserver les apparences quand on leur rendait visite.

Henry vivait essentiellement avec Yuala, dormant et mangeant avec elle. Une fois par semaine, il organisait une rencontre avec ses enfants, mais seule Charlotte daignait y assister. William et Sarah s'étaient rangés du côté de Mary. En ce qui les concernait, leur père avait été corrompu par le démon. Ils priaient pour son salut, tous les soirs.

Henry considérait son existence avec Mary et le monde qu'il avait bâti comme l'expérience d'un étranger. Il n'avait jamais été aussi en paix qu'avec Yuala. Il n'avait jamais dû relever de tels défis, mentalement et spirituellement.

— Maintenant que tu as toutes ces étagères, tu pourrais ranger tes potions à côté de mes livres.

Yuala lui tendit l'une de ses statuettes en ivoire à l'effigie de sainte Anne.

— Maintenant, je verrai Jésus et Marie chaque fois que j'entrerai dans cette pièce.

Henry posa un baiser sur sa joue.

— Yuala, ton cerveau contient le mélange de vérités le plus étrange qui soit. Mais, qui suis-je pour remettre en question ta logique élémentaire et ta profonde sagesse ?

De tous les présents que Henry donna à Yuala et à Rachel, la capacité de lire et d'écrire l'anglais fut sans contredit le plus précieux. Comme Yuala le lui avait affirmé, elle apprenait facilement.

Elle lut *Du contrat social ou Principes du droit politique* de Jean-Jacques Rousseau, et apprit que des scientifiques et des archéologues avaient mis au jour les ruines de Pompéi et d'Herculanum. Elle apprit qu'en Amérique, les colonies avaient fait la guerre pour libérer les hommes et déclarer que «tous les hommes sont nés égaux». Elle se demanda toutefois comment ils arrivaient à justifier le fait de posséder des esclaves.

La jeune femme lisait quotidiennement et de jour en jour, voyait croître sa perplexité quant au monde où elle vivait. Elle fut réconfortée lorsqu'elle découvrit que partout sur la planète, les hommes, peu importe leur penchant pour les faits scientifiques ou leur quête de connaissances sous la surface de la terre, apprenaient ce qu'elle avait toujours su... L'être humain était un infime élément du cosmos. Entité minuscule, bien que merveilleuse et unique, il ne manifestait que l'intention de Dieu, Son souffle, tout simplement.

* * * *

Quand Rachel eut trois ans, Henry lui apprit à lire.

— Je veux que tu parles un anglais châtié, et non ce «karipoun insulaire» des esclaves.

«Cela m'ennuie royalement d'entendre ce méli-mélo de maya, de tupi-guarani et de français, d'anglais et d'espagnol abâtardis.»

— Rachel, mon enfant, tu as un esprit brillant. Je souhaite que tu communiques ce fait à tes semblables, toute ta vie.

— Très bien, père. Je ferai ce que tu veux.

Mais trop souvent, Rachel reprenait le dialecte de ses compagnons de jeu sur la plantation.

Henry découvrait en Rachel une enfant obéissante et brillante. En fait, elle était la plus intelligente de toute sa progéniture. Il l'observa tandis qu'elle apprenait, comme si c'était une seconde nature, les formules, les potions et les onguents curatifs spéciaux que Yuala lui transmettait oralement.

Rachel avait cinq ans quand, un jour, Henry arriva sur le seuil de la porte, le soleil derrière lui.

La fillette travaillait au fond de la maison, devant la grande table à tréteaux que Yuala appelait son «espace de création».

— Qu'est-ce que tu fabriques, Rachel? s'enquit Henry.

Rachel lui offrit un sourire si radieux, si riche du plaisir de le voir, que sa puissance vint bourdonner aux oreilles de son père.

— Un cataplasme contre la goutte, père. Mère est partie cueillir les racines dont nous avons besoin.

D'un geste de sa petite main, elle l'invita à prendre place sur la solide chaise à dossier droit et au siège en jonc où il s'asseyait toujours.

Le parfum des fleurs séchées et des écorces de citron et de lime et se mêlait aux odeurs piquantes des herbes que Rachel triturait avec vigueur. C'était une senteur calmante et enivrante à la fois. Henry aimait non seulement cette odeur, mais il en avait un besoin quasiment maladif. Elle lui était presque aussi essentielle que le temps passé avec Yuala et Rachel. C'était une période où tout lui rappelait Yuala — ce qu'il voyait, entendait, touchait et sentait. Fait incroyable, ses sentiments étaient plus intenses aujourd'hui que lors de ce premier après-midi d'orage, près de la cascade.

Rachel s'approcha de son père et l'embrassa carrément, impudemment, sur la bouche, avant de s'asseoir sur ses genoux.

— De quoi allons-nous parler, aujourd'hui, père?

Les rayons du soleil dansaient allègrement sur ses abondantes boucles cuivrées. Sa chevelure était presque aussi légendaire que celle de sa mère. De petite taille, Rachel avait une ossature délicate, et sa tête paraissait trop grosse pour son corps. Jumelée à la masse épaisse et bouclée de sa chevelure blond vénitien, la tête de Rachel ressemblait à une citrouille posée sur ses épaules. Henry craignait que Rachel ne devienne pas une jolie femme, mais pour une fillette née comme elle entre deux mondes, la beauté ne serait jamais un sujet de préoccupation. La vie serait toujours difficile pour elle, car elle n'aurait de place nulle part.

Il tira sur une frisette en tire-bouchon, particulièrement rebelle. Les larmes lui vinrent aux yeux.

Rachel entoura son cou de ses petits bras et lui offrit un sourire, du fond de son cœur qui ne contenait que de l'amour.

Soudain, l'écho des accusations cinglantes de Mary résonna dans l'esprit de Henry : jamais ses enfants ne connaîtraient une vie «normale» en Angleterre. Son égoïsme et son besoin d'aventure en avaient fait des parias en Jamaïque. Ses filles resteraient célibataires et ne réaliseraient jamais leur rêve d'avoir des enfants. William était devenu un jeune homme insensible, résigné à une existence qui ne lui offrait aucune occasion de prouver sa valeur.

Tout à coup, Henry prit conscience qu'il ne serait plus là lorsque Rachel serait devenue une femme. Quel genre de vie aurait-elle, en tant que métis ? Mulâtre ? Détestée des deux mondes. Pas tout à fait esclave, mais pas tout à fait libre, non plus.

— Comme j'aimerais t'emmener à Londres et te donner une éducation convenable !

Les yeux de jade de Rachel pétillèrent, moqueurs.

— Mère dit que je n'irai jamais à Londres. Ce n'est pas mon destin.

Elle plaqua ses petites mains sur les joues de son père et l'embrassa de nouveau sur la bouche.

— Je veux simplement jouer avec toi et faire des cataplasmes pour mère. Je t'aime, père.

Et la fillette le serra de toutes ses forces. La gorge de Henry se serra.

«Comment se fait-il que j'aie engendré trois autres enfants, et qu'aucun ne m'ait jamais dit qu'il m'aimait ?»

Ils le respectaient et le vénéraient, sans plus. Rachel ne voulait rien de lui, sauf son amour.

Yuala s'immobilisa sur le seuil assez longtemps pour graver en elle le souvenir de son amant et de sa fille enlacés.

— Tu pourrais changer les sentiments de tes enfants à ton égard, Henry. Il faut qu'ils *sentent* ton amour. Tu es le seul à pouvoir accomplir ce miracle. Je te conseille de t'y mettre au plus tôt.

Rachel tourna vivement la tête.

— Tu es allée à la cascade !

Elle se défit de l'étreinte de son père et se précipita vers sa mère.

Henry sentit l'appréhension dans leurs voix. Yuala avait eu une vision. En voyant les ombres ténues de la tristesse dans ses yeux, il comprit que la vérité serait douloureuse.

— N'aie pas peur, mon amour, lui dit-il. Tu peux me parler.

Des torrents de larmes cascadèrent des yeux de la jeune femme tandis qu'elle se précipitait vers lui pour l'enlacer.

— J'ai vu ta mort.

— Oh, mon Dieu ! Henry essaya de respirer.

Son cœur s'arrêta de battre une seconde. Il n'avait pas pensé que la vérité serait si terrible.

— J'avais tort. J'ai peur.

Il s'accrocha à Yuala, et ils sanglotèrent ensemble.

Les émotions explosèrent dans la pièce, frappant les murs comme un ouragan tropical. Des questions métaphysiques se percutèrent les unes les autres tandis que Yuala lisait les pensées de Henry, et que Rachel lisait celles de sa mère. Les réponses bourdonnaient autour d'eux comme des abeilles, créant la douceur du miel, mais portant aussi l'aiguillon de la peur. Aussi douée qu'elle l'était dans la connaissance des choses du cœur et de l'esprit, Yuala ne savait rien de l'armure que l'on doit enfiler pour faire face à la mort du corps.

— Je n'avais jamais pensé que cela me ferait aussi mal, sanglota-t-elle. Ne plus pouvoir te toucher... Henry... plus jamais.

Les larmes roulaient sur ses belles joues, comme la cascade qu'elle aimait tant. Mais leur flot ne contenait nulle joie et ne chantait pas de mélodie.

Leur petite trinité, leur existence d'amour et de béatitude, tirait à sa fin. Yuala sentit le sang se retirer de son corps. Sa peau devint glacée, reflétant le refroidissement qui touchait en même temps sa fille et son amant.

— C'est peut-être une erreur, s'écria Henry en se tordant les mains comme il en avait l'habitude. Tu pourrais t'être trompée, protesta-t-il.

Yuala resta silencieuse tandis que Rachel la regardait, puis tournait des yeux tristes vers son père.

— Je suis jeune, en santé ! J'ai toutes les raisons de vivre maintenant que je vous ai, Rachel et toi !

Son regard fut envahi par la panique en voyant la détermination
qui s'installait dans les yeux de la jeune esclave. Henry n'avait jamais
été aussi effrayé de sa vie. Il prit soudainement conscience qu'il avait
peur parce qu'elle ne se trompait jamais en ce qui concernait ses
visions.

Il saisit Yuala et Rachel, et les serra contre lui de toutes ses forces.
Le choc initial se fondit lentement dans les ombres pour être remplacé
par une résolution hors du commun. Brusquement, tout ce que sa
maîtresse lui avait enseigné prenait son sens — la signification de son
destin terrestre, son rôle dans la vie de Yuala, et celui de la jeune
femme dans la sienne. Il fut étonné de constater qu'il n'avait plus
peur. Il considéra la situation non plus comme un mauvais sort, mais
comme une chance. Il avait encore le temps. Il n'était pas obligé
d'interroger Yuala : il le sentait dans son cœur. Il réparerait les torts
qu'il avait causés à ses enfants. Il ferait amende honorable et
mettrait ses affaires en ordre.

Cette fois, ce furent le sourire et les caresses aimantes de Henry
qui redonnèrent courage à Yuala.

— Nous allons tirer le meilleur de tout cela, toi et moi, fit-il en
essuyant les larmes de sa maîtresse de la paume de la main.

Il plongea son regard dans les profondeurs argentées de ses yeux
et y retrouva son âme radieuse. Sa force dissipa la peur que ressentait la jeune femme. Elle lui sourit.

— Tu dois m'attendre de l'Autre côté de la porte, Henry.

— Quelle porte ?

— La porte de l'éternité où nos âmes se retrouveront pour toujours. Mais je dois te dire ceci : il me faudra rester entre les mondes,
un moment.

Henry ne comprenait pas ce qu'elle disait, mais il écouta intensément, car il avait l'intuition que bientôt, il comprendrait.

— Tu veux dire que tu vivras longtemps ici-bas ?

— Non. Je veux dire que mon destin est de rester auprès de
Rachel jusqu'à sa mort, mais je ne serai pas sur Terre. Nous avons

beaucoup de travail à faire ensemble pour nos petits-enfants et leurs enfants.

— Tu veux dire que tu seras un fantôme ? Tu planifies tout cela ? C'est ridicule. Il y a le ciel et l'enfer, c'est tout !

Yuala pouffa et Rachel elle-même se couvrit la bouche de la main pour étouffer un gloussement devant la naïveté de son père.

— Tu es trop anglais. C'est aussi une bonne chose. Le temps n'existera plus pour toi, Henry. Par conséquent, tu ne te rendras pas compte que je ne suis pas avec toi. Seule la Terre bouge aussi lentement.

« Le temps. Le temps doit couler lentement pour que je puisse réparer mes erreurs », songea-t-il en se sentant coupable.

S'il était vrai qu'Il l'aimait, Dieu lui laisserait juste le temps dont il avait besoin.

* * * *

En septembre 1788, au plus fort de la saison des ouragans, Henry décida de se rendre à cheval avec William jusqu'à une nouvelle parcelle de terre qu'il venait d'acquérir, à l'est de sa plantation. Il espérait ainsi avoir du temps avec son fils. Du temps pour soulager sa conscience.

Cette partie de l'île était couverte d'une jungle particulièrement épaisse et dense. Le sol foisonnait tellement de verdure et de fleurs que Henry était surpris que les plantes ne soient pas mortes, à force de lutter les unes contre les autres pour accéder à la lumière du soleil.

L'air humide collait au dos et au cou des deux hommes comme des mains moites. Leurs chemises de lin trempées de sueur, ils chevauchaient en silence depuis un bon moment. La chaleur était si oppressante que le seul fait de parler épuisait Henry. Pourtant, il avait tant de choses à dire à son fils, tant de choses qu'il voulait lui confier et lui expliquer à propos de la marche du monde.

William était devenu plus bel homme que Henry ne l'aurait cru possible pour un Duke. À cet égard, la vie en Jamaïque l'avait avantagé, en bronzant sa peau et en décolorant sa chevelure blonde jusqu'à la blancheur. Ses yeux étaient du même vert que la jungle. Le travail ardu et les longues journées à cheval avaient renforcé son corps et tonifié ses muscles. Henry ne comprenait pas pourquoi les femmes ne se jetaient pas aux pieds de William. Henry se souvenait pourtant que quantité de jeunes filles avaient eu le béguin pour lui lorsqu'il avait vingt-deux ans, comme William.

« Mais c'était en Angleterre », songea Henry, alors qu'ici, on était en Jamaïque. Il n'y avait ni fêtes ni bals, ni thés pour faciliter les contacts entre les jeunes gens, comme c'était le cas en Angleterre et à Charleston. Là aussi, Mary avait eu raison. En vérité, pour ce qui était de choisir une femme, William avait peu de possibilités dans les Caraïbes. Triste situation. William pourrait bien devenir le dernier de la lignée des Duke.

— J'aimerais que vous me donniez un petit-fils, fit Henry avant de prendre conscience qu'il s'était exprimé à voix haute.

William éclata de rire.

— Ne pensez-vous pas qu'il serait plus judicieux de trouver une femme en premier lieu ? Son beau visage s'assombrit. Toutefois, en y pensant bien, j'imagine que cela n'a pas d'importance pour vous, ajouta-t-il d'un ton amer.

— J'ai fait des erreurs. Je l'admets. Emmener la famille ici en fait partie. Je vous ai privé du genre de vie en société qui vous revenait de naissance. Vous êtes un Duke.

William ramena son cheval du trot au pas. Il tira sur les rênes à gauche pour inciter sa monture à contourner une souche. Il ne prêta pas attention au vent qui venait brusquement de se lever.

— Être un Duke ne représente plus ce que c'était, père.

— De cela aussi, je suis responsable, répondit Henry d'un ton fatigué.

Il guida sa monture autour de la souche en se couchant sur son encolure pour éviter de se cogner le visage à une branche basse. Une douleur intense traversa son bras gauche, mais il la mit au compte du mouvement brusque qu'il venait d'imprimer aux rênes.

Quand William répondit, ses yeux étaient deux fentes étroites. Il ne regarda pas son père, ne vit plus la jungle devant lui.

— Comment avez-vous pu aimer une femme à la peau noire, père ? Une esclave ? Allons donc, tout le monde sait qu'ils ne sont guère mieux que des animaux.

— Taisez-vous ! tonitrua Henry.

Son éclat fit naître une douleur atroce dans sa poitrine.

— Ne... parlez jamais d'elle ainsi.

Il lutta pour que la douleur ne transparaisse ni dans sa voix ni dans son visage.

— On dit qu'elle vous a berné avec des philtres d'amour et qu'elle vous a ensorcelé. Elle a utilisé le vaudou sur vous.

— Peut-être, murmura Henry, essoufflé.

Au-dessus de leur tête, les frondes des palmiers s'entrechoquèrent sous la force du vent qui les traversait. Aucun des deux hommes ne leva les yeux pour observer dans le ciel la large traînée de cirrus qui se formait depuis plusieurs jours. L'orage qui menaçait à l'est de la jungle où chevauchaient les Duke ne laissait rien présager de sa force. Mais toute-puissante, la tempête secoua soudain les poings et attaqua.

Les chevaux relevèrent la tête, hennirent et tentèrent de décocher une ruade, mais Henry et William étaient des cavaliers émérites. Ils savaient exactement comment calmer leur monture. Les chevaux durent se soumettre à leurs maîtres.

— Vous l'admettez donc, lança William.

— J'admets que je l'aime et que je ne sais pas pourquoi.

Il crispa la main sur sa poitrine, mais ne s'effondra pas sur sa selle. Il songea qu'il aurait peut-être mieux fait de prendre un petit-déjeuner avant de partir.

William rétorqua d'un ton sec :

— Je pense que coucher avec une femme noire est dégoûtant. Même si son enfant est presque aussi blanche de peau que vous et moi, il y a quelque chose d'injuste dans tout cela, père. Cette enfant n'aura jamais une vie normale. C'est une esclave, vous savez.

— J'y ai réfléchi. J'ai pensé modifier mon testament, peut-être... pourvoir à ses besoins...

Henry sentit une autre douleur cuisante à la poitrine. Cette fois, il comprit que c'était son cœur. Il chercha à reprendre son souffle.

— Votre testament... ?

Choqué, William se retourna brusquement pour dévisager son père.

Et c'est alors qu'il la vit : la mort.

Le visage de Henry était d'une pâleur cadavérique, comme s'il était déjà mort sans le savoir.

— Père ! Père !

William tira sur les rênes, sauta à bas de sa monture et se précipita vers Henry, qu'il saisit entre ses bras.

— Père, ne mourez pas ! Nous avons tant de choses à nous dire,
vous et moi.

— William, je suis désolé pour tout ce qui s'est passé...

— Ne dites rien, s'écria William en pleurant.

Il allongea son père sur le sol. Il ne savait pas pourquoi il pleurait.
Il sentait simplement que les choses allaient de nouveau changer. Or,
William n'aimait guère le changement, étant de ce genre d'homme
qui s'épanouit dans la conformité. Juste au moment où il croyait
avoir compris les règles du jeu de la vie, on changeait de joueurs, on
raccourcissait le jeu, on modifiait les gains. William n'aimait pas du
tout le changement qui survenait maintenant.

— Père !

William songea que son père avait trépassé. Mais les paupières
de ce dernier frémirent.

Le jeune Duke avait toujours pu compter sur son père. Henry
n'était pas un homme aimant, ni heureux, mais il avait été un homme
sur qui son fils avait pu compter. Quand Henry et Andrew Duke
avaient porté un toast à la naissance d'Ambrose Duke et qu'ils avaient
proclamé qu'il était leur étoile rayonnante, William avait compris
qu'il pourrait compter sur son père pour croire à l'avenir du nourrisson plus qu'à celui de son fils. Même quand la lubie de sa liaison
avec Yuala l'avait saisi, Henry n'avait jamais abandonné son obsession pour la jeune femme. William savait qu'il pouvait également
compter là-dessus.

Frénétique, William déboutonna la chemise de son père et fut
étrangement frappé de constater à quel point il avait le torse musclé.
N'importe quelle femme aurait été ravie de l'accueillir dans son lit,
car son apparence était aussi saine que celle de William. C'étaient ses
organes internes qui avaient lâché.

— Battez-vous, père ! Pour moi, sanglota-t-il.

— J'espère que Dieu m'a pardonné d'avoir aimé Yuala.

— Je vous pardonne, père.

Henry s'agrippa à la chemise de son fils.

— Mais, me pardonnerez-vous de ne pas vous avoir donné tout
l'amour que j'aurais dû ?

William fut choqué pour la seconde fois.

— Vous saviez que je me sentais négligé ? Toutes ces années ?

— Yuala me l'a fait comprendre, mon fils.

— Alors, je la bénis, balbutia William à travers ses larmes. Mais ne mourez pas !

Henry posa sa main sur la joue de son fils.

— Vous venez peut-être de sauver mon âme.

Ses yeux se fermèrent, et il trépassa.

Deux heures s'écoulèrent avant que William puisse faire un geste. Il berça son père dans ses bras, sanglotant et contemplant son visage. Il pria pour lui. Mais plus encore, il pria pour lui-même.

Le vent en spirale qui s'était engouffré dans la Passe au Vent entre Haïti et Porto Rico, et qui avait semé la destruction chez les indigènes, les planteurs et les navires du port, se dirigeait maintenant vers Montego Bay. Personne n'avait entendu dire que Kingston, sur l'autre versant de l'île, avait été dévastée, puisque la tempête était passée juste au nord de la ville. Apparemment, sa cible était la plantation des Duke.

Ce furent les chevaux qui firent comprendre à William que Lord Henry Duke ne serait pas le seul Jamaïcain à mourir, ce jour-là. Ils ruèrent et hennirent pour tenter de faire comprendre à William à quel point il était dangereux de s'attarder dans la jungle. Leurs ébrouements et leurs hennissements finirent par sortir William de son chagrin.

Le jeune homme leva les yeux. Le ciel se déchira, inondant la terre. Émotionnellement vidé, William était abasourdi. Il avait à peine la force de rentrer seul, encore moins l'énergie pour hisser le corps de son père sur son étalon et le ramener à la plantation. Trempé, le jeune homme réussit à traîner le corps alourdi de son père jusqu'à son cheval. La pluie torrentielle tombait avec une telle violence qu'elle désarçonna presque William de sa monture. Il fut même obligé de s'arrêter deux fois. Lorsque l'œil de l'ouragan passa au-dessus de l'île, William avait presque réussi à quitter la jungle. Il ne lui restait plus qu'à franchir une montagne hostile, et il serait sauvé.

Faisant saillie de la montagne comme un troll aux longs doigts crochus, une aspérité rocheuse fit trébucher la monture du jeune Duke. Le cheval perdit pied, et William tomba sur le sol avec un bruit sourd. Une deuxième aspérité rocheuse lui transperça le crâne au moment où l'œil de l'ouragan passait au-dessus de lui. Ensuite, les

vents lancés à cent quarante-cinq kilomètres à l'heure et la pluie dilu-
vienne entraînèrent le sang de William, tourbillonnèrent à travers la
jungle et les champs de canne à sucre, avant de repartir vers l'océan,
laissant derrière eux la mort et la destruction, et altérant pour toujours
la vie des habitants de la plantation Duke.

Six

« Quand la nature emporte un grand homme,
les gens scrutent l'horizon à la recherche de son
successeur, mais aucun ne vient et aucun ne viendra.
Sa catégorie s'éteint avec lui. Le prochain homme
apparaîtra dans un autre domaine,
entièrement différent[6]. »

— RALPH WALDO EMERSON,
REPRESENTATIVE MEN : THE USES OF GREAT MEN

En proie à son premier cauchemar, Rachel s'agitait dans son lit tandis que la tempête tropicale s'abattait sur la Jamaïque. Même en rêve, la fillette savait que la douleur qu'elle ressentait ne ferait qu'empirer au réveil, car elle deviendrait réelle.

— Mère!

Rachel hurla et se dressa dans son lit. Terrifiée, couverte de sueur, elle ne comprenait pas pourquoi de si horribles images avaient envahi son sommeil.

— Mère!

Repoussant la courtepointe, elle fit glisser ses jambes par-dessus le bord du matelas moelleux.

— Où es-tu?

La maison en pierre sembla soudain immense à Rachel tandis qu'elle courait de sa chambre jusqu'à la grande salle ouverte où son

---

6. N.d.T.: Traduction libre

père, sa mère et elle faisaient la cuisine, mangeaient et bavardaient. Comme toujours, la porte menant à l'extérieur était ouverte, en dépit des trombes d'eau qui en balayaient le seuil.

— Mère ! cria de nouveau Rachel en s'approchant de la porte pour regarder la tempête. Les frondes des palmiers claquaient dans le vent comme des furies frénétiques. La pluie fouettait le jardin d'herbes aromatiques et écrasait les fleurs de jasmin sur la terre de bauxite devenue un bourbier. Le rideau de pluie obscurcissait la vision de Rachel, l'obligeant à se servir de son troisième œil pour découvrir où était sa mère. Tout à coup, elle comprit où la trouver.

Elle s'élança hors de la maison et courut loin de la combe et de la cascade mélodieuse, négociant les longs sentiers qu'elles avaient tracés dans la jungle et qui conduisaient à la grande maison. Le vent tenta bien de la repousser, et les herbes glissantes la firent trébucher deux fois. On aurait dit que la nature essayait de l'avertir, ou de la protéger.

— Mère ! Mère ! hurla la fillette de six ans de toute la force de ses poumons.

Elle fit irruption hors de la jungle, non loin de la vieille hutte en torchis que Yuala avait déjà considérée comme sa maison.

Rachel découvrit enfin la jeune femme. Agenouillée, recroquevillée sur elle-même, elle avait la main crispée sur son cœur. Rachel tomba à genoux et entoura la tête de sa mère de ses bras.

— Maman... j'ai eu si peur, je n'arrivais pas à te trouver.

Yuala leva sur sa fille des yeux remplis de larmes et de douleur.

— Qu'y a-t-il ? fit Rachel.

— Mon amour m'a quittée. Je le sens ici, répondit-elle en posant une main sur son cœur.

Elle leva les yeux sur Rachel.

— Henry est mort, gémit-elle.

La fillette admit finalement ce qu'elle savait déjà.

— Je sais. Je l'ai vu en rêve. Une femme est venue me voir pour me dire de te retrouver et de prendre soin de toi dans ta douleur.

L'esprit brisé de Yuala entendit à peine les paroles de Rachel, mais une étincelle jaillit pourtant de ses profondeurs labyrinthiques.

— La femme aux cheveux bruns et aux yeux aussi bleus que l'océan ?

— Oui, souffla la fillette, d'un ton émerveillé et craintif. Elle m'a dit qu'elle s'appelait Barbara. Tu l'as vue aussi?

— Elle m'a parlé de mon destin... de Henry et de toi. Et maintenant, elle vient à toi. J'avais neuf ans quand j'ai eu cette vision.

— Qu'est-ce que cela signifie?

La peur endigua les larmes de Yuala.

— C'est peut-être que mes pouvoirs m'ont quittée.

— Non! Les yeux verts de Rachel s'écarquillèrent. Est-ce vrai? Tu ne peux plus voir les choses? Les sentir?

Yuala crispa ses mains sur son ventre.

— Je ne sens que le chagrin et la perte.

— Qu'allons-nous faire?

La jeune femme devait penser à sa fille et à son avenir. Dans les jours à venir, la perte de Henry rendrait Yuala et Rachel vulnérables relativement à leurs ennemis. Or, la jeune esclave avait toujours su qui était son ennemie. Elle avait senti son pouvoir. Son ennemie était Mary. Durant cet épisode de vulnérabilité et de chagrin, Yuala aurait besoin d'aide.

Les yeux noirs de la jeune femme, que la panique attisait encore, se calmèrent soudain comme un petit voilier qui atteint des eaux calmes après la tempête.

— Nous allons rendre visite à l'*obeah man*.

Tout en se dirigeant vers les montagnes, Yuala expliqua à Rachel qui était l'*obeah man* et quel était son rôle.

L'*obeah man* était un Africain de race pure qui n'avait jamais contracté de mariage consanguin. C'était un homme qui avait gardé son sang pur de façon à pouvoir pratiquer la forme de magie la plus élevée, ce qui constituait le but de son incarnation. Il vivait avec les Marrons dans les collines et les montagnes, à une journée de marche de la plantation Duke. Les Marrons tiraient leur nom de l'espagnol *cimarrón* qui signifie «sauvage» ou «indompté». Il s'agissait d'esclaves qui s'étaient enfuis des plantations ou, dans certains cas, de descendants d'esclaves affranchis lors du passage de la domination espagnole à la domination britannique, en 1655. Plus de cent ans auparavant, ils avaient fondé leurs propres colonies dans les forêts touffues des montagnes. Ils y vivaient toujours, dans l'isolement, subsistant des fruits de la terre et cultivant les quelques aliments indispensables à leur survie. Ils se reproduisaient sans recourir aux unions formelles, inexistantes dans leur culture. En effet, la plupart des Marrons cohabitaient selon le principe de la monogamie en série, plutôt que de la polygamie. Par conséquent, ils passaient d'un partenaire à l'autre au cours de leur vie.

Les Marrons étaient surtout connus à cause du harcèlement continuel, semblable à une guérilla, qu'ils faisaient subir aux Britanniques depuis un siècle. Les Espagnols les encourageaient en ce sens, puisqu'ils étaient eux-mêmes occupés à combattre les boucaniers et les corsaires. La plupart des esclaves de l'île étaient au fait de leur présence et connaissaient leurs cachettes. Les techniques grâce auxquelles les Marrons faisaient « un avec la forêt » étaient si adroites et si astucieuses qu'aucun Blanc n'avait jamais réussi à les capturer.

La nouvelle de la mort de Lord Henry et de William, son fils unique, s'était d'abord répandue par l'entremise des tambours africains. Avant même que leurs propriétaires britanniques aient appris la tragédie, les esclaves de Kingston à St. Elizabeth étaient au courant qu'une équipe de secours avait découvert le cadavre de William, presque exsangue à la suite de la perforation de son crâne. Créoles, Africains, Espagnols et Arawaks pleuraient et priaient pour Yuala, car ses prières et ses potions curatives avaient sauvé bien des corps et des âmes.

Tandis que les Britanniques arrivaient de partout dans l'île pour rendre hommage à un homme qu'ils avaient toujours respecté, nombre d'esclaves priaient pour la mort de leur propre maître. Nombre d'esclaves et de fuyards interprétèrent la mort de Lord Henry comme un signe donné par Jésus lui-même que l'esclavage tirait à sa fin. Parmi les Marrons, beaucoup ne comprenaient pas comment Yuala avait pu aimer l'homme qui était son propriétaire. Elle n'était donc pas tout à fait la bienvenue dans leur camp lorsqu'elle sembla apparaître, telle une vision, devant un énorme hibiscus jaune et orange.

— Va dire à l'*obeah man* que Yuala est ici, ordonna-t-elle à une femme à l'air timide, simplement vêtue d'un sarong de mousseline de coton noué à la taille et d'un turban mál enroulé.

Elle jeta un regard vide à Yuala.

— L'*obeah man* ! réitéra Yuala d'une voix tonitruante.

La femme eut un sursaut de frayeur qui la souleva littéralement du sol. Elle partit en courant en direction d'une hutte en torchis au toit classique en forme de dôme.

Un instant plus tard, l'*obeah man* en sortit.

Yuala garda la main de Rachel dans la sienne tandis qu'elle se tenait face à l'homme au cou, à la taille, aux poignets et aux chevilles ornés de plumes chatoyantes, de fleurs et de perles teintes. L'*obeah man* était à la fois effrayant et monstrueusement fascinant, mais Yuala et Rachel savaient que cette attitude ne valait que pour la galerie.

Yuala avait toujours jugé étrange que les Africains, en tant que peuple, vénèrent leurs peurs plutôt que leurs pouvoirs. Cette tendance permettait à des personnes comme elle et comme l'*obeah man* de devenir des figures de culte. Cette observation traversa l'esprit de Yuala, qui se promit de méditer sur cette réflexion.

Ils prirent place autour d'un feu ronflant : l'*obeah man* du côté nord, Yuala et Rachel en face de lui, du côté sud. Yuala songea que Rachel ressemblait à l'un des anges dépeints dans sa Bible. En effet, le feu dessinait un halo doré autour de sa chevelure frisée d'un blond cuivré.

L'*obeah man* fixa le feu, puis il parla de l'avenir. Yuala remarqua que ses pupilles étaient dilatées et que les mots lui venaient rapidement. Ainsi, la vérité sortait, mais les mensonges restaient bloqués dans sa gorge. Le feu brûlait d'une flamme constante, sans s'éteindre ni s'élever suffisamment pour que les pupilles du devin changent de taille. C'est ainsi que Yuala comprit que l'*obeah man* disait la vérité.

— Tu seras la prisonnière de la memsahib. Ton enfant et toi traverserez l'océan où vous vivrez pendant vingt passages des saisons. Éduque bien ton enfant. Elle portera un fils qui aura le potentiel de devenir aussi grand que son père. C'est pour ce petit-fils que tu devras vivre dans la grande terre au nord. Son destin est dans une grande ville en bord de mer.

— La ville dorée.

Yuala frissonnait de la tête aux pieds.

— C'est la vérité ! Non ! Je ne veux pas quitter cette île. C'est ma maison.

— Le choix ne t'appartient pas.

L'*obeah man* lui lança un regard vide, il était toujours en transe.

— Tu seras enterrée dans une tombe anonyme, sans épitaphe, à l'exception d'une croix que ta fille confectionnera pour toi.

Effrayée, Rachel s'agrippa au bras de sa mère. Elle avait les yeux écarquillés. Elle aussi savait que l'avenir se déroulerait ainsi.

— Ta fille doit couper tes cheveux et les conserver. Il y a beaucoup de pouvoir dans la chevelure d'un être qui est aussi béni des dieux. Si tu n'avais pas été effrayée en ce moment, Yuala, tu aurais pu voir tout cela.

Rachel regarda sa mère.

— Toi ? Effrayée ?

Rachel n'avait jamais pensé que sa mère connut quoi que ce soit à la peur. Rachel avait eu peur de beaucoup de choses, du colibri à tête noire qui voltigeait autour de sa tête et menaçait de lui crever les yeux, du pika, cette espèce de gros rat qui courait sous le plancher de leur maison en pierre et, bien entendu, de tous les démons que sa mère avait exorcisés des malades qui étaient venus à elle. Rachel ne pouvait s'empêcher de songer que les démons devaient aller ailleurs, une fois qu'ils avaient été chassés des corps qu'ils possédaient. Est-ce qu'ils se dissimulaient simplement dans les bois ? Attendant de bondir sur Rachel ? Pourquoi sa mère n'avait-elle pas vraiment utilisé ses pouvoirs pour les détruire ?

— En Amérique, où Rachel et moi devons aller, je n'aurai plus mon culte, murmura tristement Yuala, étouffant sous la perte.

— Ton seul pouvoir est de transmettre ton savoir à ton enfant. Ton petit-fils sera aussi pâle que ta fille. Je vois son visage très clairement devant moi. Ce sera une bonne personne, mais il sera accablé de beaucoup de souffrances. Je vois que son cœur se brisera plusieurs fois, tout comme le tien en ce moment. Rachel aussi endurera les tourments du cœur.

Les yeux de Yuala s'agrandirent dans son visage, mais le soupçon les rétrécit aussitôt en deux fentes étroites, brillantes de perspicacité.

— Pourquoi faudrait-il qu'il en soit ainsi ? Pourquoi devrions-nous souffrir autant ? Notre cœur est un cœur aimant. Nous ne voulons de mal à personne.

— De la souffrance naît la grandeur qui enrichit l'âme dans sa prochaine incarnation et qui, lorsqu'on le choisit, engendre des bienfaits extraordinaires pour le monde, si l'âme revient en ce monde dans une autre vie. Tu dois comprendre qu'un grand préjudice sera corrigé grâce à ton petit-fils et à ses héritiers.

Avant notre naissance, nous choisissons notre destin. C'est le don de Dieu, le droit de choisir. Ton petit-fils a choisi d'expier dans sa prochaine incarnation les péchés que ses ancêtres commettent maintenant. Il a choisi d'être leur sauveur. Ta fille devra l'avertir de se méfier des hommes à la peau dorée et aux yeux en amande. Il ne peut éviter son destin, mais s'il en est averti et s'il est cultivé, il nettoiera les traces des vieux péchés commis par le frère de son père. Sa descendance sera alors épargnée. Nous sommes tous le résultat de ce qui nous a précédés. Dans le sillage de notre esprit se trouvent les germes de l'avenir. Nous ne vivons pas pour nous-mêmes, mais pour la génération qui nous suit.

— Je sais cela, répliqua Yuala. Dans le sang de ma fille coule le sang des rois. Mon souhait est que mon petit-fils devienne le roi d'Amérique et qu'il accomplisse sa destinée. Je resterai près de lui pour le guider.

L'*obeah man* se releva brusquement, ramassa une poignée de terre et la jeta dans les flammes pour les éteindre.

— Je prends note de tes paroles. C'est accordé. C'est fait.

Il se détourna, s'enveloppa les épaules avec hauteur de sa parure de plumes et s'éloigna.

Yuala prit conscience que la prière qu'elle venait de faire avait élevé le statut de l'*obeah man* aux yeux de sa communauté. Pendant des années, tous parleraient du jour où la Mambo s'était abaissée parce qu'elle avait peur et était venue consulter l'*obeah man*.

* * * *

Une semaine après avoir enterré son mari et son fils côte à côte sur la plantation familiale, Mary Worthington Duke écrivit à l'un de ses vieux amis en Caroline du Sud pour lui demander s'il connaissait quelqu'un qui serait prêt à acheter sa femme de chambre et sa fille mulâtre pour la somme de deux cents livres.

Trois semaines plus tard, une réponse positive lui parvint, accompagnée d'une traite bancaire. Un jeune planteur, Richard Harrison, s'était porté acquéreur des deux esclaves.

Mary fit en sorte que Yuala et Rachel soient escortées et embarquées, enchaînées, sur le bateau quittant Kingston à destination de Charleston.

Une fois que le navire se fut éloigné et qu'elle fut satisfaite de s'être débarrassée de Yuala pour toujours, Mary annonça à ses filles :

— Personne sur cette plantation ne prononcera plus jamais le nom de cette femme. Son nom et celui de sa bâtarde seront effacés de nos registres d'esclaves.

Charleston, Caroline du Sud, 1790

Yuala et Rachel avaient été vendues à Richard Harrison, un jeune planteur de coton de vingt et un ans, dont l'exploitation se situait à cent vingt kilomètres de Charleston. Yuala se montra obéissante et docile envers son nouveau maître, et utilisa sagement son temps pour enseigner tout ce qu'elle savait à Rachel.

Pas un jour ne s'écoula sans qu'elle ne parle de Henry. Yuala savait qu'il l'attendait, aussi priait-elle pour que son misérable séjour terrestre prenne fin.

Le temps passa, et pour Yuala et Rachel, la vie s'avéra fatigante, sans grande joie et remplie de beaucoup de travail. Le jour de son dixième anniversaire, Rachel était déjà une blanchisseuse accomplie. Personne dans la grande maison ne semblait se rendre compte qu'elle n'était qu'une enfant. Une seule chose différencia son anniversaire de l'ordinaire de ses jours : la veille, le maître avait donné une grande fête qui occasionna un surcroît de travail à la fillette. Il n'y eut pas de gâteau comme son père lui en avait offert quand il était encore de ce monde. Personne ne lui cueillit de bouquet de fleurs, personne ne la serra dans ses bras, ni ne l'embrassa pour lui apporter la chance, comme il avait l'habitude de le faire. Son père lui manquait plus que la fillette ne l'aurait cru humainement possible.

Le soir de son anniversaire, juste avant qu'elles aillent dormir, Yuala s'agenouilla à côté de la paillasse de Rachel. Elle tenait un bout de chandelle à la flamme vacillante. Elle caressa la chevelure de sa fille, qui lui tombait jusqu'à la taille, puis sa joue.

— J'ai prié pour toi toute la journée.

Rachel posa la main sur le visage défait de sa mère.

— Il te manque autant qu'à moi.

— Plus encore.

— Je t'aime, mère. J'ai prié pour que tu obtiennes ce que tu désires. Une larme roula sur sa joue. Mais pour cela, tu devras mourir et me laisser. Je ne veux pas rester seule. Pas ici, ajouta-t-elle en éclatant en sanglots non contenus.

— Je ne te quitterai jamais, Rachel. Tu as le don de double vue. Tu es un portail vers l'Autre monde au-delà de cette terre. Tu me verras.

— Mais ce ne sera pas la même chose.

— Tu dois être forte.

— Prends-moi dans tes bras, cette nuit, maman. Laisse-moi te serrer contre moi pendant que tu me quittes.

Rachel enlaça sa mère et la serra contre elle. Un peu après minuit, elle sentit un souffle de vent glacé parcourir son corps.

— Oh non! pleura-t-elle.

Elle berça le corps de sa mère en tenant dans sa main les doigts encore tièdes.

— Je n'ai pas peur. Je sais que tu viendras à moi sur les ailes d'un ange lorsque j'aurai besoin de toi.

L'écho de la voix de Yuala lui parvint d'une autre dimension :

— Je te le promets.

* * * *

Le lendemain matin, Rachel se tenait dans leur case dénudée lorsque deux esclaves de la plantation vinrent chercher le corps de sa mère pour l'emporter au cimetière. Tous les esclaves de la plantation Harrison étaient mis en terre de la même manière, sans épitaphe ni obsèques, exactement comme l'*obeah man* l'avait prédit. Rachel savait néanmoins qu'on réciterait beaucoup de prières pour Yuala. Elle en faisait son affaire.

La fillette toucha le crucifix en bois qui pendait à son cou et qui avait appartenu à Yuala. C'était le seul bien qu'elles avaient eu la permission d'emporter en quittant la Jamaïque.

Quand un esclave mourait, Richard Harrison avait l'habitude de rendre visite à sa famille. Selon lui, c'était une bonne pratique commerciale. Il était mal à l'aise dans la case minuscule qui puait la moisissure et le bois pourri. Rachel était maigre et mal nourrie. Il fut surpris de constater qu'elle portait une robe en coton déchirée et délavée, qui avait manifestement appartenu à sa mère. La fillette avait noué un bout de ficelle autour de sa taille en guise de ceinture.

— Pourquoi ne portes-tu pas une robe comme celles que je fournis aux autres enfants d'esclaves ?

— Je ne suis pas comme eux. Je suis différente.

Il la dévisagea, retournant dans sa tête cette réponse inhabituelle et énoncée d'un ton net. Il était vrai que la fillette était différente. La masse de sa chevelure d'un blond cuivré alourdissait son visage et couvrait presque son corps, comme si toute l'énergie de l'enfant se concentrait dans la croissance de ses cheveux. Il remarqua qu'elle avait tendance à garder la tête basse, puis à lever les yeux pour lui jeter un regard rapide avant de porter son regard sur le sol, tout aussi rapidement. Il n'arrivait pas à déterminer si elle le défiait ouvertement, puisqu'il était interdit aux esclaves de regarder leur maître, ou si elle était simplement curieuse à son sujet. Après tout, elle n'était qu'une enfant.

Ce qui le déconcerta, c'est que le mouvement avait suffi pour qu'il capte l'étincelle d'un regard brûlant, couleur d'émeraude, différent de tout ce qu'il avait vu jusqu'alors.

Richard Harrison était l'homme le plus conformiste du monde. Il croyait que dans la vie, tout était bon ou mauvais, bien ou mal, noir ou blanc. Il ne comprenait pas comment un homme blanc, y compris le très respecté Henry Duke, avait pu coucher avec une femme noire. Cela ébranlait les limites de la décence.

— Je suis désolé qu'elle soit morte. Tu seras exemptée de tes tâches aujourd'hui, comme c'est la coutume pour tous les esclaves dans un moment comme celui-là.

Rachel entendit à peine ses condoléances répétées avec soin.

— La solitude. C'est ce qui l'a tuée, déclara-t-elle.

Elle luttait contre ses larmes, car elle ne voulait pas que le maître lise la souffrance dans son regard. Elle avait dit à sa mère qu'elle n'avait pas peur. Dans ce cas, pourquoi lui était-il si difficile d'être fidèle à sa parole ?

— Mais elle t'avait, toi, répondit soudain le jeune planteur, réagissant à son chagrin.

— Mon père lui manquait trop. La vie n'a plus jamais été la même pour elle après sa mort. Je suis contente qu'ils soient de nouveau réunis.

Elle ne voulait pas qu'il sache à quel point elle avait le cœur brisé. Elle était plus seule qu'on pouvait l'être. Personne ne comprenait son cœur et son esprit comme Yuala. Comment Rachel aurait-elle pu confier à Samuel, le cocher, qu'elle pouvait voir l'âme d'un autre être humain en regardant dans les eaux de l'étang ? Comment aurait-elle pu expliquer à Crystal, la cuisinière, qu'elle savait comment guérir un cœur brisé et dissiper un nuage avec ses pensées ? Comment aurait-elle pu discuter des théories politiques de Voltaire et de Rousseau avec la jeune Barbadienne de douze ans qui plumait des poulets dix heures par jour, parce qu'elle n'était pas assez futée pour faire autre chose ? Contrairement aux autres esclaves, Rachel n'avait pas peur d'être battue ou fouettée. Elle avait peur que son esprit reste inemployé.

— J'ai discuté avec ma femme de la question, Rachel, et nous pensons qu'il serait plus approprié que tu habites avec la cuisinière et peut-être que tu donnes un coup de main pour prendre soin de ma fille, Maureen, qui a quatre ans. Elle n'a pas de compagnons de jeu. Comme tu es plus âgée qu'elle, tu pourrais la surveiller.

Rachel leva vers lui de grands yeux lumineux, puis baissa ses paupières frangées d'épais cils blonds. Elle savait exactement ce qu'il pensait.

« Il sait que je suis africaine, mais à ses yeux, j'ai l'air d'une Blanche. »

Elle réprima un ricanement devant la stupidité du maître.

— Je vous donnerai un coup de main avec votre fille, répondit-elle poliment, dans un anglais châtié, comme son père le lui avait enseigné.

Richard se détourna pour partir, mais se retourna alors qu'il avait presque franchi le seuil de la case.

— Rachel ?

— Oui, maître ?

— Est-il vrai que ta mère savait lire ?

— Oui, monsieur. Tout comme moi. Je parle sept langues, y compris le français que j'ai ajouté à mes talents au cours de l'année écoulée.

Le jeune planteur était incrédule.

— Comment cela se peut-il ? Les esclaves sont incapables d'apprendre.

Elle le regarda droit dans les yeux.

— J'ai volé l'information dans votre bibliothèque lorsque votre famille s'est rendue à Charleston pour faire des courses.

— Tu l'as volée ?

Elle sourit à peine, n'étant pas encore prête à franchir la barrière qui séparait le maître de l'esclave.

— Oui. Mais vous ne pouvez la reprendre.

Elle se tapota la tempe de l'index.

— Ce qu'il y a là-dedans est à moi.

Des frissons parcoururent l'échine de Richard qui dévisagea la fillette avec étonnement.

— Quelle enfant étrange tu es !

— Oui, monsieur. Plus que vous ne pouvez l'imaginer. Mais vous n'avez pas à vous inquiéter. Je ne ferai rien pour nuire à la balance de votre pouvoir.

— La *quoi* ?

Elle fit un pas vers lui, mais son regard resta modeste.

— Mon père, Lord Henry, parlait souvent de sa peur d'une révolte des esclaves en Jamaïque. Il disait que c'était comme une guillotine omniprésente, prête à tomber à tout moment. Je n'ai jamais parlé aux autres esclaves de mes talents. Vous n'avez pas à avoir peur de moi.

— Comment... ? Richard bégaya.

C'était comme si elle pouvait lire ses pensées. L'idée s'avérait profondément perturbante. Et pourtant, il croyait ce que lui disait Rachel. Elle ne lui causerait aucun problème.

— Présente-toi demain aux cuisines à l'heure du petit-déjeuner.

— J'y serai.

Rachel s'avança sur le seuil de la case blanchie à la chaux et observa le planteur qui se dirigeait vers l'immense manoir en briques rouges. C'était un homme bon, un homme honnête, mais il avait des idées extrêmement limitées. Elle l'aimait bien et elle ne lui en avait jamais voulu parce que sa mère et elle avaient été forcées de quitter la Jamaïque. Pour cela, elle en attribuait la responsabilité à Lady Mary Duke.

Sept

« Nous ne sommes pas des anges avant que
nos passions s'éteignent[7]. »

— THOMAS DEKKER ET THOMAS MIDDLETON,
THE HONEST WHORE, ACTE II, SCÈNE I, L. 2

Charleston, Caroline du Sud, 1813

Amelia Harrison gisait dans son lit, épuisée après avoir donné naissance à un autre bébé mort-né, une fille. Seule Rachel l'avait assistée, car Amelia avait confiance en elle.

— Richard sera déçu. Il voulait un fils.

Toute dévouée à sa maîtresse, Rachel était peinée de voir qu'Amelia se forçait à porter des enfants, ce qui ne faisait manifestement pas partie de son destin.

— Reposez-vous, madame. Vous êtes très affaiblie, cette fois. Nous ne pouvons courir aucun risque, pas avec l'éruption de paludisme à la plantation Burke.

— Tu parles comme Richard.

— Oui, répondit Rachel en empilant les linges souillés dans un coin pour qu'ils soient emportés et lavés.

Amelia souleva une paupière.

— J'ai entendu de nouvelles rumeurs à ton sujet, Rachel.

— Je n'ai jamais compris les esprits oisifs.

— Tu as dit à Crystal que le bébé ne vivrait pas. Tu lui as dit qu'il y en aurait quatre, et que ce serait tout. Seule Maureen survit.

---

7. N.d.T.: Traduction libre

— C'est la vérité.

— Pourquoi ne m'as-tu rien dit? Je fondais de tels espoirs.

Une larme roula sur sa joue.

— Vous ne m'avez rien demandé.

— J'avais peur.

— Je le sais. Voilà pourquoi je n'ai rien dit. Mon savoir n'est pas à moi, il est destiné aux autres. Il faut du courage pour vouloir connaître l'avenir.

Les doigts d'Amelia frémirent.

— J'ai froid.

Rachel couvrit sa maîtresse de couvertures moelleuses et l'en enveloppa étroitement.

— Vous pensez que vous devriez me poser des questions, maintenant. Vous pensez que j'ai vu votre mort.

— Seigneur! souffla Amelia d'une voix faible. Tu es étrange.

— Mais pas mauvaise. C'est à cela que vous pensez. J'ai un don. Par exemple, j'ai un oncle qui vit en Chine. Souvent, je me suis efforcée de voir Lord Andrew, mais il ne me rend pas visite en rêve. Par contre, je sais qu'il est vivant, j'arrive à le sentir.

— Pensais-tu qu'il était mort?

— Oui. Ma mère m'a confié que certains hommes remplis de haine ont juré de le tuer, et même de tuer son enfant. Mais il ne court aucun danger.

L'énergie d'Amelia se dissipait très vite, mais depuis le temps que Rachel était la compagne et la bonne de Maureen, la jeune femme s'était toujours questionnée au sujet de cette esclave inhabituelle et bien éduquée.

— La magie. Est-ce de cela qu'il s'agit?

— L'amour est la seule magie, et il n'est pas à craindre.

— Mais les esclaves vont toujours te voir lorsqu'ils sont malades. Richard m'a confié qu'il s'est souvent rendu aux cases en compagnie du médecin et qu'ils ont été intrigués par les guérisons rapides que tu as obtenues par magie. Comment cela se fait-il?

— Ma mère était guérisseuse. J'ai étudié avec elle, comme Maureen a étudié avec son précepteur. Les autres viennent à moi seulement quand ils n'ont plus d'espoir. Ils ne m'acceptent pas parce que mon père était blanc. Ils croient que je suis un paria. Mais le monde temporel n'est pas ma vie. C'est un passage qui me conduit à mon être véritable.

— Au paradis ?

— Oui, répondit Rachel pour réconforter Amelia. Vous le découvrirez lorsque vous y retournerez.

Amelia posa une main sur le bras de Rachel.

— Est-ce que j'y retournerai bientôt ?

Rachel observa avec attention le visage amaigri de la jeune femme.

— Êtes-vous vraiment certaine de vouloir connaître la réponse ?

— J'ai peur de la mort. Mais... oui. Je veux savoir.

Rachel hocha la tête.

— Vous ne souffrirez plus.

Des larmes perlèrent au coin des yeux d'Amelia.

— Richard... Je l'aime tellement. Que lui arrivera-t-il ? Il me manquera.

Rachel écarta du front de sa maîtresse une molle mèche de cheveux.

— Vous ne le quitterez pas. Vous le verrez toujours du paradis. Et vous prierez pour lui.

Amelia ferma les yeux.

— Je me suis sentie si fatiguée, cette fois. L'enfant m'a pris tellement de forces. Je suis si fatiguée...

— Reposez-vous, maintenant. Je vais dire au maître de venir vous voir.

— Merci pour tout, Rachel.

Richard attendait de l'autre côté de la porte.

— Je vous ai entendu discuter, je ne voulais pas vous interrompre.

Il avait les yeux rouges à force d'avoir pleuré. Il était resté debout toute la nuit à attendre la délivrance de sa femme. Dès le début de la grossesse d'Amelia, il avait su qu'elle courait un danger. Elle avait toujours été incroyablement fragile, et cette cinquième grossesse s'était révélée de trop. Elle était restée au lit durant neuf mois entiers, ou presque. C'était un miracle qu'elle n'ait pas perdu l'enfant avant terme. Un faux miracle, qui avait donné à Richard de faux espoirs.

Il se sentait à la dérive. Amelia était son seul ancrage, et maintenant, il allait la perdre.

— Comment est-elle ?

— Faible. Mais elle a besoin de vous.

Il posa la main sur l'épaule de Rachel.

— Non, c'est moi qui ai besoin d'elle.

— Je comprends.

Richard entra dans la chambre à coucher, et Rachel se détourna. Maureen se détacha alors de l'ombre où elle se tenait.

— Qu'as-tu fait à ma mère ? lança-t-elle d'un ton péremptoire. Pourquoi père pleure-t-il ?

Rachel savait que Maureen percevait le danger et la mort. Elle affichait ses peurs sur son visage.

— Je l'ai simplement réconfortée.

— J'ai entendu parler de toi. Vaudou et magie noire ! Je ne veux plus de toi dans cette maison. Ma mère va mourir, n'est-ce pas ?

— Mademoiselle Maureen, il ne convient pas que je...

— Tais-toi !

Écartant Rachel, Maureen s'éloigna le long du corridor à grands pas vengeurs.

— Je te tiens responsable de ce qui arrive.

Rachel la regarda s'éloigner et à cet instant, sentit le passé qui revenait la hanter. Brusquement de retour en Jamaïque, elle était la fillette qui se tenait près de sa mère le jour où elles avaient été expulsées.

Rachel savait qu'avec la mort d'Amelia, la vie ne serait plus jamais la même sur la plantation Harrison.

Après la mort de sa femme, Richard sombra dans un profond chagrin qui dura plus de six mois. Il mangeait très peu et sortait rarement de la maison, sauf pour se rendre sur la tombe d'Amelia ou faire prendre de l'exercice à son cheval. Il ne manifestait plus aucun intérêt pour la gestion de ses affaires, et Maureen voyait la plantation péricliter, tout comme Richard. Il fallait qu'elle fasse quelque chose, et vite.

— Père, vous êtes débordé avec tous ces détails. Laissez-moi vous venir en aide.

Richard voulut d'abord la renvoyer d'un geste.

— Les femmes ne savent pas comment diriger une entreprise.

— Je sais comment. Je me suis occupée des livres comptables. Je suis bonne en calcul. Je vous ai accompagné à Charleston et je vous ai observé quand vous avez conclu des marchés avec les acheteurs de coton. Comme je suis absolument certaine que vous vous sentirez mieux très bientôt, laissez-moi vous venir en aide pendant quelques semaines, l'implora-t-elle.

Richard poussa un soupir de soulagement.

— C'est vrai. Je n'ai plus la tête à cela. Plus envie.

Ses yeux se remplirent de larmes de chagrin, et il se pinça l'arête du nez entre le pouce et l'index.

Maureen détourna les yeux. Seigneur! Comme elle détestait ces scènes larmoyantes!

— Je crois que vous serez étonné de ce que je peux faire pour vous. Vous l'avez dit vous-même : je suis tout ce qui vous reste.

Les yeux bleus de Richard étaient gris et sans vie.

— Très bien, mais seulement jusqu'à ce que je me sente mieux.

Il regarda par la fenêtre vers les jardins et au-delà, vers la tombe d'Amelia. Ses épaules frissonnèrent. Il aurait voulu être mort.

Maureen posa la main sur son avant-bras. Depuis l'enfance, c'était le geste le plus intime qu'elle avait eu envers un de ses semblables.

— Ne vous inquiétez de rien, père. Je me charge de tout.

* * * *

À trente et un ans, Rachel était une belle femme, mais elle n'avait jamais voulu attirer l'attention de quiconque, esclave ou Blanc. Yuala lui avait dit que son destin serait un jour d'aimer Richard et d'être aimée de lui. Elle croyait donc qu'elle se gardait pour lui. Par conséquent, elle faisait de son mieux pour avoir l'air ordinaire, pour le jour où elle comprendrait que Richard lui appartenait enfin.

Elle portait des vêtements trop grands et mal ajustés, qu'elle choisissait dans les restes miteux des autres esclaves. Elle dissimulait sa chevelure blond-roux sous un fichu délavé. Ses chaussures et ses bottes étaient tellement trouées qu'elles n'avaient plus assez de cuir pour qu'on en devine la couleur, encore moins le lustre. Mais, en dépit de ses efforts, Rachel ne pouvait dissimuler l'intelligence qui brillait dans ses yeux verts, ni la beauté de son âme.

La vie de la jeune esclave était presque parfaite. Chaque matin au réveil, elle faisait le compte de ses bénédictions : elle vivait dans une belle maison élégante, et elle était autorisée à passer ses journées à prendre soin de Richard et de Maureen, dont l'amertume allait croissant.

Rachel avait assisté depuis longtemps à la transformation de Maureen : son égoïsme enfantin était devenu de l'égocentrisme, puis de la cupidité. Ses insécurités avaient donné naissance à des jalousies qui l'empêchaient de se faire de vraies amies ou d'attirer l'attention de prétendants, comme la plupart des jeunes filles du comté.

Richard était très attentionné à son égard, mais ce n'était jamais assez. Maureen voulait toujours plus. Aux yeux de Rachel, la jeune fille avait dans le cœur un vide qui ne serait rempli que le jour où elle apprendrait à s'aimer.

— Père, je veux que vous annonciez officiellement aux domestiques que je suis la maîtresse de cette maison, décréta-t-elle un jour en étalant ses jupes de taffetas par-dessus ses pieds délicats.

— Cela va sans dire, fit Richard en craquant une allumette et en allumant sa pipe.

— Pourquoi tant de formalités ?

— Les domestiques se montrent insolents, alors qu'ils devraient me démontrer du respect. J'ai pensé que cela ferait toute la différence si vous le leur annonciez vous-même.

— Et de quel genre d'insolence parlons-nous, exactement ?

— Il s'agit de Rachel, père.

— Rachel ? Seigneur ! s'exclama-t-il en riant. Je trouve cela difficile à croire.

Maureen redressa le menton.

— M'accuseriez-vous de mentir ?

— Ne soyez pas tant sur la défensive ! C'est simplement que Rachel...

— Ne peut rien faire de mal à vos yeux, l'interrompit Maureen, d'un ton amer. Elle est trop vieille pour habiter la chambre au troisième, père. Je suis une femme maintenant, plus une enfant. Elle n'a plus besoin de s'occuper de moi comme si elle était toujours ma compagne.

— Voyons donc ! Rachel fait partie de la maisonnée depuis des lustres.

— Dans ce cas, ce changement se fait attendre depuis trop longtemps. Elle doit prendre un mari et vivre dans le quartier des esclaves. Accouplez-la avec quelqu'un.

— Maureen! Avez-vous conscience de la grossièreté de vos propos? Rachel n'est pas un animal. C'est... Eh bien! C'est Rachel. Elle était avec votre mère lorsque celle-ci est morte.

Maureen se mordit la lèvre et jeta des regards frénétiques autour de la pièce, cherchant les mots dont elle avait besoin pour plier son père à ses désirs.

— Les gens jasent, père.

— Les gens.

— À Charleston. Les Burke en ont parlé la fin de semaine dernière, lors du barbecue. Rachel nous accompagne partout.

— C'est vrai.

— C'est inconvenant.

Richard tira une longue bouffée de sa pipe.

— Et pourquoi?

— Eh bien! Rachel rappelle par sa présence que son père était blanc et sa mère, esclave. C'était une chose quand j'étais enfant... et que mère était en vie. C'en est une autre maintenant que Rachel est devenue une femme.

— Une belle femme, ajouta Richard distraitement.

Maureen inspira fortement.

— Vous la trouvez belle? Vous ne m'avez jamais dit que j'étais belle.

Richard se retint de tomber dans ce qui était, il le voyait claire-ment, un piège. Il était sidéré de constater que sa fille agissait en chasseur, et qu'elle allait jusqu'à le considérer comme une proie.

— Je vous l'ai dit maintes fois.

— Jolie. Vous avez dit que j'étais jolie. Jamais belle. Et c'est de cela que je parle. Si c'est votre opinion, les fils Burke ne pensent-ils pas eux aussi que Rachel est belle?

Richard vit alors au-delà des motivations transparentes de sa fille, et cette lucidité lui transperça le cœur.

— Je vois. Vous pensez que la présence de Rachel empêche les hommes de me demander votre main?

Perplexe, Maureen ne comprit pas la question tout d'abord.

— Des prétendants? Mais qu'en ferais-je? Je ne veux pas d'un autre homme dans ma vie. Je vous ai, vous. Je veux devenir la maîtresse de cette plantation. Tout comme mère l'était.

— C'est ridicule. Vous avez votre vie à vivre, Maureen.

— Cette plantation est ma vie.

La véritable nature de Maureen frappa Richard comme une onde de choc. Il n'avait jamais négligé sa fille et pourtant, par un mécanisme tordu de l'âme et de l'intellect, Maureen était devenue sans cœur.

«Rien d'étonnant à ce qu'aucun jeune homme ne vienne lui rendre visite. Ils ont vu ce qui m'a échappé.»

Pour la première fois, Richard remarqua la dureté qui luisait dans les yeux de sa fille. Sa bouche étroite. Son intransigeance.

Elle le dévisageait d'un air incrédule.

— N'est-ce pas ce que vous m'avez toujours dit? Que cette plantation était toute votre vie?

— Et je m'en sens coupable. Cependant, vous m'avez mal compris. J'aimais votre mère. Amelia et moi avons bâti chaque centimètre de cette maison en y mettant tout notre cœur, tout notre corps. C'est notre création. Mais ce n'est pas... ce n'était pas... toute notre vie.

Maureen se leva et effaça un pli sur sa jupe. On aurait dit qu'elle écartait les explications de son père comme autant de détritus.

— Je mérite cette plantation. Je n'ai jamais rêvé de quoi que ce soit d'autre. Et je ne veux plus que Rachel m'accompagne où que ce soit. Jamais.

Elle sortit en trombe de la pièce sans laisser à Richard le temps de répondre.

Submergé par une vague de tristesse, celui-ci tourna les yeux vers la fenêtre. «Quelle déception vous êtes, Maureen.»

* * * *

Le lendemain matin, Richard rassembla les domestiques. Il portait une culotte d'équitation brun clair, des bottes de chasseur brunes bien astiquées et une veste à parements de velours.

Rachel se tenait avec les autres domestiques à l'entrée de la verrière où l'on prenait le petit-déjeuner, une petite rotonde lumineuse et garnie de plantes vertes, qui avait toujours plu à Richard, et qui était aussi la pièce préférée de Rachel. Au-delà des vastes fenêtres, les feuilles d'automne s'étaient parées d'or, d'ambre et d'un rouge incendiaire. Elles semblaient réfléchir une lumière orangée dans la pièce.

— Bonjour à tous. Ce matin, je vous ai réunis pour vous annoncer qu'à partir d'aujourd'hui, vous prendrez vos ordres de mademoiselle Maureen. Depuis le décès de madame Amelia, j'ai négligé de continuer à m'occuper de vos devoirs et de vos tâches. Mademoiselle Maureen m'informe qu'elle aimerait changer quelques draperies et tissus d'ameublement. Vous l'assisterez donc dans ces tâches. Me suis-je bien fait comprendre?

— Oui, monsieur, répondirent les domestiques en chœur.

— Très bien. Il se tourna vers Rachel. J'aimerais te dire un mot en privé.

— Oui, monsieur, répondit-elle, sans se rendre compte qu'elle souriait en le suivant dans la verrière.

Les dessertes d'argent débordaient de saucisses et de biscotins. Les plateaux de porcelaine croulaient sous les fruits frais, mais Richard n'avait pas l'esprit à la nourriture.

— On m'a ouvert les yeux, hier.

— Vous avez longtemps été en deuil.

Il secoua la tête.

— Ce n'est pas le chagrin qui m'a tenu si longtemps dans l'ignorance de certains faits particulièrement dommageables. Occupé comme je l'étais à diriger ma plantation et à aimer si follement ma femme, j'ai perturbé ma fille.

Rachel baissa la tête.

— Tu le sais, n'est-ce pas?

— Monsieur?

— Que Maureen est jalouse de toi?

La jeune femme releva brusquement la tête.

— De moi? Non, je l'ignorais. Je sais que son cœur est rempli d'amertume, mais je ne savais pas qu'elle m'en tenait pour responsable. Pour quelle raison?

Richard fit un pas vers elle.

— Au début, je n'arrivais pas à comprendre. Je jugeais ses demandes déraisonnables. Puériles. Je suis resté éveillé toute la nuit pour réfléchir à ses exigences. À la manière dont elle s'est exprimée. Je savais que des raisons motivaient ses actes. Mais ensuite, j'ai mis certains éléments ensemble et j'en ai tiré une conclusion.

Rachel sentit les poils de sa nuque se hérisser. Elle frissonna et joignit les mains pour les empêcher de trembler.

— Et quelle est-elle ?

— Tu es amoureuse de moi.

Il prononça ces paroles comme un défi. Il y avait même une trace de moquerie dans sa voix. En raison des treize années qui les séparaient, Richard considérait Rachel presque comme une enfant, alors qu'elle ne l'était plus. Il était conscient qu'elle possédait une sagesse qu'il ne voulait même pas comprendre. Toutefois, il l'avait reléguée sur un autre plan, en l'associant aux autres domestiques.

Rachel sentit que l'heure de son destin avait sonné. Elle était amoureuse de Richard depuis qu'elle était adulte. Elle avait tout fait pour le cacher, y compris porter des haillons pour ne pas susciter d'attirance chez lui, du temps où Amelia était vivante. Richard était la raison pour laquelle elle était née. Elle le savait.

Si elle ne faisait pas preuve d'audace, l'occasion lui échapperait et serait perdue à jamais.

Elle leva donc les yeux vers Richard et pour la première fois, lui dévoila l'intensité de son amour. Elle lui ouvrit son cœur, délibérément et inconditionnellement.

— C'est vrai, avoua-t-elle, presque dans un murmure.

Stupéfait par cet aveu, Richard tituba d'un pas en arrière. Il avait prévu expliquer à Rachel qu'ils ne pourraient jamais vivre une union comme celle que son père et sa mère avaient vécue. On était en Amérique, pas en Jamaïque. Il n'avait pas un besoin désespéré de compagnie comme celui que Lord Henry avait dû ressentir en vivant dans un lieu si reculé. Il avait prévu annoncer à Rachel que Maureen avait raison de vouloir que la jeune femme poursuive son existence et se marie avec un autre esclave.

Au lieu de cela, sidéré, il écouta Rachel qui reprenait d'un ton pressé :

— Je ne savais pas quand viendrait pour moi le temps de vous révéler ces choses, mais je savais que je n'aurais plus à attendre longtemps. Comme ma mère, je suis censée porter un enfant. Un fils. Il s'appellera Jefferson. Dieu vous a choisi pour me le donner. Je vous aime depuis si longtemps. Mais je n'aurais jamais trompé maîtresse Amelia, pas plus que l'amour que vous partagiez. Votre vie avec elle était sacrée et prédestinée, comme votre vie avec moi est écrite.

Elle fit un pas vers Richard pour qu'il puisse sentir les énergies entre eux.

— C'est ridicule ! Je suis un homme d'âge mûr. Presque au terme de mon existence. Je ne pourrais jamais engendrer un... fils.

Le mot lui brûla la gorge, telle une vérité qui déchire le cœur lorsqu'elle reste enfouie trop longtemps sans devenir réalité.

— Richard.

Rachel murmura son prénom pour la première fois.

— Je vous en prie, laissez-moi prononcer votre nom.

Elle leva la main pour lui caresser la joue.

Il s'en saisit comme pour arrêter son geste, mais à la place, il contempla la peau crémeuse et en sentit la chaleur. Il pressa ses lèvres contre sa paume.

— Mon Dieu ! Se peut-il que je ne sois pas destiné à rester seul ?

Les yeux de Rachel se remplirent de larmes.

— Oh ! Richard, nul n'est destiné à souffrir les tourments de la solitude. Nous sommes si nombreux, mais souvent, nous ne regardons qu'avec nos yeux et notre intellect, plutôt qu'avec notre cœur. Si vous fermez les yeux, vous verrez que je suis simplement une femme, et non une esclave. Et que je vous aime de toute mon âme.

Richard sentit une gigantesque vague d'émotion l'engloutir. Il se sentait à la fois faible et fort.

Soudain, la pièce se remplit d'un fin brouillard doré. Richard était certain qu'il émanait de la femme aux cheveux dorés qui se tenait devant lui, et non des chênes nains colorés par l'automne, au-delà des fenêtres.

— Richard, vous avez le cœur le plus aimant que je connaisse. Vous devez comprendre que rien ne devrait jamais l'empêcher d'aimer. Pas même la mort. L'amour que vous portiez à madame Amelia doit être offert à une autre pour que vous soyiez réellement l'homme que vous êtes. L'amour est le fondement de votre être.

— Dans ce cas, comment se fait-il que ma fille ne comprenne pas cela à mon sujet ?

— Elle a beaucoup à apprendre et elle choisit des chemins difficiles. Mais c'est son choix, pas le vôtre.

Il pressa la main de Rachel sur sa joue et laissa la jeune femme tenir son visage, tandis qu'il la regardait dans les yeux.

— Je t'envie ta sagesse.

— Nous avons le reste de notre vie pour partager ces choses ensemble, Richard. Impulsivement, elle se dressa sur la pointe des pieds et pressa ses lèvres contre les siennes. C'était un baiser hésitant, le genre de baiser qu'elle aurait donné à un enfant qu'elle aurait guéri. Elle n'était pas prête pour la réaction intense de Richard lorsqu'elle recula en levant les yeux vers lui.

— Rachel, murmura-t-il d'une voix sensuelle.

D'une main, il l'attrapa par la taille et l'attira à lui. Les yeux toujours plongés dans les siens, il fut hypnotisé par l'amour et l'abandon qu'il y découvrit. Cela le bouleversa et l'enflamma tout à la fois.

— Je ressens des choses... des émotions... que je n'ai pas ressenties depuis des années.

— Richard, embrassez-moi, l'implora-t-elle.

Ce fut plus une explosion qu'un baiser. Leur étreinte lui coupa le souffle et la fit tituber. Richard haletait comme si on l'avait frappé à la poitrine. Rachel n'avait jamais ressenti une telle passion. Elle n'avait même jamais soupçonné son existence. Elle était choquée et même un peu craintive. Elle était l'instigatrice de cet échange. Et pourtant, voilà qu'elle en devenait la victime.

— Mon Dieu ! Rachel, gémit-il en reprenant brutalement sa bouche et en la pénétrant de sa langue.

Le désir qui lui enfiévrait les sens ouvrit son esprit et son cœur. C'était comme s'il voyait sa vie réduite à sa plus simple expression.

Détachant ses lèvres de la bouche de Rachel, il dit :

— Tout ce que tu dis est vrai. Je le sens.

— Oh, Richard, vous me rendez si heureuse.

Il ferma les yeux et sentit la brûlure des larmes.

— J'ai appris une chose : une vie peut être écourtée. Je ne veux plus perdre un seul instant de la mienne.

— Moi non plus, fit-elle avant de l'embrasser de nouveau.

Richard souleva Rachel dans ses bras.

— Tu m'aimes ?

— Oui.

— Depuis toutes ces années ?

— Depuis que je suis arrivée. Et pour toujours, acquiesça-t-elle.

— C'est tout ce que je demande, conclut-il.

Rachel avait prié toute sa vie pour ce moment. Elle le saisirait, car elle en méritait toutes les joies pour le temps qu'elles dureraient, une heure, un jour, une semaine. En cet instant, Richard était sien. Tout ce qu'elle pouvait espérer, c'est qu'un jour, il en arrive à l'aimer de retour.

Richard l'embrassa. Il l'emporta dans ses bras et gravit l'escalier menant à sa chambre à coucher. Aucun des deux ne vit Maureen, cachée derrière les portes de la bibliothèque.

— Catin! Putain vaudou! gronda Maureen à mi-voix en les observant.

Après sa chevauchée du matin, elle portait encore son costume d'amazone. Elle fouetta de sa cravache le dossier du canapé touffeté et en déchira le cuir brun foncé.

— Chienne!

Elle fonça à travers la pièce et s'arrêta devant le portrait de sa mère, suspendu au-dessus du manteau de cheminée.

Elle était en colère contre elle-même de ne pas avoir interrompu ce tête-à-tête. Elle se sentait trahie non seulement par son père, qui lui avait toujours affirmé que copuler avec un Noir relevait de la damnation éternelle, mais aussi dépossédée du lien de confiance qu'elle avait partagé avec Rachel, sa compagne depuis qu'elle avait quatre ans.

Cependant, elle s'était laissé prendre par l'échange entre son père et Rachel, et elle avait été presque aussi fascinée par la scène que ses deux protagonistes.

Pressant ses paumes contre ses tempes, elle déclara :

— Il ne s'agit pas là d'une liaison ordinaire, mère.

Elle leva les yeux sur le portrait d'Amelia.

Son regard erra à travers la pièce, tandis que des scènes du passé tourbillonnaient devant ses yeux.

— Non. Elle couvait depuis des années. Plusieurs années. Je me souviens des histoires que Rachel me racontait à propos de sa mère, Yuala, et de son père, Henry Duke. Mon Dieu! À l'époque, j'étais dégoûtée par toute l'affaire, mais aujourd'hui, je vois bien que Rachel me mettait en garde.

La jeune femme lança sa cravache sur une console.

— Je vois maintenant plus clair dans cette histoire, mère. Rachel désire père pratiquement depuis son arrivée ici. Seigneur! Nous avons tous été aveugles aux manigances de cette catin. Dieu merci, vous n'êtes plus de ce monde pour être témoin de tout ceci, mère.

Mentalement, Maureen additionnait les indices comme autant de grains de chapelet. Comme Rachel avait la peau claire, les yeux verts et les cheveux blond-roux, Maureen en conclut qu'elle voulait être blanche. Mais bien sûr ! Voilà certainement pourquoi toutes ces années, Rachel avait tendu ce piège inconscient afin d'attraper son père. Tant qu'Amelia avait été vivante, Rachel n'avait eu aucune chance. Mais aujourd'hui, la situation était différente.

Maureen se moquait bien que Rachel et son père forniquent ensemble tous les matins, et tous les soirs. En fait, l'idée lui plaisait assez. Elle réfléchit à voix haute :

— Cela pourrait s'avérer une bonne chose. Si père s'amourache de Rachel pour de bon, il ne songera jamais à se remarier. S'il le faisait et qu'il avait un fils, ce nouveau venu me déposséderait largement de mon héritage. Tant qu'il couche avec une esclave, les enfants qu'elle aura seront des bâtards et, qui plus est, des esclaves !

Maureen serra les mains et les frotta en jubilant. Comme elle était l'aînée, elle savait que le manoir, la plantation et tous les esclaves lui reviendraient, puisqu'elle avait *délibérément* choisi de ne pas se marier afin de prendre possession de ce qui, à son avis, lui revenait de droit.

Maureen n'avait pas besoin d'un mari. Elle était futée. Elle planifiait son avenir. Et son avenir, c'était cette plantation.

La jeune fille tourna la tête vers les portes-fenêtres qui s'ouvraient sur les jardins. Devant elles trônait un piano, récemment ajouté à l'ameublement de la maison par son père qui l'avait fait venir d'Autriche et le lui avait offert comme cadeau d'anniversaire, le mois dernier.

Il s'agissait d'un piano expérimental qui reflétait les changements que Beethoven avait apportés à l'instrument. La sonorité en était meilleure, tout comme la percussion. L'instrument était l'œuvre d'Anton Walter, le facteur de pianos viennois, qui avait d'abord œuvré en étroite collaboration avec Mozart et qui poursuivait maintenant son travail avec Beethoven, l'extraordinaire élève du maître.

Dans cet instrument novateur, les marteaux étaient dirigés vers le bas plutôt que vers l'arrière. Au lieu d'être fixé à un rail unique au-dessus du clavier, chaque marteau était rattaché à une note. Ainsi, l'enfoncement de la note soulevait la partie postérieure de la touche et entraînait le marteau vers le haut. À l'extrémité du manche du marteau, une butée en saillie arrêtait le mouvement, grâce à un mécanisme composé d'un levier et d'un ressort. Lorsque le marteau atteignait son point culminant, le mécanisme — dont l'ingéniosité autorisait l'*échappement* que Mozart avait recherché durant tant d'années — basculait vers l'arrière et terminait sa course contre la butée à l'extrémité du manche du marteau. Ce dernier était par conséquent libre de retomber dans la position de départ sans que la touche soit entièrement relâchée.

Maureen se dirigea vers le piano, s'assit et posa ses mains sur le clavier. Ses doigts donnaient l'impression d'être de petites colombes blanches, voletant au-dessus des touches d'ivoire en leur insufflant une mélodie.

Tandis que la musique s'élevait dans la pièce, les lèvres de Maureen s'étirèrent dans un sourire de victoire. Ce piano lui disait tout ce qu'elle avait besoin de savoir sur son avenir. Elle n'avait pas à s'inquiéter au sujet de son père et de Rachel. Maureen occupait toujours la première place dans le cœur de son père et sur son testament.

Huit

« D'une race ancienne par la naissance, mais plus
noble encore par son mérite personnel[8]. »

— JOHN DRYDEN,
ABSALOM AND ACHITOPHEL

Jefferson Duke naquit le 22 janvier 1815, deux semaines seulement
après la bataille de La Nouvelle-Orléans. Cette bataille avait
été un fiasco total, étant donné que le traité de Ghent, signé le
24 décembre 1814 en Belgique, plus de quinze jours avant la bataille,
avait déjà mis fin à la guerre[9].

Quant à Maureen, elle avait déclaré sa propre guerre.

Elle fulminait en observant Richard qui tenait Jefferson dans ses
bras, sous les longues branches d'un chêne.

« Il agit comme si ce bébé était le Messie ! Pis, il ne m'a accordé
aucune attention depuis des semaines. »

Maureen eut le souffle coupé quand elle vit son père se pencher
et embrasser Rachel sur les lèvres.

— Il est fou. L'embrasser au vu et au su des domestiques. Il faut
que cela cesse !

Maureen fit donc délibérément courir la rumeur de la liaison de
Richard et Rachel, et de la naissance du bâtard de cette dernière. Elle
savait que si elle obtenait suffisamment de soutien de la part de ses
amis, elle parviendrait à forcer Richard à abandonner Rachel. Elle
serait alors libre de faire ce qu'elle voulait avec la plantation.

---

8. N.d.T.: Traduction libre.
9. N.d.T.: Conflit de 1812 entre les États-Unis et le Royaume-Uni.

Mais d'abord, il fallait qu'elle sème la zizanie dans son entourage immédiat. Elle s'assura donc le soutien des esclaves de la maison.

— Oui, ma'am, c'est une Jézabel, confirma Jedediah, le majordome.

Zeke, le jardinier, donna raison à Maureen :

— Elle contamine la maison avec son bâta', c'est ça qu'elle fait.

Lors de l'office dominical, les matrones du comté s'agitèrent autour de Maureen dans un tourbillon de jupes en bombasin noir, en quête de confidences.

— Comment pouvez-vous laisser votre père se faire dévoyer ainsi, Maureen ? Il faut que vous lui parliez. Ignore-t-il qu'il condamne son âme à la géhenne éternelle ? s'indigna madame Whatlin.

— C'est juste, Maureen il est de votre devoir de le ramener à la raison et de le faire rentrer dans le rang, renchérit Julie Carson.

Maureen secoua la tête.

— J'ai fait tout ce que j'ai pu. Mais il a un fils, maintenant. Un fils aussi blanc que moi.

— Progéniture de l'enfer, voilà ce que c'est, assena madame Whatlin.

— Vous devez quitter cette maison démoniaque, Maureen. Cette femme pourrait bien vous empoisonner l'esprit.

— Elle n'oserait jamais, trancha Maureen d'un ton assuré.

— Quoi qu'il en soit, le démon se sert des âmes faibles pour accomplir ses méfaits. Vous devez rester sur vos gardes en tout temps.

Julie saisit la main de Maureen et la serra, avant de reprendre d'un ton suppliant :

— Venez habiter en ville, Maureen. Vous serez en sécurité ici, jusqu'à ce que ce funeste épisode se termine.

Mais Maureen ne voulait pas partir. Elle savait que « possession vaut loi ». Elle voulait se débarrasser de Rachel et de son bébé.

Elle confia donc à ces dames :

— Il me faut un plan. Je dois sauver mon père. « Et mon héritage. »

Mais pour Maureen, la situation ne fit qu'empirer.

Graduellement, Richard reprit la gestion de ses tâches de maître de la plantation. Bientôt, il ne resta plus à Maureen que la tenue des livres comptables.

— Je vais reprendre la tenue des livres, Maureen. Maintenant que Rachel se sent mieux après sa délivrance qui a été si pénible, j'ai aussi décidé qu'elle te seconderait auprès des domestiques.

Maureen était atterrée.

— Vous m'arrachez mes derniers devoirs en tant que maîtresse de cette maison ! Pourquoi ne pas me le dire franchement, père ? Vous voulez que Rachel prenne ma place.

Richard réfléchit aux propos de sa fille. Dans son esprit, il n'y avait plus personne dans sa vie, à l'exception de Rachel et de Jefferson. Maureen était sa fille, mais elle était maintenant assez vieille pour faire sa vie. Brusquement, il la regarda et se demanda pourquoi cette jolie femme intelligente voulait rester vieille fille.

— Je pense qu'il est temps que vous ayez votre propre vie, Maureen.

Les yeux de la jeune fille s'assombrirent de colère.

— Cette plantation est ma vie, et vous le savez. J'ai observé et étudié tout ce que vous faites, de façon à pouvoir un jour la diriger avec vous ! Elle agita frénétiquement les bras. Vous forniquez avec une femme noire et vous croyez que moi, votre chair et votre sang, je supporterai cette liaison dégradante ? Elle postillonnait de rage. Maintenant que vous avez un bâtard, vous voulez aussi tout changer dans ma vie ?

— Maureen...

— Vous croyez que vous êtes Dieu !

— Je ne crois rien de la sorte.

Maureen s'empara d'un vase en porcelaine de Limoges et le projeta contre le mur. Elle saisit un livre à la reliure de cuir et le lança dans l'âtre.

— Vous me traitez comme si je n'étais plus rien pour vous ! Et pourtant, vous nous faites honte à tous !

La colère de Richard éclata.

— C'est moi qui ai honte de vous, rétorqua-t-il avec violence. Non seulement vous êtes égoïste et gâtée, mais vous êtes aussi sans cœur. Dieu a au moins eu la sagesse de ne vous donner ni mari ni enfant. N'y a-t-il aucune chaleur dans vos veines ?

— Comment pouvez-vous me dire de telles choses ? Demandez à vos amis ce qu'ils en pensent.

— Vous êtes cruelle et insensible, Maureen.

Elle n'en croyait pas ses oreilles. À ses yeux, elle n'avait rien fait d'autre que vivre pour l'amour de son père, depuis toujours.

— Je ne resterai pas dans cette maison si vous faites de Rachel votre maîtresse.

Richard ne voulait pas d'une telle aliénation entre sa fille et lui. Son cœur saignait de voir à quel point Maureen s'était endurcie. Que lui avait-il fait pour que son esprit soit ainsi dénaturé ? Où avait-il failli ? Comment aurait-il pu changer les choses ?

— Cette décision vous revient entièrement.

La colère de Maureen retomba aussitôt. Elle prit conscience qu'elle s'était mise dans une position intenable. La sagesse lui souffla pourtant que les situations fluctuent constamment. Rachel pouvait bien être la maîtresse et exhiber son bâtard tant qu'elle le voulait. Un jour, Maureen reviendrait, et alors, elle lui ferait payer cet outrage. Maureen lança un regard éloquent à son père.

— Dans ce cas, je pars.

Tandis qu'elle emballait ses effets, Maureen entendit les domestiques marmonner entre eux qu'elle les « abandonnait », mais elle n'en avait cure. Une vive agitation régnait chez les esclaves de maison devant ce renversement de la balance du pouvoir. Ils n'avaient jamais vu un esclave devenir le maître. Ils avaient peur, et Maureen eut toutes les peines du monde à les tranquilliser. Ils se mirent à faire des cauchemars où le vaudou de Rachel leur volait leur esprit. Les vieux esclaves se déplaçaient furtivement d'une pièce à l'autre en vaquant à leurs occupations. Ils confièrent à Maureen qu'ils priaient pour que les « Loa » les rendent invisibles aux yeux des esprits mauvais.

Maureen était satisfaite de la façon dont les domestiques épousaient son opinion. Cependant, étant des esclaves, ils n'avaient aucune possibilité de choix. Ils pouvaient se plaindre tout leur soûl, ils étaient impuissants à changer leur sort. D'un autre côté, Maureen croyait qu'on peut se rendre maître de son destin. Elle espérait élaborer un nouveau plan d'attaque, une fois qu'elle aurait quitté la plantation.

Le jour de son départ, Richard lui dit :

— J'aimerais que vous puissiez comprendre ce que je ressens, tandis que les serviteurs portaient les quatre malles remplies de robes de bal, de robes, de chapeaux, de souliers et de manteaux, dans la voiture.

— Je comprends que vous avez temporairement perdu l'esprit, père, rétorqua Maureen en ajustant son élégant chapeau bleu royal. Néanmoins, je vous aime. Je vous ai toujours aimé et je vous aimerai toujours. J'attendrai à Charleston que cet accès de démence prenne fin.

D'un geste sec, elle enfila ses gants de dentelle, tandis que le cocher attendait près de la portière ouverte. Elle offrit à son père un regard engageant et reprit :

— Eh bien, père. Viendrez-vous dîner en ville, ce dimanche ? Je demanderai qu'on nous fasse rôtir une oie bien dodue.

— Une oie ? demanda-t-il en riant.

— Vous savez ce qu'est une oie rôtie, non ? rétorqua-t-elle, sarcastique.

— Il est évident que vous le pensez.

Maureen monta dans la voiture. Le cocher referma la portière et grimpa sur son siège.

— Ne vous mettez pas en frais pour le dîner, Maureen. Je reste ici.

Elle releva la tête, hautaine.

— Alors, vous m'écrirez ?

— Oui.

La voiture s'éloigna.

Rachel était restée dans la maison pour le départ de Maureen. Elle savait que la jeune fille était amère et pleine de ressentiment devant le changement survenu dans la vie de son père. Elle savait aussi que Maureen était égoïste, mesquine et vindicative.

À vrai dire, elle était heureuse que ses vibrations de colère disparaissent de la maison. Le seul fait de vivre sous le même toit que la jeune fille s'avérait perturbant.

Rachel s'affaira à la préparation du dîner. Elle dressa le couvert et aida Crystal à servir les pommes de terre et les petits pois.

Puis, elle attendit Richard dans la salle à manger. Comme son absence se prolongeait, elle prit un journal et se mit à lire à propos de la guerre qui menaçait en ce mois de janvier.

Il y avait eu une rencontre entre l'Angleterre, l'Autriche et la France, et un traité secret avait été signé pour résister aux demandes de la Prusse et de la Russie. Les rumeurs d'une guerre entre les alliés avaient bouleversé toute la population des États-Unis, car au moment du conflit avec le Royaume-Uni, les colonies américaines avaient choisi de remettre leur économie entre les mains de la France.

Les seules nouvelles auxquelles Rachel s'intéressait portaient sur l'intention de la France d'interdire la traite des Noirs dans l'année. Songeant à son fils aux yeux verts et aux cheveux blonds, Rachel pria pour que les États-Unis prennent bientôt la même décision. Elle était certaine que d'une façon ou d'une autre, Jefferson ne serait pas esclave toute sa vie.

Aux yeux de Rachel, le monde entier semblait las de la guerre. La majorité des affrontements s'étaient concentrés dans la région des Grands Lacs, au lac Champlain et au lac Érié. La bataille de Lundy's Lane avait eu lieu en sol canadien, à un peu plus d'un kilomètre et demi des chutes Niagara, tout comme celle de Queenston Heights. Et, bien entendu, il y avait eu la bataille de La Nouvelle-Orléans. Pour les habitants de Charleston, la guerre s'était révélée bien plus un ennui qu'une menace réelle pour leur vie. Les Britanniques étaient beaucoup trop occupés à combattre Napoléon pour engager des dépenses visant à chasser encore une fois les Américains. Quant à ces derniers, ils combattaient principalement en raison de l'enrôlement forcé des marins par le Royaume-Uni, événements directement liés à l'énorme quantité de biens qui transitaient par mer entre les deux pays.

En lisant les journaux de Charleston qu'un messager livrait à la plantation deux fois par mois, Rachel apprit que durant la guerre, les Américains avaient été obligés de faire appel à leurs propres capacités pour produire les biens dont ils avaient besoin, ce qui avait entraîné une expansion notable du secteur manufacturier.

Richard rentra finalement à la maison et pénétra dans la salle à manger d'un pas énergique. Sans dire un mot, il prit place à table et sonna pour qu'on lui apporte à manger.

Crystal entra avec une assiette de jambon en tranches.

— Aimeriez-vous autre chose, monsieur?

— Non, Crystal, ceci me convient tout à fait. Une tasse de café, peut-être.

— Oui, monsieur, fit la cuisinière.

Prenant la cafetière en argent sur le buffet, elle en versa une tasse à son maître. Elle jeta ensuite un regard à Rachel avant de quitter précipitamment la pièce.

Le couple mangea en silence.

Rachel ne voulait pas aborder le sujet de Maureen. Néanmoins, elle était d'avis qu'il serait préférable que Richard exprime ce qu'il ressentait.

Il releva brusquement la tête.

— Son départ est mieux pour tout le monde.

Il baissa la tête et continua de manger. Puis, il leva les yeux.

— Crois-tu que je sois un homme de vision, Rachel?

La plupart des gens auraient pensé que les deux pensées n'avaient aucun rapport, mais Rachel connaissait Richard mieux que la plupart des gens.

— Qu'est-ce qu'elle a dit?

— Que j'étais rétrograde et grossier. Je lui ai répondu que j'étais visionnaire, et elle s'est moquée de moi. Elle a ri!

— Je dirais que tu es certainement visionnaire, Richard. Toutefois, l'homme qui n'est pas en phase avec son époque ne peut s'attendre à ce qu'on l'accepte. Dans quelques siècles, les gens penseront plus comme toi que comme Maureen.

— Merci de tes flatteries.

— Je suis sincère. Il ne saurait en être autrement. Tu es le genre d'homme à guider ses semblables vers l'avenir, Richard. Tu dois le savoir. Tu parles constamment de la «nouvelle vague d'industrialisation» qui s'en vient.

Il sourit pour la première fois de la soirée.

— C'est ce que je fais, non?

— Oui, mon amour.

— Dans ce cas, je ne me permettrai pas de m'appesantir sur les crises de colère de ma fille.

— Cela ne fera que te bouleverser, conclut Rachel.

Elle tapota pensivement du doigt le manche de son couteau Sheffield.

— Je me disais à quel point ce serait merveilleux si nous pouvions être comme Adam et Ève, Richard. Créer un nouveau genre d'humain... un nouveau monde. J'aimerais pouvoir penser que Jefferson représente le meilleur de nos deux mondes, qu'un jour viendra où il n'y aura plus ni esclaves ni serviteurs, seulement des gens qui s'entraident. L'ordre serait maintenu par chaque individu, homme et femme, qui apporterait sa contribution dans l'existence. Le monde serait un endroit où les gens s'aiment pour ce qu'ils sont.

— N'est-ce pas ce que nous avons ? L'Utopie ? demanda-t-il en souriant.

Rachel laissa son regard errer dans la pièce qu'elle avait autrefois passé des heures à nettoyer. Ses journées étaient alors tellement remplies. Maintenant, les heures semblaient se traîner.

— Mon amour, je ne peux vivre en restant aussi oisive. Tu t'attends à ce que j'agisse comme quelqu'un que je ne suis pas, simplement parce que tu as décidé de me faire partager ta chambre à coucher.

— Comme je te l'ai déjà dit, tu n'as pas d'autres devoirs que de t'occuper du bébé et de moi.

— Jefferson dort à poings fermés depuis que je l'ai nourri. Néanmoins, il me semble que tu as besoin de plus de soins que notre enfant, le taquina-t-elle en s'approchant de lui.

Il déposa sa tasse de café, entoura sa taille de son bras et posa la tête sur son ventre accueillant.

— Je veux que tu me donnes d'autres bébés aussi beaux que mon fils.

Elle repoussa de son front une mèche de cheveux blond grisonnant.

— Non, il n'y en aura qu'un seul.

— C'est si étonnant pour moi d'avoir enfin un fils. Cela me donne un point de vue entièrement nouveau sur mon avenir. Son avenir.

Rachel détourna les yeux.

— Jefferson est un esclave.

Richard fit un geste de la main comme s'il écartait les objections de sa maîtresse.

— Une simple question de paperasserie. Je vais communiquer avec mon avocat. Ensuite, Jefferson sera libre, et toi aussi. Pour l'heure, dit-il en se levant et en prenant la main de Rachel, viens avec moi dans la bibliothèque : je veux t'entretenir de mes projets.

Richard débordait d'une vigueur juvénile qui transparaissait dans l'allant qui s'était ajouté à sa démarche. Sa liaison avec Rachel, et l'exploration physique, spirituelle et mentale qu'il s'autorisait en sa compagnie donnaient de l'expansion à son existence et à sa vision de l'avenir.

Rachel et lui prirent place sur le canapé en cuir.

— Il faudra presque un an pour concrétiser tout ceci, mais j'ai commandé de France un métier à coudre à point de chaînette et le nouveau métier circulaire grâce auquel on peut confectionner des bas tubulaires sans couture.

— C'est fantastique !

Rachel était émerveillée par ces inventions.

— Nous faisons pousser ici d'énormes quantités de coton.

— Précisément ! Et plutôt que d'expédier la matière première en Angleterre, nous allons manufacturer nos propres tissus, et plus tard, nos propres vêtements pour les mettre en marché.

— Et où as-tu pris cette idée ?

Richard sourit d'un air espiègle avant de planter un baiser bruyant sur les lèvres suaves de sa maîtresse.

— Je t'ai observée tandis que tu cousais des vêtements pour le bébé, et j'ai réfléchi au fait qu'il nous avait fallu attendre six semaines avant que cette douillette flanelle de coton nous parvienne d'Angleterre. Si nous avions pu produire notre propre flanelle, tu n'aurais pas eu à attendre si longtemps. Je n'arrêtais pas de penser que le bébé arriverait avant le tissu.

Rachel sourit largement.

— Je t'ai inspiré ?

Il éclata de rire :

— C'est le moins qu'on puisse dire, Rachel. Tu m'as inspiré.

* * * *

Les métiers furent installés dans le quartier des entrepôts de Charleston. Richard acquit un terrain qu'il paya quatre mille dollars aux héritiers du propriétaire, qui se montrèrent plus cupides qu'intelligents.

Rachel ne s'était rendue qu'une fois sur les lieux. Richard était alors aveuglé par sa naïveté quant à leur liaison, et en public, il la traitait presque en égale. Or, la jeune femme avait remarqué l'expression scandalisée sur certains visages féminins, ainsi que l'envie et même la concupiscence dans les yeux des amis de Richard. Ce dernier était inconscient de tout cela. Il était amoureux de Rachel. Pour lui, c'était tout ce qui comptait.

Ils étaient arrivés à Charleston à l'aube, alors que le soleil commençait tout juste à faire briller l'extrémité des mâts des bateaux qui dansaient sur les eaux de la baie. Rachel pouvait entendre les accents graves et presque lugubres des appels de conques, qui lui rappelaient la Jamaïque. Avant que la vision de son père et de sa mère se fixe dans son esprit, la jeune femme entendit résonner les cloches de cuivre des gros vaisseaux marchands, qui se frayaient un chemin entre les petites embarcations de pêche. Dès l'aube, la place du marché grouillait d'activité. Marchands et marins déchargèrent des paniers d'huîtres et de crabes de l'Atlantique, des légumes de la Nouvelle-Angleterre, des fruits de l'Amérique du Sud et des fleurs des Antilles britanniques, à l'intention des colporteurs qui vendaient leurs marchandises dans les rues résidentielles — Church Street, Broad Street, Charlotte et Calhoun Street.

Rachel aimait Charleston, sa beauté et son activité. Elle se demandait souvent comment ce serait d'y vivre et d'être libre. Elle ne s'autorisait cette pensée que fugacement, dans son for intérieur.

La jeune femme était réaliste. Elle savait que son désir d'affranchissement pourrait la séparer de Richard. Or, elle aimait cet homme plus qu'elle ne l'aurait cru possible. Elle était heureuse avec lui, mais sa joie était ternie en voyant les autres esclaves, ses semblables, peiner chaque jour dans les champs. Rachel savait qu'elle arriverait à convaincre Richard non seulement de l'affranchir, mais de faire de même avec tous ses esclaves.

« Je vais le convaincre de changer le monde, une vie à la fois. »

— Richard, tu sais que j'aime la ville et que je te suis reconnaissante de notre visite, mais il me semble un peu capricieux de notre part d'y venir simplement pour trouver un instructeur d'équitation.

— Rachel, Jefferson monte depuis l'âge de deux ans. À cru depuis qu'il a trois ans. Je veux qu'il étudie le dressage. Le saut. Il fera un excellent cavalier, une fois adulte. Richard se frotta le menton d'un air pensif.

— Je songeais également à trouver un maître d'escrime et à le faire venir à la plantation.

— J'admets que Jefferson est intelligent et qu'il aime apprendre. Mais sa hardiesse se solde trop souvent par des ecchymoses et des bosses à la tête.

— Je vais aussi lui trouver un professeur de piano. Est-ce que cela te plairait?

— Plus que l'escrime? Oui.

— Il aura les trois, conclut-il en l'embrassant franchement. Je ferais tout pour te rendre heureuse.

— Tout, Richard?

— Oui, mon amour, acquiesça-t-il en souriant.

Elle le regarda gravement.

— Alors, je veux que tu affranchisses tous tes esclaves.

Il lui rendit son regard.

— Je vais étudier ta requête, répondit-il.

— Tu le feras?

Il hocha la tête.

— Tu dois comprendre qu'une telle décision perturberait l'équilibre des planteurs de cet État. Si je commets cet acte, nous serons ostracisés sur le plan financier. Les acheteurs refuseront d'acquérir nos récoltes. Ce serait probablement un désastre.

— Est-ce nécessaire que cela se sache? s'enquit Rachel.

— Comment pourrait-il en être autrement quand tous les esclaves partiront?

— Qui a dit qu'ils partiraient? Où iraient-ils? Où travailleraient-ils? La vie sur ta plantation n'est pas plus difficile qu'ailleurs. Mais l'esclavage de notre cœur ne peut plus continuer. Il nous vide de nos énergies mentales et spirituelles.

Richard l'examina d'un œil curieux.

— J'essaie de comprendre ce que tu me dis, Rachel. Mais parfois, tes énigmes me dépassent. Sois patient avec moi.

Elle sourit.

— J'ai tout mon temps.

— Bien, alors terminons nos affaires et rentrons auprès de notre fils, dit-il.

* * * *

Jefferson aimait la manière dont son père l'encourageait à essayer à peu près tout ce qu'il voulait. Il demandait à Richard de lui lire des histoires, mais il posait tellement de questions que celui-ci lui apprit à lire avant qu'il ait quatre ans.

— Ainsi, tu pourras trouver tes propres réponses à toutes les questions que tu poses, Jefferson.

Jefferson s'inquiéta :

— J'en pose trop ?

— Jamais à moi, mon fils. Jamais à moi, répondit Richard en le serrant contre lui.

Lorsque Jefferson eut sept ans, Richard lui enseigna à jouer aux échecs. Leurs parties se déroulaient sur la pelouse devant la maison, à l'ombre d'un chêne gigantesque. Le père et le fils prenaient place sur des chaises de bois peintes en blanc, devant une table à jeux que Richard avait fait venir d'Angleterre, dix ans plus tôt. La brise estivale agitait mollement les feuilles du chêne.

Richard venait tout juste de rentrer d'un autre voyage d'achat en France. Son entreprise croissait à folle allure. Il ignorait comment il parviendrait à répondre à toutes les commandes de tissu qu'il avait vendu.

Des cernes s'étaient formés sous ses yeux, il avait développé un tic nerveux au coin de l'œil droit, et un vaisseau sanguin s'était rompu dans son œil gauche. Il était fatigué, mais il voulait passer un peu de temps avec son fils.

— J'apprécie réellement ta compagnie, Jefferson, confia-t-il au garçon. En fait, je songe à t'emmener la prochaine fois que j'irai en France.

L'enfant ne se contenait plus d'excitation.

— Tu veux dire que j'embarquerai avec toi ? Pour traverser l'Atlantique ?

— Bien sûr.

Richard essaya de sourire, mais l'effort était trop grand.

Jefferson vit une expression étrange courir sur le visage de son père. Puis, son visage prit une pâleur inquiétante.

— Qu'y a-t-il, père ?

Subitement, son visage se vida de toute expression avant de se relâcher complètement. Ses yeux roulèrent dans leur orbite, et il s'effondra sur son siège.

Jefferson sauta de sa chaise, renversant les rois et les pions.

— Père ! Père ! cria-t-il d'un ton frénétique, tout en essayant de réanimer Richard.

Ce dernier ne bougea pas.

Jefferson s'élança vers la grande maison.

— Mère! Viens vite! Vite!

Les chaussures du garçon claquèrent sur le plancher en bois du vestibule jusqu'au salon, mais il n'y trouva pas sa mère. Il l'appela du pied de l'escalier.

— Mère!

Rachel sortit en courant de la chambre à coucher. Elle dévala l'escalier à toute vitesse.

— Tout va bien, Jefferson.

Elle franchit la porte d'entrée en courant, son fils sur les talons.

— Non, mère. Non. Il est mort! Je le sais!

— Il n'est pas mort, Jefferson. Je le saurais si mon amour était mort.

Rachel essaya de soulever Richard, mais il était trop lourd. Elle appela les serviteurs et leur demanda de transporter le maître dans la maison.

Quand le docteur Dessault arriva, il expliqua à Rachel que Richard avait fait une crise d'apoplexie[10]. Il était vivant, mais son esprit l'avait déserté. Le médecin soutenait fermement Maureen. Non seulement il jugeait que c'était mal de la part de Richard d'entretenir une liaison avec Rachel, mais il croyait que Dieu lui donnait maintenant raison.

De retour à Charleston, il rendit donc immédiatement visite à Maureen pour lui faire part de la maladie de son père.

— Il est de votre devoir de rentrer à la maison et de prendre soin de votre père, dit-il à la jeune femme.

— C'est ce que je vais faire, répondit-elle d'un ton ferme. Je fais immédiatement mes bagages.

Maureen fut bien reçue par les esclaves de la maison, qui étaient d'avis que Rachel était devenue «insolente» au cours des sept dernières années. Aucun d'eux n'aurait admis que Rachel était meilleure maîtresse que Maureen, mais l'équilibre de leur univers avait été perturbé. Ils voulaient que la situation soit rectifiée.

La jeune femme ordonna immédiatement à Rachel et à Jefferson de réintégrer le quartier des esclaves. Elle regarda Rachel directement dans les yeux, et celle-ci songea que ses yeux étaient devenus tellement durs qu'ils en étaient calleux. Elle lui lança:

---

10. N.d.T.: C'est ainsi qu'on désignait, à l'époque, l'accident vasculaire cérébrale.

— J'ai tenu ma langue parce que j'aime mon père et que je ne voulais pas le bouleverser. Maintenant qu'il est invalide, je dirigerai cette maison comme ma mère l'aurait voulu. Que Dieu ait son âme!

Jefferson ne comprenait pas pourquoi Maureen invoquait le nom de Dieu. Il n'écoutait jamais les prières dépourvues de pitié. Le garçon remarqua que Maureen insistait beaucoup en disant «ma mère» et se demanda quel genre de femme elle avait été. Il avait toujours pensé que Maureen était semblable à lui. L'idée de n'être que le «demi-frère» d'une parente par le sang n'avait jamais traversé son jeune esprit.

Or, d'ici la fin de cet été torride et accablé par le choléra, Jefferson devait en apprendre beaucoup sur lui-même, sur sa mère et sur l'existence telle qu'elle se présenterait sous la férule de Maureen.

Neuf

« Ne concevez pas de projets étriqués ; ils n'ont pas le pouvoir de susciter l'enthousiasme des hommes[11]. »

— Daniel Hudson Burnham

Au cours des premiers jours qui suivirent son retour à la plantation, Maureen ne perdit pas de temps à rectifier toutes les injustices, réelles ou imaginaires, qu'elle avait subies. Elle ordonna aux esclaves de la maison de s'occuper des besoins physiques de Richard, mais décréta qu'elle le nourrirait elle-même à la cuiller. Il ne devrait recevoir aucun visiteur, y compris son avocat et son médecin, sans son approbation préalable.

La jeune femme était à la maison depuis trois jours lorsqu'elle constata qu'un des tiroirs du bureau de son père était fermé à clé.

— Qui est entré dans cette pièce, Jedediah ? demanda Maureen.

— Juste Rachel et le garçon.

— Je veux que les meubles soient frottés et cirés de frais. Qu'on époussette les livres et qu'on batte les tapis. Je veux que tout soit propre comme un sou neuf.

— Oui, ma'ame.

Maureen tira sur le tiroir fermé à clé. Elle ordonna à Jedediah de quitter la pièce et attendit qu'il sorte avant de s'approcher de la table de fumeur de son père et d'ouvrir le tiroir central où il rangeait ses allumettes. Elle vida le tiroir de son contenu, le retourna et en fit glisser le double fond, révélant une clé de laiton.

Elle sourit.

---

11. N.d.T.: Traduction libre.

— Que j'aime l'homme qui a ses petites habitudes !

Elle ouvrit le tiroir avec la clé.

— Je savais qu'il cachait des choses, marmonna-t-elle à mi-voix en brisant les sceaux des documents juridiques qu'elle venait de trouver.

Ses yeux s'écarquillèrent en prenant connaissance des documents qui affranchissaient ses ennemis.

— Jamais ! fulmina-t-elle en déchirant les feuillets en mille morceaux. Jamais dans cent ans je ne laisserai cette chienne s'en sortir ainsi !

Ensuite, elle lut le dernier document qui aurait affranchi Jedediah et les autres esclaves.

— Il n'est pas surprenant qu'il ait fait une crise d'apoplexie. Il avait perdu l'esprit depuis des semaines. Dieu merci, j'ai tout découvert avant qu'il ne soit trop tard.

Elle continua de déchirer les documents. Puis, elle jeta les morceaux dans le foyer et y mit le feu. Les yeux fixés sur les cendres, elle jura :

— Personne ne régnera sur cette terre, à part moi. Elle est à moi. Seulement à moi.

* * * *

Maureen mit Rachel et Jefferson au travail dans les champs. Jefferson était jeune, mais il ramassait le coton deux fois plus vite que les autres esclaves. Lorsqu'il avait terminé son quota de la journée, il revenait aider sa mère à remplir son sac de jute à ras bord.

Parce qu'ils restaient entre eux et adoptaient un comportement des plus détachés, personne ne leur parlait, et le régisseur ne trouvait rien à redire contre eux. Mais une fois le soleil torride couché, lorsque Rachel et son fils faisaient la file pour le repas du soir, la jeune femme sentait les yeux des autres esclaves s'immiscer en elle, au-delà de sa peau blanche maintenant brûlée par le soleil et de sa chevelure cuivrée, pour emprisonner son cœur dans les fers de leur jalousie.

Rachel avait toujours trimé dur dans la grande maison, mais elle n'avait jamais fait la cueillette du coton. Ses mains n'avaient jamais été couvertes de cals, ni sa peau pelée par le soleil. Elle avait continuellement mal au dos. Elle n'avait pas non plus l'habitude du régime de riz, de haricots et de porc salé qu'on leur servait quotidiennement. Elle rêvait d'une fraise fraîchement lavée et d'un morceau de ces biscotins à la texture duveteuse que cuisinait Crystal, accompagnés d'un rayon débordant de miel. Elle se rappelait le goût du champagne qu'elle avait bu avec Richard. Mais plus que tout, elle se rappelait ses conversations avec Richard, les sourires de Richard, ses rêves, ses projets d'avenir et l'odeur de sa sueur après l'amour. Elle aurait aimé lui tenir la main tendrement comme elle l'avait longtemps fait.

Ils avaient été fous de vivre leur idylle au grand jour, mais elle avait duré presque huit ans. Ils avaient un fils brillant et merveilleux pour témoigner de leur amour et du courage dont ils avaient fait preuve en risquant leur cœur. Les jours de Camelot étaient choses du passé.

La jeune esclave se tourna vers son fils.

— Jefferson, nous allons commencer ce soir une nouvelle forme d'éducation, lui confia-t-elle d'un ton mystérieux, né de l'irrévocabilité de leur situation.

— Quel genre d'éducation?

— Je vais te parler de l'*obeah man* et de ta grand-mère, la Mambo.

* * * *

Richard ne se remit jamais. Il ne réapprit jamais à marcher, à parler ou à rire. Néanmoins, il survécut par la seule force de sa volonté jusqu'en 1835, année où Jefferson eut vingt ans.

Au fil des ans, Rachel avait dégénéré de concert avec Richard. C'était comme si elle avait fait elle aussi une crise d'apoplexie, mais qui n'avait affecté que sa volonté de vivre. Maureen fit en sorte que Rachel n'ait plus jamais l'autorisation de revenir dans la grande maison, mais la jeune femme trouva des moyens de la défier.

Les deux femmes s'adonnaient à une forme compliquée du jeu du chat et de la souris. Rachel envoyait des messages à Richard dans ses pensées et ses prières. Elle lui donnait rendez-vous à un moment précis de la journée, en lui demandant de se placer derrière la grande fenêtre de sa chambre à coucher de manière à ce qu'elle puisse le voir.

À force de marmonnements indistincts et de gestes du doigt, Richard réussit à faire comprendre à son infirmière qu'il aimait rester assis à la fenêtre. Elle croyait qu'il aimait observer le vent qui agitait les branches des arbres.

Rachel avait demandé à redevenir blanchisseuse. Elle transportait donc des piles de draps propres de l'arrière-cour, derrière le fumoir, à la grande maison. Elle pouvait ainsi observer Richard à sa fenêtre.

— Mes yeux ne sont plus aussi bons qu'avant, confia-t-elle à Jefferson. Mais je sais qu'il me sourit.

— Mais son visage est paralysé, mère, argua Jefferson.

Un sourire cachottier étira le coin des lèvres de Rachel.

— C'est ce qu'il veut lui faire croire, *à elle*. Il n'est peut-être plus capable de parler, mais il peut sourire. Je sais à quoi il pense.

Elle hocha la tête, les yeux pétillants.

Jefferson était devenu aussi grand que Richard. Comme il mesurait plus de 1,80 mètre, ses pieds dépassaient d'au moins quinze centimètres l'extrémité de sa paillasse. Ses épaules et ses biceps faisaient régulièrement craquer les coutures de ses chemises en coton.

— Tu crois honnêtement qu'il peut lire tes pensées ?

— Je le sais. Un jour, si tu pratiques ce que je t'ai enseigné, tu découvriras que c'est possible.

— Je ne crois plus en la magie, mère, rétorqua-t-il, amer. Durant les sept premières années de ma vie, j'ai eu des précepteurs et j'ai suivi des cours de piano. J'ai appris que j'étais un être intelligent. Mais au cours des douze dernières années, tout ce que j'ai appris, c'est jusqu'où je peux forcer mon corps à ramasser du coton encore une heure sans avoir la sensation que mon dos se brisera en deux. Je gaspille ma vie, maman. Je gaspille mon cerveau. Et pourquoi ? À cause des jalousies d'une femme mesquine ! Je ne crois plus aux rêves !

Rachel lui saisit la main.

— Ne dis jamais cela ! Les rêves sont tout ce que nous avons !

Secouant la tête, il s'éloigna de sa mère et vint s'appuyer contre le chambranle de la porte de leur case. Contemplant le soleil couchant de la Caroline qui brillait au-dessus des champs de coton et des marais, il dit :

— Je vois un ciel pareil et je sais que je pourrais le peindre. J'ai du talent. Mon précepteur d'art m'a dit qu'il n'avait jamais rencontré un enfant aussi doué que moi. Mais à quoi cela me sert-il si on ne m'autorise pas à avoir des couleurs et une toile?

Sensible à ses frustrations, Rachel soupira.

— Fais comme moi. Pour le moment, sers-toi de ton esprit comme d'une toile. Un jour, bientôt, ta vie sera différente, et tu peindras les endroits que tu aimes. Les gens que tu aimes. Je le vois bien, avec ma double vue.

Jefferson ne put s'empêcher de rire.

— Tu n'abandonnes jamais, n'est-ce pas, mère?

— Jamais. Et tu ne devrais pas non plus.

Elle s'approcha de son fils.

— J'avance en âge, Jefferson. Je dois coucher par écrit à ton intention mes visions et les vieilles façons de faire que ma mère m'a enseignées. Tu penses peut-être que tu n'en as pas besoin maintenant, mais un jour, mes écrits te seront d'un grand réconfort.

— Écrire? Avec quoi? Nous n'avons ni plume ni encre. Et certainement pas de parchemins.

— Je trouverai un moyen.

* * * *

Au fil des ans, Rachel avait mis au point plusieurs stratagèmes pour contourner Maureen Harrison. Crystal, la cuisinière, était âgée et n'accomplissait que fort peu de travail en cuisine, même si c'était son regard exigeant et talentueux qui était responsable des mets raffinés dont Maureen se régalait. La vieille esclave disposait donc de beaucoup de temps libre.

Joshua, un esclave de neuf ans né avec un pied-bot, servait de messager entre la grande maison et la cabane du régisseur, et entre la cuisine principale et celle des esclaves. Rachel réussit donc à se procurer par l'intermédiaire de Joshua les articles qu'elle jugeait indispensables à son entreprise.

Les immenses yeux noirs de Joshua dévisageaient Rachel qui se tenait à côté de la cuve d'eau bouillante où trempait le linge blanc de maison, derrière le fumoir. Le fumoir avait été édifié le plus loin possible de la grande maison, de manière à ce que la fumée et l'odeur n'en imprègnent pas l'intérieur. Autrefois, les grandes cuves à lessive en fer noir étaient placées près des cuisines principales, construites assez près de la grande maison, mais à l'extérieur.

Maureen avait fait déménager la blanchisserie plus loin, de manière à ne jamais être exposée à la vision, même fugitive, de Rachel, sa rivale.

Une planche en bois, dont l'une des extrémités arrondies était plus étroite, était posée sur deux tréteaux. La planche était couverte d'un épais matelassage de coton, lui-même couvert d'une mousseline portant les marques de brûlures infligées par les lourds fers à repasser noirs. Deux rangées de sept fers chauffés à différentes températures attendaient, car Rachel travaillait vite.

— Mam'selle Rachel, vous êtes certaine que vous voulez que je fasse ça ? demanda le jeune Joshua.

— Oui.

— Vous serez fouettée si maît' Watkins s'en rend compte.

— Je vais courir le risque, répondit-elle en songeant à Watkins, le régisseur aux favoris noirs.

Elle jeta un coup d'œil par-dessus son épaule pour s'assurer qu'ils étaient seuls.

— Contente-toi de répéter ce que je t'ai dit à Crystal, et je m'occupe du reste.

Joshua emporta la pile de serviettes et de serviettes de table fraîchement repassées à la grande maison, et pénétra dans l'office où Crystal s'affairait à compter l'argenterie et la porcelaine.

— J'ai un message de la part de mam'selle Rachel.

Crystal termina le comptage des vingt-cinq couteaux à beurre avant de reporter son regard glaucomateux sur l'enfant.

— Quoi ?

— Elle veut que vous lui trouviez du papier à écrire, une plume et de l'encre.

Un sourire fendit le visage étroit de la cuisinière, repoussant le fin écheveau de rides en une courbe sur ses joues.

— Tu m'en diras tant.

— Oui, ma'me.

— Et je s'pose qu'elle veut aussi une boîte à sable ?

Joshua grimaça un sourire.

— Oui, ma'me.

Le visage de Crystal redevint un masque.

— Ne parle de ça à personne. Apporte ce sac de dessous de mam'selle Maureen à Rachel. Dis-lui que je serai *heureuse* de faire ça pour elle.

Les yeux de l'enfant s'écarquillèrent de surprise.

— Je lui dirai.

Crystal n'avait plus de famille. Benjamin, son seul amour, avait été vendu pour une somme d'argent incroyable à un planteur de Virginie, lorsqu'elle avait vingt-quatre ans et Benjamin, vingt-cinq. Son bébé, une fille, était morte du choléra. La vieille cuisinière ne dévoilait jamais ses pensées et gardait son cœur cadenassé. Elle essayait de rester autant que possible détachée du monde. Le seul lien qu'elle s'autorisait et qui la gardait rattachée à la terre était celui qu'elle avait avec Rachel et son garçon, Jefferson.

Crystal avait aimé Rachel dès le premier jour de son arrivée à la plantation. Elle avait vu Rachel devenir amoureuse du maître quand elle n'avait que sept ans, même si la fillette n'en avait pas eu conscience avant d'avoir atteint l'âge de dix ou de onze ans. Crystal ne s'autorisait qu'une seule autre émotion : sa haine envers Maureen Harrison.

La vieille esclave replaça les couteaux à beurre dans le tiroir et le ferma à l'aide de la clé qu'elle portait autour du cou. Elle glissa la clé sous sa robe en coton à rayures blanches et noires, l'uniforme que Maureen exigeait qu'elle porte. Elle traversa le hall et entra dans la bibliothèque. Sachant que Maureen était dans ses appartements, elle s'approcha du bureau de Richard.

Elle choisit trois plumes dans le gobelet de cristal qui en contenait plus d'une dizaine. Elle s'empara de l'encrier double en porcelaine importé du Portugal, d'une grosse pile de papier à lettres, ainsi que de la boîte à sable en cuir contenant des graines de sablier, cet arbre au faîte arrondi et aux branches hautes, dont les fruits sphériques servaient à sécher l'encre humide.

Sans vérifier s'il y avait d'autres domestiques dans le vestibule ou dans l'escalier cintré, elle retourna à l'office. De l'armoire à fournitures où elle rangeait les articles ménagers les plus communément utilisés — chandelles, mèches, huile de baleine et allumettes —, elle sortit un gros contenant d'encre indienne du plus beau noir. Ensuite, saisissant un entonnoir accroché haut sur le mur, elle versa une bonne quantité d'encre dans un récipient en verre qu'elle scella à la cire fondue et ferma avec un couvercle. Puis, elle dissimula son butin dans le vaisselier fermé à clé. Dans cette maison, personne ne possédait la clé de ce meuble, sauf elle. C'était maître Harrison qui la lui avait remise le jour de la mort de sa femme. Depuis ce temps, personne ne lui avait demandé de la rendre. La vieille femme avait entendu Maureen dire à son père :

— Vous ne vous attendez tout de même pas à ce que je compte la vaisselle comme une domestique, non ?

Le samedi suivant, les articles demandés par Rachel lui furent livrés par Joshua, dissimulés au fond d'un des paniers de blanchisserie. Rachel cacha le tout dans les poches d'un tablier qu'elle portait sous ses jupes avant de rentrer à la case qu'elle partageait avec Jefferson.

— Je savais que Crystal ne me ferait pas faux bond, songea-t-elle en enfouissant son matériel sous sa paillasse, dans le trou qu'elle avait creusé dans le sol et tapissé de briques, et de roches ramassées sur la plantation.

Ce nécessaire à écriture serait au sec et en sûreté jusqu'à ce qu'elle en ait besoin pour mettre sa vengeance à exécution.

Maureen mit deux semaines à se rendre compte de la disparition des objets. Elle fit immédiatement venir Crystal.

— C'est toi l'intendante ! Qu'est-ce qui a bien pu leur arriver ?

La vieille cuisinière garda les yeux baissés et haussa les épaules.

— C'est peut-être un voleur.

Exaspérée, Maureen leva les bras au ciel.

— Vous êtes tous les mêmes ! Des bons à rien ! Ces objets appartenaient à mon père. Il sera bouleversé quand il l'apprendra. Heureusement que j'ai mon propre nécessaire à écriture dans ma chambre, je ne serai pas incommodée par toute cette histoire.

Elle se retourna vers le bureau, sidérée par l'audace du voleur.

— Qu'est-ce qu'on pourrait en faire ? Personne ne sait écrire, ici.

— Oui, ma'me. Le maître, il n'a plus besoin de ça, maintenant.

Maureen se détourna, réfléchissant aux paroles de Crystal. Ses lèvres étroitement pressées l'une contre l'autre se détendirent, et elle chassa l'affaire de son esprit.

— Je suppose que tu as raison. Le voleur pense probablement qu'il pourra *vendre* les objets. Hum... Qui sait ? Elle se dirigea vers la

porte. Envoie quelqu'un chercher ma robe de soie bleue chez la blanchisseuse. Je la porterai ce soir pour le dîner avec les Kane.

— Oui, ma'me.

Crystal remarqua que Maureen parlait toujours de Rachel en
disant « la blanchisseuse ».

La rumeur de la disparition du matériel à écriture se répandit
rapidement dans toute la grande maison. La bonne du rez-de-chaussée,
qui savait que Crystal était la voleuse, raconta le larcin à la bonne
d'étage. Celle-ci parla de l'incident à l'infirmière de Richard, qui
s'adonna à répéter toute l'histoire à son maître, en croyant que l'esprit
de ce dernier était aussi privé de sens que son corps.

Avec l'aide de la bonne d'étage, l'infirmière venait tout juste de
réinstaller Richard dans son lit après lui avoir donné un bain.

L'infirmière, une femme de quatre-vingt-dix kilos, s'interrogeait
à voix haute :

— Mais, pourquoi aurait-elle pris ces objets ?

Sur les entrefaites, Richard se mit à faire les tics faciaux et les
minuscules mouvements circulaires qu'il réussissait à produire avec
sa lèvre supérieure lorsqu'il désirait quelque chose. Il leva son bras
valide qui retomba aussitôt sur le lit. Il montrait la fenêtre du doigt.

— On sait ce que ça veut dire, soupira douloureusement
l'infirmière.

— Il exige vraiment beaucoup de travail, renchérit la bonne
d'étage.

Sans trop de cérémonie, mais avec beaucoup d'efforts, les deux
femmes hissèrent Richard dans son fauteuil roulant et le poussèrent
devant la fenêtre. La bonne ouvrit et attacha les lourds rideaux
de velours bleu, ornés d'une frange de soie dorée large de dix
centimètres.

Richard recommença à marmonner et à faire les signes qui
indiquaient qu'il voulait qu'on ouvre la fenêtre. Les domestiques
obtempérèrent.

Il se pencha et sortit la tête par la fenêtre. Il était capable de
tourner la tête, aussi regarda-t-il à gauche et à droite pour voir si
Rachel se trouvait dans la cour.

Il retint son souffle lorsqu'il la vit enfin.

Elle portait un grand panier tressé sur la tête. Les cheveux
dissimulés sous un foulard, elle était vêtue d'un tablier souillé et de

chaussures en cuir dont elle avait noué les cous-de-pied avec de la cordelette de chanvre. Elle donnait l'impression de porter tous les chagrins du monde sur son dos voûté.

« Mon cœur se brise à l'intérieur, Rachel. Je voulais t'affranchir. Je voulais tous vous affranchir.

Qu'est-ce que Maureen t'a fait ?

Qu'est-ce que je t'ai fait ? »

Une douleur atroce irradia de son plexus solaire dans ses viscères. Il fut pourtant incapable de bouger. La douleur ne servait qu'à lui rappeler son impuissance. Il avait déjà eu le pouvoir de pro-voquer des changements. Il aurait pu affranchir Rachel d'un seul trait de sa plume.

« J'aurais pu l'épouser.

Mais j'avais peur.

Et maintenant, je suis maudit : je ne pourrai plus jamais la toucher.

Dieu me pardonne. »

Il voyait si rarement Rachel qu'il n'arrivait pas à en détacher les yeux. Il l'appela en esprit.

— Regarde-moi, Rachel. Je sais que c'est toi qui as pris les plumes et l'encre.

Rachel eut alors un geste audacieux : elle s'arrêta net, posa son panier sur le sol et, en plein jour, leva les yeux vers Richard et fit lentement glisser le fichu qui couvrait ses cheveux. La brise d'été fit danser les longues boucles cuivrées autour de son visage. Et pour la première fois en douze ans, Rachel laissa son amour briller dans ses yeux aussi ardemment que le soleil. À cet instant, elle se souciait fort peu que Maureen la surprenne. Peu lui importait qu'elle soit punie par le fouet. Elle se moquait de tout, sauf de Richard.

— Je t'aime, articula-t-elle en remuant silencieusement les lèvres.

Son regard, plus trop jeune, avait tendance à lui révéler un monde embrouillé, mais pas ce jour-là. Elle vit *clairement* Richard lui sourire. Ce n'était pas la grimace en coin qu'elle avait vue avant : un sourire écartait franchement ses lèvres et découvrait ses dents blan-ches et régulières, exprimant de nouveau sa joie.

— Je te pardonne, prononça-t-elle à haute voix.

Une larme glissa de l'œil de Richard, indiquant à Rachel qu'il avait senti ses paroles. « Je t'aimerai toujours. »

Elle répondit à la pensée de Richard en disant :

— Je t'aimerai aussi.

Lentement, elle recouvrit sa chevelure de son fichu, replaça le panier de blanchisserie sur sa tête et s'éloigna d'un pas réticent.

* * * *

Jefferson observait sa mère qui écrivait avec une plume d'oie à la lueur de la chandelle.

— Qu'est-ce que tu écris ?

— Une histoire d'amour.

— Puis-je la lire ?

— Oui. Elle est pour toi. J'écris la chronique de tout ce dont je me souviens de ma vie avec ton père. Et je me souviens de tout.

J'écris aussi les souvenirs qui me restent de mon père, de ma mère et de leur vie ensemble, ainsi que tout le savoir de ma mère : ses potions, ses incantations, ses prières, ses paroles de sagesse et la vérité sur les mondes.

— Tu veux dire « le monde ».

— Les mondes. Celui-ci et l'autre, l'Au-delà. Elle lui toucha la main. Je deviens vieille, Jefferson. Tu quitteras bientôt cette plantation. Je l'ai vu dans mes rêves. Je m'en vais dans un autre monde. Un lieu invisible pour ce monde-ci. Mais je serai toujours près de toi. Promets-moi que tu t'en souviendras.

— Je ne veux pas parler de la mort, ni des fantômes vaudou.

Jefferson détourna le regard.

Elle posa ses mains sur les joues de son fils et le força à la regarder.

— Dans ton avenir, tu me verras et tu croiras que je suis un fantôme. Mais je serai réelle. Dans peu de temps, la situation changera pour toi, comme pour moi. Promets-le-moi.

Jefferson plongea son regard dans les yeux de sa mère, deux puits d'un vert profond.

— Je te le promets.

Il détourna ensuite le regard. Il ne croyait pas que sa situation changerait un jour. Il était un esclave et c'était cela, sa destinée.

* * * *

Sur la plantation, le jour du vingtième anniversaire de Jefferson se leva et se déroula comme n'importe quel autre jour. Le matin, le jeune homme se leva avant l'aube, au son de la cloche du régisseur. Rachel et lui quittèrent leur paillasse, se lavèrent le visage avec l'eau qu'ils tirèrent d'un pichet de poterie brune craquelée, et sortirent de leur case. Jefferson tenait son sac de jute à la main. Rachel se dirigea vers les cuves de blanchisserie.

Chaque matin, Jefferson sentait les yeux de Maureen dans son dos comme les griffes d'un chat, ils lui égratignaient la peau, faisaient couler le sang de sa jeunesse et rétrécissaient ses rêves jusqu'à n'en laisser que des cendres.

Il aurait voulu prier pour ses ennemis comme sa mère le lui avait enseigné, mais il en était incapable. Il y avait beaucoup trop de haine dans son cœur.

Chaque soir, le jeune homme se promettait :

— Un jour, je t'échapperai, sale chienne.

Mais chaque jour, sa routine restait la même, inchangée, que ce soit par Dieu ou par le temps.

Dix

« Si ce n'est pas la Victoire,
c'est cependant une Revanche. »

— JOHN MILTON,
LE PARADIS PERDU, LIVRE II, L. 105

D ans son rêve, Rachel était debout sur une colline exposée au vent. Au-dessus de sa tête, le ciel se déroulait comme un rouleau de soie bleu azur. Les fleurs sauvages l'appelaient, mais elle passait devant elles, aveugle à leur beauté. Elle était hypnotisée par l'eau argentée de la rivière.

— Mais ce n'est pas de l'eau, c'est du mercure, comme dans le thermomètre que Richard m'a montré dans sa bibliothèque.

Elle s'arrêta et attendit qu'apparaisse le tourbillon d'étincelles dorées, comme c'était si souvent arrivé dans ses rêves.

— Mère, murmura Rachel lorsque Yuala apparut dans sa robe en confettis de perles et d'or.

— Tu dois être forte, Rachel. Plus forte que tu n'as jamais cru devoir l'être.

— Mais... pourquoi ?

Elle frissonna.

— Richard va venir me rejoindre de ce côté-ci, Rachel. Deux semaines après qu'il aura franchi le portail qui mène de ce côté de l'existence, tu reviendras à ton tour vers moi.

Rachel ressentit la paix incomparable qui la baignait toujours lorsqu'elle parlait à sa mère.

— Dieu merci, les souffrances de Richard sont terminées. Et les miennes, acheva-t-elle en pleurant. Mère, tu m'as tellement manqué !

— Et tu m'as manqué aussi, mon enfant. C'est au tour de Jefferson de partir en quête de son destin. Ta présence sur Terre ne contribue qu'à le retenir.

Le sourire de Yuala allégea l'atmosphère entourant Rachel, comme si elle avait été traversée par des rayons de lune argentés. Encore une fois, Rachel se sentit réconfortée.

— Je comprends..., dit-elle en hésitant. Mais je dois savoir. Est-ce que là-bas, c'est aussi douloureux de ne pas pouvoir le tenir dans mes bras ?

— Non, parce que tu le porteras dans ton cœur. C'est mieux.

— Je vois.

La voix de Yuala se chargea d'inquiétude.

— Tu t'inquiètes pour lui.

Rachel acquiesça.

— Oui. Il n'est pas aussi ouvert que nous l'étions au même âge, toi et moi. Il voit si peu de choses. Il ne comprend que sa colère et sa souffrance. J'ai peur pour lui.

— Il apprendra avec le temps, et tu l'aideras de ce côté-ci, plus que tu ne le pourrais dans son monde.

La brume dorée brilla plus intensément et se transforma en flammes qui fusèrent vers le ciel. Yuala disparut, et Rachel traversa le portail qui la ramenait à la réalité.

* * * *

Jefferson engloutit un rutabaga cru, tout en écoutant sa mère décrire non seulement la mort de son père, mais aussi la sienne. Il faillit presque s'étouffer avec le légume.

— C'est ridicule ! Il se leva d'un bond. Je ne peux imaginer ma vie sans toi. Tu es tout ce que j'ai ! Nous formons une famille ! Tu ne peux pas me laisser seul ici.

Il se détourna, en faisant semblant qu'il ne sentait pas les larmes qui coulaient sur son visage.

— Je ne veux plus parler de cette absurdité, mère. Ce n'était qu'un rêve.

Lançant son couteau émoussé sur le plancher, Jefferson s'approcha du seuil de la case. Il regarda le soleil qui se couchait, puis tourna son regard vers la grande maison où, de fait, son père agonisait.

— Maureen a fait appeler les médecins, toute la plantation en parle. D'après les domestiques, Richard refuse de manger.

Furieux, Jefferson se mordit la lèvre.

— On dirait que père souhaite mourir. Je peux le comprendre. Mais pas toi, mère, tu es en parfaite santé. Je ne veux rien entendre de plus sur cette idée de planifier ta propre mort.

— Je ne la planifie pas. Mon cœur saigne de t'imaginer seul. Mais c'est mon destin. Ton destin. Ne remets jamais mes rêves en question. Et ne remets jamais en question la volonté de Dieu.

Il se retourna brusquement et chercha à percer l'obscurité où le crépuscule plongeait leur case.

— Dieu n'a rien à voir dans tout cela. Le vaudou, peut-être, mais pas Dieu. Tu vas délibérément t'obliger à mourir. Voilà ce que tu es en train de faire.

Jefferson réfléchit à un millier d'autres récriminations, mais il eut soudain la nausée et sentit son cœur se briser.

Il avait peur. Son esprit était rempli d'histoires de vaudou, du récit de la guérison de foi que Yuala avait pratiquée sur Rachel, de sa prédiction de la mort de Henry et de la sienne. Il songea à la manière dont sa mère et Richard communiquaient silencieusement, comme s'ils étaient réellement capables de lire leurs pensées respectives. Il songea à l'épaisse liasse d'écrits de sagesse que Rachel avait compilée au cours de l'année écoulée. Elle lui avait expliqué que c'était l'« héritage » qu'elle lui léguait. Il était un homme, et pourtant, il était aussi effrayé qu'un enfant.

— Comment peux-tu me quitter ? Ne m'aimes-tu donc pas ?

Il s'élança vers elle et même s'il faisait deux fois sa taille, il s'effondra à genoux et cacha sa tête dans la poitrine de sa mère.

— Qu'est-ce que je ferai sans toi ?

— Tu partiras d'ici, répondit-elle en caressant l'épaisse chevelure blonde de son fils.

Il rejeta la tête en arrière pour la regarder, les yeux écarquillés.

— Vais-je mourir aussi ?

— Non. Tu vas partir en voyage sur un bateau et traverser l'océan, comme l'*obeah man* nous l'a prédit, à ma mère et à moi, il y a longtemps. Tu iras en Californie.

— La Californie ? Mais c'est de l'autre côté de la planète. Oublies-tu que je suis un esclave ?

— Tout le monde croira que tu es un homme blanc libre.

L'esprit de Jefferson fourmillait d'histoires qu'il avait entendu raconter par des esclaves qui avaient tenté de s'enfuir. Il y avait les chiens mangeurs d'hommes, et la lanière du fouet qui lui déchirerait le dos lorsqu'il serait capturé. Car on le capturerait, *inévitablement*. Il *connaissait* bien Watkins. Le régisseur des Harrison n'avait jamais perdu un esclave dans les marécages de la Caroline, ni sur les berges herbeuses et densément boisées de la rivière Ashley.

— C'est impossible.

Rachel secoua la tête.

— Non, ce n'est pas impossible. J'ai entendu dire que des Blancs aident les esclaves à s'enfuir. Il y a un réseau qui s'étend jusqu'à Boston. La plantation des Tremont, au nord d'ici, est le premier endroit où tu dois te rendre. Tu l'as vue lorsque nous sommes allés à Charleston avec Richard.

— Je m'en souviens.

— Il y a une femme qui travaille aux cuisines. Elle s'appelle Sally. C'est une Blanche qui travaille à la journée. Elle te cachera. Ensuite, elle t'indiquera la prochaine étape du voyage. Elle t'expliquera où tu dois aller et te donnera le nom des gens qui t'accueilleront. Chaque maison, chaque ferme, chaque famille te révéleront l'étape suivante. Tu voyageras de nuit, jusqu'à ce que tu sois rendu assez loin au nord pour marcher sans danger sur les routes durant le jour.

— Et les chiens ?

— Richard s'en est débarrassé, tu ne t'en souviens pas ?

— J'avais oublié, en effet. Mais, quand même...

Rachel sentait le corps de son fils agité par la peur et les appréhensions. Elle redressa le dos et serra les mâchoires.

— Écoute attentivement, Jefferson. T'expliquer tout ceci plus d'une fois pourrait s'avérer trop dangereux. Ton voyage ne sera pas aussi périlleux que tu le crois, parce que tu as l'air d'un Blanc. Une fois à Boston, tu te rendras au port et tu trouveras un navire en partance pour la Californie.

— Il faut payer son passage sur un navire, mère.

— J'ai économisé un peu d'argent. C'est Richard qui me l'a donné, il y a longtemps. Il te sera très utile. Néanmoins, j'ai entendu dire que tu peux payer ton passage pour la Californie en travaillant.

— On dirait de l'esclavage, rétorqua son fils en fronçant les sourcils. Et une fois en Californie, où irai-je ?

— Je l'ignore. Mais tu le sauras. Dès que tu poseras les yeux sur l'endroit où tu es destiné à vivre, tu le sentiras. Ne te fie pas à la logique. Richard m'a déjà dit que la plupart des navires qui contournent le cap Horn et se rendent en Californie appareillent de Boston.

— Mère, je n'arriverai jamais à Boston. Maureen ordonnera à Watkins de ratisser chaque brin d'herbe pour me retrouver.

Le regard de Rachel se fit sévère et déterminé.

— Ne te préoccupe pas de Maureen. J'en fais mon affaire.

— Comment le pourras-tu ? Tu m'as dit que tu serais morte.

Les yeux de Rachel se portèrent vers la porte ouverte de leur case, jusqu'à la lumière vacillante qui brillait dans la chambre où dormait Maureen, à l'étage.

— Elle mourra avant moi. Rachel reporta son regard sur Jefferson. Il n'y aura personne sur la plantation pour empêcher les esclaves de s'enfuir.

Le visage de Jefferson se remplit à nouveau d'espoir.

— Mais alors, tu pourrais venir avec moi.

— Non, Jefferson. Mon foyer est ici. Dans la mort, Richard et moi serons réunis. Crystal verra à ce que je sois enterrée non loin de lui. Les autorités mettront une semaine à bouger. Entre-temps, tu auras fui depuis longtemps, et Richard et moi serons réunis.

Jefferson fut estomaqué en entendant les propos de sa mère. Il n'avait pas l'habitude de sauter ainsi dans le vide. Il ignorait comment Rachel allait s'y prendre, mais les années passées avec elle lui avaient appris qu'elle ne s'était *jamais* trompée.

Richard mourut le 27 juin, à 14 heures 22. C'était un dimanche. Rachel savait qu'il avait choisi le jour du Seigneur parce que c'était le jour le plus spirituel de la semaine. Elle choisit ce même jour pour déposer une poupée vaudou à l'effigie de Maureen dans le premier tiroir du bureau de Richard, dans la bibliothèque. Elle y parvint grâce à Joshua, qui dissimula la poupée entre les draps de lin qu'il remit à

Crystal, laquelle se chargea avec nonchalance de cacher la poupée selon les instructions de Rachel.

La chevelure de la poupée provenait des cheveux restés sur les vêtements de Maureen, que Rachel avait minutieusement lavés et repassés durant des années. La poupée portait un bout de dentelle d'un cache-corset de la jeune femme, une agrafe d'une de ses combinaisons et un bouton de sa robe de soie bleue.

La nuit de la mort de Richard, tandis que les esclaves de la plantation chantaient des hymnes mélancoliques, Rachel glissa dans un sac de jute un nouveau costume, des sous-vêtements et des chaussures — tous des effets de Richard, bien entendu —, ainsi que l'argent qu'elle avait promis à Jefferson et les «journaux» qu'elle avait complétés.

— Comment saurai-je quand viendra le temps de partir? demanda Jefferson.

— Dieu enverra un signe que personne ne pourra manquer de voir. Les instructions et la liste des personnes du réseau clandestin qui t'assurera un voyage sécuritaire sont dans le sac. Chaque jour, quand tu iras aux champs, surveille la maison pour voir le signe. Je vais enfouir le sac près de l'arbre où l'on fouette les esclaves, là où la terre est meuble. Une pierre en marquera l'endroit.

— Et Watkins?

— Quand le signe se manifestera, ses adjoints et lui quitteront les champs. C'est à ce moment que tu t'enfuiras.

Rachel embrassa Jefferson. C'était la dernière fois et il le savait. Ses yeux étaient pleins de larmes lorsqu'il les ouvrit.

— Maman.

Le sourire de Rachel vacilla.

— Sois fort pour moi. Je veux que tu me promettes de dire une prière pour moi chaque jour de ta vie. Ce que je m'apprête à faire ne plaira pas au Seigneur. Il faudra que tu sauves mon âme, Jefferson.

— Mon Dieu! Mère! Alors, ne le fais pas!

— Pour te sauver et sauver mes petits-enfants, je dois faire ce sacrifice. J'en ai le courage. Tu dois l'avoir aussi.

Le soir, Rachel s'agenouilla et se mit à prier à voix haute. Jefferson l'observa jusqu'à ce que ses yeux se ferment et qu'il s'endorme. Au matin, quand retentit l'appel pour aller aux champs, Rachel était toujours agenouillée. Ses mains étaient jointes si serrées qu'elles en

étaient presque blanches. Mais les paroles de Rachel étaient maintenant dans un dialecte que Jefferson arrivait à peine à saisir. Il comprit
alors qu'elle invoquait les « Loa ». Elle était en plein vaudou.

— Où est ta mère, Jefferson ? s'enquit Watkins.

— Elle n'a pas terminé la lessive à cause des obsèques du
maître. Ça fait tout un tas de linge de maison.

— Oui, bon. Fais en sorte qu'elle finisse bientôt. Je veux qu'elle
revienne aux champs. Nous manquons de bras.

— Oui, monsieur.

Rachel resta agenouillée toute la journée, sans boire ni manger.
Quand Jefferson rentra le soir, elle semblait vieillie de dix ans. On
aurait dit que ses prières sapaient non seulement son énergie, mais sa
vie même.

— Mère, je t'en prie, arrête.

Mais Rachel était en transe et ne pouvait plus l'entendre.

Elle continua de prier à voix haute toute la nuit, murmurant les
paroles qui libéreraient son fils et lui permettraient de satisfaire sa
vengeance.

Le lendemain était un mardi, et les esclaves de la maison avaient
ordre de prendre un bain à l'extérieur. Ni les membres de la famille
de Richard, ni ses amis, n'étaient arrivés à la plantation pour la
messe anniversaire. En fait, peu d'entre eux avaient eu l'occasion
d'apprendre la nouvelle, étant donné que les plantations étaient très
éloignées les unes des autres.

Comme c'était la coutume dans le Sud, le corps de Richard était
exposé dans le grand salon. Maureen dormait dans sa chambre.
Rachel était toujours à genoux, en prière.

— Je pars aux champs, mère, annonça Jefferson en embrassant sa
mère sur le sommet du crâne.

Rachel ne répondit pas. Jefferson ramassa son sac de jute.

— Maman ?

Silence.

Jefferson secoua la tête tristement et sortit.

Watkins demanda de nouveau à Jefferson où était Rachel.

— Elle est malade, monsieur. Elle est faible et pâle, et elle est
incapable de boire et de manger, répondit-il.

Le régisseur était à cheval, le chapeau enfoncé sur les yeux pour
se protéger de l'ardeur du soleil matinal.

— Tu fais mieux de me dire la vérité.

— Je ne mens pas.

Watkins lui lança un regard soupçonneux, mais ne s'attarda pas.

— D'accord, Jefferson. Je te crois.

Jefferson s'éloigna, et Watkins tourna la tête vers la grande maison.

— Dieu du ciel !

Le régisseur assena une claque sur la croupe de sa monture.

— La grande maison est en feu !

L'incendie fit rage toute la matinée.

Plus tard, chacun devait affirmer qu'il ignorait comment l'incendie avait pu éclater.

— Quelqu'un a dû oublier une lampe à l'huile, expliqua Watkins aux autorités. Le vent l'aura fait tomber.

Mais certains, comme Crystal et Joshua, savaient que la poupée vaudou était responsable de l'incendie.

Les flammes prirent naissance dans le tiroir du bureau, dans la bibliothèque de Richard, directement sous la chambre à coucher de Maureen.

En quelques secondes, les longs doigts de l'incendie engloutirent les draperies de satin. L'ameublement ancien était fait de très vieux bois. Le feu annihila tapis, rembourrages et garnitures, le portrait à l'huile d'Amelia, le globe terrestre espagnol et les rames de papier sur lesquelles les grands classiques et les pensées de l'homme avaient été imprimés. Tous les biens personnels de Richard furent détruits dans le brasier — ses pipes, son pot à tabac, ses pistolets et ses épées d'escrime. Le bureau en citronnier à cœur jaune fut réduit en cendres.

Étrangement, aucun des murs ne brûla aussi vite que le plafond de la bibliothèque. On aurait dit que l'incendie avait lancé des boulets enflammés à travers le plancher de la chambre de Maureen, jusque dans le lit de cette dernière.

La fumée engourdit les sens de la jeune femme et la plongea dans un sommeil encore plus profond. Elle se tourna à peine sur le côté lorsqu'un mur de flammes se dressa comme un démon et s'empara des rideaux de dentelle blanche, et des colonnes de bois sculpté de son lit. Maureen avait récemment acheté un couvre-lit en damas tramé d'or dans une boutique de linge de maison outrageusement chère de Meeting Street, à Charleston. Il explosa dans un vortex de flammes et de chaleur intense, aspirant la jeune femme à travers les dimensions séparant la vie de la mort.

Aucun domestique ne se trouvait à l'intérieur pour la secourir, étant donné qu'on leur avait ordonné de sortir prendre un bain.

Les esclaves formèrent une chaîne et tentèrent d'éteindre le feu dès les premiers signes de fumée et de flammes dans la bibliothèque. Aucun des domestiques de la maison ne voulut s'aventurer à l'intérieur pour sauver qui ou quoi que ce soit. Ils étaient tous beaucoup trop superstitieux : en effet, le maître était mort et exposé au salon.

Aucun d'eux n'aurait admis qu'ils étaient satisfaits du sort réservé à Maureen. Néanmoins, les esclaves de la maison et certains esclaves des champs, bien qu'ils fussent beaucoup moins nombreux, pleurèrent la mort de l'une des leurs.

L'après-midi de l'incendie, Crystal découvrit Rachel sur le sol de sa cabane, morte et recroquevillée sur elle-même.

Quand Jefferson entendit Watkins donner l'alerte, il se mit instinctivement à courir derrière lui pour participer à la chaîne.

Mais soudain, il entendit la voix de sa mère :

— Cours, Jefferson. Cours maintenant !

Jefferson continua cependant de courir vers la maison en hurlant :

— Au feu ! Au feu !

Ses cris incitèrent les esclaves à l'action, mais leurs seaux étaient impuissants contre le brasier qui faisait rage.

Lorsque Jefferson parvint à proximité du grand chêne, il se laissa distancer par les autres et se retrouva bientôt le dernier. Il les regarda se précipiter comme une vague vers la grande maison dont le premier étage était déjà la proie des flammes. Il rebroussa chemin en courant, s'approcha de l'arbre et trouva la pierre. Il arracha une motte de gazon, creusa le sol et mit la main sur le sac que sa mère avait dû enterrer pendant la nuit.

— Cours, Jefferson !

Il entendit à nouveau la voix de Rachel.

Jefferson se tourna vers le Nord, récita une prière et prit ses jambes à son cou.

Onze

« Le mont des Oliviers se fendra par le milieu,
d'est en ouest, changé en une immense vallée.
Une moitié de la montagne reculera vers le nord,
et l'autre vers le sud. »

— Zacharie, 14:.4

Port de San Francisco, 20 décembre 1835

Jefferson laissa errer son regard sur les volutes de brouillard hivernal qui s'élevaient au-dessus des sept collines enserrant la baie de San Francisco. L'odeur de la future splendeur babylonienne annoncée par sa mère parfumait les vallées boisées, et pour la première fois, Jefferson prit conscience de l'énormité de son but.

— C'est exactement comme tu me l'avais dit, murmura-t-il en souriant.

— Qu'est-ce t'as dit ? s'enquit un membre de l'équipage qui passait près de lui au même moment.

— C'est plus froid que je pensais, répondit Jefferson en enfonçant son bonnet de laine sur sa chevelure blond-roux pour se couvrir les oreilles.

Il n'avait jamais demandé à cet homme comment il s'appelait. Il ne connaissait que le nom de quelques membres de l'équipage. C'était mieux ainsi.

— Ouais. Ben vrai. Alors, t'as pas l'habitude du froid, mon gars ?

Le jeune homme croisa les bras sur sa poitrine.

— Juste besoin d'un nouveau manteau, c'est tout.

— Ah. L'homme hocha la tête. Reprends ton travail.

— Oui, monsieur.

Jefferson attendit que l'homme s'éloigne. Au cours du voyage, il s'était efforcé de ne rien révéler sur lui-même ou sur son passé. En effet, la plus petite bribe d'information pouvait le conduire à sa perte.

Il jeta un regard d'envie par-dessus le bastingage. « Je donnerais tout pour rallier le rivage à la nage dès maintenant. La liberté. Je me demande... comment ce sera ?

Patience, Jefferson. Tu es capable de patienter un jour de plus. »

Il recula et reprit le masque d'indifférence qui l'avait distingué tout au long de la traversée. Pour autant que cela concernait le reste de l'équipage, Jefferson s'était engagé pour une période de service normal, qui incluait la navigation autour du cap Horn et le retour à Boston. Mais maintenant qu'on avait atteint la Californie, Jefferson avait demandé au capitaine de le libérer de son contrat. Le capitaine avait convenu que bien qu'il travaille dur, Jefferson n'était pas taillé pour être marin.

Le jeune homme ne parlait que lorsqu'on lui adressait la parole et se contentait de réponses monosyllabiques. Il détournait les questions concernant ses antécédents en ramenant la conversation sur son interlocuteur avec la grâce et l'aisance élégante d'un escrimeur aguerri. Jefferson restait un mystère pour ses compagnons matelots de pont, tout comme ils l'étaient pour lui. Jefferson n'était pas comme eux. Il luttait pour sa vie.

Le *Pilgrim*, le brick qui représentait son foyer depuis le 20 août, s'était révélé un vaisseau insolite, un environnement exotique pour un homme qui n'avait jamais navigué sur l'océan. Aux yeux de Jefferson, la pensée qu'il ne reverrait plus sa mère était encore plus bouleversante que la notion déstabilisante que l'océan représentait maintenant pour lui la terre ferme. Il n'y avait plus de retour possible.

Il se demanda si son grand-père, Henry Duke, avait ressenti la même chose, la première fois qu'il avait vu la Caroline du Sud, du bastingage du *Magellan*, la goélette à trois mâts en bois de sapin rouge et de chêne de Virginie, sur laquelle il s'était embarqué.

Jefferson avait de la difficulté à croire que les palmiers nains, les jasmins et les pins albicaules de Charleston aient pu s'avérer plus impressionnants que la beauté de la baie de San Francisco. Ses yeux clairs se rétrécirent lorsqu'il songea : « C'était en 1760 et pour se bâtir un avenir, grand-père avait l'avantage de sa richesse et de son sang royal. »

La voix de Rachel le hantait. Elle lui souffla :

— Il a accompli tout cela pour que tu puisses vivre ce moment dans le temps.

Souriant intérieurement, Jefferson eut la vision de Rachel debout à côté de lui. Elle était presque réelle. Il tendit la main vers elle.

Elle leva la sienne à sa rencontre.

— Fais preuve de courage, Jefferson. Je suis avec toi.

La vision se dissipa, et Jefferson sentit le courage raffermir son âme et lui insuffler la force dont il avait besoin. Même s'il ne possédait en tout et pour tout que les vêtements qu'il portait, il savait qu'il faisait le bon choix. Sa mère était morte pour lui donner la chance de se créer une nouvelle vie. Il sentit l'ambition et le désir flamber au plus profond de son cœur.

— Je concrétiserai ta vision pour toi, mère. San Francisco sera une ville égalitaire, celle de l'amour inconditionnel que tu me portais.

Jefferson était étonné des émotions qu'il ressentait simplement en regardant la baie. Sa haine et son amertume envers Maureen avaient disparu. La jeune femme était morte. Aux yeux du jeune homme, cette étape de sa vie était terminée. Rachel lui avait souvent dit que les pensées négatives avaient le pouvoir de le détruire. Il savait maintenant que c'était vrai. Son cœur était plus léger, du simple fait qu'il était loin de Maureen. L'avenir lui paraissait brillant et plein d'espoir.

Tout en observant les anses, les passes et les affluents de la baie, Jefferson prit conscience qu'il réalisait la prédiction de Yuala à son sujet. Les forces du destin avaient organisé sa fuite de la plantation et son embauche sur le navire. Il savait qu'il n'avait certes rien planifié. Cela s'était simplement produit. Jefferson volait sur les ailes du destin. Son seul choix avait été d'accepter.

Le navire s'engagea dans le détroit enserré par les deux bras de la péninsule.

Jefferson aperçut alors une île rocheuse à travers le brouillard.

— Est-ce Alcatraz ?

Il parlait à Simpson, debout à ses côtés.

— Ouais, acquiesça ce dernier, avec l'accent sec de sa Nouvelle-Angleterre natale.

— J'ai lu sur le sujet, continua Jefferson.

— Moi aussi, répondit Simpson. L'île a été découverte par don Juan Manuel de Ayala en 1775, sous le commandement de Portola. Quand il a jeté l'ancre, son arrivée a causé un tel raffut chez les milliers de pélicans qui se nourrissaient dans le coin, qu'il l'a baptisée Pelican Island.

— Je sais, grommela Jefferson.

Simpson hocha la tête et sortit sa pipe en bois.

Deux pointes, qui n'avaient pas encore été baptisées, s'avançaient dans la baie, mais on avait donné à la petite anse le nom de Yerba Buena. Sur la gauche s'étendait Angel Island, une grande île couverte de forêts : Jefferson savait que l'équipage y ramasserait du bois à brûler pour constituer les réserves dont le navire avait besoin pour un an. À cette époque de l'année, le vent du sud-est était le fléau de la Californie, car il soufflait sur le rivage avec une telle férocité que les navires n'étaient jamais à l'abri des pluies et des vents. À l'exception des ports de San Francisco et de San Diego, la plupart des navires étaient forcés de rester à l'ancre à environ cinq kilomètres du rivage, les cordages attachés en nœuds à plein poing afin de pouvoir lever l'ancre et gagner le large aussi vite que possible. La houle rugissante du Pacifique s'élançait vers la terre ferme avec des déferlantes si puissantes que bien des vaisseaux avaient sombré corps et biens. Mais après avoir franchi à quatre voiles le détroit du Golden Gate, le *Pilgrim* n'aurait plus rien à craindre du vent du sud-est.

Jefferson inspira à pleins poumons le frais brouillard matinal. Il voulait se souvenir de la première fois où il avait senti son goût, son poids et sa texture.

« C'est ma chance d'effacer le passé et de faire en sorte que l'âme de ma mère repose en paix. »

L'équipage jeta l'ancre, largua la vergue et les jarretières des voiles, avant de les amarrer avec les fils de caret. Les matelots de pont mirent les ketchs à la mer afin qu'on puisse transporter la première équipe d'hommes à terre.

Jefferson observa le capitaine Thompson qui, cigare au bec comme à son habitude, marchait de long en large sur le gaillard d'arrière tout en lançant des ordres.

— Ho hisse, vous autres ! tonna-t-il, impatient.

Jefferson se retourna brusquement pour échapper à son regard et continua d'essarder le pont, corvée encore plus fastidieuse et épuisante que la cueillette du coton. La nuit précédente, Jefferson avait été du quart de mouillage, de minuit à deux heures du matin, lui à bâbord, et John, son compagnon de quart, à tribord. On avait sonné la cloche toutes les trente minutes, comme on le faisait toujours en mer, puis le deuxième lieutenant avait pris le tour de garde jusqu'à huit heures, moment où le petit-déjeuner avait été servi après les corvées du matin.

Comme il l'avait fait d'ordinaire durant le voyage, une fois le navire relâché dans un port, le capitaine descendrait à terre où il passerait presque tout son temps à organiser la vente de la cargaison, tandis que le second assumerait le rôle de capitaine à bord.

Jefferson poussa sa serpillière sur le pont en bois, en espérant que rien ne trahirait sa jubilation devant le départ imminent du capitaine.

Naïvement, le jeune homme avait cru qu'il laisserait les préjugés raciaux derrière lui, une fois qu'il aurait quitté la Caroline du Sud. Durant les cinquante-huit jours de sa fuite vers le nord, il avait rencontré des Blancs qui étaient bons, courageux, et qui risquaient leur vie pour lui et pour d'autres esclaves. Il n'oublierait jamais leur dévouement.

Sa mère avait vu juste : son voyage vers Boston n'avait pas été aussi difficile qu'il l'aurait cru, car il passait facilement pour un Blanc. Deux fois, en Virginie et au Delaware, son contact avait presque refusé de l'aider, car il n'avait pas cru que Jefferson était un esclave.

Avec ses caractéristiques physiques, sa chevelure, ses traits et les vêtements de son père, Jefferson ressemblait plus au maître de la plantation que Richard lui-même. On avait toujours reproché au jeune homme son allure aristocratique. Après avoir laissé derrière lui les marécages de la Caroline du Sud, Jefferson se délecta de sa capacité à regarder n'importe quel homme dans les yeux. Il n'avait plus besoin de baisser le regard, ni de voûter les épaules. Pour la première fois de sa vie, il avait le sentiment d'être un homme. Mais ce sentiment ne dura guère une fois qu'il eut fait la connaissance du capitaine Thompson.

Lorsque le nouveau matelot assista au supplice du fouet, administré à l'un des membres de l'équipage, c'était la première fois qu'il était témoin d'un incident d'une cruauté aussi inouïe. Après la correction, Jefferson avait posé quelques questions à ses compagnons. Il avait appris que la plupart des capitaines dirigeaient leur navire d'une main de fer, étant donné que c'était essentiel pour maintenir la discipline. Par sa nature même, le monde maritime devenait facilement la proie de l'anarchie.

Un jour, Jefferson avait vu Watkins assener du haut de sa monture un coup de cravache à un travailleur des champs, mais il n'avait jamais rien vu qui se rapprochait de la scène de torture quasi démentielle dont il avait été témoin sur le *Pilgrim*.

Le jeune homme se trouvait sur le mât de perroquet lorsque la bagarre avait éclaté dans la cale à marchandise entre le capitaine, John le Suédois, et Sam, un Africain de haute taille à l'air intelligent. Comme le tangon de la bonnette du mât de flèche avait gauchi et s'était brisé avant de se détacher du blin, Jefferson avait été obligé d'attraper la bonnette du grand perroquet.

— Amenez-moi ça, là-bas! Ferlez ce perroquet! hurla le second à l'adresse de Jefferson.

Celui-ci lâcha le perroquet et marcha difficilement jusqu'à l'extrémité des barres traversières. Les matelots de pont étaient déjà en train de haler les cordages. En jetant un regard sur le pont, Jefferson vit le capitaine émerger de la cale avec Sam.

L'officier cria quelque chose à son premier lieutenant, puis Jefferson vit qu'on liait les poignets de Sam aux étais. On lui avait ôté sa veste et dénudé le dos. Le capitaine prit un épais cordage dont les extrémités avaient été défaites de manière à faire éclater la peau sous les coups, un châtiment que Jefferson avait craint tout le temps qu'il avait vécu en Caroline du Sud. Tous les matelots regardèrent le capitaine fouetter Sam avec la saisine.

La rage envahit l'esprit de Jefferson. Il aurait voulu riper en bas du mât, serrer le cou du capitaine entre ses doigts, et regarder ses yeux cruels et inhumains lui sortir de la tête. Mais il n'en fit rien. Il resta où il était, au-dessus de la scène, d'où il pouvait presque feindre qu'il n'en faisait pas partie. Il observa les autres, sur le pont. Il vit leur visage devenir cendreux tandis que le fouet s'abattait six fois sur le dos de Sam. Jefferson agrippa le mât avec une telle férocité que ses ongles y laissèrent des marques. Il ferma les yeux, imaginant follement qu'il pourrait ainsi étouffer le bruit du cordage en chanvre qui arrachait la peau de Sam.

L'Africain trembla, se tordit et chercha à échapper aux coups, mais ne proféra aucun son. Il ne cria pas, ne demanda pas grâce. La corde s'abattit encore trois fois sur lui avant que le capitaine ordonne qu'on le relâche.

Jefferson n'entendit pas ce qui se disait, mais il vit qu'on amenait John le Suédois. Ce dernier repoussa le second, puis le quartier-maître, avant de marcher sur le capitaine, les poings levés.

Thompson était furieux. Il arpentait le pont en fouettant l'air de son cordage ensanglanté. Il y eut un échange de mots entre les deux hommes, puis on attacha John au mât de misaine. Le capitaine lança une bordée de jurons et se mit à fouetter le Suédois.

Jefferson faillit vomir de dégoût en entendant John hurler de douleur. Finalement, il s'effondra. Le lieutenant défit ses liens, et John regagna lentement le gaillard d'avant de son propre chef.

Entre-temps, le capitaine s'était transformé en monstre fou de rage et hurlait après les matelots. Il se compara à Dieu et affirma qu'il était le « maître des esclaves » de son navire et que Sam était un « esclave africain ».

À ces mots, le sang de Jefferson se figea. Il s'était embarqué pour payer son passage jusqu'en Californie, et le navire avait fait escale à tous les postes de traite, disséminés le long de la côte. À cet instant, Jefferson crut qu'il devrait quitter le navire à la prochaine escale. Ce qui était arrivé à Sam pourrait lui arriver aussi, et Jefferson n'était pas certain de pouvoir se montrer aussi courageux, aussi noble, que ce dernier.

Le capitaine descendit finalement dans sa cabine. Les matelots se débandèrent et reprirent leur travail. Jefferson comprit qu'il avait eu raison de se tenir silencieux et à l'écart des autres. Sam n'avait jamais été un esclave, contrairement à Jefferson. C'est Jefferson qui aurait dû se trouver sous ce fouet, pas l'Africain. Il se demanda s'il viendrait un temps où il ne se considérerait plus comme un fugitif.

Douze

« Notre foyer, c'est là où nous aimons,
Nos pas peuvent le quitter,
Mais jamais notre cœur[12]. »

OLIVER WENDELL HOLMES,
HOMESICK IN HEAVEN

L e processus des échanges commerciaux en Californie fascina Jefferson. C'est en l'observant qu'il formula son plan d'avenir. Le *Pilgrim* était chargé de toutes sortes de marchandises en provenance de Boston. À bord du navire, la cabine destinée au commerce était située dans l'entrepont. Les petits articles — vaisselle en étain, bottes et chaussures de chez Lynn, calicots et cotons de chez Lowell, crêpes, soies, châles, écharpes, colliers, bracelets et peignes — étaient disposés de façon à ce que les acheteurs puissent les examiner avant de les acheter. L'ameublement provenait de Chine et d'Angleterre. Les gros articles, comme les tonneaux d'eau-de-vie, le vin, les cafés, les thés et les épices, le sucre, les mélasses et les raisins secs étaient achetés sans examen préalable et déchargés par la suite de la cale à marchandise.

Les navires accostaient au port pour une période de sept à dix jours durant lesquels les dons espagnols et leurs femmes venus de Monterey, de Santa Barbara, de San Diego et de San Francisco arrivaient en chaloupes pour faire leurs emplettes.

En étudiant les transactions qui avaient cours, Jefferson fut surtout impressionné par l'incroyable quantité d'argent qu'un trappeur pouvait faire en Californie.

---

12. N.d.T.: Traduction libre.

On trouvait en nombre illimité des peaux de loup, de wapiti, de renard, de coyote et de puma. Jefferson vit des trappeurs monter à bord pour échanger plus de deux mille peaux appartenant à un seul individu. Il ne semblait y avoir aucune limite aux sommes d'argent exorbitantes que dépensaient les dons espagnols.

La scène agressait Jefferson. Sa mère lui avait enseigné à respecter la terre et ses créatures. Pourtant, il entendit les hommes se plaindre du trop grand nombre d'animaux sauvages qui menaçaient le bétail et les propriétaires de ranch. Pour la première fois de sa vie, le jeune homme accepta la nécessité de l'existence d'un équilibre entre l'homme et la bête. Comme il avait toujours vécu sous un climat tempéré, ce n'est qu'après avoir navigué autour de la pointe de l'Amérique du Sud et d'être presque mort de froid par manque de vêtements chauds qu'il avait réellement compris à quel point il était vital pour les habitants de l'Est d'obtenir des fourrures pour se garder au chaud durant leurs rudes hivers.

« Mais ces gens ont plus d'argent que de sens commun », songea le jeune homme en observant les riches Californiens qui dépensaient leur argent sans compter.

« Quand je pense au nombre de vies que je pourrais racheter et libérer de leur captivité avec une fortune de ce genre ! Si seulement les lois étaient différentes. Si seulement le monde était différent. »

Tout à coup, Jefferson entendit sa mère lui répondre, même si elle ne se montra pas.

— Le monde est tel qu'il est. Ce n'est pas le paradis. C'est le monde temporel. C'est la dimension où tu dois travailler. Fais de ton mieux avec ce qu'on t'a donné. Dieu ne demande rien de plus.

En regardant les femmes de sang bleu qui se promenaient sur le navire, véritables beautés de la noblesse castillane aux cheveux de jais et à la peau si blanche qu'on distinguait les veines bleues qui couraient dessous, Jefferson sentit son souffle se bloquer dans sa gorge.

Il avait entendu le capitaine s'adresser à la jeune femme vêtue de la tenue la plus élaborée de toutes, en l'appelant *señorita* Dolores Sanchez. Jefferson la contempla tandis qu'elle voltigeait d'un tonneau à une malle, examinant étoffes de brocart et souliers de satin ornés de joyaux et de paillettes, et ne choisissant que ce qu'il y avait de meilleur.

Jefferson ne connaissait de la splendeur de la cour d'Espagne que ce qu'il avait lu dans *Don Quichotte*. À ses yeux, Dolores Sanchez représentait la quintessence de la beauté exotique. Sous l'ombre légère de sa mantille de dentelle, qu'elle portait très haut sur la tête grâce à de grands peignes sertis de joyaux, la *señorita* examinait chaque collier d'un œil avisé. Elle avait un port de tête orgueilleux et ne consentait pas un seul regard aux hommes du navire comme certaines autres femmes le faisaient. Il l'observa lorsqu'elle tira sur les cordons de son réticule et en sortit des poignées de pièces d'argent pour payer ses achats.

Le jeune homme en eut le souffle coupé.

« Je n'ai jamais vu autant d'argent. Ce doit être une rançon de roi. »

Il se rappela alors avoir entendu dire qu'il n'y avait pas de banques en Californie, ni système de crédit ni billets de banque. On se servait pour le troc de pièces d'argent et de fourrures, et les Californiens étaient prêts à dépenser tout leur avoir.

Le fait qu'ils payaient les marchandises le triple de leur valeur ne leur faisait ni chaud ni froid. Comme ils étaient à la merci des quelques navires qui contournaient le cap Horn pour les ravitailler, leur seule préoccupation était la disponibilité de la marchandise.

Jefferson classa ces observations dans sa tête et les additionna à sa propre connaissance de la chasse à l'écureuil, au raton laveur et à l'opossum. Le trappage de gros animaux exigerait du temps, mais pour bâtir une ville, il lui faudrait vivre, travailler et négocier dans le monde de l'homme blanc. Il bénirait chaque animal qu'il piégerait et bénirait chacune des vies que ses fourrures sauveraient du froid.

« Une fois que j'aurai appris à trapper, j'ouvrirai mon propre poste de traite avec mes profits. Ensuite, j'achèterai de la marchandise et je la revendrai. Si les profits sont bons, je n'aurai pas à chasser et à trapper plus d'un an ou deux. »

Jefferson bâtirait un empire à l'exemple de son grand-père, mais le sien serait dans le commerce de détail.

Le deuxième lieutenant arriva derrière lui.

— Jefferson, vous amènerez la deuxième équipe à terre.

— Bien, monsieur.

Jefferson garda les yeux baissés sur le nœud qu'il était en train de faire.

— Le capitaine dit que vous nous quittez. Faites votre sac, ajouta-t-il simplement avant de tendre à Jefferson un petit sac en tissu contenant les pièces d'argent qui représentaient les cent dix dollars qu'il avait gagnés au cours de ses quatre mois en mer.

— Oui, monsieur.

Jefferson prit l'argent et le fourra prestement dans la poche de son pantalon. Il termina le nœud, puis leva les yeux vers la colline qui surplombait l'anse de Yerba Buena.

L'éminence grouillait de gens qui descendaient du Presidio[13], de la mission et des ranchs avoisinants, pour accueillir le ketch. On dit à Jefferson que les indigènes habitant ces terres étaient appelés des Indiens. Ils arrivaient plus lentement que les autres, car c'était eux qui avaient le moins d'argent à dépenser. De la piste sablonneuse qui encerclait la plage en forme de croissant arriva un couple de palominos, lancés au galop et montés par deux dons espagnols. Ils étaient suivis d'un char à bœufs lourdement chargé de peaux et de fourrures. Jefferson vit le capitaine Thompson et les hommes qui l'accompagnaient descendre du ketch, et être accueillis par un grand nombre de visages souriants.

Quatre heures plus tard, Jefferson avait empaqueté tout ce qu'il possédait, quitté le *Pilgrim* en maniant lui-même les avirons du ketch, et pris pied sur les rives dorées de San Francisco. Maintenant que la majeure partie des transactions commerciales était conclue, on escortait le premier groupe descendu à terre vers le Presidio. Jefferson marcha avec assurance jusqu'à la baraque appartenant à William Richardson qui, depuis son mariage avec Maria Antonia, la fille du lieutenant Ignacio Martinez du Presidio, était connu sous le nom de don William Antonio Richardson. Il s'adressa directement à lui.

— Bonjour, don Richardson, lança Jefferson en lui offrant une poignée de main que celui-ci accepta. Je m'appelle Jefferson Duke, poursuivit-il en songeant que, si loin de la Caroline du Sud, personne ne saurait rien à son sujet.

Dans son esprit, Jefferson était un homme libre. Il ne se considérerait plus jamais comme un fugitif. De telles pensées négatives assombrissaient son avenir.

— J'ai une proposition d'affaires à vous soumettre.

Richardson avait l'air vaguement fatigué. Il était en train de diriger une demi-douzaine d'Indiens qui chargeaient des peaux pour

---

13. N.d.T.: Le Presidio était un fort établi par les conquérants espagnols afin de protéger les missions et les autres colonies de peuplement.

leur transport sur le *Pilgrim*. Sans accorder un regard à Jefferson, il continua de vaquer à ses occupations.

— Tu m'en diras tant.

Sans se laisser démonter par la brusquerie de son interlocuteur, Jefferson insista.

— J'aimerais acheter une carabine, des munitions, et discuter de l'acquisition d'un cheval.

Richardson interrompit ses occupations et examina le jeune homme.

— Tu as déjà chassé ?

— Un peu.

— Tu débarques du navire, n'est-ce pas ?

— Oui, monsieur.

— Tu ne viens pas de Boston ?

— Non, monsieur. De Caroline du Sud. Jefferson Duke, de Caroline du Sud.

Richardson s'appuya des deux mains sur son comptoir branlant qui grinça sous la pression.

— Ce que tu veux, fiston, c'est acheter ma marchandise. De quelle sorte de proposition d'affaires parles-tu ?

Jefferson avait le cœur dans la gorge. Il avait besoin de l'aide de cet homme, sinon il serait trappeur le reste de sa vie.

— Je n'ai pas assez d'argent pour payer comptant tous mes achats. Je veux devenir votre partenaire commercial.

— Mon *quoi* ?

Jefferson avala sa salive.

— Partenaire.

— C'est bien ce que j'avais cru entendre.

Le regard de Jefferson accrocha celui de Richardson et ne vacilla pas.

— Je ne veux pas de financement. Je vous paierai la moitié du prix de la marchandise et du cheval. L'hiver est là, et vous savez qu'en trois mois, je peux vous livrer environ mille peaux.

— Et comment je le saurais ? Tu viens de Caroline du Sud. Ce n'est pas un pays de trappeurs.

— Je le ferai, l'assura Jefferson.

— Et dans le cas contraire ?

— Je vous remettrai toute la marchandise, sans les munitions, et toutes les peaux que j'aurai amassées.

Richardson n'en croyait pas ses oreilles. Il tira sur les longs poils de sa moustache qui avait bien besoin d'être taillée.

— J'ai des trappeurs qui m'en rapportent autant, mais ils travaillent à trois et se partagent le boulot. Il faudrait que tu travailles jour et nuit pour me rapporter mille peaux.

— J'en suis conscient.

Richardson souffla et passa devant son comptoir. Il posa la main sur l'épaule de Jefferson.

— Fiston, soit tu es très bon, soit tu es vraiment un sacré imbécile. Mais je vais accepter ta proposition, parce que quoi qu'il arrive, j'en sortirai gagnant. Et quand le printemps arrivera, tu apprendras une leçon très utile.

— Laquelle?

— Faut savoir où sont tes limites.

Le regard que Richardson posait sur Jefferson se teinta d'inquiétude.

— Il n'y a pas moyen, fiston. Pas moyen.

Les lèvres de Jefferson s'étirèrent dans un grand sourire, presque frondeur.

— Est-ce que je pourrais acheter ce palomino que vous gardez, là derrière?

* * * *

La baie de San Francisco était entourée de vastes ranchs fertiles, propriétés des dons espagnols qui avaient accaparé d'immenses étendues de terre lorsque le Mexique avait gagné son indépendance de l'Espagne, en 1822. Ensuite, en 1833, la laïcisation des missions avait changé la donne économique, politique et sociale dans une grande partie de la Californie. Les pères avaient perdu le contrôle, et les grands élevages de bétail qui avaient appartenu aux missions étaient devenus accessibles au financement privé. Plusieurs des vieilles familles de Monterey et de Santa Barbara avaient déménagé plus haut sur la côte afin d'en prendre possession.

Le ranch du général Vallejo était situé à l'extrémité nord-est de la baie de San Pablo. Juste au sud, on trouvait le ranch Pinole, propriété du lieutenant Martinez, qui comptait huit mille têtes de bétail et mille chevaux. Du sud de la pointe Richmond jusqu'au sud du lac Chalbot s'étendait le ranch Peralta et derrière lui, dans les montagnes, le ranch Moraga. Les propriétés des Castro, Soto, Amador, Pacheco, Alviso et Estudillo s'étendaient, quant à elles, au sud-est de la baie. Autour et le long de la péninsule, on trouvait le ranch Arguello, domaine du beau-père de don Richardson, l'immense ranch Buri Buri, le ranch Visitacion, ainsi que les propriétés de moindre importance des Bernal, Noe, Valencia, Nunez et autres. Du côté de la péninsule qui donnait sur l'océan, il y avait les ranchs des Diaz, Guerro, De Haro, ainsi que le ranch San Miguel.

Jefferson jugea intéressant de constater que les quelques Anglo-Saxons qui étaient arrivés en Californie en bateau, comme lui, ou en descendant les montagnes de l'est, pour faire la traite des fourrures, s'étaient tous installés dans l'anse de Yerba Buena, tout comme l'avait fait don Richardson.

Quand il enfourcha son palomino blond pour se diriger vers le sud, vers les forêts luxuriantes et les monts Montara, Jefferson savait que lorsqu'il reviendrait s'établir, ce ne serait pas de l'autre côté de la baie, à San Pablo, avec les Espagnols, mais précisément là où il se tenait, à côté de don Richardson, un Anglo-Saxon.

Pour la première fois de sa vie, Jefferson serait à sa place.

* * * *

Le camp de Jefferson consistait en une vieille bâche de baleinier tendue sur quatre pieux de séquoia, que le jeune homme avait façonnés avec des arbrisseaux. Richardson lui avait expliqué qu'il avait érigé ce type de structure pour son premier poste de traite. Elle les protégeait de la pluie, ses peaux et lui : c'était l'essentiel.

Sur les berges du lac San Andreas, Jefferson avait installé des pièges en fer à simple ressort pour capturer les rats musqués ; il les avait placés sous l'eau pour qu'ils ne trahissent pas son odeur. Lorsque les rongeurs venaient se nourrir de racines de lis d'eau et d'herbes aquatiques, le piège se refermait sur eux et les noyait. La mère de Jefferson lui avait déjà expliqué que la noyade était une mort presque sans douleur. Jefferson bénissait les rats musqués dans ses prières ; il croyait que ceux-ci le bénissaient en retour.

Chaque piège était enchaîné à un pieu placé à environ un mètre du rivage, en eau plus profonde. Dans la forêt, Jefferson installa des pièges à double ressort le long des crêtes boisées pour capturer loups et renards. Il attacha chaque piège à un pieu afin que les animaux capturés ne puissent s'enfuir avec son attirail, fort coûteux.

Les lynx roux étaient capturés à l'aide de pièges dissimulés dans les rondins grâce auxquels ils traverseraient les ruisseaux et les ruisselets. Pour capturer les castors, Jefferson s'y prenait de la même manière que pour les rats musqués, sauf qu'il plaçait ses pièges près des digues, en eau profonde, et qu'il doublait l'attache des pieux, étant donné que les castors avaient la réputation de se «démettre» la patte pour s'échapper.

Pour abattre les gros animaux, comme le daim et l'ours, Jefferson se servait d'une carabine Pennsylvania, même si on commençait déjà à désigner cette arme sous le nom de carabine Kentucky depuis la bataille de La Nouvelle-Orléans, qui avait contribué à immortaliser les montagnards d'Andrew Jackson, grâce à la ballade *Kentucky Mountain Men*. La précision de cette arme à fût long était légendaire. De fait, Jefferson expérimenta la vérité de l'assertion en touchant à huit reprises une cible de treize centimètres sur dix-huit d'une distance de cinquante-cinq mètres.

Richardson avait confié à Jefferson que selon les Britanniques, les Américains étaient capables de tirer une balle dans la tête d'un homme d'une distance de cent quatre-vingt-trois mètres.

— Devrait pas y avoir de problème pour le daim et le wapiti, conclut-il.

Jefferson s'exerça des jours durant pour s'assurer de la précision de ses tirs afin de tuer instantanément ses proies.

Cette carabine n'avait qu'un inconvénient : elle était lente à charger. Il fallait enfoncer le tampon d'amorce par la gueule et sertir la balle de force dans l'âme du canon, à l'aide de la baguette de chargement.

Les journées de Jefferson commençaient deux heures avant l'aube. Il relevait ses pièges, ramassait ses prises qu'il rangeait dans deux énormes sacs pendant aux flancs de sa monture, puis réamorçait ses pièges. Ainsi, ils étaient de nouveau prêts avant l'aube, moment où les animaux partaient en quête de leur repas matinal.

Il chassait le cerf tous les matins, lorsque la harde se nourrissait. Il dépeçait l'animal, prélevait la viande dont il avait besoin pour survivre et enterrait le reste de la carcasse. Lorsque son cheval était bien chargé, Jefferson rentrait au camp pour dépiauter ses plus petites prises et suspendre les peaux pour qu'elles sèchent.

Les bois et les montagnes foisonnaient de tant d'animaux qu'il n'était presque jamais obligé de traquer ses proies. Généralement, il avait à peine le temps de se dissimuler parmi les broussailles, les pins et les séquoias, sauf quand il décidait d'abattre de plus gros animaux, tel un ours ou un puma. En comparaison de son travail de matelot et des jours passés à se briser les reins sous le soleil brûlant de la Caroline, sa vie de trappeur était un bonheur. Son père lui avait enseigné à se servir de son cerveau en tout temps. Durant la période où il avait vécu dans la peur alors qu'il s'enfuyait de la Caroline, Jefferson avait appris à *penser* comme un animal.

Le jeune homme ne se rendait pas compte que son désir de réussir avait modifié sa perspective. Il ne voulait jamais retourner à son ancienne existence. Maintenant, sa vie n'était que liberté. Il pouvait travailler aussi tard et aussi longtemps qu'il le souhaitait. Il pouvait dire, faire, penser et ressentir ce qu'il voulait. Il utilisait le temps passé à dépiauter ses prises, faire sécher et tanner les peaux pour formuler ses plans. Sa capacité de concentration s'aiguisa, et il apprit à fixer ses pensées.

— Les pensées sont de la matière, lui avait enseigné sa mère.

Il n'entretint aucune pensée négative tant qu'il dormit sous les étoiles glacées et la lune d'argent. Pas une seule.

— Ma mère avait raison. Dans ce pays, tout est possible! Je peux tout faire!

Il hurla jusqu'à ce que sa voix lui revienne en écho dans la nuit.

Le 3 avril 1836, Jefferson redescendit des montagnes avec ses peaux. Il se rendit à l'anse de Yerba Buena et constata que des changements étaient survenus durant l'hiver.

En 1834, le gouverneur Alvarado avait commandé à don Francisco de Haro un plan d'aménagement pour la zone de Yerba Buena incluant une place publique. Le capitaine Jean Vioget, arpenteur-géomètre suisse, établit le centre de la place à l'endroit même où Candelario Miramontes cultivait des pommes de terre depuis des lustres. Le capitaine traça trois rues qui partaient du square. On devait plus tard leur donner le nom de Stockton, Pacific et Pine.

Lorsque Jefferson arriva à l'anse, don Richardson avait commencé à bâtir sa maison en bois sur la « calle della Fundación ». Il avait acheté à titre de concession à l'alcade[14] et au gouverneur Chico un lotissement de quatre-vingt-trois mètres sur quatre-vingt-trois, qu'il avait payé vingt-cinq dollars.

Jefferson laissa tomber sur le comptoir du commerçant une somptueuse fourrure de castor.

— Vous deviez compter sur mes fourrures.

— Comment ça ? s'enquit Richardson en faisant courir ses doigts sur la fourrure moirée de bruns et de noirs.

— Il faut beaucoup d'argent pour bâtir une nouvelle maison.

— Je sais. Mais c'était un bon hiver pour la trappe.

Jefferson lui fit un sourire radieux.

— C'était un bon hiver pour la trappe.

Richardson était sceptique.

— Combien ?

— Mon quota.

— Impossible ! Faudrait que tu aies travaillé nuit et jour ! Seul un type expérimenté aurait pu réussir aussi bien. Comment ça se fait que tu en saches autant sur la chasse ?

— J'ai lu sur le sujet, répondit Jefferson en se penchant au-dessus du comptoir.

— Additionnons tout cela, suggéra-t-il en jubilant.

En tout, Jefferson rapportait mille six cents peaux, mais il ne vendit à Richardson que les mille sur lesquelles ils s'étaient entendus et conserva le reste par-devers lui. Il avait des projets pour les six cents fourrures restantes.

Il se rendit ensuite au Presidio pour rencontrer l'alcade ; il acheta deux lots, le même jour que Nathan Spear et Jacob P. Leese, de l'Ohio. Haute de trois mètres, la porte en bois du bureau du maire était fermée, mais Jefferson entendit tout de même la conversation.

Leese déclara :

— J'ai l'intention de bâtir une maison de dix-neuf mètres sur sept, avec une vraie piazza.

Une deuxième voix s'enquit :

---

14. N.d.T.: De l'arabe, signifiant le « juge ». Titre donné à l'époque au maire de la ville.

— Est-il vrai que le capitaine Hinkley se construit lui aussi une maison?

L'alcade répondit :

— On commence la construction en adobe du bureau de douanes la semaine prochaine.

Jefferson vit les deux Américains partir, puis un Indien silencieux et plié en deux le fit entrer dans le bureau du maire.

Les deux hommes échangèrent une poignée de main.

— J'aimerais acheter deux lots. Le premier sur la «calle della Fundación» et le second sur North Beach

La surprise se peignit sur le visage de l'alcade.

— Pourquoi deux?

— Le premier pour y construire ma maison. J'ai l'intention d'utiliser le deuxième comme lieu d'affaires, étant donné sa proximité du rivage.

— Quelle sorte d'affaires?

— Un poste de traite. Au départ.

Le maire considéra Jefferson d'un œil appréciatif.

— Vous êtes le type du *Pilgrim*.

— C'est moi.

Le gros rire franc de l'homme résonna entre les murs en adobe blanchis à la chaux.

— C'est vous qui avez conclu ce marché ridicule avec Richardson. Alors, dites-moi. Combien de peaux avez-vous rapportées?

— Mille six cents.

Le maire en resta bouche bée.

— Voilà pourquoi je veux deux lots. J'ai l'intention de vendre moi-même mes six cents peaux et de garder le profit. Vous constaterez que je ne suis pas un homme d'affaires comme les autres.

L'alcade grommela.

— Vous êtes jeune. Et impudent. Vous ne pouvez pas avoir ces lots. C'est impossible. Maintenant, partez.

Sous le choc, Jefferson faillit tomber à la renverse.

— Et pourquoi pas?

— Vous devez d'abord devenir un citoyen de la nouvelle république du Mexique, comme tous les autres.

— Et comment dois-je m'y prendre?

L'homme ouvrit un tiroir qui vint frapper son ventre rebondi. Il en sortit un parchemin.

— Signez ici, dit-il à Jefferson en lui tendant une plume d'oie.

Jefferson sourit poliment. Il supposait que pour certains, abandonner la citoyenneté américaine constituait une décision d'importance. Mais Jefferson était apatride. Techniquement, il était toujours esclave ; il n'avait donc pas le droit d'être propriétaire terrien. En fait, il n'avait aucun droit. Cet homme lui proposait un raccourci pour atteindre son rêve. Il n'arrivait pas à y croire. Il se demanda s'il était possible de contenir une telle joie. Sa main trembla lorsqu'il s'empara de la plume et signa le document de son nom en le paraphant.

— Dois-je faire autre chose pour devenir un bon citoyen ?

L'alcade épongeait l'encre humide.

— Devenir membre de l'Église ne ferait pas de mal.

— Bien entendu, opina Jefferson. Est-ce que dimanche serait trop tôt ?

L'alcade saisit le plan de lotissement de trois cents lots *varas*[15] de forme carrée. Il venait tout juste de tracer deux «X» à l'encre sur les lots achetés le matin même.

— Dimanche conviendra tout à fait. Maintenant, quels étaient ces lots, déjà ?

Les yeux de Jefferson brillèrent de joie. Il avait presque la sensation que des racines lui sortaient des orteils pour s'enfoncer dans le sable de Yerba Buena.

---

15. N.d.T.: De l'espagnol, signifiant perche. Ancienne mesure de longueur un vara équivaut à 0,835 mètre.

Treize

« Il faut beaucoup de christianisme pour extirper les instincts primitifs orientaux, comme celui qui consiste à tomber amoureux au premier regard[16]. »

— RUDYARD KIPLING,
PLAIN TALES FROM THE HILLS

San Francisco, 1836

Les dons richissimes, dont l'existence était remplie de festivals et de visites aux autres familles fortunées le long de la côte californienne, les appelaient « les beaux jours ».

Dolores Sanchez exemplifiait tous les aspects de ces courses équestres et perpétuelles *meriendas*[17]. Nombreux étaient les mois où elle parcourait les quatre cent quatre-vingts kilomètres de côte avec sa duègne, dans le resplendissant équipage de son père, pour se rendre à Santa Barbara où elle séjournait dans cinq ou six ranchs, dans l'intention avouée de briser le cœur des jeunes dons qu'elle connaissait depuis l'enfance.

Pour Dolores, tout cela n'était qu'un jeu. En dépit de sa vivacité — elle insistait pour rassembler et marquer les troupeaux de bétail au fer avec ses frères —, la jeune fille était prisonnière des us et coutumes castillans. Les dons espagnols se montraient accueillants envers les envahisseurs yankees, mais jusqu'à un certain point seulement. Ils les invitaient peut-être à leur « hacienda » pour partager leurs repas, mais

---

16. N.d.T.: Traduction libre.
17. N.d.T.: Du verbe espagnol *merandar*, signifiant « goûter » un pique-nique.

ils ne partageaient jamais leurs filles. Tous les soirs, après les vêpres, le père de Dolores l'enfermait à clé dans sa chambre à coucher.

Au début, la jeune fille ne se formalisa pas de cet emprisonnement. Elle crut que son père l'aimait et ne voulait que son bien. Elle ignorait qu'il ne tenait qu'à protéger le sang royal castillan qui coulait dans ses veines. Toute sa vie, Dolores avait vu ses moindres souhaits exaucés. Sa beauté était comme une baguette magique. Elle obtenait tout ce qu'elle voulait.

Jusqu'à ce qu'elle rencontre Jefferson Duke.

Pour la fête du 4 juillet, la jeune Castillane avait revêtu par-dessus six jupons une robe de soie jaune pâle couverte d'une dentelle blanche recherchée. La chaloupe des Richardson avait servi à ramener la famille Sanchez du *Don Quichotte*, le navire du capitaine Hinkley, ancré dans la baie. D'autres familles de la région étaient également revenues à terre grâce aux bons soins du capitaine qui avait fourni les embarcations.

Un jeune officier de marine américain enleva Dolores dans ses bras pour la faire descendre de l'embarcation.

La jeune fille, qui protégeait sa peau d'albâtre du soleil à l'aide d'un parasol de dentelle blanche, regarda le jeune homme hardiment dans les yeux :

— Vous n'êtes pas obligé de me porter jusqu'à la plage, señor.

— C'est mon travail de protéger votre robe d'un goût exquis.

— Vraiment. Et qui vous a engagé ?

— Votre père, répondit-il en portant la jeune femme au moins soixante pas de plus qu'il n'était nécessaire.

Dolores jeta un regard derrière elle et vit que sa duègne fronçait les sourcils. Elle gloussa intérieurement.

— Vous êtes autorisé à me baiser la main, señor. Elle lui tendit sa main gantée de dentelle et l'étourdit d'un sourire.

— Je plains les hommes qui danseront avec vous ce soir, señorita.

— Vous ne serez pas du nombre ?

— Certainement pas. Votre père n'approuverait jamais.

Dolores ravala son sourire : sa duègne et sa mère arrivaient, suivies de ses trois frères. Son père fermait la marche.

— Viens, les chariots sont ici pour nous emmener jusqu'à la maison des Leese, ordonna don Miguel.

Dolores fut la première à distinguer la maison en bois, fraîchement peinte.

— Regardez, père, ils ont hissé le drapeau mexicain à côté du drapeau américain, s'exclama-t-elle en pensant évidemment au jeune officier qui venait de la tenir dans ses bras.

Le frère de Dolores, Fernando, souleva sa sœur de la charrette et la déposa sans ménagement sur le sol, avant de s'éloigner en direction d'une série de petites tentes érigées pour accommoder les invités durant leur séjour qui devait durer trois jours. Une immense tente de toile avait été montée sous les arbres centenaires. À dix-sept heures, un banquet y serait servi sur de longues tables.

Tout le monde s'extasia sur la vaste pièce de la maison où les Leese avaient planifié d'installer un nouveau vaisselier anglais. La pièce était décorée avec de l'étamine provenant du *Don Quichotte*. À l'extérieur, un orchestre — clarinette, violon, flûte, tambour, fifre et clairon — avait été formé avec les matelots de l'équipage.

Une fois tous les invités arrivés, deux canons de six livres saluèrent du navire l'anniversaire de l'indépendance des États-Unis. Les toasts et les discours se prolongèrent jusqu'à l'heure du dîner, et l'on dansa ensuite pendant cinq heures.

Dolores dansa avec tous les jeunes aristocrates qu'elle connaissait depuis l'enfance : les Castro, les Haro, les Estudillo, les Martinez et les Guerrero. Les jeunes hommes tentèrent tous de la séduire en rendant hommage à sa beauté, mais Dolores resta indifférente.

Elle avait l'intuition que quelque chose de merveilleux allait se produire au cours de la soirée.

Jefferson s'était dit qu'il n'avait pas le temps de s'amuser. Par conséquent, il avait décliné l'invitation des Leese d'assister à la fête.

— Je dois travailler, avait-il argué.

— Toujours travailler sans s'amuser..., avait répliqué Jacob Leese en haussant les épaules.

— Me rendra riche, avait complété Jefferson.

— Jefferson, avec le nombre croissant de navires qui entrent dans la baie, il y a davantage d'argent des trappeurs et des propriétaires terriens qui passe entre vos mains qu'il n'y en a qui se rend aux navires. Don Richardson et vous devez déjà être riches.

— Je ne pourrai jamais être assez riche. La richesse rend l'homme libre.

— Vraiment, Jefferson ? Je pensais que c'était le bonheur qui nous rendait libres. C'est ce que dit la Déclaration d'indépendance.

Les sourcils de Jefferson se froncèrent, lorsqu'il évoqua les champs de coton et son ancienne vie.

— Pas dans mon cas.

— Faites comme vous l'entendez.

Jefferson entendait la musique qui flottait dans l'air nocturne en provenance de la maison des Leese, à cinq lots du sien, mais il n'y accorda aucune attention. Il observait le brick mexicain qui venait de jeter l'ancre. La structure bâchée que le jeune homme avait érigée était située plus près de la plage que le poste de traite de Richardson, ce qui lui donnait l'avantage lorsque les clients potentiels débarquaient des navires. En trois mois, Jefferson avait troqué ses peaux contre de l'argent et de la marchandise. Il avait vendu la marchandise et réinvesti l'argent dans l'achat d'autres biens pour la vente au détail. Au cours du mois de juin, un nombre record de navires étaient entrés dans la baie. Durant cette courte période, le nombre de Bostoniens qui souhaitaient bâtir une maison sur les lots à vingt-cinq dollars avait également augmenté. Jefferson avait entendu dire que l'alcade avait vendu des lots à Jean Vioget, le Suisse, ainsi qu'à John Calvert Davis, Bob Ridley et Juan Fuller, tous trois arrivés d'Angleterre. La veille, on avait vu descendre un nouvel arrivant, à moitié danois, un dénommé William Alexander Leidesdorff.

Le soleil était couché depuis plus d'une heure lorsque Jefferson cadenassa les caisses et les barils contenant sa marchandise. Il recouvrit le tout de bâches qu'il attacha à l'aide de cordes robustes. Il sella son cheval, installa le travois de fortune qu'il avait fabriqué à la manière indigène et partit en direction de la forêt, ainsi qu'il le faisait tous les soirs.

Une fois arrivé, il se mit à abattre des arbres et à les ébrancher avec une hachette au fil aiguisé comme un rasoir, puis il transporta les rondins jusqu'à son lot sur North Beach. Alors que tous payaient des prix exorbitants pour acheter les pièces de bois et le bois de charpente qu'il vendait dans son appentis, Jefferson avait l'intention de se construire une cabane en rondins qui ne lui coûterait rien en termes de matériaux. Un jour, quand ses profits seraient assez importants, il se bâtirait une vraie maison, avec des planchers en bois, des fenêtres en vitrail et même, un foyer en marbre. D'ici là, il tiendrait les cordons de sa bourse serrés.

Lorsque Jefferson revint avec son chargement de bois, l'orchestre jouait toujours chez les Leese. Le jeune homme empila les rondins à côté du mur à demi monté qu'il avait construit la semaine précédente, essuya la sueur qui perlait sur son front et fit une pause pour la première fois de la journée.

La bruyante musique de danse cessa brusquement, et un violon solitaire commença à jouer une mélodie familière qui rappela sa mère à Jefferson.

— C'est Mozart qu'on joue. Je n'ai pas entendu cette symphonie en sol mineur depuis mon enfance, dit-il à haute voix en écoutant les accents orageux de la mélodie.

Il se rappelait son précepteur de musique qui lui avait expliqué :

— Jefferson, cette musique est une orientation tout à fait nouvelle pour Mozart. Il a été influencé par le nouveau mouvement lancé par Haydn, le Sturm und Drang[18].

— Peu importe ce que c'est, cela me plaît, avait répliqué Jefferson en attaquant avec enthousiasme les touches du piano de Maureen.

Jefferson ressentit un chagrin poignant en se remémorant ces jours. Non seulement sa mère lui manquait, mais aussi son père qui lui avait offert tant de possibilités sur le plan culturel, qui lui avait ouvert l'esprit et avait permis à ses talents artistiques et musicaux de fleurir. Pendant longtemps, Jefferson avait maudit la crise d'apoplexie qui avait terrassé Richard et rejeté sa mère dans l'esclavage. Il ne s'en faisait pas tellement pour lui-même, car il était jeune. Mais pour sa mère, il avait haï la paralysie de Richard parce qu'elle avait donné le pouvoir à Maureen.

Et pourtant, même dans sa maladie, Richard s'était montré fort. Il n'avait jamais cessé d'aimer Rachel, ni Jefferson. Même si aux yeux du reste du monde, les parents de Jefferson avaient paru mal assortis, ils étaient sa famille. Ils étaient les êtres qu'il aimait, encore aujourd'hui.

La musique saturait toujours l'atmosphère.

La chemise trempée de sueur, le pantalon souillé de sable et de sève, les cheveux en broussailles et le visage mal rasé, Jefferson marcha en direction de la maison des Leese, comme hypnotisé par le chant d'une sirène.

18. N.d.T.: Littéralement «tempête et passion/élan» : mouvement à la fois politique et littéraire essentiellement allemand de la deuxième moitié du XVIIIe siècle.

Dolores fit claquer son éventail de dentelle blanche sur une rosette en soie jaune pâle qui ornait le pan gauche de sa jupe.

— Est-ce que tu le sens, Angelica?

— Quoi? répondit Angelica Martinez en jetant un œil vers sa duègne qui somnolait sous la véranda, assise sur une berceuse rustique.

— Je ne sais pas. Mais il y a quelque chose. Je suis tellement agitée que j'ai l'impression que je vais bondir hors de ma peau.

— C'est le temps.

Dolores fronça les sourcils.

Angelica vivait du côté nord de la baie. Le ranch de son père n'était pas aussi vaste ni aussi industrieux que celui des Sanchez. La mère de la jeune fille était morte trois ans auparavant, en lui laissant la tenue de la maison sur les bras. Angelica ne vagabondait pas dans les montagnes comme Dolores, elle ne domptait pas les chevaux, elle ne faisait rien d'excitant. Elle se contentait de cuisiner et de coudre toute la journée.

— Je m'ennuie, reprit Dolores. Je suis en colère... fatiguée. Je ne sais pas. Peut-être que j'ai besoin...

Elle retint son souffle en voyant Jefferson entrer dans le cercle de lumière d'une lampe.

— ... d'un homme, termina-t-elle d'une voix rauque.

— Dolores Sanchez!

Les yeux d'Angelica s'écarquillèrent tant qu'ils faillirent lui sortir de la tête.

— Comment peux-tu être aussi osée?

— Je suis simplement honnête, rétorqua la jeune fille en ouvrant son éventail d'un geste sec.

Elle le porta à sa joue pour dissimuler le sérieux de son affirmation.

— N'est-ce pas pour cela que tu es ici, toi aussi? Pour finir par obliger Fernando à te demander en mariage? poursuivit-elle, sans quitter Jefferson des yeux.

Angelica en était bouche bée.

— Faut-il que tu te montres aussi grossière?

Dolores éclata de rire, et son beau visage s'adoucit. Mais elle continua d'observer Jefferson.

— Je suis désolée. Je ne sais pas pourquoi j'agis ainsi.

— Mais bien sûr que tu le sais. Tu as toujours été hautaine et tu ne t'es jamais souciée des sentiments de quiconque à l'exception des tiens.

— C'est un mensonge !

— C'est la vérité. Parce que tu es castillane, tu nous as toujours tous traités de haut. Je suis peut-être andalouse, mais comme être humain, je suis aussi bien que toi.

Dolores tapa du pied sur le sol en tuiles de Saltillo de la véranda.

— Et je suppose que tu ne te considères pas comme meilleure qu'une Espagnole née au Mexique ou en Californie ? Et qu'en est-il d'une Mexicaine ou même d'une Indienne ? Vous êtes toutes pareilles ?

— Bien entendu, répliqua Angelica en faisant la moue.

— Dans ce cas, pourquoi as-tu refusé la demande en mariage de José Mateo, dis-moi ?

— Il est trop...

Angelica chercha une explication. Elle avait complètement oublié José.

— Ton père a confié à mon père qu'il ne laisserait pas sa fille se mésallier. Il essaie de te marier à mon frère, Fernando, voilà ce qu'il fait.

Angelica rougit jusqu'aux oreilles.

— J'aime Fernando.

— C'est faux. Il est odieux, égocentrique et mon père le gâte trop. Aucune des jeunes Castillanes ne veut le fréquenter. Mais si tu l'épousais, tu monterais dans la société, n'est-ce pas ?

N'ayant pas l'habitude d'exprimer le fond de sa pensée, Angelica combattait sa colère. Luttant pour reprendre contenance, elle avait l'air d'une bouilloire bafouillante et crachotante. Finalement, elle explosa.

— Un jour, Dolores Sanchez, ta précieuse vanité castillane causera ta perte, et j'espère que je serai là pour en être témoin.

Et elle s'engouffra en trombe dans la maison.

Dolores n'avait pas de temps à perdre à réconforter son amie. Elle était trop intriguée par l'étranger de haute taille, aux larges épaules.

Jefferson gravit l'escalier de la véranda. Dans la pénombre, Dolores n'arrivait pas à distinguer son visage, mais elle aima ses longues enjambées déterminées. Il passa devant elle, sans regarder à gauche ni à droite, et se dirigea vers l'orchestre comme s'il était en transe. Il avait l'air de descendre tout droit des montagnes, sans avoir pris le temps de se laver ou de s'habiller comme les autres hommes.

En observant son visage, Dolores comprit qu'il était envoûté par la musique. Il semblait n'avoir remarqué personne, pas même elle.

Comme elle n'était pas venue à Yerba Buena depuis trois ou quatre mois, la jeune fille ne savait rien de l'étranger. Elle n'avait pas besoin de se retourner pour savoir que sa mère surveillait tous ses mouvements. Mais elle n'en avait cure. Elle suivit le jeune homme : il fit le tour des danseurs, s'arrêta devant l'orchestre, posa le pied sur un tonnelet en bois et écouta simplement le violoniste.

— Voulez-vous danser ? s'enquit Dolores.

Elle aperçut sa mère qui fonçait vers elle, le bras tendu, prête à l'arracher à ce dieu blond qui lui avait été envoyé pour la sortir de son ennui.

Jefferson se tourna vers elle. De toute évidence, cette belle jeune fille à l'ossature fine appartenait à la noblesse.

— Vous êtes la princesse que j'ai vue sur le navire qui m'a amené jusqu'ici.

Dolores eut l'impression que son cœur allait fondre.

— La princesse ?

— Eh bien, vous avez dépensé tellement de pièces d'argent que j'ai pensé que vous étiez certainement une princesse.

Dolores lui prit le bras.

— Dansez avec moi.

— Il y a longtemps que je n'ai pas dansé, mentit-il, car il n'avait jamais dansé de sa vie.

Elle tendit les bras, et il posa une main sur sa taille. Au moment où la mère de Dolores s'apprêtait à s'emparer de son effrontée de fille, Jefferson fit tournoyer celle-ci, la sauvant ainsi de la capture.

Une fois qu'elle était engagée dans une valse, plus aucune restriction ne pesait sur la jeune Castillane.

— Señor, vous m'avez sauvée d'un sort plus funeste que la mort.

— C'est-à-dire ?

— Mes parents. Elle leva les yeux vers lui. Et le passe-temps tout aussi horrible consistant à écouter les mêmes conversations polies que j'ai eues avec les personnes présentes durant toute ma vie.

— Vous êtes donc née ici ? demanda-t-il en observant les autres danseurs pour savoir comment diriger sa cavalière.

— Oui. Je suis Dolores Sanchez. Don Miguel Sanchez est mon père. Et vous êtes...?

Il baissa les yeux sur le regard sombre et ténébreux.

— Jefferson Duke. Et vous, señorita Sanchez, serez probablement rossée par votre duègne une fois cette danse terminée.

— Cela ne me fait ni chaud ni froid.

— Eh bien, pas moi.

Jefferson coula un regard sur le côté et vit une femme d'âge mûr, de petite taille, qui fulminait et les observait d'un regard d'aigle.

— Est-ce elle?

— C'est ma mère, souffla Dolores, avec un sourire de fausse timidité.

— Prenez-vous plaisir à la mettre en colère?

— Parfois. Mais à mon avis, vous non plus ne vous souciez guère de ce que les gens pensent de vous.

— Pourquoi dites-vous cela?

Elle lorgna sa chemise tachée de sueur.

— Vous n'êtes pas précisément habillé pour le bal.

Jefferson pouffa.

— Je n'avais pas prévu venir. C'est la musique qui m'a attiré. Ma mère aimait cette mélodie.

Les yeux de Dolores se remplirent de compassion sincère.

— Elle est morte?

— Oui.

Il détourna le regard un instant.

— Je suis désolée, murmura-t-elle avec douceur. Et... vous vivez ici, maintenant?

— Oui. J'ai ouvert un nouveau poste de traite sur North Beach. Je suis le dernier marchand en date de Yerba Buena.

— Je suis heureuse de vous rencontrer, Jefferson Duke.

Sur les entrefaites, la musique cessa. Tandis que les autres danseurs applaudissaient, Jefferson saisit la main de Dolores et l'entraîna à travers les groupes d'invités jusqu'à la véranda où se trouvaient ses parents.

Il s'inclina légèrement, en attirant Dolores à son niveau comme si elle était un butin précieux, puis laissa brusquement tomber sa main.

— Señor. Señora. Je regrette d'avoir pris la liberté de danser avec votre fille sans m'être convenablement présenté. Je ne veux pas que mes actions vous causent ni peine ni embarras. Permettez-moi de me présenter. Je suis Jefferson Duke, autrefois de Charleston, Caroline du Sud. Je suis arrivé ici à bord du *Pilgrim* et je suis maintenant heureux de considérer la Californie comme chez moi. Je fais du commerce de marchandise sur North Beach. J'ai récemment acheté un lot non loin de celui de nos hôtes, pour me bâtir une maison. Veuillez pardonner mon impudence. Cela ne se reproduira plus.

Jefferson inclina le buste, s'empara de la main gantée de dentelle de la señora et l'effleura de ses lèvres. Puis, il salua de nouveau le père de Dolores d'une inclinaison du buste et quitta les lieux.

Tout s'était passé tellement vite que Dolores ne se souvint pas d'avoir eu le temps de respirer. Un instant, il était debout près d'elle et l'instant d'après, il avait disparu. Elle se tourna vers sa mère, aussi atterrée qu'elle.

Son père se reprit le premier.

— J'aurais dû lui passer un savon.

Dolores sourit.

— Non, père. C'était ma faute, pas la sienne. Je l'ai invité à danser. Je ne lui ai pas donné le temps de se présenter convenablement.

— *Sancta Maria*! siffla-t-il.

— Vous pouvez me punir si vous voulez, père. Peu m'en chaut. Cela en valait la peine. Je n'ai jamais rencontré quelqu'un comme lui.

La mère de Dolores fut choquée en voyant l'expression rêveuse qui animait le visage passionné et plein de vivacité de sa fille.

— Et tu ne le reverras plus. C'est un Yankee. Il n'est pas castillan!

La jeune fille regarda l'expression implacable qui s'était peinte sur le visage de sa mère. D'un seul coup, sa vision du monde s'altéra. Les paroles d'Angelica lui revinrent en mémoire. Sa vanité et la morgue que lui inspirait son sang royal commençaient à faire boomerang.

Dolores était tombée amoureuse d'un homme qu'elle ne pourrait jamais avoir.

Livre 2

La maison
des Mansfield

Quatorze

« Nul n'est aussi maudit par le sort,
ni si totalement désespéré,
car certains cœurs, même inconnus,
vibrent au même diapason[19]. »

— HENRY WADSWORTH
LONGFELLOW, ENDYMION

San Francisco, 1838

Debout près de son mari, William Mansfield, Caroline Potter Mansfield attendait qu'on mette à la mer la chaloupe qui leur ferait franchir le dernier kilomètre qui les séparait de leur nouveau foyer, dans la baie de San Francisco.

— Cela ne ressemble en rien à ce que je m'attendais. C'est époustouflant.

Elle se frotta les bras pour chasser les frissons qui l'avaient saisie.

— Je t'avais dit que ce serait magnifique, mais tu ne voulais pas m'entendre.

— Je ne te cacherai pas que je n'aurais rien aimé de mieux que de rentrer à Boston. Elle contempla les collines luxuriantes qui entouraient la baie. Le soleil à son zénith était sorti et illuminait les fleurs, et les graminées printanières. « Il y a quelque chose de différent, ici. Comment ai-je pu me tromper autant ? »

William s'exclama :

— J'arrive presque à voir l'or, dès à présent !

---

19. N.d.T.: Traduction libre.

Caroline roula des yeux et soupira.

— William, toutes mes objections reviennent en force. Huit cents onces d'or en un an, ce n'est *pas* beaucoup d'or. C'est ce que je te répète depuis que tu as lu ce rapport de la Monnaie des États-Unis. Tu réagis de manière excessive parce que la situation est particulièrement difficile chez nous. Nous aurions pu nous en sortir. Votre grand magasin aurait fini par prospérer.

Grand et d'une maigreur maladive, William ressemblait à un jeune arbre famélique. Il s'accrochait à son haut-de-forme sous le vent qui soufflait en bourrasque. Son visage sans grâce s'animait uniquement lorsqu'il se mettait en colère.

— Je ne comprends même pas pourquoi je te parle, à toi... une femme. De toute manière, qu'est-ce que tu connais aux affaires ?

— Trouve une autre pique, William. Celle-ci a perdu son tranchant depuis longtemps.

— Tu mets ma patience à l'épreuve, Caroline.

— Et toi, la mienne, répliqua-t-elle d'un ton de fausse réserve.

La vérité était qu'elle en savait *vraiment* plus que William sur les affaires.

— Et je ne veux rien entendre à propos de ton intelligence supérieure, proféra-t-il.

— Mais, William, je n'ai jamais rien dit de tel.

— Ce n'était pas nécessaire. Ton père s'en est chargé en de trop nombreuses occasions.

— Par conséquent, tu penses que maintenant qu'il est mort, tu es libre de me dénigrer.

Il regarda vers le port.

— Quelque chose comme cela, oui.

Caroline avait envie de le frapper. Mais en y pensant bien, elle se dit qu'elle lui ferait probablement mal. Très mal.

— Tu oublies que si mon père n'avait pas insisté pour que nous nous épousions, je ne serais pas ici avec toi.

— Crois-moi. Je n'ai pas oublié.

La jeune femme laissa son regard errer sur la baie. Plus que le vent, c'était son chagrin qui lui brouillait les yeux. Sa mère était morte quand elle avait quinze ans. Trois ans plus tard, son père était tombé gravement malade. Même s'il était propriétaire de leur maison, ses revenus étaient inexistants ; ce fut donc à Caroline qu'incomba la tâche de subvenir à leurs besoins avec son salaire de préceptrice de poésie et de littérature. Comme la jeune femme baignait dans la riche culture littéraire de Boston, l'écriture était son seul répit entre son père dont elle prenait soin, et les créanciers qu'elle s'efforçait d'éviter.

Caroline était une femme pleine de ressources. Ayant appris que Sarah Josepha Hale, l'éditrice du *Lady's Magazine*, offrait quinze dollars par poème, elle se précipita à son bureau et vendit quatre poèmes au cours du premier mois. En 1838, elle recevait vingt-cinq dollars par poème, la rémunération la plus élevée pour ce genre d'écrit.

Elle avait entendu dire que trois nouvelles de Nathaniel Hawthorne — *Wakefield, Le champion gris* et *Le jeune maître Brown* —, écrites trois ans plus tôt, s'étaient vendues au même tarif. Caroline s'émerveillait d'être considérée comme l'égale d'un écrivain aussi illustre. Même *Un rêve dans un rêve*, le poème d'Edgar Allan Poe, n'avait pas été payé aussi cher. Caroline avait le talent d'un génie, elle recevait le même salaire qu'un homme, mais non la reconnaissance à laquelle elle aspirait désespérément. Parce qu'elle était une femme, et que trop souvent son travail était associé aux poèmes médiocres produits par Sarah Hale, la jeune femme était rongée par la frustration.

Elle voulait changer le monde et faisait tout en son pouvoir pour atteindre ses buts. Elle épousa en grande partie le credo de son mentor, Sarah Hale, en signant des articles où elle écrivait que la femme devait être considérée comme la «compagne» de son mari, et non comme sa bonne à tout faire. Elle soutenait l'engagement communautaire et se joignit au «comité de correspondance» : formée de femmes de la société bostonienne, cette association réussit à réunir plus de trois mille dollars pour le monument de la bataille de Bunker Hill, exploit que la population masculine de la ville n'avait pas réussi à accomplir.

L'été où Caroline eut vingt ans, la condition de son père s'aggrava. L'ombre de la mort lui voilant les yeux, Cyril Potter paniqua.

— Caroline, tu dois cesser de discuter avec moi et te marier bientôt. Tu es presque vieille fille. Il ne me reste plus beaucoup de temps, annonça-t-il abruptement, d'une voix qui se brisait.

— Papa, je peux prendre soin de moi. N'ai-je pas bien réussi avec mon écriture et mon enseignement ?

— Du travail d'homme, ronchonna-t-il en secouant à son adresse un bras maigre à la peau fripée.

Il essaya de fixer sa fille de ses yeux atteints de glaucome, mais l'effort lui en coûta. Il ferma les yeux. Des larmes perlèrent de ses paupières et coulèrent le long des rides profondes de son visage.

— Tu devrais avoir un enfant. Les enfants sont une bénédiction.

— J'en aurai, répondit-elle.

— Non, fais-le maintenant. Avant que je sois mort. Promets-le-moi.

Elle voulut le supplier :

— Papa...

— Promets-le.

— Je te le promets, acquiesça-t-elle finalement, sachant que si elle ne le faisait pas, ils reprendraient la même conversation tous les soirs, jusqu'à ce qu'elle cède.

— Parfois, je me dis que la seule chose qui te garde en vie, papa, c'est de t'assurer que je me marie.

Caroline choisit d'épouser William Mansfield parce qu'il répondait à la majorité des exigences dont elle avait dressé la liste dans son journal intime. La première était qu'il devait vivre à Boston. Elle n'avait que faire d'un marin qui serait toujours parti en mer. Elle voulait un homme avec un horaire semblable au sien.

Elle avait une deuxième exigence : il lui fallait un homme parfaitement manipulable. La plupart des hommes n'autorisaient pas leur femme à travailler. Or, Caroline voulait travailler. Par conséquent, son mari devrait être d'accord avec ses idées, *toutes* ses idées, sinon... Aux yeux de la jeune femme, tous les autres attributs — charme, apparence, sociabilité, antécédents, gentillesse, sens de l'humour — étaient secondaires en comparaison des deux premiers. En effet, elle ne se mariait que pour plaire à son père. En raison de son éducation anglicane, Caroline croyait au tréfonds d'elle-même qu'elle serait damnée si elle refusait d'accéder aux dernières volontés de son père mourant. Cette requête lui paraissant plutôt anodine, Caroline choisit de la lui accorder.

William Mansfield était l'un des deux fils de John Mansfield, de Liverpool, et d'Elizabeth Carey Mansfield, de Boston. Les Mansfield avaient fondé un grand magasin sur la rue Washington, et en étaient toujours les propriétaires. David, qui avait cinq ans de plus que William, était l'énergie, le cerveau et la force derrière l'entreprise. William était relativement compétent en tant que commis et pour tenir les livres comptables, mais c'était la créativité de David qui encourageait le public à fréquenter l'établissement. Caroline était d'avis que William ne reconnaîtrait pas la créativité, même si elle le faisait tomber par terre.

Par conséquent, William était l'homme terne, stable et fiable dont elle rêvait. Et comme par hasard, il s'était entiché d'elle.

Il l'avait rencontrée alors qu'elle sortait du bureau de Sarah Hale. Il s'était rendu au magazine pour déposer quelques planches sur la mode, dont il avait payé la publication pour faire de la publicité à son magasin. Caroline passait soumettre son plus récent article sur les progrès de l'organisme de bienfaisance *Seaman's Aid*, une fondation mise sur pied par Sarah Hale elle-même, et qui restait la plus florissante du genre à Boston.

En découvrant Caroline, William en resta bouche bée, un fait qui n'échappa pas à Sarah Hale.

— William, vous pouvez fermer la bouche. Je vous présente Caroline Potter, ma poète favorite.

— Enchanté, marmonna-t-il en ôtant son haut-de-forme en feutre de castor et en cherchant une échappatoire à son embarras.

— Heureuse de vous rencontrer, monsieur Mansfield.

— Vous êtes poète? J'ai toujours cru que les poètes portaient des lunettes, qu'ils avaient le teint pâle et les lèvres minces à force de passer toutes ces heures à l'intérieur. Vous êtes, eh bien... vraiment belle, balbutia-t-il en se répandant en compliments.

Caroline ne put s'empêcher de penser que la description que ce monsieur faisait du poète lui allait comme un gant, mais elle eut le bon sens de n'en rien dire.

— J'adhère au principe de madame Hale selon lequel il faut avoir bon pied bon œil dans la mesure du possible; je fais de l'exercice à l'extérieur.

— C'est certainement pour cela que vos joues ont une telle fraîcheur, s'écria William, d'un ton si sucré et si mielleux que la jeune femme retint à grand-peine un mouvement de recul.

— Il faut vraiment que je parte, monsieur Mansfield. Peut-être nous reverrons-nous bientôt.

— Je l'espère très sincèrement, mademoiselle Potter. Je l'espère vraiment très sincèrement.

Sarah et Caroline ne purent s'empêcher de rire une fois William parti. Si elle avait su que William Mansfield serait l'homme qui réaliserait le dernier vœu de son père, Caroline n'aurait pas ri du tout.

Lorsqu'elle épousa William, elle n'avait pas prévu que le père de son nouveau mari mourrait subitement d'une crise d'apoplexie. Elle n'avait pas non plus prévu que David hériterait de la majeure partie de l'entreprise familiale, pas plus qu'elle n'avait perçu les premières manifestations de la jalousie que William nourrissait envers son frère. Mais surtout, elle n'avait pas perçu la tendance à l'aventure au cœur de la nature de William. Caroline prit alors conscience qu'elle avait bâclé la tâche d'assortir son mari à sa liste d'exigences.

— Rien ne nous retient ici, Caroline. Ton père est mort, et maintenant que David dirige tout, je n'aurai jamais l'occasion de faire mes preuves.

— Faire tes preuves?

— Oui, répondit-il, humblement. J'ai des rêves et des objectifs. Je suis aussi bon que David dans le commerce.

Caroline finit de nouer en chignon son épaisse chevelure blond argenté sur sa tête et l'enfouit sous un bonnet de nuit orné de dentelle. Elle observa le reflet que le miroir lui renvoyait de William. Il arpentait la pièce dans sa chemise de nuit en flanelle, le bonnet de nuit de travers sur sa chevelure brune, ondulée et en désordre.

— William, comment est-il possible que nous soyons mariés depuis plus de deux ans et que je ne te connaisse pas du tout?

— Tu ne prêtais pas attention, répliqua-t-il d'un ton amer.

— William, tu n'avais jamais rien dit de tel.

— Dans les faits, non. Mais j'y ai pensé.

— Es-tu en train de me dire que tu veux quitter Boston? «Ma source de revenus?»

— Oui.

— Et où irions-nous?

— À San Francisco, annonça-t-il avec audace. J'ai pris mes économies et mon héritage, et j'ai acheté toute la marchandise dont nous aurons besoin pour un an. J'ai écrit au gouverneur Chico, je pense que c'est ainsi qu'il s'appelle, pour acheter deux lots derrière la grande place, où je vais bâtir mon grand magasin.

Il se tourna vers Caroline qui avait pâli.

— As-tu entendu ?

— Oui. Chaque mot.

— Nous ne pouvons pas perdre. Ici à Boston, la crise du marché du détail durera encore trois ans. J'ai entendu des investisseurs et des banquiers affirmer qu'il n'y aura pas de remontée avant 1841 ou 1842. Je ne peux pas attendre aussi longtemps ! J'ai attendu trop longtemps que mon père meure...

Il se tut immédiatement l'air penaud, il plaqua sa main sur ses lèvres minces.

— Ce n'est pas ce que je voulais dire.

— Je ne peux pas y aller, répondit Caroline, qui avait le sentiment que sa vie lui échappait.

Il frappa du poing dans sa paume.

— J'ai pris ma décision.

Il la dévisagea et attendit sa réponse.

— Vas-y. Je ne t'accompagnerai pas.

— Ça oui, tu viendras !

Caroline se racla la gorge pour donner plus de poids à sa réponse.

— Je ne partirai *pas* de l'autre côté de la planète sur un coup de tête pour bâtir un magasin de détail, simplement parce que l'*Alert* est rentré au port avec une pincée de poudre d'or trouvée par un quelconque Indien.

— Si l'Indien a pu en découvrir, d'autres pourront en faire autant.

— Je n'irai pas.

Plein d'assurance, William reporta son poids sur ses talons et joignit les mains derrière le dos.

— Et où crois-tu que tu vivras ?

— Je vais avertir mes pensionnaires et retourner habiter dans la maison de mes parents.

Il secoua la tête vigoureusement, mais c'est le petit sourire narquois qu'il affichait qui fit frissonner Caroline.

— Je l'ai vendue. J'ai utilisé l'argent pour acheter l'argenterie de Sheffield qui est arrivée la semaine dernière.

— Tu as fait quoi ?

Elle bondit sur ses pieds et lança sa brosse à cheveux en argent contre le mur. Elle se sentait comme Napoléon à Waterloo. Cet affrontement pourrait bien représenter son dernier combat. Le courage enflamma son corps. Elle n'abandonnerait pas la partie sans se battre.

William perdit soudainement courage.

— Je l'ai vendue.

— Tu n'avais pas le droit !

— Tu es ma femme. Tu n'as pas le droit d'être propriétaire. En fait, tu n'as aucun droit. William se mit à reculer en voyant Caroline marcher sur lui, les poings serrés à ses côtés.

Le jeune homme n'avait jamais vu sa femme aussi furieuse. Irritée, oui. Déterminée, oui. Mais ce n'était pas dans sa personnalité de faire une colère à tout casser. Du moins le croyait-il.

— Tu me donnes envie de te tuer, William, tu m'en donnes vraiment envie, gronda-t-elle.

Elle fit volte-face et se mit à arracher les draps du lit.

— Qu'est-ce que tu fais ?

Les yeux de William sortaient de son visage terreux comme deux raisins bouffis.

— Je ne te pardonnerai jamais ! Jamais ! Et je ne dormirai plus jamais avec toi !

Elle se retourna.

— Que Dieu me vienne en aide, William Mansfield !

Elle était tellement furieuse qu'elle pouvait à peine reprendre son souffle.

— Je me vengerai de toi et si je ne le fais pas, Dieu s'en chargera. Si j'étais toi, je surveillerais mes arrières ! Elle lui lança l'édredon et deux oreillers. Tu dors en bas à côté du feu comme un chien, pas dans mon lit !

William était atterré.

— C'est *ma* maison.

Caroline serra le poing et leva le bras comme pour le frapper.

— Plus maintenant ! Tu as vendu ma maison ? Parfait. Je prends celle-ci en échange.

Caroline était dans une rage folle, et William n'avait jamais été témoin d'une telle scène. Il prit les oreillers et l'édredon, et sortit de la pièce en titubant, sans jamais quitter le poing de sa femme des yeux. Il savait qu'elle n'hésiterait pas à le frapper.

* * * *

Les premiers pas que Caroline fit sur la plage de Yerba Buena se perdirent dans le brouillard de ses souvenirs. Elle se rappela à peine du trajet en charrette jusqu'au Presidio pour rencontrer l'alcade, ni du trajet de retour pour aller inspecter l'emplacement de leur futur grand magasin sur la rue Dupont. La jeune femme savait seulement que sa vie, celle dont elle avait rêvé et à laquelle elle avait tant tenu, cette vie était maintenant terminée. Elle n'avait jamais imaginé que son existence pourrait prendre un tournant aussi tumultueux. Il n'y avait rien, dans ses livres d'histoire ou de philosophie, qui expliqua *comment* un être humain était censé s'adapter mentalement à une telle situation. Caroline découvrit qu'elle était victime de sa propre sottise.

Quatorze voyages en char à bœufs furent nécessaires pour transporter les possessions matérielles des Mansfield sur leur emplacement. William n'avait pas daigné informer Caroline qu'il n'y avait pas d'hôtel à Yerba Buena, ni restaurant ni maison de chambres. Il n'y avait rien. Un homme, le capitaine William Hinkley, utilisait la dunette de son ancien navire comme maison. Pour la première fois de sa vie, Caroline se retrouva à dépendre des autres et blâma William de sa situation.

— Où sommes-nous censés dormir ? Et manger, nous laver et nous habiller ?

— Euh... sous une tente ?

Elle le foudroya du regard.

— Ah oui ? Elle regarda autour d'elle. Comment se fait-il que tu n'aies pensé à rien de cela, William ?

— Je pensais que ce serait comme à Boston.

Caroline fulminait.

— Tu croyais que des tours en or t'attendraient. Tu es encore plus naïf que je le croyais, William.

Elle détourna le regard et marmonna à mi-voix.

— Et mille fois plus stupide.

Elle laissa tomber les bras, maintenant résignée au fait que, comme d'habitude, elle était *encore* responsable de quelqu'un. Il était évident qu'elle devrait non seulement prendre soin de William, mais aussi que si elle le laissait prendre les décisions, ils vivraient dans la pauvreté le reste de leur vie. Elle avait toujours voulu changer le monde. Elle comprit qu'elle devrait commencer par son mari.

— Très bien. Monte la tente.

Elle s'éloigna.

— Où vas-tu ? s'enquit-il, l'air penaud.

— Me faire un ami.

— Tu ne connais personne. Tu n'as pas besoin de qui que ce soit. Nous avons tout ce dont nous avons besoin.

— Tu as tort, William. Parfaitement tort.

Au coin de Clay et de Dupont, Caroline aperçut la coquette maison en bois des Leese. Elle frappa à la porte, et une fillette indienne lui ouvrit.

— Est-ce que le maître de maison est là ? demanda Caroline.

En jetant un œil derrière l'enfant de huit ans, Caroline aperçut deux hommes assis sur deux bancs en pin devant une table à tréteaux. Contre le mur se dressait un magnifique vaisselier, et il y avait sur la table des assiettes de porcelaine finement décorées.

— La Mecque, murmura-t-elle à mi-voix en souriant.

Le plus âgé des deux hommes se leva. Il avait les cheveux et la barbe sombres. Il se présenta :

— Je suis Jacob Primer Leese. Entrez, je vous prie.

La jeune femme entra dans la pièce au plancher en bois, ignorant que c'était l'un des très rares planchers en bois de Yerba Buena.

— Je m'appelle Caroline Mansfield. Je viens tout juste de débarquer de l'*Alert*, et mon mari et moi...

— Êtes mes concurrents, l'interrompit Jefferson en se levant de table.

Il s'essuya la bouche sur une serviette de lin d'un blanc immaculé. Puis, il fit le tour du banc et s'avança vers elle. La pièce sembla soudain plus petite, et lorsqu'il fut devant elle, Caroline se sentit tout à coup protégée.

Souriant toujours, il la fixa d'un air interrogateur.

Elle lui rendit son sourire.

« Pourquoi est-ce que je fais si facilement confiance à cet homme ? Je ne le connais pas. Mais il me regarde comme s'il me connaissait. Comment est-ce possible ? »

Il la charmait de sa présence. Elle fut obligée de détourner les yeux de son visage pour parvenir à aligner des pensées cohérentes.

«J'observe les gens depuis des années et tous — gros, vieux, jeunes — m'ont toujours semblé identiques. Mais je n'en ai jamais vu qui dévoilaient ainsi leur personnalité sur leur visage, au vu et au su du reste du monde.»

Caroline était habituée à l'attitude fermée et très réservée des Bostoniens de bon ton. Or, cet homme lui offrait un sourire radieux, sans pour autant avoir l'air d'un soupirant épris. La force de son énergie l'attirait puissamment vers lui, comme un aimant, et Caroline ne savait qu'en conclure. Mais elle était intriguée.

Elle ne comprenait rien aux réactions qu'il suscitait en elle.

— Mes... concurrents? reprit-elle enfin.

— Je suis le propriétaire du poste de traite de North Beach. Il est situé à droite de l'endroit où votre groupe est descendu à terre, ce matin. La structure en rondins. En ce moment, je suis en train de bâtir une vraie maison sur Montgomery, non loin d'ici. Je m'appelle Jefferson Duke.

Il inclina légèrement le buste, sans jamais la quitter des yeux.

— Je suis enchantée de faire votre connaissance, parvint-elle à répondre sans bégayer. Elle lui tendit la main, et quand il la lui baisa, elle fut très consciente du fait qu'elle était mariée.

C'était une pensée étrange et déstabilisante.

«Mais, comment puis-je avoir envie que cet homme me baise la main?»

— Il n'y a pas beaucoup d'Américaines dans notre colonie, et assurément, aucune n'est aussi belle que vous.

Caroline avait la bouche sèche. Elle répondit, nerveuse :

— Je vous remercie, monsieur. Vous êtes bien aimable.

Jefferson sourit.

— L'amabilité n'y est pour rien. Je parlais sincèrement.

«Seigneur, quelle audace. Mais je ne suis pas en reste, en ressentant cette attirance.» Jetant un regard du coin de l'œil, elle constata que Jacob Leese ne perdait rien de leur échange. Elle ne voulait pas devenir un sujet de scandale le jour même de son arrivée dans ce port.

— Monsieur Leese, je me demandais s'il y avait quelqu'un dans cette colonie chez qui je pourrais obtenir le vivre et le couvert pour moi?

Jacob haussa des sourcils broussailleux.

— Seulement pour vous ?

— Mais oui.

— Pas pour votre mari ?

— Non. Il a l'intention de demeurer auprès de nos provisions jusqu'à ce que le magasin soit bâti. Lorsque nous avons quitté Boston, il a omis de m'informer qu'il avait l'intention de nous faire vivre sous la tente.

— Sinon, vous ne seriez pas venue ? interjeta Jefferson.

— Non.

— Alors, je suis content qu'il n'ait rien dit, laissa-t-il tomber.

Caroline inspira fortement et lutta contre l'étincelle de plaisir qui se répandait dans ses membres. Elle humecta ses lèvres sèches. Jacob se mordait la langue pour ne pas sourire devant le marivaudage de Jefferson.

Ce dernier offrit à la jeune femme un sourire éblouissant.

— Ce n'est pas si mal de dormir sous la tente. Pour ma part, j'ai souvent dormi à la belle étoile.

Caroline décida que la seule manière d'échapper au puissant charisme de Jefferson était de lui rendre la pareille. Elle le provoqua donc du regard en y mettant tout autant de charme que lui et répliqua :

— Ce n'est pas tant la tente à laquelle je m'oppose, ni même au fait de m'exposer au danger que représentent les ours et les pumas qui, m'a-t-on dit, descendent de temps à autre des montagnes. C'est simplement que je ne souhaite pas dormir avec mon mari.

Les deux hommes en restèrent bouche bée. Avant d'éclater d'un rire tonitruant.

— Je vous demande pardon ? lâcha Jefferson en hurlant de rire.

Jacob hurlait de concert avec lui.

— Oh ! Vous êtes exaspérants ! Tous les deux !

Ils réprimèrent leur fou rire à grand-peine.

Jefferson essuya une larme sur sa joue.

— Je vous paierai, déclara Caroline à l'adresse de Jacob.

Ce dernier reprit immédiatement son sérieux.

— Combien ?

— Un dollar la nuit pour le coucher seulement.

— Mettez deux dollars la nuit.

— Je veux le petit-déjeuner inclus. Je cuisinerai moi-même mon dîner.

Jacob l'examina un moment tout en tirant sur ses favoris.

— Marché conclu, déclara-t-il en lui tendant la main pour sceller leur entente.

Jefferson ne put que les dévisager.

— Et si je vous faisais un meilleur prix?

Caroline fut incapable de dissimuler le petit sourire narquois qui lui vint au coin des lèvres.

— On a dû concevoir le remisier d'après un homme tel que vous, monsieur Duke. Je trouve intéressant que ce mot n'ait pas de féminin.

Sur ce, elle empoigna sa volumineuse jupe de coton bleu à deux mains, marcha jusqu'à la porte et l'ouvrit.

— Je serai de retour sous peu avec mes effets, monsieur Leese. J'ai eu grand plaisir à faire affaire avec vous.

Quand elle ferma la porte derrière elle, un coup de vent balaya la pièce.

— Dieu tout-puissant! souffla Jefferson. Je n'ai jamais rencontré une femme comme elle. Moitié ange, moitié lynx.

— Mon cher ami, cette femme est un tsunami.

— J'ignorais qu'il y avait des tsunamis à San Francisco.

— Il y en a un, maintenant, répondit Jacob en souriant et en assenant une claque dans le dos de Jefferson.

Quinze

« Conçu par un ouragan,
Damné par un séisme[20]. »

— MARK TWAIN,
LA VIE SUR LE MISSISSIPI, CHAPITRE 3

Une semaine après leur arrivée, Caroline et William furent invités à leur première *merienda*, un grand pique-nique sur Rincon Hill. Ce jour-là, Caroline comprit que son attirance pour Jefferson était ce qu'il y avait de plus réel dans sa vie. C'était son mariage avec William qui était un mensonge.

Tandis qu'on la présentait à ses nouveaux voisins en ville, la jeune femme observa Jefferson à la dérobée. Il accueillait ses amis et faisait semblant de ne pas la remarquer.

Chaque fois qu'elle en avait l'occasion, Caroline coulait un regard vers le jeune homme.

Il faisait la même chose.

— Je suis absolument enchanté de vous rencontrer, madame Mansfield, déclara don Alejandro.

— Tout le plaisir est pour moi, répondit Caroline, arrachant son regard de Jefferson et se tournant vers le jeune homme qui s'adressait à elle.

— On m'avait dit que vous étiez belle, mais je n'étais vraiment pas préparé au choc que provoque votre charme, dit-il.

— Vous êtes trop aimable.

— Pas du tout, je vous assure, reprit-il en s'approchant plus près.

---

20. N.d.T.: Traduction libre.

Caroline chercha William des yeux ; il était en conversation avec Jacob Leese.

— Mon mari, contra-t-elle.

— Devrait protéger ses trésors plus attentivement, l'interrompit don Alejandro avec un sourire espiègle.

— Pas du tout, monsieur. Je suis capable de prendre soin de moi, rétorqua-t-elle fièrement.

Don Alejandro pouffa :

— Oui, je l'ai entendu dire. Maintenant, si vous me le permettez, j'aimerais vous présenter aux jeunes dames de nos ranchs.

— Merci, acquiesça-t-elle, d'un ton affable. J'aimerais beaucoup.

L'instant d'après, Caroline faisait la connaissance de Dolores Sanchez et de plusieurs autres jeunes Espagnoles.

À ce stade, la jeune femme n'était pas consciente qu'elle se cachait derrière la mascarade de son mariage, mais c'était le cas. Aux yeux de tous, elle était une femme mariée. Quand on s'adressait à elle, on le faisait sans se tenir sur ses gardes. Dolores elle-même ne voyait pas que Caroline était en train de tomber amoureuse de Jefferson.

— Je suis si heureuse de vous rencontrer, dit la jeune Castillane avec effusion. Nous voulons tout savoir de Boston. Nous sommes fascinées que vous soyez venue ici de si loin.

— Vraiment ? Boston ne m'apparaissait pourtant pas comme un endroit « fascinant » quand j'y résidais. Néanmoins, je comprends ce que vous voulez dire.

Dolores portait une mantille de dentelle blanche tissée de fils d'argent, remarquablement délicate, qui s'enroulait autour de sa tête et de ses épaules comme un voile éthéré.

— Votre robe est magnifique, Dolores. Je me rappelle en avoir vu une semblable à New York. Le tissu vient de France, n'est-ce pas, de Lyon ?

— Mais oui, répondit la jeune fille, presque sans accent. J'ai vu l'illustration dans le *Lady's Magazine*. Alors, j'ai dit à mon père qu'aucune autre robe ne conviendrait.

— Je travaillais pour ce magazine, reprit Caroline en hochant la tête d'un air réjoui devant l'étonnement de Dolores.

— Je connais personnellement Sarah Hale.

— Mais c'est merveilleux ! Comme j'ai souhaité discuter de tous les beaux sujets qu'elle aborde. Lorsque le *Loriotte* a jeté l'ancre, il n'apportait que six exemplaires du magazine. Nous nous sommes battus comme chien et chat pour les avoir. J'en ai eu un, termina-t-elle fièrement.

Entraînant Caroline vers une couverture étalée sur l'herbe, la jeune fille poursuivit :

— Asseyez-vous avec moi et parlez-moi de Boston. Possédiez-vous l'une de ces magnifiques maisons comme celles que je vois dans le magazine ? Ou l'une de ces coiffeuses ? Elles ont de si belles dentelles... encore plus jolies que celles de mes plus belles robes !

Caroline était enchantée d'avoir un public aussi attentif que Dolores. À mesure que les amies de la jeune fille s'arrêtaient pour bavarder, elles se joignirent à elles. Alors que Dolores traduisait les propos de Caroline de son mieux, elles écoutèrent la jeune femme leur parler des nouveautés en vogue et, plus important encore, des nouvelles théories sur la femme, en vogue sur la côte Est.

Caroline venait de se lancer dans un exposé sur la gymnastique suédoise et la gymnastique proprement dite, et sur leur importance pour la forme féminine, lorsqu'elle remarqua du coin de l'œil que Jefferson bavardait avec don Richardson et Jacob Leese.

— Madame Hale est d'avis que le tir à l'arc convient aux femmes comme moyen pour rester en bonne santé. Mais, bien entendu, l'équitation est sans contredit la meilleure forme d'exercice.

Caroline retint son souffle en voyant que Jefferson la regardait franchement.

Angelica pouffa la première. Elle saisit le bras de Dolores et lui dit :

— Dolores, il te regarde.

— Ne le dévisage pas, Angelica ! répondit la jeune Castillane, tout en fixant Jefferson du regard, nullement décontenancée.

Caroline suivit le regard de Dolores. Elle raidit le dos instantanément.

« Dolores et Jefferson ? »

Caroline garda les yeux fixés sur Dolores, sans oser regarder Jefferson.

« Mon Dieu, j'ai été idiote. Il était évident qu'il trouverait Dolores irrésistible. Qui ne le ferait pas ? Je me demande s'ils sont amants ? »

Caroline observa attentivement la belle Espagnole. Celle-ci ne dissimulait pas son visage derrière son éventail, comme Caroline avait vu les autres jeunes filles le faire. Elle laissait effrontément voir à Jefferson, et à ses compagnes assises en sa compagnie, ce qu'elle avait en tête.

— Avez-vous rencontré le señor Duke ? demanda-t-elle à Caroline, sans le quitter des yeux.

— Oui, fit Caroline, impassible.

— Il est beau, n'est-ce pas ?

— J'imagine.

Angelica pouffa de nouveau.

— Dolores ne parle de personne d'autre depuis le jour où elle l'a rencontré. Son père la fouetterait s'il savait à quel point elle pense à lui.

Caroline était stupéfaite.

— Pourquoi ?

Dolores pencha la tête et reporta avec réticence ses yeux sombres sur Caroline.

— Jefferson n'a pas de sang bleu. Moi, si, expliqua-t-elle, l'air hautain.

Les quatre autres jeunes filles acquiescèrent solennellement de la tête. Leurs regards se portèrent sur un groupe de six jeunes hommes, tous vêtus d'un pantalon noir serré, d'un boléro et de chemises à ruchés aux broderies coûteuses. Ils portaient tous un feutre noir à fond plat et à large bord, incliné de manière séduisante. À l'instar de leurs homologues féminins, ils avaient un port majestueux et se déplaçaient comme des cygnes glissant sur l'eau. Caroline devinait que leur sang bleu trahissait leur descendance royale.

Dolores reprit :

— Ce sont les hommes que nos pères comptent nous faire épouser. Sauf moi. J'épouserai Jefferson Duke.

Caroline ne parvenait pas à déterminer si Dolores aimait réellement Jefferson, ou si elle le désirait simplement parce que son père avait décrété qu'il était tabou.

Dès lors, la gaieté du pique-nique eut pour elle un goût amer. En rentrant à la maison le soir, et durant les jours qui suivirent, elle fut envahie par la mélancolie.

Plus elle s'obligeait à ne pas penser à Jefferson, plus elle pensait à lui. La nuit, elle restait éveillée à se demander ce qu'elle ressentirait à goûter les baisers de Jefferson, à sentir ses mains explorer les endroits les plus intimes de son corps. Puis brusquement, le visage de Dolores s'imposait à elle. Elle aurait voulu n'avoir jamais donné son amitié à la jeune fille.

Caroline ne pouvait empêcher son cœur de désirer Jefferson, pas plus qu'elle ne pouvait empêcher ses poumons de respirer.

Elle le voyait tous les jours, à l'œuvre sur sa maison. Il trouvait des raisons de passer la voir pour la saluer. Elle prenait pour prétexte différents articles dont elle avait besoin pour son magasin en construction pour aller le voir.

Elle savait qu'elle le regardait trop longuement dans les yeux et qu'elle prenait beaucoup plus de temps que nécessaire pour passer ses commandes. Néanmoins, elle se sentait vivre en sa compagnie.

Ses émotions s'intensifiaient continuellement, au point où elle se dit qu'elle allait exploser. Mais elle n'explosa pas.

Caroline se rendait compte qu'elle ne ressentait ni honte ni culpabilité à désirer Jefferson. Elle n'était pas mariée, car elle n'avait jamais aimé William. Il représentait le souhait que son père avait fait pour elle. Non le souhait de son âme. Elle ne pardonnerait jamais à William de lui avoir volé sa maison. Il avait de la chance de l'avoir avec lui.

Mais en voyant le besoin, le désir et la souffrance dans le regard que Dolores posait sur Jefferson, Caroline comprit exactement ce que ressentait la belle et jeune Espagnole, choyée et fougueuse, car elle ressentait la même chose. La différence était que Dolores avait droit à Jefferson, contrairement à Caroline.

« Je n'ai jamais été aussi malheureuse de ma vie. »

Elle était tombée amoureuse, et son cœur se brisait.

* * * *

— C'est la plus belle construction de Yerba Buena, déclara Jefferson en s'approchant derrière Caroline qui, la main en visière pour protéger ses yeux du soleil ardent, surveillait les Indiens qui clouaient des bardeaux sur le toit.

Caroline resta parfaitement immobile. Jefferson étant parti trapper depuis deux semaines, ils ne s'étaient pas revus. Et aujourd'hui, il était de retour.

Caroline sentait le jeune homme tout autour d'elle. Sa présence l'enveloppait. En fermant les yeux, elle sentit sa passion l'enflammer.

Elle voulait désespérément s'allonger entre ses bras. Elle l'imaginait glisser un bras autour de sa taille et entourer son sein de la main, avant de l'attirer tout contre sa poitrine musclée. Elle imaginait la sensation de ses lèvres se posant sur sa nuque, juste à l'endroit qu'elle *savait* sensible et que William n'avait jamais découvert. Elle arrivait presque à sentir les doigts robustes de Jefferson sur ses tempes, glisser sans difficulté dans sa chevelure. Il l'attirerait plus près, la serrerait plus fort...

— Vous avez accompli un travail formidable, madame Mansfield, reprit Jefferson.

Sans savoir comment elle y était parvenue, elle réussit à retrouver la voix.

— Mon mari, fit-elle en insistant sur le mot, sera très heureux de l'entendre.

— Tout le monde sait que vous êtes le cerveau derrière tout ceci, répliqua-t-il.

Caroline voyait leurs deux ombres s'étirer sur le sol. Elles s'assortissaient comme si elles y avaient été destinées.

«C'est impossible! S'il te plaît, Jefferson, va-t'en. Ne m'inspire pas de telles pensées. Je ne veux pas sentir ce besoin. Cette souffrance.»

Il fallait qu'elle reste calme. Or, elle était tout, sauf calme. Elle se retourna et lui fit face. Le revoir lui coupa le souffle.

— Est-ce que vous trappez souvent, monsieur Duke?

Jefferson sombra dans ses yeux d'un bleu perçant. Il n'avait pas conscience qu'il rapprochait son visage du sien à chacune de ses paroles. Il n'avait pas voulu venir jusqu'ici, il avait lutté contre son désir des jours durant. À ses yeux, les lèvres de Caroline quémandaient les baisers.

— Je n'ai pas chassé depuis des mois. Il fallait que je parte.

— Vraiment? Et pour quelle raison? s'enquit Caroline.

«Tu es mariée, Caroline, ne l'oublie pas.»

Il répondit par un mensonge :

— J'ai fait assez d'argent avec le dernier navire. Je méritais de prendre des vacances.

Il gardait ses distances, elle le savait, et cela piqua son orgueil. Elle recula d'un pas.

— Le magasin Mansfield vous fera fermer boutique, monsieur Duke.

— Vous voulez rire! rétorqua-t-il en se redressant.

Il était consumé par le besoin qu'il ressentait de cette femme. Il devait lutter de toutes ses forces pour rester les bras ballants, alors qu'il ne souhaitait que l'enlacer.

« Ne sait-elle pas que je devrais la tenir contre mon cœur? Ne sait-elle pas que nous sommes faits l'un pour l'autre? »

Chaque fois qu'il croyait avoir réussi à maîtriser sa passion, son corps, son cœur et son esprit se soumettaient à la volonté de Caroline. Comment pouvait-elle continuer à lui faire subir cela? Comment lui, Jefferson Duke, un homme en qui coulait le sang bleu des rois, pouvait-il être si obsédé par une femme? Il était de nouveau esclave. Mais cette fois, s'enfuir ne l'affranchirait pas.

Tout ce qu'il pouvait faire était de calquer son attitude sur la sienne.

— Vous ne savez rien des gens d'ici, de cet endroit, de ce pays. Vous arrivez de Boston et — il chercha les bons mots pour exprimer sa pensée, mais les seuls qui lui vinrent en tête ne l'étaient pas.

— Vous ne voulez même pas dormir dans une satanée tente!

Caroline le foudroya du regard. Pourquoi l'attaquait-il ainsi? En particulier quand tout ce qu'elle désirait était lui faire l'amour. Sa colère s'enfla comme un feu de paille.

— Regardez-moi bien aller, monsieur Duke. Nous verrons à qui appartient le magasin, et lequel de nous deux fera fermer boutique à l'autre!

— Nous verrons bien.

Ils étaient de force égale. Le feu contre le feu.

— J'ai autant le droit d'être ici que n'importe qui! Parce que je suis une femme, vous autres, hommes ignorants et stupides, croyez que nous sommes des incapables! Regardez-moi bien aller, monsieur Duke : rira bien qui rira le dernier!

Caroline pivota brusquement sur elle-même et s'engouffra comme une furie dans le magasin à deux étages. Lorsque la porte claqua, les Indiens qui travaillaient sur le toit éclatèrent bruyamment de rire. Ils n'avaient pas compris tout l'échange, mais ils savaient reconnaître une querelle d'amoureux.

4 septembre 1838

La fête organisée en l'honneur du mariage de Fernando Sanchez et d'Angelica Peralta attira plus d'une centaine d'invités, venus de la colonie et des ranchs des alentours.

L'allégresse enroula autour des sept jours de festivités des rubans de bonheur multicolores. On organisa des pique-niques en fin de matinée, des corridas et des concours de prouesses équestres dans les corrals, les après-midi. Au cours de l'un de ces concours, le nouveau marié impressionna tous les invités en prouvant qu'il pouvait ramasser une petite pièce d'or sur le sol, du dos de sa monture lancée au galop, et ce, sans ralentir l'allure.

Les invités dansèrent tous les soirs jusqu'à l'aube, et personne ne dormit autrement que le matin, entre sept et dix heures.

Caroline n'avait jamais vécu une telle expérience. On aurait dit que les Espagnols n'avaient rien de plus important à faire dans la vie que d'être heureux. Tandis que les dons et leurs dames mangeaient, buvaient et s'amusaient, la jeune femme les observait. Même au milieu des festivités, elle n'arrivait pas à penser à autre chose qu'aux affaires.

Elle remarqua que les femmes étaient arrivées à l'hacienda avec des malles remplies de vêtements. Si elles avaient vécu dans une grande ville comme New York, Caroline aurait compris ce besoin de jouer des coudes pour être au premier rang. Toutefois, il était absurde que ces femmes, qui habitaient au milieu de nulle part, possèdent non seulement des brocarts, des bijoux, des éventails et des peignes élaborés aussi fabuleux, mais qu'elles aient aussi le désir insatiable d'en posséder davantage.

Lors de la noce chez les Sanchez, deux tournants se produisirent, qui devaient modifier l'avenir de Caroline.

Jusque-là, elle avait voulu bâtir le magasin pour avoir un toit sur la tête. Mais en cette occasion, elle eut les premières visions du type de marchandise qu'elle allait vendre. Parce qu'elle était ravie de cette formidable découverte la concernant, Caroline laissa faiblir ses défenses vis-à-vis de Jefferson. Combattre l'attirance qu'elle ressentait l'épuisait. Elle laissa tomber les armes.

Jefferson gravit la colline à pied et s'approcha d'elle. Il portait une culotte brun clair, des bottes brunes et une chemise blanche au col ouvert. Il lui apparut comme il le faisait toujours, tel un mirage qui se matérialisait de la brume s'élevant dans le désert. Sa chevelure dorée réfléchissait le soleil de fin d'après-midi ; elle en absorbait les rayons et les renvoyait sous forme de minuscules spectres de couleur, invisibles à l'œil nu, mais que le cœur de Caroline percevait sans peine.

Caroline était envoûtée, mais ce jour-là, elle n'en avait cure.

Les invités assistaient à une corrida et observaient le jeune matador qui faisait voler sa cape rouge d'abord à gauche, puis à droite, appliquant les anciens rythmes que l'homme a toujours utilisés face à la bête. Des hourras s'élevèrent de la foule. On lança des fleurs sauvages dans l'arène.

Jefferson ramassa un pied-d'alouette tombé aux pieds de Caroline.

— Vous êtes encore plus jolie que la mariée, fit-il en souhaitant pouvoir toucher la boucle de cheveux semblable à du fil d'argent qui lui caressait la joue.

Il se demanda si elle était consciente du pouvoir que distillait son regard.

— Merci, répondit-elle en baissant les yeux et en regardant son alliance.

— William est-il ici ?

— Non. Il ne se sentait pas bien. La chaleur l'incommode beaucoup.

Jefferson n'hésita pas une seconde.

— Alors, venez avec moi, la pressa-t-il en lui prenant la main.

— Où allons-nous ?

Il plongea les yeux dans les siens.

— Cela a-t-il de l'importance ?

Caroline en eut le souffle coupé.

— Non, balbutia-t-elle.

Pour la seconde fois de la journée, sa vie prit un nouveau tournant.

Jefferson l'entraîna à sa suite au pied de la colline où il avait attaché son cheval. Il la fit monter derrière lui, de manière à ce qu'elle soit obligée de s'appuyer contre lui pour ne pas tomber. Elle entoura sa taille de ses bras et se laissa aller contre lui, consciente des muscles vigoureux de son dos. Elle aurait voulu poser son visage contre la musculature solide qui reliait ses épaules, mais elle garda la tête droite. Elle sentait l'odeur épicée de son savon parfumé au rhum.

« C'est une folie. Je ne devrais pas faire cela. Je vais regretter cette décision. N'est-ce pas ?

Ou ne le regretterai-je pas justement si je laisse passer l'occasion ? »

Au même moment, Jefferson posa une main amoureuse sur la sienne et la pressa contre son estomac. Caroline sentit son cœur battre la chamade contre ses côtes.

— Accrochez-vous, fit-il.

— Oui, murmura-t-elle avant de poser sa tête contre la nuque de Jefferson.

Le jeune homme dirigea sa monture vers la forêt.

Il attacha sa monture à un énorme séquoia. Sa silhouette se découpa sur la forêt et fut mise en relief par l'éclat du soleil qui sombrait rapidement derrière les montagnes. La pleine lune apparut dans le ciel, baignant les lieux d'une étrange lumière argentée qui se mêlait au rose doré du crépuscule. Puis, le soleil se coucha. La lune se leva.

Depuis qu'il avait posé les yeux sur Caroline, Jefferson avait rêvé de ce moment toutes les nuits. Maintenant qu'il était arrivé, il se promit d'en savourer toutes les nuances.

Jefferson n'avait jamais fait l'amour avec une femme. Il n'était pas expérimenté, mais il laissa son corps et son cœur le guider.

Ses mains tremblèrent lorsqu'il entoura la taille élancée de Caroline pour la poser sur le sol. Il sentait la chaleur de sa peau irradier au travers du tissu de sa robe. Elle tremblait comme une enfant effrayée.

— Nous ne devrions peut-être pas..., commença-t-elle en s'écartant légèrement de lui, aux prises avec le même combat moral dans lequel il se débattait depuis des mois.

— S'il te plaît, Caroline. Je n'ai jamais fait l'amour.

— Jamais ?

Elle était incrédule.

— Non, jamais, répondit-il, ses yeux verts débordant de sincérité. J'ai toujours cru que la femme que j'aimerais... à qui je ferais l'amour... serait une femme hors du commun. La première fois que je t'ai vue, j'ai su que c'était toi.

Elle lui caressa la joue.

— Je n'en avais aucune idée.

Les yeux de Jefferson se posèrent sur la bouche sensuelle de Caroline. Il en avait mémorisé les contours depuis longtemps. Il avait si souvent rêvé d'embrasser cette femme que cela lui paraissait presque un fait accompli[21]. Il leva un doigt et le posa sur sa joue. Quand sa peau toucha la sienne, il sentit la fusion de leurs vibrations.

Pour la première fois, il comprit ce que sa mère avait ressenti pour Richard, et le genre d'éveil que Yuala avait vécu avec Henry Duke. C'était leur héritage : un amour qui serait le sien pour l'éternité.

Comme s'il était en transe, Jefferson vit ses doigts épouser doucement le contour de la mâchoire de Caroline, d'un geste tendre et hésitant. Il était presque terrifié de pousser son exploration plus loin. Sa peau était douce et chaude, comme les pétales des roses dorées par le soleil qui fleurissaient sur le mur est du manoir de son père, en Caroline du Sud. Il épousa le contour de sa joue de la main. La jeune femme inclina la tête vers sa paume, puis leva la main pour couvrir la main de Jefferson de la sienne. Elle tourna lentement la tête pour effleurer de ses lèvres le bout de ses doigts. Elle les baisa légèrement l'un après l'autre.

Des étincelles de passion brûlante jaillirent des mains de Jefferson, coururent le long de ses bras et pénétrèrent dans son cœur, tandis que Caroline le marquait au fer de la lumière de son âme. Il la sentit, cette électricité que sa mère avait essayé de lui expliquer des milliers de fois, cette énergie qui saturait tout ce qui vivait sur terre. Elle lui avait confié que l'amour était la plus puissante et la plus élevée de toutes les énergies. Il avait fallu vingt-trois ans à Jefferson pour y croire, mais il y croyait enfin.

— Jefferson, mon amour, murmura Caroline.

Le son de sa voix vibra à travers l'espace qui les séparait et se grava dans son cerveau pour l'éternité. Jefferson prit soudainement conscience que la voix de Caroline lui avait toujours paru plus que séduisante, plus qu'agréable : elle lui était familière. C'était comme s'il en avait gardé le souvenir dans son inconscient. Ou peut-être était-ce un signe de Dieu. Bien que sa mère n'ait jamais été tout à fait capable de lui décrire précisément le ton de la voix de Yuala, d'une certaine manière, Jefferson comprit que les pures résonances cristallines qu'il venait d'entendre étaient très semblables à celles de sa grand-mère.

---

21. N.d.T.: En français dans le texte.

Caroline prit sa main et la fit glisser le long de sa gorge blanche et fine, puis la posa à la naissance de son cou, là où il put sentir les battements de son cœur. La fièvre qui la consumait de l'intérieur lui embrasait la peau. Jefferson entoura le cou de la jeune femme de ses doigts et lui fit pencher la tête vers l'arrière. Il ne pouvait plus supporter les affres de son désir. Ses lèvres s'approchèrent de celles de la jeune femme, leur cœur et leur désir au même diapason.

Il s'arracha à la contemplation de sa bouche et plongea son regard dans le sien. Un long moment, il s'autorisa à rester au bord du précipice avant de plonger dans l'abîme. Dans cette fraction de seconde où il hésita, les chaînes torturantes de leur amour interdit s'enroulèrent autour de son esprit.

— Que Dieu me pardonne, gémit-il.

Une larme déborda de l'œil de Caroline et tomba de ses cils.

— Je t'en prie, Jefferson, si tu regrettes, écarte-toi de moi tout de suite.

Il sentit son cœur se déchirer tandis qu'une pensée lui traversait l'esprit.

— Tu ne crois pas que ce que nous faisons est mal ?

— Si j'avais des doutes, je n'en ai plus, répondit-elle en laissant ses yeux plonger plus profondément dans les siens.

C'est alors que le phénomène se produisit, exactement comme Rachel le lui avait expliqué. La lumière émanant de l'âme de Caroline brilla dans ses yeux, et alors qu'il bannissait les dernières ombres de la peur et succombait à son amour, sa propre lumière s'unit à celle de la jeune femme, générant une force si puissante, si formidable, qu'elle le fit vaciller. Il vit des spirales de couleurs — or, argentée, bleue et violette — couler comme des éoliennes miniatures des yeux de Caroline et les envelopper tous les deux dans un brouillard tourbillonnant de magie et d'amour.

Il entoura son visage de ses mains, conscient de la force de ses sentiments.

— Je t'aime, Caroline. Je n'aimerai jamais une autre femme.

Caroline ne sentait plus le sol sous ses pieds. Elle avait été emportée dans une sphère céleste où le temps n'avait plus sa place, où seuls Jefferson et elle existaient. Elle, Caroline, la femme à l'esprit logique, voyait et ressentait des phénomènes inexplicables, défiant la raison, mais qui se révélaient plus tangibles que toute l'accumulation de connaissances et d'expériences qu'elle avait emmagasinées dans son esprit.

Elle percevait aussi le brouillard doré et miroitant qui les entourait et les protégeait. En regardant dans les yeux de Jefferson, elle comprit qu'ils étaient faits l'un pour l'autre. Elle sentait à l'intérieur de son esprit, sans les entendre, des paroles qui étaient comme l'expression divine d'un très vieil oracle, qui affirmait que le but de son existence était de vivre ce moment avec Jefferson. Rien dans son éducation puritaine en Nouvelle-Angleterre, ni dans les philosophies égalitaires qu'elle avait récemment découvertes, ne l'avait préparée aux pensées qu'elle percevait dans son cœur. Caroline avait toujours cru qu'elle pouvait gérer son destin, mais elle comprenait maintenant que les êtres humains étaient maîtres de bien peu de choses. Ce domaine était celui de Dieu. Jefferson et elle flottaient sur les ailes du destin.

— Je t'aime, Jefferson... pour l'éternité.

Elle ferma les yeux et se soumit à la puissance de l'amour.

Jefferson effleura de ses lèvres la bouche de Caroline avec un tel sentiment d'adoration et de vénération qu'une nouvelle vague de larmes s'écoula de ses paupières. Il couvrit sa bouche de la sienne, mettant — enfin! — fin au tourment de solitude qu'ils avaient tous les deux connu. Elle accueillit sa passion et pressa ses lèvres contre les siennes.

Un tourbillon de désir explosa en Jefferson tandis qu'il dessinait les contours de la bouche de Caroline de sa langue, en en gravant le dessin dans son esprit. Il en goûta la profondeur délectable, tandis que des vagues de désir brûlant déferlaient en lui. La langue de Caroline attisa avec impatience les nerfs de Jefferson dans un assaut de sensualité. Il voulait davantage.

Ses mains épousèrent la courbe de ses épaules et glissèrent le long de ses bras. Il les souleva lentement et les enroula autour de son cou.

— Touche-moi, Caroline. Prends-moi dans tes bras.

Plus que son toucher, ses paroles firent monter un grondement de passion des profondeurs de la gorge de la jeune femme.

Il posa ses doigts brûlants sur sa nuque et déboutonna le collet en organza diaphane qui l'empêchait de toucher sa peau, mais non de la voir. Le tissu chatoya sous le clair de lune comme les ailes d'un ange quand le collet se détacha sous les mains de Jefferson. Il dégrafa le corsage de sa robe, et les seins de Caroline s'épanouirent entre ses mains. En dépit du torrent de désir qui lui brûlait les sangs, Jefferson tenta de faire preuve de douceur, mais il ne put s'empêcher d'empoigner la peau laiteuse. Il sentit la jeune femme défaillir entre ses bras. Elle gémit de nouveau.

— Tu me laisses sans force.

La bouche de Jefferson écrasa à nouveau les lèvres de Caroline. Il fit courir ses lèvres au-delà de la crête de sa mâchoire, plongea le long de la colonne d'ivoire de sa gorge et s'arrêta instinctivement tout près, mais juste au-dessus de la base de son cou qu'il suçota un long moment.

— Oh, Dieu ! gronda-t-elle avant de glisser ses mains jusqu'aux fesses de Jefferson et de presser son bassin contre le sien.

Il caressa ce petit coin d'épiderme de la langue, se délectant du plaisir qu'il lui donnait. Puis, poursuivant son exploration très, très lentement, il alluma de sa langue un sillon brûlant jusqu'au sein de Caroline. Lorsque sa bouche se posa sur le mamelon durci, il le saisit entre ses dents et tira doucement, forçant de nouvelles secousses de désir à briser les dernières résistances de la jeune femme.

Les genoux de Caroline la trahirent, et elle s'affaissa sur le sol. Les herbes accueillantes soupirèrent et se courbèrent sous son corps. Une douce brise nocturne flotta parmi les feuilles et agita les aiguilles du pin qui surplombait les deux amants. L'odeur prononcée de l'eucalyptus et du pin descendit sur eux et se grava dans leur souvenir de l'instant. Caroline leva les yeux vers Jefferson. Les rayons de lune découpaient sa silhouette et pirouettaient autour de son grand corps musclé. Elle le contempla tandis qu'il ôtait ses bottes, sa chemise et sa culotte. « Aucun Adonis des légendes grecques n'aurait jamais pu être aussi beau », songea-t-elle alors qu'il s'agenouillait près d'elle. Quand elle leva les bras vers lui, le clair de lune ricocha sur sa peau d'albâtre avant de se fondre dans les boucles d'argent de sa chevelure. Jefferson déboutonna sa robe et la fit passer par-dessus sa tête. Caroline voulut retirer sa culotte, mais Jefferson l'arrêta.

Ses yeux étaient comme deux émeraudes sombres.

— Je veux le faire, dit-il d'une voix semblable à un velours épais qu'on froisse.

Il baissa les yeux et l'admira, tandis qu'il dénudait la courbe de sa taille, la rondeur de son ventre, le creux de ses aines et enfin, la toison blonde et douce de son sexe. Il posa la main sur le triangle mousseux, se l'appropriant comme son territoire tandis qu'il achevait de la libérer de ses jarretières et de ses bas. Elle avait les jambes longues et délicatement fuselées aux genoux, et aux chevilles.

— Viens, mon amour, dit-elle en ouvrant grand les cuisses pour le recevoir.

Il s'enfonça dans Caroline et sentit sur les douces parois de son vagin de petits muscles frémir comme les ailes d'un colibri contre son pénis. La transpiration ruisselait sur son dos et ses fesses dénudés tandis qu'il plongeait de plus en plus profondément en elle. Il glissa les mains sous les fesses de son amante et souleva ses hanches presque à la verticale. Elle lui entoura la taille de ses cuisses crémeuses et posa ses mains sur ses épaules. Il sentit ses ongles s'enfoncer dans sa chair tandis qu'il l'amenait jusqu'à l'orgasme.

Des secousses cataclysmiques secouèrent Caroline, brisant son cœur et ouvrant dans son âme une fissure qui resterait béante pour l'éternité. Elle attendit Jefferson à l'entrée de l'abysse.

Le souffle de Jefferson sortait de sa poitrine comme celui d'un animal haletant. Son cœur battait si vite qu'il était persuadé qu'il allait mourir. Même s'il savourait l'étau de la chair de Caroline contre son membre rigide chaque fois qu'il se retirait presque complètement d'elle, il avait conscience que quelque chose d'encore meilleur restait à venir.

Il plongeait chaque fois de plus en plus profondément en elle. Il savait qu'il devait y avoir dans son corps un chemin menant à son âme. Il voulait en quelque sorte la toucher comme elle l'avait touché. Il persévérait dans sa quête, toujours plus loin, incapable maintenant d'entendre le bruit mouillé de leurs peaux fiévreuses l'une contre l'autre, incapable même de voir le visage de Caroline. Enfin, il atteignit ce qu'il cherchait : le Saint des Saints. Il était aussi aimant, aussi doré et aussi puissant que Jefferson l'avait toujours soupçonné, et il l'accueillit avec une force magnétique glorieuse à laquelle le jeune homme comprit qu'il ne pourrait jamais échapper. Et sur l'autel de son amour, Jefferson déposa le don de sa semence et de tout l'amour qu'il portait en son cœur.

Sans défaire leur étreinte, il roula sur le dos, entraînant Caroline avec lui. Il n'osait ni parler ni ouvrir les yeux. Il écouta simplement leurs cœurs qui battaient. Il pressa son front contre celui de Caroline dans l'espoir de fusionner leurs esprits. Il se demanda si le genre de transfert de pensées pratiqué par Yuala était possible entre Caroline et lui.

Lorsqu'il ouvrit les yeux pour la regarder, il sentit qu'il se brisait à l'intérieur.

— Ne seras-tu jamais à moi?

— Tu m'as faite tienne.

Il l'embrassa doucement.

— Non, je veux dire...

— Je sais ce que tu veux dire, répondit-elle et les larmes brouillè-rent son regard.

Elle ferma les yeux. Il lui embrassa les paupières, l'une après l'autre.

— Ah... Caroline.

Il la serra très fort contre lui.

« Il faudra bien toutes les forces du ciel et de la terre pour sortir quelque chose de bon du gâchis que je viens de faire de notre vie. »

Seize

« Il arrive quelquefois qu'une flèche lancée au hasard atteigne le but que l'archer ne visait pas ! Souvent une parole prononcée sans dessein flatte ou déchire un cœur malheureux partagé entre le plaisir et la crainte ! ».

— SIR WALTER SCOTT,
LE LORD DES ÎLES, CHANT CINQUIÈME, STROPHE XVIII

Les yeux injectés de sang de Dolores Sanchez se remplirent de nouveau d'une vague de larmes. Enfonçant son visage dans l'oreiller, la jeune fille essaya d'étouffer ses sanglots. Les parois de la tente de toile des Leese n'absorbaient pas le chagrin ; elles se contentaient d'en faciliter la diffusion à l'extérieur.

— Dolores ?

— Père ?

Dolores avait le sentiment qu'elle allait étouffer dans l'étau de sa souffrance.

— Qu'y a-t-il ?

— Je... je...

Ses yeux ronds étaient pleins de tristesse.

— J'aime Jefferson. Mais il ne veut pas de moi. Il veut la Mansfield.

— Duke ? Et la Mansfield ? Mais elle est mariée ! C'est grotesque !

— Elle est adultère !

La jeune Espagnole cracha ces mots, mais cette accusation ne soulagea en rien la souffrance de son cœur.

— Ne t'en fais pas! De toute façon, il t'est interdit. Son sang souillerait la pureté de notre lignée. Ne sommes-nous pas inscrits à la Corte de Purismo de Sangre, à Mexico? Où est ta fierté?

— Ma fierté? À quoi sert la fierté quand je l'aime passionnément?

— Oublie-le! ordonna don Sanchez d'un ton outré.

— Je n'en ferai rien! Il me le faut. Je trouverai bien le moyen de la chasser de son cœur. Ensuite, il sera à moi.

— Que personne ne t'entende jamais dire de telles choses! Tu es une Sanchez. Je choisirai moi-même ton époux, et tu feras un bon mariage. Aucune de mes filles n'épousera un Américain. Jamais!

Il s'éloigna en trombe.

— Je ne peux renoncer à lui sans me battre.

Dolores essuya les larmes brûlantes qui inondaient son visage. Sa détermination lui insuffla du courage.

— Personne ne se mettra en travers de mon chemin. Pas même vous, papa.

* * * *

Jefferson Duke enviait William Mansfield pour deux raisons : la première pour Caroline et la seconde pour son grand magasin. En fait, les deux raisons n'en formaient qu'une seule dans l'esprit de Jefferson. Caroline était le cerveau derrière le grand magasin. Elle réussissait aussi bien que Jefferson dans le troc des fourrures. Elle obtenait la marchandise des navires à des prix légèrement inférieurs aux siens. Jefferson était certain que le pouvoir de négociation de Caroline était augmenté par sa beauté et par les longs voyages solitaires des capitaines au long cours, jusqu'en Californie.

Le poste de traite de Jefferson faisait de bonnes affaires ; toutefois, avec pour concurrents l'établissement des Mansfield et celui de Richardson, que la plupart des résidents connaissaient depuis plus longtemps que Jefferson, les trois commerçants devaient se montrer plus diligents pour chaque dollar gagné.

«Si Caroline et moi étions mariés, il n'y aurait aucune limite à ce que nos esprits et nos ambitions pourraient accomplir. Aucune limite à notre bonheur.»

— Dieu sait que le reste de notre histoire est un brasier, se dit-il tout en transportant des poches de farine pour les disposer devant son comptoir rudimentaire.

Il vérifia les barils de clous de différentes tailles, les jeux d'outils et de scies récemment arrivés, ainsi que les nouveaux rouleaux de calicots et de cotons.

Il s'immobilisa brusquement en regardant un des tissus et songea :

« Bleu centaurée... la couleur de tes yeux, Caroline. Mon Dieu, faut-il que tout me rappelle ton existence ? »

Jefferson prit conscience que la jeune femme était constamment dans ses pensées, peu importait ce qu'il voyait ou faisait. Il avait été stupide de penser qu'après avoir goûté son corps, son amour serait étanché, et le brasier éteint. Au lieu de cela, cette « mise en bouche » n'avait servi qu'à attiser le désir qu'il ressentait pour elle. Il leur était presque impossible de se voir en tête-à-tête, mais en dépit des difficultés, ils avaient réussi à se rencontrer trois fois. Ils menaient une vie dangereuse, en s'aimant ainsi dans la forêt, sous le couvert des ombres et du manteau de la nuit. Mais Jefferson était victime de sa propre passion. Il découvrait qu'il avait la force de résister un jour, peut-être deux, mais jamais plus longtemps. Il s'inventait alors une excuse, même la plus piètre, simplement pour la voir.

À cause de Caroline, Jefferson commença à construire sa « vraie » maison bien avant d'en avoir les moyens. Son terrain étant situé non loin du magasin des Mansfield, ses travaux lui donnaient une raison de passer chaque jour à cheval devant l'établissement.

Certains jours, Caroline ne faisait aucun cas de lui, et Jefferson se voyait alors forcé de s'adresser à William, tâche difficile étant donné que le mari de la jeune femme n'était pas porté sur les mondanités. D'autres jours, le regard de Caroline était si intense que Jefferson craignait qu'elle n'oublie toute prudence et que William apprenne la vérité.

Néanmoins, William ne comprit jamais ce qui se passait.

Durant des mois, Jefferson et Caroline vécurent et respirèrent uniquement l'un pour l'autre. C'était paradisiaque. Et infernal. Ils savaient tous les deux que leur liaison devrait se terminer, et c'est ce qui arriva.

Grâce à Dolores, Jefferson avait eu l'occasion de donner de l'expansion à ses affaires. Comme les Sanchez étaient fabuleusement riches et accueillants, plusieurs Espagnols de Monterey et de Santa Barbara étaient invités à séjourner à leur ranch, presque chaque semaine. Pour gagner le ranch, les visiteurs devaient passer par North Beach, car c'était là qu'ils prenaient la chaloupe grâce à laquelle ils traversaient le détroit du Golden Gate pour débarquer de l'autre côté de la baie, où habitaient Dolores et sa famille. En descendant de leur calèche et avant d'embarquer, les Espagnols des deux sexes visitaient la boutique de Jefferson et commandaient des matériaux de construction ainsi que des articles ménagers. De ce fait, Jefferson avait rédigé plusieurs notes de remerciements à l'intention des Sanchez.

Dolores conservait ces notes que son père jetait négligemment après en avoir pris connaissance. Elle les considérait comme des marques de l'affection de Jefferson. En route pour Monterey où elle allait rendre visite à des amis, elle fit en sorte que son équipage s'arrête à Yerba Buena.

La jeune fille s'engouffra dans l'échoppe de Jefferson. Ses jupes amples avaient à peine l'espace qu'il fallait pour qu'elle puisse franchir le seuil sans les écraser. Dolores était suivie de sa duègne, Maria Valleje Sanchez, une femme de petite taille au visage tanné, qui se trouvait être sa grand-tante paternelle.

Jefferson l'accueillit en souriant et en inclinant le buste :

— Señorita.

Il saisit sa main et l'effleura de ses lèvres, comme la coutume l'exigeait.

— Vous êtes ravissante, déclara-t-il en regardant par-dessus l'épaule de la jeune fille, tout comme votre tante, d'ailleurs.

Déjà transportée de se tenir devant lui, sans parler de le toucher, Dolores perdit un moment le fil de ses pensées.

— J'ai reçu, je veux dire... mon père a reçu vos lettres. Nous sommes ravis que vous ayez aidé nos amis. Ils parlent tous de vous avec bienveillance.

Il répondit en riant :

— Vous avez contribué à la bonne marche de mes affaires. Elles ont eu besoin de toute l'aide qui se présentait.

Jefferson continua de bavarder tandis que Dolores le dévorait des yeux en le suivant de comptoir en étagères. Ni l'un ni l'autre ne vit

Caroline et William Mansfield arrêter leur char à bœufs devant la boutique. William aida Caroline à descendre de son perchoir. Elle se pencha et sortit de sous le siège un sac de pièces d'argent grâce auxquelles ils achèteraient les matériaux de construction nécessaires à la finition intérieure de leur magasin.

À l'intérieur de l'échoppe, Dolores était dans son monde où il n'y avait que Jefferson et elle. Il lui posa une question et se tourna vers elle. Immobile, il souriait en attendant sa réponse. Grisée par le fantasme romantique nébuleux qui l'égarait de la réalité, Dolores jeta brusquement les bras autour de son cou, se pressa contre lui et l'embrassa avec toute la passion qu'elle avait attisée au cours de l'année écoulée.

Sa duègne fut si estomaquée, si choquée par l'immoralité outrageante de sa petite-nièce, qu'elle en resta bouche bée.

— Hiiii! siffla-t-elle, au bout d'un moment.

Sur les entrefaites, Caroline franchit le seuil de la boutique, et surprit Jefferson et Dolores enlacés. Au début, elle n'en crut pas ses yeux. Au point où elle se sentit obligée de les cligner deux fois. Les mains de Jefferson étaient posées sur la taille svelte de Dolores. Il semblait goûter le baiser au moins autant que la jeune fille. Une souffrance hurlante explosa dans l'esprit de Caroline. « Idiote. Idiote. »

« Je donnerais tout pour m'évanouir. Je ne veux pas voir cela. »

Elle sentit le sang se retirer de son corps. Son visage pâlit. Un brusque élancement lui traversa le cœur. Ses genoux tremblaient sous sa jupe volumineuse. Elle tenta de se faire croire qu'il s'agissait d'une de ces secousses telluriques dont elle avait entendu dire qu'elles frappaient la baie de temps à autre. Il fallait qu'il y ait une explication logique à la scène. Non?

— Excusez-nous, Jefferson, dit William. Nous sommes venus chercher de la peinture et des clous de finition. Peut-être devrions-nous revenir plus tard?

Aux yeux de Caroline, Dolores mit une éternité à s'arracher des lèvres de Jefferson.

Ce dernier arborait une expression de stupéfaction étourdie, comme s'il avait été perdu dans le baiser au point de n'avoir pas eu conscience de sa fin.

Caroline entendit le fracas de son cœur qui se brisait en mille morceaux.

Les yeux de Dolores brillaient de triomphe. Ses lèvres étaient rougies par le désir. Maria Valleje Sanchez saisit la jeune fille par le bras et la tira vers la porte en marmonnant un flot de remontrances en espagnol.

— *Vámonos*, Dolores, s'écria-t-elle.

Elle poussa sa petite-nièce dehors sans ménagement, tout en continuant à la réprimander d'un ton sifflant. Dolores avait les yeux fixés sur Jefferson. Elle lui fit un signe délicat de la main en se laissant bousculer par sa duègne jusqu'à la sortie.

— Au revoir, Jefferson, murmura-t-elle d'un ton sensuel.

— Au revoir.

Jefferson vit la panique dans les yeux de Caroline.

— Y aurait-il un mariage dans l'air? fit William, taquin.

— Quoi? Bien sûr que non. Je ne sais pas ce qui lui a pris. Elle s'est jetée à mon cou pour m'embrasser, expliqua-t-il en regardant Caroline. C'était sacrément étrange.

— J'en suis certain, rétorqua William, avec un sourire narquois. J'ai bien l'impression qu'elle va avoir quelques petits problèmes en rentrant au ranch, ce soir. Ne soyez pas surpris si son père exige réparation.

Jefferson reporta les yeux sur William :

— Un duel?

— J'ai entendu dire que les Espagnols les aiment encore plus que les Créoles de La Nouvelle-Orléans.

Jefferson déglutit péniblement.

— Je ne voudrais pas me faire tuer pour ce que je ne veux pas, reprit-il d'un ton plein de sous-entendus en se tournant vers Caroline, qui était au bord des larmes.

— En êtes-vous certain? demanda celle-ci.

— Absolument.

Jefferson la fixait d'un regard grave.

William tapa du pied sur le sol en terre :

— En attendant, Jefferson, j'ai besoin de ces clous. J'ai des ouvriers qui m'attendent.

— Oui, opina Jefferson.

Il détourna le regard de Caroline et sourit à William.

— Quand votre domestique m'a transmis votre message, j'ai rassemblé vos achats derrière la boutique. Je vais les charger pour vous.

Jefferson s'éloigna, tandis que Caroline fouillait dans son sac pour en sortir l'argent pour acquitter la facture. Ses mains tremblaient pendant qu'elle comptait les pièces et les posait sur le comptoir. Elle sortit de la boutique, regrimpa sur le siège du char à bœufs et attendit que William la rejoigne.

Elle fut incapable de regarder Jefferson qui finissait de charger leurs achats dans la voiture.

— J'ai laissé le paiement sur le comptoir.

Jefferson serra la main de William :

— C'est un plaisir de faire affaire avec vous.

Tandis qu'ils remontaient la colline, Caroline comprit qu'elle venait de prendre un autre tournant sur le chemin de sa destinée. Elle était amoureuse de Jefferson, et bien qu'elle ait tenté de se berner en imaginant qu'ils pourraient continuer ainsi, elle venait de prendre conscience que son histoire d'amour était terminée. Elle ne pourrait jamais savoir avec certitude si Jefferson était attiré ou non par Dolores. Et même s'il l'était, Caroline ne pourrait l'en blâmer. Il était libre, alors qu'elle ne l'était pas. À lui seul, ce fait l'emprisonnait dans son enfer personnel pour le reste de sa vie.

Caroline ne pouvait quitter William, tant pour des raisons financières que morales. Tout l'argent qu'elle possédait était investi dans leur entreprise. Elle n'avait plus de famille dans l'Est ; ce partenariat avec William était tout ce qui lui restait. Si elle le quittait, elle n'aurait plus rien. Ni le prix du passage pour Boston ni son ancien emploi. L'idée de servir de gouvernante aux enfants des autres pour le reste de sa vie et de ne plus jamais revoir Jefferson était plus qu'elle n'en pouvait supporter. Par ailleurs, Caroline croyait qu'une fois marié, on l'était à vie.

Son intellect brassait une myriade de philosophies qui excusaient sa liaison adultère avec Jefferson, mais Caroline ne pouvait fermer les yeux sur la souffrance qu'un divorce occasionnerait à William. Elle savait qu'elle était la force de William. Il était une âme perdue, sans elle. Jefferson était fort. Elle était forte. William était faible. Elle avait signé un pacte sacré le jour où elle l'avait épousé selon le rite anglican.

Les vœux matrimoniaux de Caroline avaient décidé de son sort une première fois ; aujourd'hui, ils le réglaient définitivement. Ce soir, elle dormirait dans le lit de William, et elle lui permettrait de lui faire l'amour, comme il le souhaitait depuis leur départ de Boston. À compter de ce jour et à l'avenir, Caroline agirait comme une femme avec son mari. Elle songea que c'était la meilleure solution pour eux trois, mais surtout pour l'enfant de Jefferson qu'elle portait dans son sein.

Dix-sept

« Et après le vent, ce fut un tremblement de terre :
l'Éternel n'était pas dans le tremblement de terre.
Et après le tremblement de terre, un feu : l'Éternel
n'était pas dans le feu. Et après le feu,
un murmure doux et léger. »

— 1 Rois 19.11

Clac !
Le médecin assena une claque sur les fesses du bébé, mais celui-ci ne réagit pas. Clac ! Encore une fois, Caroline entendit la chair claquer contre la chair, un marmonnement de prières récitées, un juron prononcé par une voix d'homme, mais aucun autre signe de vie.

Elle n'arrivait pas à voir aucun des fantômes médicaux en sarrau de coton blanc qui l'avaient accouchée. Elle sentait bien l'odeur du sang et des médicaments, mais même ces effluves restaient flous.

— Dieu, je T'en prie. Laisse-moi mourir. Sauve mon enfant, marmonna-t-elle, comme elle l'avait fait tout au long de cette nuit de souffrance.

Soudain, elle l'entendit. Une petite voix, non pas un cri de colère ou un sanglot, mais le son de la vie luttant pour pénétrer le corps de son enfant.

Clac ! Caroline entendit le médecin assener une claque dans le dos du bébé.

Cette fois, le braillement était fort et clair, tout ce qu'il y avait de plus vivant.

— Mon bébé!

Caroline tendit ses bras courbaturés, mais eut toutes les peines du monde à concentrer son regard sur l'infirmière qui soulevait l'enfant pour le lui montrer.

— Un garçon. J'ai toujours su que ce serait un garçon.

La jeune mère esquissa un sourire de ses lèvres gonflées. Le bébé s'était présenté par le siège, et la délivrance avait été si souffrante qu'elle s'était mordu les lèvres en plus d'une dizaine d'endroits. Ses efforts avaient été si exigeants qu'elle en avait les yeux gonflés et presque fermés.

— Lawrence. Il s'appelle Lawrence.

L'infirmière acquiesça et s'éloigna avec le bébé. Caroline sentit la main fraîche du médecin qui épongeait la sueur sur son front.

— Caroline, je ne sais pas si le fait d'être à Boston pour votre accouchement était une bénédiction ou une malédiction. Contourner le cap Horn en début de grossesse ne vous a fait aucun bien, mais je doute sérieusement que vous ayez survécu à l'accouchement, votre bébé et vous, si vous n'aviez pas reçu les soins qui s'imposaient. Il n'y a pas beaucoup d'hôpitaux en Californie.

— Il n'y en a pas.

L'esprit de Caroline s'embrumait de nouveau.

— Il n'y a que deux planchers en bois, dont le mien.

— Il faut vous reposer maintenant.

Caroline essaya de se redresser sur ses coudes, mais elle était si faible qu'elle réussit à peine à soulever la tête de l'oreiller.

— Je dois écrire à mon mari.

— Demain, Caroline. Vous aurez tout le temps.

— Oui, du temps, acquiesça-t-elle en s'abandonnant au brouillard de l'anesthésie qui l'engloutit, très semblable à la brume matinale d'un vert argenté, qui s'engouffrait dans le détroit du Golden Gate.

La jeune femme sombra dans l'inconscience.

Lawrence William Mansfield était un tout petit bébé, pas aussi maladif cependant que les médecins l'avaient craint au départ. Étant donné son faible poids à la naissance, on conseilla à Caroline de ne pas rentrer en Californie avant que son fils ait six mois. Elle protesta qu'elle devait aider William à gérer leur entreprise. Elle était la seule à connaître précisément les plans de sa nouvelle maison, et la seule aussi à comprendre le créneau qu'ils devaient occuper avec leur commerce de détail. Elle avait quitté la Californie si brusquement qu'elle n'avait pas eu le temps de donner ses instructions à William quant au goût des jeunes Espagnoles choyées pour les articles ménagers et les belles parures féminines.

À défaut de mieux, elle écrivit à son mari. Elle l'informa de la décision du médecin, et lui donna des nouvelles du bébé, de son frère et du magasin familial de Boston. Elle l'informa qu'elle se chargerait d'acheter leur marchandise et de le lui expédier par la suite. Elle s'était servie de cette excuse — un voyage d'achats — pour convaincre William de la laisser retourner à Boston.

Elle ne voulait pas lui fournir trop de détails sur la naissance du bébé, toutefois. Si Lawrence avait été un bébé de poids normal, l'entourage aurait pu se montrer sceptique. Par conséquent, Caroline dit simplement à la famille de son mari que l'enfant était prématuré. Lawrence était si chétif, si pâle, avec ses yeux d'un bleu translucide et ses cheveux blancs en touffes hérissées sur le crâne, que la famille fut la première à reconnaître que même s'il n'était pas laid, ce bébé à l'apparence étrange n'était certainement pas entièrement formé.

* * * *

Caroline habitait à Beacon Hill, dans la résidence huppée de style fédéral de son beau-frère David et de sa femme, Cassandra. Elle partageait les services de la nourrice des deux enfants du frère de William. Elle pouvait aller et venir comme elle l'entendait, la plupart du temps.

Elle passa au *Lady's Magazine* pour revoir Sarah Hale et découvrit que son mentor avait essuyé une période difficile en raison des bouleversements économiques du milieu des années 1830. En 1837, elle avait joint ses forces à celle de Louis Antoine Godey, l'éditeur de *The Lady's Book* ils publiaient maintenant le *Godey's Lady's Book* et l'*American Ladies' Magazine,* que le commun des mortels appelait déjà le *Godey's Ladies' Book.*

Caroline ressentit un nouvel enthousiasme devant les tendances progressistes qui se profilaient à l'aube de la décennie. Le nouveau magazine refusait d'emprunter à l'Angleterre et à la France. Un accent novateur était mis sur les modes américaines, les écrivains et les poètes américains.

Caroline garda ces renseignements à l'esprit en achetant des chapeaux confectionnés en Amérique, moins luxueusement ornés que les chapeaux français. Le fait qu'il n'y ait pas encore d'opéra à San Francisco n'empêcha pas la jeune femme d'acquérir des bonnets en tricot de laine, qui garderaient les femmes au chaud dans le brouillard glacial du petit matin californien.

Caroline découvrit que les meilleures couturières travaillaient en bordure de la rivière Charles. Elle rencontra dans de petites pièces fermées des femmes mûres qui avaient la vue trop affaiblie, ou qui étaient trop malades ou tout simplement trop fatiguées pour continuer à œuvrer dans les ateliers de misère. Plutôt que de travailler aux métiers qui tissaient les étoffes, elles tricotaient, brodaient et cousaient à la main des robes fabuleuses.

Caroline dédaigna les soies neutres crème et les cotons taupe au profit du taffetas bleu, de l'indienne jaune pâle, de la soie émeraude, des satins bourgogne et du crêpe vert forêt. Elle commanda les toutes dernières nouveautés : encolure bateau, manche ballon d'une ampleur presque exagérée et nouvelle manche française, dite manche gigot, avec parements de dentelles et larges rubans. Elle exigea que les mouchoirs de lin soient bordés d'un ruban de dentelle étroite n'excédant pas quatre centimètres. Elle acheta des pendants d'oreilles, des parasols, des capotes, des rubans en satin pour les cheveux, des cannes pour les messieurs, des bottes, des bonnets de débardeurs, des vestons à pans évasés et des glands pour orner à peu près tout, de la poignée de tiroir à la canne de marche.

Durant ces six mois, Lawrence grandit en force et en santé, et Caroline s'efforça d'extirper Jefferson de son cœur. Comme Lawrence lui ressemblait énormément, ses traits ne lui rappelaient pas encore son amant.

La jeune femme restait concentrée sur ses affaires. Quand enfin elle fut prête à rentrer, elle avait accompli un exploit étonnant : elle avait réussi à ne pas penser à Jefferson une seule fois, en une heure.

Un soir, elle lisait la Bible devant l'âtre lorsque David entra dans la pièce.

— Je n'aime pas vous déranger quand vous êtes à vos dévotions. Néanmoins, j'ai reçu une lettre de William pour vous.

Avant même de poser la main sur l'enveloppe, Caroline sentit une violente bourrasque se déchaîner en elle. Il y avait quelque chose dans cette missive, quelque chose qu'elle ne voulait pas lire. Un terrible pressentiment l'envahit, et elle se recroquevilla sur son siège.

— Mais, qu'avez-vous ? s'enquit David. Vous êtes blanche comme un linge. Je vais vous chercher un peu d'eau-de-vie pendant que vous lisez votre correspondance.

— Merci, répondit-elle en prenant la lettre.

Elle brisa le sceau de cire. Ses yeux parcoururent rapidement le feuillet, y retrouvant les propos habituels sur le temps, les stocks à la baisse, le nombre croissant de navires qui entraient au port, ainsi que les questions de William sur le bébé et sur elle. Puis, elle lut ce qu'elle redoutait. Ses mains se glacèrent.

— Jefferson, murmura-t-elle à mi-voix en poursuivant sa lecture.

Les élancements de la solitude menaçaient de la briser. Peu importait son ardeur au travail ou comment elle occupait son esprit, Caroline était inexorablement amoureuse de Jefferson.

Elle ignorait comment échapper à cette torture.

Elle poursuivit sa lecture.

Bien entendu, ma chère, je n'ai parlé de ta grossesse à personne. Je n'étais pas pessimiste à proprement parler, mais les premiers rapports du médecin n'auguraient rien de bon. Néanmoins, tout ceci est derrière nous, n'est-ce pas ? Maintenant que je sais que je suis le père d'un garçon, j'ai organisé une petite fête au magasin. J'ai mis mon meilleur tonneau de rhum en perce et offert un cigare à don Richardson, Jacob Leese, Jefferson Duke et Nathan Spear, le nouveau venu. J'ai bien peur que nous ayons tous un peu trop bu à cette occasion. Jefferson Duke en a profité pour ajouter à la fête en annonçant qu'il avait l'intention de demander la main de Dolores Sanchez. Bien entendu, nous avons tous ri. Le pauvre garçon, jamais le père de la belle ne le permettra. Quoi qu'il en soit, je pense qu'il pourrait y parvenir, car elle est totalement envoûtée par lui, et lui par elle. Nous l'avons tous taquiné en lui disant qu'il ferait mieux de ne pas déplaire à la jeune dame au tempérament de feu, car elle fait partie des meilleurs tireurs du district. Même que si j'étais son père, je ne m'y risquerais pas.

J'espère que tu vas bien je meurs d'impatience de vous voir, mon fils et toi.

Ton mari,
William

La main de Caroline retomba dans son giron.

William lui-même avait déduit que Dolores finirait par obtenir ce qu'elle voulait... au bout du compte. En lisant la lettre de son mari, Caroline comprit qu'avant d'apprendre l'existence de Lawrence, Jefferson n'avait jamais eu l'intention d'épouser Dolores. Elle se demanda pourquoi il avait attendu si longtemps. Elle avait quitté la Californie presque un an auparavant. Peut-être le combat de Dolores et de son père s'était-il révélé trop exigeant. Le jour où Caroline les avait surpris, Jefferson avait semblé plus qu'empressé de posséder la jeune Castillane. Avait-elle eu tort de partir?

Elle secoua la tête. « Il fallait que je parte. J'étais déjà enceinte de deux mois. »

Brusquement, elle se rendit compte que David se tenait à côté d'elle avec un verre d'eau-de-vie.

— Qu'avez-vous dit? Vous partez dans deux mois?

— J'aimerais bien, fit-elle en prenant docilement le verre qu'il lui tendait.

Adoptant l'attitude surprotectrice et égocentrique qu'elle détestait, David déclara :

— Caroline, les médecins vous ont dit que vous devez rester pour la santé du bébé. Vous réagissez simplement à la lettre de William. Je comprends qu'il vous manque, mais lorsqu'il vous a écrit, je suis certain qu'il venait tout juste d'apprendre la naissance de son fils.

David était un homme généreux, mais son paternalisme donnait parfois la nausée à Caroline.

Elle le regarda. « Seigneur! Cet homme est vraiment énervant. Il s'adresse à moi comme si j'étais une enfant. Et il parle à toutes les femmes ainsi. Pas étonnant que les femmes soient encore si soumises devant ce genre d'attitude de la part des hommes. »

— Vous avez raison, dit-elle pour flatter son orgueil de mâle. William me manque, c'est tout.

— C'est compréhensible, ma chère, conclut-il en allumant sa pipe en terre.

Puis, il lui offrit un de ses sourires idiots et horriblement doucereux qu'il imaginait plein de compassion. Elle se dit qu'il lui donnait l'air idiot.

San Francisco, 1842

Jefferson trancha la gorge du daim qu'il allait dépiauter et dont il comptait conserver la viande pour se nourrir durant les mois à venir. Un flot de sang jaillit, et les mains de Jefferson se couvrirent du liquide rouge, chaud et collant. Il se rappela ses jours difficiles de trappeur, quand les fourrures lui avaient permis de se lancer en affaires. Aujourd'hui, il n'avait plus besoin de chasser, sauf pour se nourrir.

À l'époque, il avait béni les animaux, comme sa mère le lui avait appris. Tant qu'il y aurait un échange de prières entre l'homme et la bête, les deux pourraient coexister harmonieusement sur la planète. Il se rappela avoir songé qu'il pouvait parfois entendre Rachel murmurer. À l'époque, il avait pensé que c'était ses souvenirs qui lui jouaient des tours, mais aujourd'hui, il était plus avisé.

Plus Caroline lui manquait, plus il épanchait l'amour qu'il ressentait pour elle, plus souvent il entendait sa mère.

Au début, elle était venue à lui quand il sombrait dans le sommeil, ou juste au réveil. Il s'était dit que ses visions relevaient de son imagination ou qu'elles faisaient partie de ses rêves.

Mais comme ses visites devenaient plus fréquentes, Jefferson avait compris que sa mère était réellement à ses côtés. Tout comme Yuala, qui n'avait pas laissé Rachel seule sur terre, Rachel était près de lui pour le guider.

Jefferson était heureux de ne plus avoir besoin de la trappe pour vivre. Lorsqu'il se rendait dans les montagnes maintenant, c'était pour prier. Là-haut, il s'autorisait le luxe de longues heures de méditation.

Le ciel était un châle indigo serti de milliards d'étoiles scintillantes. Il lui rappela combien l'univers était vaste et combien il était seul.

Se laissant retomber sur ses talons, Jefferson sentit les larmes lui monter aux yeux.

— Mère, il y a longtemps que tu es venue me voir. Dis-moi quel doit être mon destin ? Est-ce que je dois aimer Caroline au point d'en souffrir à chacune de mes respirations ? Ne jamais la revoir ? Quel but ma vie aura-t-elle servi si je ne dois vivre que de la souffrance ?

Il ouvrit largement les bras.

— Enseigne-moi à mourir, mère, comme tu l'as fait. Si tu m'aimes, laisse-moi quitter cet endroit. Je ne peux le supporter une seconde de plus.

Il entendit hurler le vent.

« J'ai tout fait pour t'oublier, Caroline. J'ai même pensé que je pourrais te remplacer par une autre femme. »

C'était le soir où William avait organisé une petite fête à son magasin. Caroline étant à Boston, Jefferson avait pensé qu'il ne risquait rien en s'y rendant. Avec un peu de chance, il ne vendrait pas la mèche. Mais il y avait eu du whisky. Trop de whisky. Et Jefferson s'était soûlé à mort. Il s'était bien amusé, jusqu'à ce que William se mette à parader.

— Le croyez-vous ? avait-il crié à la cantonade, debout sur un baril de cornichons. J'ai un fils ! Caroline m'a rendu si heureux.

Tout le monde avait félicité le nouveau père avec force claques dans le dos, chacun y allant de son toast.

Le souvenir de Caroline — le son de sa voix, la texture de sa peau, son goût — avait déferlé sur Jefferson comme un ouragan. Il avait cru imploser sous la douleur.

Croyant que la seule manière d'éradiquer Caroline de son âme était de la remplacer par une autre, Jefferson avait titubé sur ses jambes engourdies, levé sa chope bien haut et déclaré :

— Écoutez-moi tous ! Je veux que tout le monde sache que j'ai l'intention d'épouser Dolores Sanchez !

Il entendit d'abord quelqu'un s'esclaffer, quelqu'un d'autre crier « bravo ! », mais ensuite, il n'y eut plus que le silence.

Les yeux à moitié fermés, Jefferson avait jeté un regard autour de la pièce :

— Donc, vous pensez qu'elle n'acceptera pas ?

Il vacilla sur la gauche, vira avec maladresse sur un talon et se retrouva en face de Jacob Leese.

Celui-ci répondit :

— Son père ne le permettra jamais. Tu n'es pas de sang royal. Et s'il entend parler de tes intentions, tu pourrais bien te retrouver avec le derrière farci de chevrotines.

— Ah ouais ?

— Bien peur que oui.

Jefferson ne se souvenait pas de la suite. Il était tombé dans les pommes.

Par la suite, une requête pour une rencontre hâtive avec don Sanchez fut acceptée, et Jefferson se confondit en excuses pour son manque de respect. Le même jour, don Sanchez arrangea le mariage de sa fille avec le fils de son cousin de Monterey. Il confia à Jefferson que la conduite inappropriée de sa fille l'embarrassait et qu'il savait qu'il était le seul à pouvoir mettre fin à ses bêtises.

Jefferson assura don Sanchez qu'il n'y avait eu rien « d'inconvenant » entre eux. Le noble espagnol le crut.

« Je me demande ce que don Sanchez dirait s'il savait que Yuala était ma grand-mère ? »

Des larmes amères lui vinrent aux yeux.

— Je me sens aussi impuissant qu'au moment où Richard a fait sa crise d'apoplexie et où Maureen nous a renvoyés, mère et moi, au quartier des esclaves.

Enlaçant ses doigts pour éviter que son énergie ne se dissipe dans le cosmos, Jefferson continua de prier.

— Mère, tu me manques ! Ta sagesse me manque. Je t'ai déçue. Je sais que je t'ai déçue. J'ai fait un gâchis du rêve de Yuala. Mais j'aime tellement Caroline. Quelle est la réponse pour nous ?

Soudain, une étoile filante s'élança à travers la galaxie, semant derrière elle un long arc de lumière et d'étincelles. Elle fila dans le ciel nocturne, indiquant au monde qu'il restait encore des miracles à découvrir.

À environ quarante-cinq mètres devant, Jefferson vit tout à coup une vapeur blanche, pure et nette, prendre forme et vaciller au ras du sol. Sachant qu'elle disparaîtrait s'il bougeait, il n'osa détourner les yeux. Ne distinguant ni visage ni corps, il comprit qu'il ne s'agissait pas d'un être humain. Certains auraient pu croire que c'était l'air du soir, prisonnier entre les arbres, d'autres penser que leurs yeux leur jouaient des tours, et d'autres encore croire à un reflet du clair de lune, mais Jefferson n'était pas dupe.

— Maman?

Il songea que ce qu'il voyait était plus réel dans son esprit que dans la réalité. Il observa avec son troisième œil. Il écouta, non avec ses oreilles, mais avec son cœur.

— N'aie pas peur, mon fils.

Des frissons couvrirent le corps de Jefferson et prirent son cuir chevelu d'assaut.

— Jamais. Maman, je t'en prie, aide-moi.

Rachel lui sourit son rayonnement était plus intense que lorsqu'elle vivait sur terre.

— Tu n'as rien fait de mal, Jefferson. Elle est mariée, oui, mais pas dans son cœur. Je n'ai jamais été mariée légalement, mais je l'étais dans mon cœur. Tu es le seul à pouvoir décharger tes épaules du fardeau de la culpabilité. Il te pèse or, tu as beaucoup de choses à accomplir dans la vie.

— Quel est le but de ma vie? Je ne ressens que du chagrin.

— Cette ville grandira grâce à tes rêves et à tes efforts. Tu es destiné à devenir l'un de ses dirigeants. Ton cœur est pur, Jefferson. Montre aux autres ce que je t'ai enseigné. Fais de cette cité un paradis pour ton fils.

— Mon quoi?

— Ton fils. Il s'appelle Lawrence. Il est important que tu ne pousses pas Caroline à quitter son mari. Ton fils doit être légitime, Jefferson. Pour le salut de ta petite-fille.

— Ma petite-fille?

— Barbara. C'est elle qui est apparue à ma mère dans une vision. Le destin de ta ville repose entre tes mains, et durant sa vie, sur la vie de Barbara. Elle combattra le mal, comme tu luttes aujourd'hui contre les préjugés et l'intolérance. Mais ce soir, je suis venue te mettre en garde contre d'autres dangers.

— D'autres dangers?

— En Orient, un homme porte la haine en son cœur pour tout ce qui porte le nom de Duke, comme toi. Il menaçait déjà ton grand-oncle, Andrew Duke. Aujourd'hui, il menace son fils, Ambrose. Mais il quittera son pays. Les dirigeants de son pays sont conscients de sa méchanceté. Dans les jours à venir, tu seras mis au défi. Dans les années qui viendront, il faudra te montrer prudent. Cet homme qui franchit l'océan a le cœur noir. Il est aveuglé par la haine et tentera de te tuer. Il sera responsable de grandes souffrances.

— Comment puis-je l'arrêter ?

— N'oublie pas que les pensées sont de la matière. Tu ne pourras le changer tant qu'il n'ouvrira pas les yeux pour voir la noirceur de son âme. Mais tu peux te protéger et protéger ta famille de sa colère en gardant toujours ton cœur rempli d'amour. Ton âme remplie de bonnes intentions.

Entoure-toi de pensées positives de protection, et fais de même pour Caroline et ton fils. Tes pensées formeront autour de vous une armure de lumière blanc argent. Si tu vacilles, tu périras.

— Je le ferai, promit-il.

— C'est important, Jefferson, parce qu'un jour, Barbara et toi vaincrez plusieurs maux ensemble. Si vous échouez, la ville sera détruite.

Soudain, Jefferson fut envahi par la peur en prenant conscience de l'impact réel des paroles de Rachel.

— Qu'est-ce qui se produira ?

— Un grand tremblement de terre, suivi d'un incendie. Je l'ai vu très souvent dans mes visions.

— Mais je ne suis qu'un homme. Comment pourrai-je faire une différence ?

Rachel leva le bras et Jefferson vit tomber une pluie de lumière argentée.

— Quel professeur médiocre je fais, soupira-t-elle. Tous les hommes ont de l'importance, Jefferson. Autrement, tu ne te serais pas incarné sur cette planète.

La pluie d'argent l'enveloppa et devint plus intense.

— Caroline et toi passerez beaucoup de temps ensemble. Ton enfant vient vers toi en ce moment même, Jefferson. Il s'appelle Lawrence.

La lune disparut derrière un nuage en même temps, la dernière étincelle de la queue de la comète s'éteignit. La vapeur qui flottait entre les arbres se dissipa, et Rachel disparut avec elle.

Étonné de constater qu'il était éveillé et non en train de rêver, Jefferson observa les alentours pour découvrir des preuves tangibles de l'apparition de sa mère. Mais il ne trouva rien. Pendant un moment, il pensa avoir perdu l'esprit.

C'est alors que la vérité le frappa comme la foudre. Il retomba sur ses talons.

— L'enfant de Caroline s'appelle Lawrence. Son enfant est le mien !

Tout prenait son sens. Caroline ne s'était pas enfuie à cause de Dolores, mais parce qu'elle était enceinte. Instantanément, Jefferson fut submergé de joie et de tristesse à la fois. Son fils faisait partie du corps de Caroline, mais jamais Jefferson ne pourrait le reconnaître comme sa progéniture.

Il avait fait tout ce chemin, traversé les marécages de la Caroline du Sud, arpenté les rues de Boston, fait le tour du cap et travaillé presque sans cesse durant toutes ces années, pour se rendre compte qu'il était toujours un esclave.

Son destin lui interdisait de jouir de la plus grande joie qu'un homme pouvait souhaiter : sa propre famille. Celle qu'il aurait dû prendre pour femme et son fils unique appartenaient à un autre homme. Ces deux êtres portaient le nom d'un autre homme : Mansfield.

La leçon qu'il devait apprendre était-elle que la liberté n'était qu'une illusion ? La réponse se trouvait-elle vraiment dans les paroles de sa mère ?

La souffrance et la confusion obscurcirent l'esprit de Jefferson. Peut-être qu'il était fou. Il se força à se concentrer sur la réalité. Le « fait » était qu'il venait de fonder une dynastie.

L'illusion était qu'il avait cru qu'elle porterait le nom de Duke.

Livre 3

La maison des Su

La maison des Su

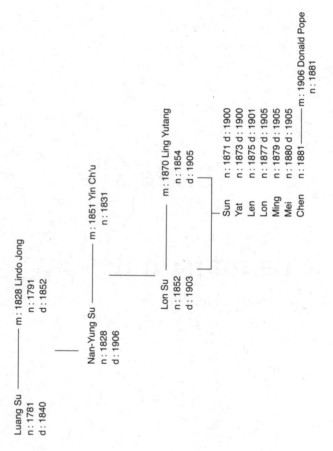

Dix-huit

« Je possède trois choses précieuses : je les tiens et les conserve comme un trésor. La première s'appelle l'affection la seconde s'appelle l'économie la troisième s'appelle l'humilité, qui m'empêche de vouloir être le premier de l'empire. J'ai de l'affection, c'est pourquoi je puis être courageux. J'ai de l'économie, c'est pourquoi je puis faire de grandes dépenses. Je n'ose être le premier de l'empire, c'est pourquoi je puis devenir le chef de tous les hommes. Mais aujourd'hui, on laisse l'affection pour s'abandonner au courage on laisse l'économie pour se livrer à de grandes dépenses on laisse le dernier rang pour rechercher le premier : voilà qui conduit à la mort. Si l'on combat avec un cœur rempli d'affection, on remporte la victoire si l'on défend une ville, elle est inexpugnable. Quand le ciel veut sauver un homme, il lui donne l'affection pour le protéger. »

— LAO-TSEU,
TAO TE CHING, LIVRE DE LA VOIE ET DE LA VERTU, CHAPITRE 67

Chine, 1839

Les Mandchous étaient un peuple hautain. Ils occupaient l'empire du Milieu qu'ils savaient situé au centre de la planète Terre. Ils possédaient très peu d'information sur le monde extérieur, ce qui les laissait suprêmement indifférents. Dans leur esprit, l'Europe était un groupe d'îlots où vivaient les barbares de l'extérieur, qui devait le même honneur et la même allégeance au Céleste empire que les autres pays satellites comme la Birmanie, l'Annam[22], la Corée et le Népal. Les Mandchous croyaient que l'Angleterre était une vassale de la Hollande, laquelle faisait partie de la France, et que toutes ces terres étaient la propriété des Portugais. En effet, aux yeux des Mandchous, les étrangers étaient tous vêtus semblablement, ils buvaient tous du vin comme les Hollandais, et portaient tous sur eux en tout temps du tabac à priser dans de petites boîtes en fil métallique, en général dans leurs vêtements trop ajustés d'allure ridicule. Les Hollandais et les Anglais étaient considérés comme des barbares aux cheveux rouges, partisan *hung-mao*. Tous les barbares vivaient du commerce, un passe-temps insignifiant dont ils faisaient une obsession. Ils étaient tous blancs, tous de haute taille — à l'exception des nains du nord-est — et ne mangeaient que du pain, des pommes de terre et de la volaille, assaisonnés avec des confitures et des gelées.

Quant aux Chinois, ils étaient capables de faire la distinction entre les classes sociales des étrangers. En cela du moins, leur système de caste s'harmonisait avec les préceptes chinois : la classe supérieure bâtissait avec de la pierre, la classe moyenne utilisait de la brique et les classes inférieures, de la terre. Quoi qu'il en soit, les barbares étaient inférieurs aux Mandchous en toutes choses et même, inférieurs à la civilisation chinoise dans son ensemble. La *seule* raison pour laquelle le peuple chinois autorisait les barbares à pénétrer dans sa contrée tenait à sa tradition de courtoisie.

En effet, Confucius n'avait-il pas établi que «recevoir un ami qui vient de loin, n'est-ce pas la plus grande joie?».

Les Mandchous faisaient en sorte que leurs contacts avec les barbares soient aussi brefs que possible. Ils acceptaient les tributs offerts à l'empire du Milieu et au fils du Ciel, mais en tout temps, ils restaient conscients qu'enseigner le chinois à un étranger était considéré comme un crime. Les contacts prolongés menaient à l'infiltration or, les Mandchous veillaient jalousement à la pureté de leur lignée.

Les Mandchous avaient du goût et du discernement. Ils formaient la classe dominante et à moins d'être accusé d'un crime contre l'empereur, aucun d'eux ne vivrait jamais dans la pauvreté, le besoin ou l'isolement. Les Mandchous croyaient en leur droit divin, le mandat

---

22. N.d.T.: Nom donné par les Mandchous à l'actuel Viêt Nam.

céleste selon lequel leur destin consistait à gouverner la race inférieure des Chinois et le grand pays qu'était la Chine. Ils repoussaient
les idées et les innovations étrangères à l'extérieur des frontières de
leur royaume, sans admettre qu'ils étaient *eux-mêmes* étrangers à la
Chine. Les Mandchous avaient leur propre langue, un assemblage
linguistique disparate de finnois, de hongrois et d'ouralo-altaïque,
que tous les fonctionnaires chinois se devaient d'apprendre.

Un trop grand nombre de Mandchous entretenait des préjugés
tenaces et s'efforçait de renforcer les différences entre les deux
cultures, plutôt que de travailler à l'assimilation de l'une par l'autre.
Le mariage avec un Chinois ou une Chinoise était strictement
défendu, car l'empereur devait veiller à la pureté de la race. Les
nobles et princes mandchous avaient le droit de prendre une Chinoise
pour concubine, mais n'épousaient que des Mandchoues.

En 1839, la Chine comptait 400 millions d'habitants, dont cinq
millions seulement de Mandchous. Les Mandchous gouvernaient
l'empire du Milieu avec la même apathie aveugle et le même égocentrisme rapace qui avaient attiré la colère céleste sur leurs ancêtres.
Afin de maintenir l'équilibre et la symétrie entre le ciel et la terre, les
Mandchous durent faire face à leur châtiment.

1er septembre 1839

Dans la baie de Swatow, à l'est de Canton, le prince mandchou
Luang Su approcha de ses lèvres minces une tasse de porcelaine délicatement peinte et but une gorgée de thé chaud. Luang Su avait le
crâne rasé, la longue natte noire et le chapeau mandarin en soie noire
orné du bouton de corail qui le désignaient comme un fonctionnaire
du deuxième rang. Un faisan doré était brodé sur sa tunique matelassée. Cet emblème, le *plu tzu*, indiquait qu'il faisait partie des civils.
S'il avait été militaire, son *plu tzu* aurait été un lion brodé. La classe
des mandarins comptait neuf rangs, caractérisés dans l'ordre par le
bouton de rubis au premier rang, puis par le corail, le saphir, le
lapis lazuli, le cristal, le jade blanc, l'or, l'or travaillé et finalement,
l'argent travaillé au neuvième rang. Considéré comme une couleur
impériale, le jaune ne pouvait être porté que par le fils du Ciel, l'empereur Tao-kuang.

Luang Su se laissa aller contre le dossier de son siège houssé de satin. Ses yeux étroits et perspicaces étaient protégés des rayons du soleil couchant par une ombrelle en soie rouge. Trois serviteurs l'éventaient avec des plumes de paon. Luang Su choisit une pêche bien mûre que lui tendait un Chinois inculte sur un plateau doré et mordit à belles dents dans la pulpe juteuse, tandis que ses rameurs propulsaient sa jonque chinoise, un bâtiment de guerre, vers le navire barbare qu'on appelait le *Lily*.

Luang Su était un homme extrêmement intelligent, habile aux jeux et aux embûches politiques ; il savait faire en sorte que ses adversaires se marchent sur les pieds plutôt que d'écraser les siens. Pour sa rencontre avec les Britanniques, le prince mandchou avait emmené son propre interprète, mais l'homme n'était qu'un leurre pour cacher le fait que Luang Su comprenait très bien l'anglais.

Il vit que le capitaine du *Lily*, corpulent et barbu, l'attendait sur le pont en bois de sa goélette. Luang Su était le plus important de tous les Orientaux avec qui le capitaine Young allait faire affaire en Chine. Le prince mandchou était le seul homme assez puissant pour permettre au capitaine Young d'introduire illégalement de l'opium dans le Céleste empire. D'ailleurs, le capitaine payait grassement Luang Su pour ce privilège.

La jonque accosta le long de la grande goélette. Aidé de trois serviteurs et de deux soldats britanniques, Luang Su monta pesamment à bord du navire. Il laissa le capitaine s'incliner devant lui. Il lui rendit son salut par courtoisie, mais sans trop s'incliner il ne voulait pas trop honorer ce barbare.

— C'est un plaisir de vous revoir, Luang Su, déclara le capitaine.

Un matelot de pont s'approcha immédiatement avec un cigare pour le prince mandchou. Le cuisinier arriva à son tour, portant sur un plateau en bois, une tasse de vin de madère du Portugal, le préféré de Luang Su.

Luang Su jeta un regard dédaigneux au plateau et se demanda pourquoi ces hommes immensément riches ne s'offraient pas des plateaux en or, comme lui. Sans sourire, il prit une petite gorgée, avant de remercier le capitaine par le truchement de son interprète.

Puis, levant les yeux sur le barbare, il l'interrogea :

— Pourquoi ce navire est-il à l'ancre à Namoa, quand vous savez que tous les navires étrangers ont uniquement le droit d'aborder à Canton?

L'interprète traduisit rapidement ses paroles en anglais.

Le capitaine Young répondit immédiatement :

— Oh! Nous étions en route pour Canton. Mais un vent mauvais nous a forcés de jeter l'ancre ici, à Namoa. J'espérais que nous pourrions obtenir de l'eau et des provisions.

— Vous aurez tout ce dont vous avez besoin.

— Merci, répondit Young, tout sourire.

Les longs sourcils droits de Luang Su se rapprochèrent pour former une ligne soupçonneuse au-dessus de ses yeux.

— Mais vous devrez partir *tout de suite après*!

— Bien entendu, fit le capitaine en s'inclinant légèrement.

Luang Su se pencha et retira de sa botte un document rouge qu'il tendit à l'interprète. Celui-ci en fit la lecture à haute voix :

— Ceci est une copie authentique de l'édit impérial de la dix-septième année, sixième lune, quatrième soleil, du règne de Tao-kuang. Comme le port de Canton est le seul où les barbares de l'extérieur ont la permission de faire du commerce, ils ne sont pas autorisés à vagabonder dans l'empire du Milieu, ni à visiter d'autres lieux, sous aucune considération. Néanmoins, désirant que sa compassion soit manifeste, même aux yeux des moins méritoires, Sa Majesté ne peut refuser les secours nécessaires à la poursuite de leur voyage aux personnes qui ont besoin d'assistance parce qu'elles manquent de provisions, en raison des courants et des eaux adverses. Une fois réapprovisionnées, ces personnes ne doivent pas s'attarder, mais doivent reprendre la mer sur-le-champ.

L'interprète remit l'édit à Luang Su qui le glissa dans sa botte et se leva pour signifier à ses serviteurs qu'ils pouvaient maintenant le laisser.

Le prince mandchou se tourna vers le capitaine et aborda la conversation qui les avait occupés maintes fois par le passé. Luang Su usa d'un ton forcé et d'un langage maladroit, car il voulait continuer de berner les barbares quant à sa maîtrise de l'anglais.

— Combien coffres de boue étrangère à bord?

— Environ deux cents.

— Tous pour Namoa?

— Nous voulons essayer de les vendre ici, répondit le capitaine

— Vous être sage. Plus haut sur la côte, les officiers être très sévères. On m'a dit que trafiquants avoir été décapités récemment à Amoy.

Souhaitant le rassurer, Young répondit d'un ton ferme :

— Nous n'avons absolument pas l'intention de nous rendre à Amoy.

— Je répète : vous être sage. Nous supposer que vous débarquer coffres ici.

— Si Votre Excellence nous en donne l'autorisation.

— Mon autorisation, si je peux dire comme ceci, dépendre de votre offre.

Le capitaine attira le prince mandchou à l'écart et sortit de son gilet de laine brune deux sacs de pièces d'or. Luang Su secoua la tête. Young ne dit rien. Il se contenta de soupirer avant de sortir un troisième sac de la poche intérieure gauche de sa veste.

C'était leur procédure habituelle.

Luang Su sourit d'un air désapprobateur en voyant apparaître le troisième sac.

— Je dois comprendre que vous pas avoir d'information à me donner sur l'Angleterre ?

— À propos de la famille Duke ?

— Oui.

Le capitaine jeta un regard envieux au troisième sac d'or.

— En dépit du fait que je voudrais ne pas me départir de mon or, je crains fort d'être obligé d'avouer que je n'ai rien à rapporter. Comme je vous l'ai dit la dernière fois, les femmes de la famille Duke qui vivaient en Jamaïque sont mortes depuis longtemps. Aucune n'a laissé d'héritier. Luang Su, la quête de votre famille est vaine. Comme je vous l'ai dit, seul Ambrose Duke, qui vit toujours à Canton, peut être retrouvé.

Les yeux du prince mandchou brillèrent d'indignation vertueuse.

— Mon devin affirmer qu'il y a autre homme, plus jeune. Il vit près de l'eau. Ce doit être Angleterre, d'après vos descriptions.

Le capitaine Young secoua la tête.

— Puis-je vous suggérer de consulter un autre diseur de bonne aventure ?

Luang Su lutta contre les démons qui s'agitaient en lui. Sa famille était condamnée si elle ne parvenait pas à se venger des Duke.

— Mon conseiller être le meilleur. Votre enquête manquer d'exactitude.

— Luang Su, je ne sais que vous dire. Cela fait maintenant sept ans que j'ai entamé ces recherches pour vous. Peut-être que si vous demandiez à votre... conseiller d'être plus précis. Quelle ville près de l'eau ? Peut-être qu'elle n'est pas en Angleterre.

— Non ! Lui me dire que les habitants de cette ville parlent votre langue.

— On parle l'anglais dans plusieurs pays. En Amérique, par exemple.

— Le Nouveau Monde, fit Luang Su, songeur.

— Demandez à votre conseiller s'il est possible que ce Duke soit en Amérique. J'ai des contacts là-bas, à New York, à La Nouvelle-Orléans, à San Francisco, ainsi que dans plusieurs autres ports. Je vous en prie, faites-le pour moi, Luang Su. Je voudrais vraiment vous aider, conclut Young en tendant au Mandchou le troisième sac d'or.

Le visage de Luang Su arborait une expression implacable.

— Vous pas vouloir m'aider. Vous vouloir seulement garder votre or.

— Oui, je suis ce genre de mercenaire, lança le capitaine en souriant.

Il prit immédiatement conscience de son erreur. Les Mandchous étaient connus pour leur absence totale de sens de l'humour.

— Fournissez-moi plus d'informations. Je ferai de mon mieux.

— Hum..., marmonna Luang Su en se détournant. N'oubliez pas : sans mon autorisation pour votre boue, je pourrais faire exécuter vous tous.

— Je ne perds pas le fait de vue une seconde, assura Young.

Luang Su s'éloigna en direction du bastingage, salua le capitaine en s'inclinant avec respect, puis descendit l'échelle de chanvre pour remonter à bord de sa jonque. Il s'assit confortablement et s'adossa au satin corail de son siège sur mesure. Il ne jeta pas un regard au navire britannique tandis que ses rameurs le ramenaient vers la terre ferme.

* * * *

Il n'y avait rien de mystérieux au trafic d'opium en Chine. La Compagnie anglaise des Indes orientales avait besoin d'un marché pour écouler les énormes quantités d'opium produites aux Indes. Durant des années, les Chinois avaient refusé aux Britanniques l'autorisation de faire le commerce de leurs vêtements et de leurs produits manufacturés. Le fils du Ciel avait décrété que les Chinois n'avaient nul besoin de ces biens. Dans certains cas, lorsqu'il autorisait le commerce avec les Britanniques, l'empereur exigeait de lourds droits fiscaux d'entrée.

Néanmoins, les Chinois autorisèrent rapidement la vente de leurs produits locaux : thé, soie, rhubarbe, nankin (une toile de coton fabriquée à Nankin), porcelaine, objets laqués, meubles chinois et objets sculptés à la main. Ils exigèrent que les achats soient acquittés en pièces d'argent. Par conséquent, les coffres de pièces d'argent affluaient en Chine depuis des décennies, et ce déséquilibre commercial se révélait mortel pour l'Angleterre.

Les Anglais n'étaient autorisés à commercer qu'avec les seuls marchands Hong de Canton par ailleurs, presque toutes les transactions exigeaient de gros dessous de table. Le Hoppo, représentant financier de l'empereur, était lui-même très impliqué dans les pots-de-vin. Il était rare que le mandataire de cette fonction se retire du conseil des recettes fiscales à la fin de son terme sans avoir accumulé une fortune personnelle considérable.

Le système commercial et la chaîne de bureaucrates exigeant des « gratifications » devenaient plus complexes de jour en jour. Tout le monde se servait dans la caisse : les fonctionnaires des douanes, les interprètes, les pilotes qui faisaient remonter la rivière des Perles aux navires, et les *compradors*[23] qui achetaient la marchandise pour le compte des entreprises britanniques.

Luang Su faisait simplement partie du système.

Les Britanniques usèrent à l'égard des Chinois des seules représailles qu'ils connaissaient : l'opium. Il était facile de pousser les Chinois à fumer de l'opium, étant donné que même leurs femmes fumaient du tabac depuis des siècles, une habitude qui leur venait des habitants de Formose[24]. Mais ce furent les Turcs et les Arabes qui introduisirent le pavot en Chine et qui montrèrent aux Chinois comment consommer l'opium brut à des fins médicinales.

---

23. N.d.T.: De l'espagnol, signifie « acheteur ». À l'origine, le mot désignait les entreprises privées qui s'enrichissaient grâce au commerce avec l'extérieur (firmes colonialistes par exemple).
24. N.d.T.: Aujourd'hui Taïwan.

Au dix-septième siècle, les Chinois fumaient un mélange d'opium et de tabac. Bien qu'en 1729 l'empereur ait émis un édit interdisant la vente et la consommation d'opium, le nombre de fumeurs augmenta, en dépit des châtiments cruels qui attendaient les consommateurs pris sur le fait. Un siècle plus tard, les eunuques, et même certains membres des gardes du corps impériaux, étaient opiomanes.

Le fils du Ciel restreignit la culture du pavot au territoire chinois, ce qui n'était pas difficile, car l'opium chinois était de qualité inférieure et peu satisfaisant. Seul l'opium indien faisait l'affaire. En 1835, ce trafic avait fait deux millions d'opiomanes chez les Chinois les profits engrangés par les capitaines britanniques dépassaient les cent mille livres annuelles. Le nombre de caisses d'opium était passé à vingt mille, chiffre qui devait quadrupler en moins de cinq ans.

Luang Su était plus intéressé que la plupart au commerce de l'opium. En effet, c'était à cause de l'opium que son père avait assassiné sa mère avant de se suicider. À l'époque, un oncle du prince mandchou, récemment marié, habitait à côté de la maison des Su : c'était lui qui avait sauvé Luang, alors âgé d'un an, avant l'arrivée des autorités. Il avait affirmé avoir déjà enterré l'enfant étranglé en conséquence, on avait faussement enregistré son décès. L'oncle et la tante étaient partis à Pékin avec le bébé. Une fois sur place, ils avaient prétendu que Luang était leur fils, mais comme ils faisaient aussi partie du clan Su, les rumeurs de scandale les avaient suivis.

Chaque jour, le couple avait rappelé à Luang Su les dangers de l'opium que son père avait acheté à un barbare nommé Andrew Duke. Il ne lui avait jamais permis d'oublier ses véritables parents, ni le mal qui leur avait été fait. Il lui avait affirmé que son héritage consistait à venger sa famille. Il lui avait dit que sa mission consistait à chercher et à éliminer tous les Duke de la planète.

* * * *

Les rameurs de Luang Su accostèrent à l'endroit où le prince mandchou mouillait sa jonque. L'emplacement était dégagé et se trouvait à l'extrémité du quai, là où aucun résident n'oserait le déranger, ni empiéter sur son territoire. Luang Su aimait bien avoir la possibilité d'accoster sans qu'une centaine d'yeux suivent ses moindres mouvements ou scrutent ses poches bien remplies.

Entouré de ses serviteurs agités, le prince mandchou passa devant les tentes des marchands de légumes et du boulanger qui confectionnait des beignets, puis de la masure en nattes où trois jeunes filles faisaient cuire des gâteaux de riz. Il détourna le regard du visage familier des vendeurs d'opium qui rendaient visite au navire britannique. Ils prétendaient tous ne pas se connaître.

La baie de Swatow était petite, et le village ne se comparait en rien à Canton, avec son quartier étranger où Britanniques et Américains avaient bâti entrepôts et manufactures. Luang détestait vivre dans ce village, alors qu'il avait déjà vécu à Pékin, la grande Cité impériale chinoise.

Il se languissait des hauts murs pourpres qui dissimulaient la ville et, au cœur de son centre, la Cité interdite elle-même. Il avait déjà été convoqué à la cour impériale pour recevoir une récompense pour son travail méritoire au service de l'empire. Il n'avait que vingt ans à l'époque et il était très idéaliste. Il valait mieux avoir cinquante-huit ans, comme aujourd'hui, et être très riche.

Les quelques maisons cossues du district ne révélaient que des murs ternes du côté de la rue boueuse. Mais une fois franchi le portail en bois et en fer, la maison de Luang Su était aussi près de la perfection que possible.

Des saules pleureurs balayaient de leurs longs doigts verts le sol jonché d'un tapis de fleurs. Des fleurs de lotus s'étalaient à la surface d'un étang dont l'eau était si limpide que de loin, on y voyait nager un énorme poisson doré aux yeux télescopiques. Selon les saisons, des arbres fruitiers délicatement taillés ployaient sous les poires, les pommes, les abricots, les avelines et les noix. À l'entrée de la maison, deux dragons en porcelaine aux couleurs vives montaient la garde, non loin d'une minuscule pagode en fer où brillait la flamme vacillante d'une chandelle. Sous les arbres fruitiers, un banc en pierre offrait à Luang Su un endroit paisible où se reposer.

Luang Su pénétra dans son jardin et entendit le doux son familier du gong en laiton qu'un des serviteurs de sa suite était chargé de faire entendre chaque soir. On entendit un murmure de voix féminines en provenance de la maison. Un coussin en soie rouge fut déposé sur le banc en pierre avant que Luang Su y prenne place. Un repose-pieds aux broderies noires, or et orange, fut poussé sous ses pieds chaussés de satin.

— Dis à mon épouse de m'emmener Nan-Yung, ordonna-t-il au serviteur courbé à ses pieds.

— Oui.

L'homme d'âge mûr s'éloigna d'un pas traînant vers la maison.

Luang Su leva les yeux vers le ciel. On était au début du mois de septembre et bientôt, la saison des pluies débuterait. Puis, ce serait l'hiver. Le prince mandchou n'aimait pas l'hiver, car un édit impérial obligeait les barbares à fermer leurs entrepôts et leurs comptoirs commerciaux de Canton. Ils n'étaient pas autorisés à résider en ville ils devaient vivre à l'extérieur, sur une île minuscule. Le flot paisible d'argent et d'or qui coulait dans les poches de Luang Su se tarirait. Le prince fronça les sourcils.

Même s'il était le magistrat de la région, il n'était pas vice-roi de la province, comme il avait un jour espéré le devenir. C'est que dix ans plus tôt, Luang Su avait changé de plan de vie lorsqu'il avait été trouvé coupable de trafic d'opium.

Il n'avait pas été dépouillé de son rang, mais on lui avait enlevé le vaste territoire de Canton sur lequel il régnait à l'époque. Son fils venait de naître et il avait aujourd'hui onze ans. Le temps échappait à Luang Su. Mais surtout, sa chance d'accéder à l'immortalité s'amenuisait visiblement.

Lindo Jong, son épouse, n'avait conçu qu'une fois. S'il n'avait pas été jugé coupable de ses crimes, s'il n'avait pas jeté la honte sur sa famille et si l'empereur lui-même ne l'avait pas humilié publiquement, Luang Su aurait pris une autre épouse. Mais aucune femme mandchoue ne voulait de lui.

Il se frappa la paume du poing.

— Encore une fois, les Duke sont responsables de ma chute. Ambrose Duke.

Sa voix était pleine de venin en prononçant le nom de son ennemi.

Jamais Luang Su n'admettrait sa propre stupidité. Il avait l'habitude de blâmer les autres pour ses erreurs. Son manque de succès. Il ne voyait pas sa propre cupidité. Son besoin de transformer les mensonges en faits.

La transpiration mouilla sa lèvre supérieure.

— Je débarrasserai le monde des Duke!

Soudain, son cœur palpita. L'anxiété l'envahit. Il pressa une main sur son cœur.

«Je me fais vieux. J'ai échoué dans mon devoir le plus important. Mon fils est la seule chance qui me reste de me racheter et de racheter mon père. Oui. Nan-Yung portera le flambeau.»

— Mon seigneur, murmura Lindo en s'approchant.

Elle était vêtue de magnifiques robes en satin blanc, sa coiffure élaborée était décorée de longues épingles à cheveux auxquelles des prismes de cristal avaient été fixés. L'ensemble rappelait beaucoup les chandeliers qui éclairaient la Cité interdite. Son visage était couvert d'une épaisse couche de poudre de riz blanche qui dissimulait les cicatrices de la variole qui avait flétri sa beauté quand elle avait vingt-cinq ans. Peintes en bourgogne foncé, ses lèvres dessinaient un tout petit cercle, et ses yeux étaient soulignés de khôl. Elle était chaussée de mules plates dorées et sans talons, car la coutume de bander les orteils vers la plante du pied pour forcer le talon à s'allonger et à remplir le talon évidé des chaussures n'avait pas cours chez les femmes mandchoues. Les Mandchoues ne se mutilaient pas comme les Chinoises, puisqu'elles naissaient avec de petits pieds à la mode et que leur démarche sur leurs «lis dorés» leur était naturelle, plutôt que le résultat d'une déformation artificielle. Les hommes mandchous ne s'inquiétaient pas que leurs épouses s'enfuient, car ils en prenaient grand soin, ce que les Chinois avaient de la difficulté à faire.

Il vit l'inquiétude qui affligeait son visage.

— Je vais bien.

Elle s'inclina profondément, mais Luang Su ne s'intéressait déjà plus à elle. Il avait le regard fixé sur Nan-Yung qui suivait sa mère.

— Viens, dit le prince en invitant le garçon à s'approcher d'un geste de l'index.

L'ongle de dix centimètres de long était protégé par un étui en jade vert.

— Dis-moi ce que tu as fait aujourd'hui.

— J'ai lu, répondit l'enfant.

Nan-Yung était vêtu de manière exquise, ce qui plut à son père. Il portait une tunique en satin sur un pantalon en soie noire, et son chapeau mandarin était la réplique miniature de celui de son père.

— Et qu'as-tu lu?

Un demi-sourire se dessina sur les lèvres de Luang, mais il n'y avait aucun pétillement dans ses yeux.

— Des passages du *Tao Te Ching*.

— Tel que? l'interrompit son père.

Nan-Yung savait que cette récitation l'attendait. Il était prêt.

— Les soldats sont les instruments du mal. Ce ne sont pas les instruments du sage. Il n'y a pas de beauté dans la victoire. Et celui qui la juge belle est homme à aimer tuer. Rendez le bien pour le mal.

— Assez! ordonna Luang qui se leva de son siège comme propulsé par une fusée.

Il vrilla Lindo du regard.

— As-tu choisi ses lectures?

Elle baissa la tête, trop heureuse de ne pas avoir à affronter son regard.

— Comment le pourrais-je, puisque je ne sais pas lire?

— Je les ai choisies moi-même, père. J'ai pensé que cela vous plairait. Comme vous êtes un homme honorable. Un homme de bien.

Son regard sincère ne trahissait aucun remords, ni aucune larme d'émotion, ce que Luang Su détestait.

— Ah, fit-il en se rasseyant. Peut-être le temps est-il venu pour notre peuple de mettre de côté le livre de la voie et de la vertu. Bientôt, il y aura la guerre.

— La guerre, père? Nan-Yung était incrédule. Avec la racaille chinoise qui menace de nous déloger de notre maison parce qu'elle est jalouse de notre position si près du Ciel?

Il se faisait l'écho des sentiments de son père.

— Non. Avec les Britanniques. Bien que le fils du Ciel ait déjà été puissant, il a perdu une partie de son pouvoir. Les dommages causés par l'inondation du Yangzi Jiang, quand tu étais enfant, n'ont jamais été réparés. Le refus impérial d'autoriser les Britanniques à commercer librement a provoqué la fuite des capitaux du trésor gouvernemental. C'est l'empereur qui est coupable du terrible trafic d'opium. C'est un homme stupide.

— Un homme sans vision, ajouta Nan-Yung.

— Exactement, soupira son père. La famine et la sécheresse, la rébellion dans le Nord, les soulèvements à Canton et sur l'île de Formose. Et maintenant, les barbares l'ont mis au défi. Son pouvoir n'est rien comparé à leurs grands navires. J'ai vu la puissance de leurs canons. J'ai vu la détermination sur leur visage ils veulent que l'argent de l'opium continue de leur fournir des profits. Il frappa le banc en pierre du poing. L'empereur ne comprend-il pas que le Ciel n'est pas content de lui?

Nan-Yung secoua sa petite tête.

— Aveugle.

Luang Su fixa intensément son fils du regard, sa chance de devenir immortel.

— Les canons des barbares feront bientôt feu. Nous partirons alors.

— Quitter notre demeure?

Nan-Yung tourna les yeux vers sa mère qui, tout à coup, ne se montrait plus aussi modeste en avançant agressivement d'un pas.

— N'aie pas peur. Nous avons de l'argent. Nous irons à la Cité céleste. Je demanderai audience au fils du Ciel, car bientôt les barbares remonteront le Yangzi Jiang avec leurs navires. Ils emprunteront le Grand Canal et se rendront jusque devant les murs de la cité. Mais à ce moment, moi, Luang Su, je serai là.

Nan-Yung recula vivement d'un pas et s'inclina devant son père, impérieux, qui se dressa et partit en trombe vers la maison, ses trois serviteurs s'agitant à sa suite comme une volée de cailles.

Le 4 septembre 1839, les Britanniques lançaient leur offensive sur Kowloon. La première guerre de l'opium était déclarée.

Dix-neuf

« L'homme est libre et doit choisir
entre le Sage Seigneur et sa loi,
ou Ahriman, le Mensonge[25]. »

— ZOROASTRE, TRADUCTION LIBRE

La famille Su emprunta le Grand Canal, la plus longue rivière artificielle du monde. Le canal s'étend du plateau de Mongolie au nord, où la Grande Muraille de Chine sépare l'est de l'ouest, jusqu'à la mer de Chine orientale. Il connecte les bassins hydrographiques de quatre cours d'eau : le Hai He, le Huai He, le Qiantang Jiang et le Yangzi Jiang. Il relie Pékin au nord, à Hangzhou au sud, sur la côte.

La construction du canal avait été entreprise au début du Ve siècle et s'était poursuivie jusqu'à la fin du XIIIe siècle. Durant 1 179 ans, les travailleurs chinois avaient cru que l'ouvrage faciliterait les communications, de même que le transport des passagers et des marchandises, et améliorerait l'économie et la qualité de vie du peuple. Comme les Chinois souhaitaient alors glorifier les réalisations humaines, le Grand Canal resta le symbole du triomphe de l'homme sur la nature, des siècles durant.

La corruption politique, la mauvaise gestion et la cupidité provoquèrent la dégradation de cette voie de transport. L'envasement bloqua progressivement le cours d'eau et mit un terme au commerce de centaines de milliers de personnes qui vivaient le long des affluents et des anses, et dans les maisons délabrées à trois étages

---

25. N.d.T.: Traduction libre.

agglutinées le long des berges du Yangzi Jiang. On fit appel au gouvernement pour qu'il affecte les sommes nécessaires à l'entretien du canal, mais au milieu du XIXe siècle, le gouvernement était devenu une entité en péril. Il avait perdu son pouvoir, son courage et le respect de son peuple.

Luang Su jeta un regard furieux à ses rameurs qui luttaient contre les eaux basses du Grand Canal. Il se tourna vers le Chinois de grande taille, obèse et ventru, vêtu seulement d'un pantalon noir ceint à la taille d'une large ceinture en cuir.

— Fais en sorte qu'ils rament plus vite !

L'homme sortit son fouet et en fit claquer les lanières au-dessus de la tête des rameurs.

— Le prochain coup sera pour votre dos !

Les hommes se courbèrent sous la tâche, leurs bras maigres qui sortaient de leur chemisette en nankin noir tremblèrent pratiquement sous l'effort. Brusquement, l'embarcation se remit à avancer.

— Un vent mauvais. « Voilà ce que c'était », songea Nan-Yung en observant les autres jonques qui s'efforçaient de remonter le canal.

Si seulement la brise pouvait se lever, ils pourraient hisser la voile rouge vif qu'il aimait tant et arriver rapidement à la Cité impériale.

Luang Su baissa les yeux sur les eaux boueuses.

— Il n'y a plus d'argent dans les coffres de l'État pour désenvaser les voies navigables. C'est la fin de l'Empire.

Il secoua tristement la tête.

Nan-Yung était heureux que son pédant de père lui tourne le dos ainsi, il ne l'entendrait pas grogner. Pas d'argent. Ha ! Il y en aurait eu bien assez pour répondre à tous les besoins de la Chine, si des hommes comme son père n'avaient pas vampirisé la vie de ce pays magnifique. Nan-Yung aurait craché sur les mensonges et l'aveuglement de son père s'il avait cru pouvoir s'approprier ainsi le contrôle de la situation. Mais il n'était qu'un garçon. Il avait seulement onze ans. L'ego de son père déterminait encore son destin.

Des murs de pierre teints en pourpre se dressaient en une série de labyrinthes qui s'enroulaient autour du noyau privé de la Cité interdite, dissimulée aux yeux du reste du monde. De Khanbalic, la vision de la Cité céleste de Kubilai Khan, Pékin ne conservait que l'aménagement en échiquier. La jonque des Su s'étant rangée au bord du canal, Nan-Yung vit se dérouler devant lui une rue de dix-huit mètres de largeur. Deux rameurs sautèrent sur la berge empierrée couverte de moisissures et amarrèrent la jonque en l'attachant au bollard en pierre à l'aide d'un cordage en chanvre.

Devant les toits pagodes jaune vif des guérites, seules structures à s'élever plus haut que les murailles, Nan-Yung fut frappé d'émerveillement. Il découvrait une splendeur architecturale qui dépassait son imagination. Aucune tour ne se lançait à l'assaut du ciel, comme il avait pensé en voir : comme son père le lui avait expliqué, le respect dû à l'empereur et au *feng shui*, les esprits de l'eau et du vent, exigeait qu'on ne bâtisse aucune structure plus élevée que la résidence impériale. Quoi qu'il en soit, l'envergure même du complexe laissait le garçon bouche bée.

La journée était belle : il n'y avait pas de tempête de sable soufflant du désert de Gobi sur les bosquets de pins blancs, ni de brouillard s'élevant des collines herbeuses qui semblaient s'emboîter les unes dans les autres comme les vagues de l'océan. D'où il se tenait, Nan-Yung découvrait Jingshan, la Colline de Charbon, dans toute sa hauteur. Le long des pentes, la ville grouillait d'activité. Il était impatient de voir la multitude de demeures et de palais, entassés les uns sur les autres, où se tramaient dans le secret toutes ces intrigues dont il avait entendu parler.

Les Su pénétrèrent dans la cité à pied, en empruntant les portes sud de la ville extérieure. Nan-Yung découvrit les six cent quarante acres du Temple du Ciel, ainsi que les trois cent vingt acres du Temple de l'Agriculture, qui se dressaient de chaque côté de la voie d'accès surélevée. Des moutons maigrelets, dont les sabots s'enfonçaient dans la boue, broutaient des touffes d'herbes clairsemées. Nan-Yung vit des corneilles noires fondre sur eux d'un air malveillant, avant de remonter se poser sur des arbres torturés. Le garçon frissonna devant ce tableau menaçant. Il se demanda si c'était un mauvais présage.

Aussitôt les portes franchies, Nan-Yung eut l'impression que tout, des pierres, aux planches en passant par le mortier, était vivant.

— Père, je n'ai jamais vu autant de gens entassés au même endroit.

— Il y a plus de monde que dans mon souvenir, répondit Luang Su.

Les échoppes délabrées et les cahutes en nattes s'entassaient les unes contre les autres et se soutenaient mutuellement. Des drapeaux de couleurs vives annonçaient le type de marchandises qu'on y vendait. Nan-Yung vit des funambules, ainsi que des colporteurs qui lui mirent l'eau à la bouche avec leurs pâtisseries, leurs figues et leurs dattes. Il y avait aussi des devins qui prédisaient la bonne aventure avec les bâtonnets du *Yi King*, des barbiers, des marionnettistes, des raconteurs et des podologues. Nan-Yung sentit des milliers d'effluves différents — singe rôti, mouton piqué d'ail, porc et volaille, ginseng, soya et tabac —, y compris la puanteur des excréments animaux et humains que les marchands d'immondices recueillaient dans des récipients en verre et en argile pour les vendre aux fermiers des campagnes.

Luang Su scruta la rue.

— Où est le palanquin que j'ai demandé ? On m'avait pourtant dit qu'il y en aurait un qui m'attendrait, s'exclama-t-il en ne voyant aucune voiture garnie de satin corail, au toit orné d'une frange corail et noire pour indiquer son statut de mandarin du deuxième rang.

En fait, Luang Su ne voyait ni palanquin ni rickshaw. Rien.

— Comment est-ce possible ? beugla-t-il, l'air indigné.

Nan-Yung aurait voulu pouvoir sourire. Il se demanda si son père ne recevait pas tout simplement son dû.

— Nous allons devoir louer une charrette à bras, dit-il à son épouse et à son fils.

Il s'éloigna pour négocier la location d'une de ces charrettes semblables à une brouette, tirée par deux hommes maigres. L'un des deux tenta bien de discuter avec Luang Su, mais finit par se ranger à son opinion.

Luang Su, Nan-Yung et Lindo étaient à l'étroit dans la charrette. Tandis qu'ils avançaient dans les rues, le garçon remarqua qu'en raison du statut de mandarin de son père, la foule des inférieurs chinois faisait preuve de déférence à leur égard.

Les rameurs de Luang Su précédaient la charrette, écartant les badauds à l'aide de minces baguettes de bambou. Des enfants vêtus de guenilles sordides se moquaient et montraient du doigt la charrette à bras, mais s'écartaient vivement de la portée des baguettes cinglantes, tête baissée, mais le regard fixé sur Nan-Yung.

Le garçon était fasciné par leurs corps infirmes et maladifs, leurs visages marqués de cicatrices et de lésions. Il se demanda pourquoi il y avait plus de maladies à Pékin que dans sa ville natale, puisque le royaume impérial, la Cité céleste, était ici.

« Je pensais qu'ici, je me rapprocherais du divin. Mais il n'y a aucune perfection ici. Comment ai-je pu me laisser berner ainsi ? »

À mesure qu'ils avançaient dans les rues étroites et bruyantes, la laideur des enfants sembla augmenter.

— Père, avez-vous remarqué comment les enfants semblent apparaître de nulle part et disparaître dans la boue des rues ou passer au travers des murs en pierre ? Et pourquoi est-ce que je sens si intensément leur jalousie et leur haine ?

— Ne les regarde pas, Nan-Yung. Je ne le fais jamais.

Aux yeux du garçon, ce qu'il voyait ne fit qu'empirer. Des fonctionnaires municipaux se promenaient dans des vêtements souillés. Les gardiens de nuit des guérites portaient des haillons et ne possédaient pour tout équipement qu'une lanterne et une crécelle. Il vit un fonctionnaire de haut rang, vêtu du vert dénotant le mandarin de premier rang, arrêter un homme de son entourage, attraper un pou dans son cou et le mettre dans sa bouche, comme si les poux étaient considérés comme un mets de choix à Pékin, mais pas dans les provinces.

Les rues étaient arrosées tous les soirs pour évacuer les immondices, et l'eau se déversait dans les douves entourant la ville. Partout, ce n'était que boue, saleté et crasse. Les maisons et les échoppes de briques à la charpente en bois étaient délabrées en raison du trop grand nombre de pluies et d'inondations.

— Père, je ne vois aucune fierté ici. Juste un cloaque. Rentrons à la maison.

— Pas quand la guerre est imminente. Tes questions me donnent la migraine. Tais-toi !

Nan-Yung ravala sa colère. « Qui se soucie de la guerre ? N'importe quoi serait préférable à ceci. »

La charrette vira dans la rue de l'Étain, Hsi-la-hu-tung, une rue secondaire passablement large de la ville Tartare, située à l'est du canal.

La famille Su descendit de la charrette. Tandis que son père payait le charretier, Nan-Yung observa les alentours et prit conscience que le canal courait parallèlement à la haute muraille pourpre de la Cité impériale.

— Père, sommes-nous enfin arrivés dans la Cité interdite ?

— Bien sûr que non, répondit sèchement Luang Su. Nous devrons attendre ici que l'empereur me convoque.

Comme c'était le cas pour la plupart des résidences pékinoises, la maison présentait des murs extérieurs miteux et branlants, mais une fois le portail franchi, les Su découvrirent à leur grand plaisir un jardin plutôt pittoresque. Il n'était pas aussi vaste, ni aussi méticuleusement entretenu que le jardin de leur maison, mais les pivoines étaient en fleurs, comme les lotus, les amandiers, les pruniers et les grenadiers. Nan-Yung songea qu'après tout, il y avait de l'abondance dans le cloaque.

Luang Su envoya ses rameurs chercher leurs ballots de vêtements. À la façon sèche dont il donna ses ordres, Nan-Yung comprit qu'il n'était pas satisfait de leur hébergement.

Une fois à l'intérieur du pavillon, les choses allèrent de mal en pis.

— Pourquoi n'y a-t-il que deux serviteurs ? demanda Luang Su. C'est une insulte délibérée. Chacun sait que mon statut exige un minimum de six serviteurs.

Nan-Yung suivit son père qui faisait le tour de la maison pour l'inspecter.

— Les pièces sont petites, père.

— Il n'y a aucune tenture brodée. Et où sont les fleurs fraîches ?

La situation augurait mal.

Luang Su s'inquiéta encore davantage lorsqu'il regarda par la fenêtre et vit la maison voisine, plus haute que la leur. Son toit était orné de sculptures « vent », c'est-à-dire de phénix et de faisans à crête. Ses chevrons étaient sculptés de grues cendrées, symboles de longévité, ainsi que des chauves-souris en vol, emblèmes du bonheur. Cependant, la maison assignée à la famille Su ne comportait rien de cela.

— Le pire, c'est qu'il n'y a ni gargouille ni chien lion hideux pour éloigner les mauvais esprits, père.

Luang Su hocha la tête à l'adresse de son fils.

— C'est plus qu'un mauvais présage. C'est un désastre.

Luang Su fut incapable d'affronter le regard larmoyant de son épouse. Il passa brusquement devant Nan-Yung et s'éloigna dans le corridor en direction de sa chambre à coucher.

— Je n'en sortirai pas avant que l'empereur m'envoie chercher, annonça-t-il en fermant la porte.

Le regard naïf de Nan-Yung vieillit d'un coup. Il leva les yeux vers sa mère qui tremblait de peur.

— L'empereur n'est pas satisfait de mon père.

— Je le crains fort, répondit-elle.

— Que puis-je faire ? demanda son fils.

Elle releva son long cou de cygne avec dignité.

— Nous allons faire brûler de l'encens dans le brûleur en bronze et en cloisonné. C'est le contenant le plus raffiné de toute cette misérable demeure. Nous allons demander au Ciel de nous protéger.

Nan-Yung s'émerveilla de la force de sa mère, en se demandant pourquoi son père n'en faisait pas montre alors qu'elle venait si aisément à une simple femme.

L'empereur Tao-kuang ne convoqua le prince mandchou qu'au printemps 1840. Durant huit longs mois extrêmement froids et glaciaux, la famille Su fut obligée de supporter le manque de bois de chauffage, les repas frugaux, l'absence de domestiques convenables et l'humiliation de vivre au sein des classes inférieures de Pékin. Tandis que Luang Su s'enfonçait dans la dépression, Nan-Yung explorait le nouveau monde qui s'offrait à lui. La plupart de ses explorations à l'extérieur de la maison et du jardin étaient brèves, à la fois en temps et en distance, car son père lui disait quotidiennement :

— Ne sois pas absent trop longtemps. La convocation arrivera sûrement aujourd'hui.

Nan-Yung faisait un geste de la main et sortait acheter nourriture et provisions. Il apprit beaucoup de choses sur la cité de la bouche des vendeurs. Quand arriva le mois d'avril, plus chaud, il savait que la porte de la cité qui offrait les meilleurs auspices était Tian'anmen, la porte de la Paix céleste. Elle était importante, car chaque jour l'empereur faisait face au sud d'où il tenait tout son pouvoir. Le sud était la source de l'énergie céleste.

Durant plus d'un mois, Nan-Yung récita ses prières quotidiennes en faisant face au sud, mais il ne constata aucune différence notable. Il ne voyait aucun miracle, qu'il soit face au nord ou au sud.

Nan-Yung détestait vivre ainsi avec sa famille dans cet état de suspension, à se questionner sur ce que l'empereur leur voulait.

Il se demanda quelle sorte de récompense allait recevoir son père. Il essaya même de faire face au nord en procédant à des sacrifices : en effet, il avait découvert que l'empereur procédait ainsi devant l'Autel du Ciel, lorsqu'il était l'adorateur plutôt que l'objet de vénération.

Lors d'une escapade matinale, Nan-Yung s'aventura jusqu'à la porte du Midi, Qianmen, l'entrée proprement dite de la Cité interdite. Bien entendu, il ne fut pas autorisé à entrer. Ne la franchissaient que les jeunes filles considérées comme candidates pour le gynécée et, bien entendu, les mandarins et les fonctionnaires comme son père. Mais jamais un garçon comme lui.

Sur les entrefaites, Nan-Yung entendit le son familier du sifflement des minces baguettes de bambou qui battaient l'air, et le bruit traînant et fatigué de plusieurs pieds chaussés de mules : il comprit qu'un mandarin approchait de la Cité interdite.

Le garçon s'éloigna de la porte impériale en voyant le palanquin houssé de satin vert. Il songea qu'il devait s'agir d'un homme illustre, car la frange du toit était plus longue que d'ordinaire, et des perles et des pierres colorées étaient serties dans sa partie supérieure. Six serviteurs accompagnaient le palanquin qui était suivi de deux chaises à porteurs houssées de brocart vert. La deuxième chaise était fermée par des rideaux opaques : Nan-Yung en conclut que l'épouse du mandarin devait s'y trouver.

C'est alors qu'il vit les rideaux de la dernière chaise s'écarter et un jeune visage surgir pour l'observer. Des petits doigts saisirent le rideau en brocart orné de passementerie et l'écartèrent avec audace, révélant une fillette et dévoilant entièrement son visage. C'était un comportement choquant pour une Mandchoue de sa classe sociale, en particulier avant une rencontre avec l'empereur.

Nan-Yung jugea que la fillette avait environ six ans. Sa peau avait la couleur lumineuse de l'albâtre et semblait irradier une lueur laiteuse. Ses yeux étaient deux puits sombres en forme d'amande, et sa chevelure épaisse et sans ornement cascadait le long de son dos pour se répandre sur le coussin de satin blanc sur lequel elle était assise. Elle était vêtue comme une reine, de robes d'un vert céladon incrustées de nombreux joyaux.

Nan-Yung fit un autre pas en arrière.

— Ah! Je n'ai jamais vu un visage humain briller autant. Elle ressemble au soleil.

Soudain, la fillette lui sourit. Ce n'était pas un sourire timide, mais un large sourire, spontané et heureux, qui éclaira son visage comme l'aurore. Le garçon comprit qu'elle se moquait de lui, sans comprendre pourquoi. Il jeta un coup d'œil à ses vêtements, en pensant qu'il s'était peut-être sali ou qu'il ne portait pas les vêtements qui convenaient pour la porte de la maison du fils du Ciel.

Nan-Yung fronça les sourcils.

— Ne ris pas de moi, grommela-t-il à mi-voix.

La fillette serra les mains sur son ventre, comme si le garçon était l'illustration d'une blague incroyable.

Nan-Yung ne pouvait la quitter des yeux.

— Tellement belle.

Elle cessa de rire et, glissant la main dans sa poche, elle en sortit une pierre de forme étrange, ou peut-être un bijou. Tenant la pierre dans ses deux mains, elle la porta à son front, ferma les yeux un moment, puis lança vivement la pierre à Nan-Yung.

Par réflexe, la main droite du garçon jaillit, comme possédée d'une volonté propre, et attrapa la pierre au vol. Il aurait voulu faire fi de cette enfant effrontée qui se moquait de lui. Mais au lieu de cela, il prit conscience qu'il était plus qu'intrigué. Il était envoûté.

« Elle m'a jeté un sort avec sa pierre. »

— Ouvrez les portes! cria le chef des porteurs au gardien de la guérite.

Les portes s'ouvrirent, et l'entourage pénétra dans la Cité interdite.

Le sourire de la fillette s'effaça. Elle jeta un regard désespéré à la merveilleuse cité dans la cité, avant de reporter son regard sur Nan-Yung.

« Qu'y a-t-il? Que vois-tu, petite fille? Qu'est-ce qui te fait tant souffrir? »

Elle regarda Nan-Yung une dernière fois, puis referma les rideaux d'un geste sec.

Le jeune Mandchou regarda le groupe disparaître dans le labyrinthe de pagodes, de temples, de quartiers d'habitation et de jardins d'une beauté magique. Il jeta un coup d'œil aux alentours et s'aperçut qu'il avait perdu la notion du temps. On le gronderait pour être rentré si tard à la maison. Mais cela ne lui faisait ni chaud ni froid.

Ce matin, il s'était produit quelque chose dans sa vie, même s'il ne savait pas exactement ce que c'était. Cette fillette avait quelque chose de mystérieux, bien qu'elle soit à peine plus âgée qu'un bébé. Peut-être qu'on venait de la vendre et qu'elle ne sortirait plus jamais du gynécée. Il savait que parmi les femmes choisies, plusieurs ne devenaient jamais des épouses et qu'une fois à l'intérieur des murs de la Cité interdite, elles n'avaient plus le droit d'en sortir, ni de se marier. Ces petites étaient des âmes condamnées. Et pourtant. Pour une raison quelconque, il savait que quelque chose, le destin ? Le courage de la fillette ?... il ne savait trop, mais quelque chose ferait qu'elle ne tomberait pas entre les griffes de l'empereur.

Nan-Yung redescendit les paliers des terrasses successives pour rentrer dans son foyer temporaire. Tenant la pierre lisse et translucide dans sa main, le garçon s'interrogea sur la fillette et sur son sort, sachant qu'il ne pourrait jamais l'oublier.

L'heure du Serpent, soit neuf heures, avait déjà sonné lorsque Nan-Yung arriva à la maison. Il trouva les serviteurs en pleine agitation. Un magnifique palanquin, six porteurs et sept eunuques, torses nus, la taille ceinte d'une ceinture dorée, attendaient devant le portail défraîchi. Ils ne pouvaient avoir été envoyés par personne d'autre que l'empereur.

À l'entrée du jardin, Nan-Yung vit sa mère, vêtue de ses plus beaux atours, les cheveux coiffés et ornés de fleurs recherchées et de prismes en cristal cliquetants, pendant au-dessus de ses oreilles.

— Nan-Yung ! s'écria Luang Su à l'autre bout de la terrasse en tuiles poussiéreuses. Où étais-tu passé ?

Surpris par la voix tonitruante de son père, le garçon fit une erreur et avoua la vérité.

— J'étais devant la porte de la Paix céleste.

— Tu aurais dû y rester, rétorqua son père, agité, tout en triturant son chapeau à bouton de corail. Nous devons être à la Cité interdite avant midi.

— Tous les trois ? Pourquoi l'empereur voudrait-il nous voir, mère et moi ?

— Je n'en ai aucune idée, répondit son père, pompeux et vaguement déconcerté. Mais ce sont ses ordres. Je ne peux que supposer, devant ce commandement peu orthodoxe, que le fils du Ciel souhaite me complimenter pour mon travail et me conférer un grand honneur. Par conséquent, il serait juste que toute ma famille soit présente pour être témoin de la gloire que j'ai apportée au nom des Su.

Luang Su se tourna vers le serviteur qui tenait une boîte à bijoux laquée de noir et doublée de satin rouge, ouverte devant lui. Le prince mandchou en examina le contenu, puis en retira une grosse bague sertie d'une émeraude, héritage du père de son père. Il la glissa rageusement à son index. Puis, il ordonna à son serviteur :

— Va voir si le deuxième palanquin est là.

Le serviteur s'inclina et s'éloigna rapidement. Il revint l'instant d'après et hocha affirmativement la tête.

— Nous devons partir, aboya Luang Su qui courut presque dans sa hâte d'entamer le trajet jusqu'à la Cité interdite.

On aida le garçon et sa mère à monter dans un deuxième palanquin, moins raffiné, mais tout aussi spacieux que celui de Luang Su, et on ferma les rideaux. Lorsqu'ils partirent, Nan-Yung ne put s'empêcher de sourire intérieurement il se demandait si la belle fillette rayonnante se moquerait encore de lui, maintenant qu'il avait aussi le privilège d'être admis en présence du fils du Ciel.

Comme la fillette rayonnante, le garçon ne résista pas à l'envie de jeter un coup d'œil à travers les rideaux pour contempler les merveilles incroyables de la Cité interdite, une fois qu'ils eurent franchi la petite porte de côté qui s'ouvrait à droite de la porte de la Paix céleste. Le garçon remarqua que son père n'était pas aussi important que le père de la fillette rayonnante, puisqu'elle était entrée par la porte de la Paix céleste.

Une fois à l'intérieur des murs, le garçon confia à sa mère :

— C'est vraiment le paradis.

Les bâtiments étaient sertis dans des terrasses surélevées, toutes bordées de balustrades en marbre blanc.

— Les empereurs Ming ont fait venir ce marbre de la lointaine province du Yunnan, lui expliqua Lindo.

Les palanquins furent déposés dans la cour monumentale, et la famille Su en descendit. Luang, Lindo et Nan-Yung continuèrent à pied en empruntant un escalier en marbre blanc qui paraissait flotter dans les airs, suspendu à d'exquises sculptures de dragons à cinq griffes, insigne du pouvoir impérial. Tant sur la gauche que sur la droite s'élevaient des temples au toit vermillon recourbé vers le haut, dédiés aux dieux tutélaires et aux ancêtres impériaux. La loi exigeait que l'empereur y fasse des sacrifices au jour anniversaire de la naissance et de la mort de son prédécesseur. On y voyait les ornements et les sculptures de grues cendrées et de symboles éoliens qui éloignaient les esprits mauvais, ceux-là mêmes que Luang Su avait en vain cherchés dans sa résidence temporaire.

Nan-Yung coula un regard en coin vers son père. « Holà ! Il y a de la peur dans son regard. Pourquoi ? »

Comme le son d'un gong en laiton qu'on frappe en guise d'avertissement, une intuition traversa l'esprit du garçon. Il était jeune, soit, mais il était aussi astucieux, intelligent et méfiant. Quelque chose clochait terriblement dans cette longue attente pour rencontrer l'empereur.

Nan-Yung avait prêté attention aux propos politiques qu'il avait glanés dans les rues de la Cité céleste, au cours des dix-huit derniers mois. Il était informé sur les guerres de l'opium. Il savait que son père était l'associé des Britanniques.

En un éclair, Nan-Yung comprit pourquoi il accompagnait son père.

Il se rappela le décret impérial émis l'année précédente, qui visait à débarrasser la cour de ses acteurs, de ses concubines turbulentes et des plus menaçants parmi les eunuques assoiffés de pouvoir. Mais surtout, il se rappela que l'empereur avait l'intention d'éradiquer le démon de l'opium de l'empire du Milieu.

Tao-kuang avait décrété qu'il ferait exécuter plusieurs dizaines de chefs britanniques, ainsi que quelques-uns de leurs collaborateurs chinois. Le fils du Ciel avait l'intention de forcer les barbares à capituler. Il voulait obtenir des Britanniques la promesse qu'ils mettraient un terme au trafic de l'opium. Il avait déclaré que les mandarins eux-mêmes n'échapperaient pas à sa colère. Il « décapiterait les courtiers coupables de vente en gros », ordonnerait que « soient étranglés les tenanciers des fumeries d'opium et les fonctionnaires qui avaient accepté des pots-de-vin ».

Nan-Yung comprit que son père allait mourir.

En franchissant la rivière aux Eaux d'or sur l'un des cinq ponts flottants en pierre et en marbre, qui représentaient les cinq vertus cardinales du confucianisme, Luang Su ralentit et s'émerveilla en disant à son fils :

— Je ressens une telle majesté ici. Je pardonne à l'empereur de nous avoir fait vivre dans un taudis durant l'hiver. Car aujourd'hui, je peux réellement apprécier toute cette beauté. Il doit avoir une haute opinion de moi pour m'accorder cette audience. Peut-être qu'il me fera la même faveur qu'il a consentie au général Lin Zexu et qu'il m'accordera « à moi aussi » le droit d'entrer dans la Cité interdite à cheval.

« Quel imbécile pompeux ! Je pourrais mourir à cause de son égocentrisme. »

— Père, êtes-vous certain que vos espoirs ne sont pas trop élevés ?

Luang Su gronda :

— J'ai eu tort de te faire des confidences.

Il s'élança, rempli d'une énergie coléreuse, et franchit la porte du Comportement juste, à l'ouest de Taihemen, la porte de l'Harmonie suprême. Plutôt que de regarder les toits massifs superposés qui s'élançaient au-dessus de lui à l'assaut du radieux ciel azur, Nan-Yung baissa les yeux sur la longue dalle sculptée de dragons. Il faillit se cogner l'orteil contre la première marche de l'escalier en marbre à triple volée. Il fallait qu'il se surveille pour que son père ne voie pas sa colère.

« Il nous laisse, mère et moi, sans protection pour le reste de notre vie.

Sans lui, nous n'aurons plus aucun revenu, ni maison ni avenir. Pis que tout, nous ne mériterons plus le respect ! Notre nom aura moins de valeur que la boue. Il ne sera qu'immondices !

Ha ! Le respect. Il a toujours prêché qu'il fallait venger notre honneur devant des barbares sans visage, comme les Duke. Quelle importance ont pour moi ces fantômes ? C'est mon père qui a causé la chute de notre famille je ne le lui pardonnerai jamais. »

Les Su pénétrèrent dans la salle du Trône de l'Harmonie suprême. La salle grouillait de centaines d'eunuques dont les visages prématurément vieillis, les ventres mous et les crânes chauves témoignaient de leur castration à un âge prépubère. Vêtus de soies et de satins fins, ils portaient de larges ceintures dorées sur leurs robes incrustées de joyaux. Nan-Yung avait appris l'existence de ces personnages excentriques par les gens de la rue.

La cour comptait trois mille eunuques et trois mille femmes. Les eunuques étaient chargés de la supervision de tous les services impériaux, et leur éventail de tâches incluait la responsabilité des fourrures, des soies, des porcelaines et du thé, la surveillance des caveaux de lingots d'or et d'argent, ainsi que la gestion des stocks de nourriture. Certains eunuques collectaient les loyers des porteurs de bannières. D'autres organisaient les divertissements et les pièces de théâtre présentés à la cour. D'autres encore étaient responsables des chenils et de l'élevage des pékinois, de l'entretien des parcs impériaux, du jardinage et de l'entretien ménager. Les différents services étaient subdivisés en postes secondaires : il y avait, entre autres, le haras impérial, le garde-manger impérial, l'armurerie impériale, l'atelier impérial de tissage et de teinture, la bibliothèque, les mariniers, les blanchisseurs, et ainsi de suite.

Les intrigues de palais, l'affrontement entre une femme et ses partisans, et une autre femme plus puissante ou potentiellement plus puissante, constituaient en tout temps les principales priorités de la cour. On achetait et on s'échangeait quotidiennement la loyauté des eunuques. Chacun savait, à l'intérieur et à l'extérieur de la Cité interdite, qu'un eunuque était incapable d'intégrité.

À ce sujet, la théorie de Nan-Yung était la suivante : sachant que selon la doctrine confucéenne, la mutilation physique reflétait l'imperfection de l'esprit et que sans la perfection de l'esprit, la vie éternelle était mise en danger, tout homme qui acceptait d'être châtré était un imbécile, un idiot, ou les deux.

Peut-être cette peur expliquait-elle pourquoi tant d'eunuques conservaient soigneusement leurs testicules dans un récipient en verre, de façon qu'on les enterre avec eux à leur mort. L'opération coûtait seulement six taels. Une fois l'an, le chef des eunuques procédait à une inspection exigeant des eunuques qu'ils produisent leurs organes amputés, correctement étiquetés, afin qu'il puisse détecter les imposteurs.

Dans la plupart des cas, le palais fournissait à un eunuque un toit, dix taels par mois, le riz quotidien, en plus d'un pourcentage sur tout l'argent qui lui passait entre les mains sous forme de fourrures, de joyaux, de figues, de viandes, d'antiquités ou de soies. L'empereur s'assurait la loyauté des eunuques par de généreuses récompenses. Par conséquent, la vie à la cour paraissait douce aux yeux de celui qui avait devant lui une vie de mendiant dans les rues.

Nan-Yung jugeait cette existence humiliante. Un eunuque suivait l'empereur dans tous ses déplacements, tenant un sac en satin jaune contenant des baguettes de bouleau à la main. Quand l'empereur surprenait un eunuque en train de commettre un méfait, on le battait une première fois. Lorsque les croûtes s'étaient formées sur ses blessures, on le battait une deuxième fois. S'il essayait de s'enfuir, on lui faisait subir le supplice de la cangue durant deux mois. Lorsque Nan-Yung s'imaginait condamné à porter ce redoutable carcan en bois emprisonnant ses poignets de chaque côté de son cou, son esprit était envahi par la panique.

« Je dois trouver un moyen de sortir d'ici. Et si l'empereur m'envoie en prison ? Je ne pourrai jamais le supporter. »

En entrant dans la salle du Trône, le garçon pensa : « Et si jamais l'empereur veut faire de moi un eunuque ?

La castration sera une torture.

C'est mon père le responsable. Ha ! Je ne serai jamais faible comme lui. »

Ils s'avancèrent devant l'empereur vieillissant. Ce dernier était assis sur un trône à dossier bas, en bois sombre orné de sculptures compliquées. Derrière lui était suspendue une magnifique tapisserie en soie dépeignant des milliers de bosquets de bambou, une étendue de terre, l'eau et le ciel. Nan-Yung n'avait jamais contemplé de plus beau paysage.

Il y avait des eunuques, des fonctionnaires et des porteurs de bannière partout dans la salle.

Le garçon remarqua que les membres armés de la troupe impériale se tenaient le long des murs. Ils portaient l'uniforme réglementaire : veste matelassée, pantalon noir flottant et fourreau ciselé d'or et d'argent où était glissé, le garçon le savait, un cimeterre affûté comme un rasoir. Nan-Yung remarqua également trois barbares bien habillés, qui ne portaient cependant pas de vêtements chinois. Un homme se démarquait du trio.

Aux yeux du garçon, il paraissait vieux, peut-être plus de soixante ans. Il avait les yeux de la couleur du jade, plus brillants que la pierre polie. Sa chevelure était presque aussi dorée que le soleil et sa peau, blanche comme la lune. Puissamment charpenté, il était plus grand que tout le monde dans la salle. Son allure était majestueuse et rivalisait avec la puissance de l'empereur.

Nan-Yung glissa à son père :

— Les barbares ne sont pas admis à la cour.

Mais Luang Su ne l'écoutait pas. Il avait les yeux fixés sur l'Anglais.

— Duke.

Derrière Nan-Yung, un membre de la cour murmura à l'intention de son voisin :

— Le barbare se nomme Ambrose Duke.

Le garçon sentit les poils se hérisser sur sa nuque.

— Notre ennemi ?

— Oui, mon fils.

Nan-Yung déglutit péniblement.

— Leur tête va tomber, murmura un homme.

— On dit que celui qui dit s'appeler "Duke" travaille pour la Compagnie anglaise des Indes orientales. Dans l'empire du Milieu, tout le monde sait que cette société importe de l'opium en Chine.

— Duke est la raison pour laquelle l'empire du Milieu a été souillé.

— L'empereur a raison d'exiger de lui qu'il fasse kowtow[26]. Quel idiot de refuser d'accéder à sa demande ! souffla un autre homme.

Nan-Yung reporta son regard sur le puissant Anglais dont les yeux de jade exprimaient beaucoup trop de défi pour son bien. Le garçon prononça le nom honni :

— Duke.

La voix de l'empereur s'éleva dans la salle.

— Ambrose Duke, tu rendras hommage au fils du Ciel ou j'aurai ta tête !

Le Britannique se tourna vers ses deux compagnons.

— Je ne comprends pas ce qu'il dit ! Charles, pouvez-vous traduire pour moi ?

Le jeune homme aux cheveux roux murmura à l'adresse d'Ambrose :

— Il veut que vous vous prosterniez devant lui, sinon il nous tuera.

Ambrose fixa les yeux sombres et implacables du vieil empereur.

---

26. N.d.T.: Le kowtow est un signe de profond respect qui consiste pour l'exécutant à s'agenouiller en s'inclinant de manière que sa tête touche le sol.

— Ce n'est pas un homme miséricordieux. Me prosterner devant lui ne nous sauvera pas la vie.

Ambrose n'arrivait pas à croire qu'il était dans une telle situation. La famille Duke était en affaires avec la Compagnie anglaise des Indes orientales depuis trois générations elle amassait des millions de livres par année et se procurait les plus belles antiquités pour les résidences anglaises, et même pour la maison jamaïcaine de son oncle, Lord Henry Duke, que Dieu ait son âme ! Il semblait aujourd'hui à Ambrose qu'il était sur le point de rejoindre son père et son oncle.

— Mon Dieu, Charles, ils vont me juger pour trafic d'opium, le crime de mon père, alors que je n'ai jamais vendu un seul gramme de cette drogue.

— Je le sais. Mais eux l'ignorent.

— Pour commencer, nous avons été traînés de force à l'intérieur de cette Cité céleste. Et maintenant, je suis sur le point de mourir à cause d'une guerre stupide où je ne suis pour rien.

Charles se pencha vers lui.

— Peut-être si vous essayiez de leur expliquer que s'ils acceptaient de vendre leurs marchandises et leurs porcelaines à l'Angleterre, il n'y aurait pas de guerre...

— Pensez-vous qu'ils m'écouteraient ?

— Quelle autre chance avons-nous ? répondit Charles avec sérieux.

— C'est un bon point.

Ambrose inspira profondément, puis s'avança directement devant l'empereur.

— Vous m'avez enlevé de mon comptoir commercial. Ma famille ne sait pas où je suis, ni même si je suis vivant. La Compagnie anglaise des Indes orientales, à laquelle je suis affilié, est peut-être impliquée dans ce trafic d'opium, mais ce n'est pas mon cas. J'achète des antiquités et de l'ameublement. Majesté, si vous avez un problème avec l'opium, considérez les problèmes que vous avez avec votre peuple. Cherchez à l'intérieur de votre puissant royaume. Je vais vous dire une bonne chose : il n'y aurait pas de trafic d'opium, de contrebande, de pots-de-vin, ni de guerre de l'opium, si ce n'était de vous, monsieur, illustre fils du Ciel. Vous êtes incapables de gouverner vos ministres et vos roturiers qui achètent l'opium. L'Angleterre souhaite faire du commerce d'ameublement avec vous.

Échangez vos porcelaines contre nos porcelaines, et mettez fin à la guerre.

L'empereur laissa l'interprète terminer sa traduction.

Nan-Yung tendit l'oreille pour entendre.

— Père, je n'ai jamais entendu une telle insolence. Cet imbécile de Duke est un homme mort.

— C'est ce qui l'attend, mon fils, répondit Luang Su, en essuyant la vengeance de sa lèvre inférieure.

La voix de l'empereur s'éleva :

— J'éradiquerai ce vice de l'empire du Milieu. Je tuerai tous ceux qui trempent dans cette vilenie. Je vous ai fait venir ici, Duke, pour que vous soyez témoin et que vous retourniez chez les barbares pour leur parler de la puissance du fils du Ciel.

Ambrose était perplexe.

— Témoin ?

Sur les entrefaites, quatre membres de la garde impériale se précipitèrent derrière Luang Su et le traînèrent aux pieds de l'empereur. Le prince mandchou se plongea immédiatement dans un kowtow servile, plus bas que l'empereur, prostré de tout son long sur le plancher en marbre lisse pour témoigner de son dévouement à son formidable maître impérial.

— Je suis à ton service, fils du Ciel, murmura-t-il, le visage tourné vers le sol et les yeux rivés sur le plancher en marbre.

L'empereur ne lui jeta pas un regard : il regardait Ambrose Duke.

— J'ai fait venir la maison des Su ici pour que le barbare puisse la voir. Tu te rappelleras mon édit. Les décrets du fils du Ciel ont force de loi.

L'empereur fit un geste de la main. Horrifié, Ambrose Duke vit ses deux compagnons, Charles et Edward, traînés aux pieds de l'empereur. Terrifiés, les deux Anglais se prosternèrent à leur tour devant le fils du Ciel.

— Luang Su, tu as accepté des pots-de-vin des barbares. À cause de toi et d'autres Mandchous comme toi, qui croyez votre pouvoir supérieur à celui du fils du Ciel, l'empire du Milieu est en guerre. J'ai convoqué ta famille aujourd'hui afin qu'elle puisse partager ton humiliation et ta disgrâce. Toute la Chine sait que tu as trahi l'empire du Milieu. Le nom de Su ne commandera plus jamais le respect. Ta famille maudira ton corps. Tu ne bénéficieras jamais des prières de tes enfants ou des enfants de tes enfants, car dès aujourd'hui, je déclare que la vie éternelle te sera refusée.

Les yeux noirs de l'empereur lancèrent des éclairs de colère tandis qu'il regardait les membres de sa cour.

Nan-Yung observait Ambrose Duke il vit que ses poings serrés formaient deux nœuds blancs. Duke était capable de maîtriser sa colère. Pour un barbare, Ambrose Duke était fort. Ce n'était pas un faible comme le père de Nan-Yung.

Le garçon fut impressionné.

— Qu'on leur coupe la tête! ordonna l'empereur.

Trois cimeterres fouettèrent immédiatement l'air au-dessus des trois hommes prosternés. Les lames d'argent réfléchirent les rayons du soleil qui tombaient des fenêtres treillissées. Le visage des bourreaux mandchous était de marbre.

Fffffttt. Fffffttt. Fffffttt.

Trois têtes roulèrent sur le sol. Le sang de Charles, d'Edward et de Luang Su coula sur le marbre blanc, tachant les coussins en satin où ils s'étaient agenouillés.

— Dieu tout-puissant! souffla Ambrose qui se mordit immédiatement la langue, en comprenant que parler entraînerait sa propre décapitation.

Nan-Yung sentit son estomac se soulever, et l'énergie quitter son corps. Mais il demeura silencieux. Il était plus fort que son père.

Plus fort qu'Ambrose Duke.

En une fraction de seconde, le garçon se retrouva suspendu entre la vie et la mort. Entre le bien et le mal.

Il choisit le mal.

Son esprit vacilla du côté de l'ombre. Sa vision du monde changea. Un voile de rage, de haine et d'amertume troubla son esprit.

Nan-Yung crut qu'il voyait clairement le monde. Il tourna son regard vers Ambrose Duke, l'homme responsable de ce tournant dans sa vie.

«Mon père avait raison, au fond. Les Duke ont été le fléau de notre existence.»

— Toi! commanda l'empereur en désignant Ambrose Duke du doigt.

Le son de la voix de l'empereur fit tressaillir Nan-Yung de terreur.

Deux gardes se précipitèrent sur le barbare et le saisirent par les bras.

— Ramenez-le à Canton! Parle à ta reine. Dis-lui ma clémence à ton égard. Dis-lui de mettre fin au fléau de l'opium.

Nan-Yung regarda Ambrose Duke qu'une demi-douzaine de guerriers traînaient hors de la salle.

«C'est impossible! Duke est épargné! Il devrait mourir pour ses crimes odieux. Mourir pour ce que sa famille a fait à mon grand-père. Mourir pour avoir tué mon père. Où est la justice?»

Nan-Yung se dit qu'en toute logique, il n'y aurait pas eu de guerre si les barbares avaient été forcés de quitter la Chine. Son père serait vivant, et la vie de son fils serait assurée. Maintenant, c'était comme si toutes les épingles avaient été retirées de la tapisserie de sa vie et que les fils s'élançaient dans des directions imprévisibles.

— Toi! Fils de Su, commanda l'empereur.

Nan-Yung n'attendit pas qu'on le jette au sol. Il se prosterna immédiatement.

— Fils du Ciel, marmonna-t-il.

— La tête de ton père ne sera pas recousue sur son corps. Son corps restera mutilé afin de servir d'avertissement aux autres dans toute la Chine et de témoigner de ma colère!

— Clémence! supplia Nan-Yung.

— Refusée.

— J'obéis aux désirs du fils du Ciel.

La voix de l'empereur s'adoucit légèrement.

— Toi qui vis, tu seras dépouillé de ta place de mandarin de deuxième rang. Le fils du Ciel est miséricordieux. Tu continueras de vivre dans la Cité céleste, dans la maison qui te sera assignée. Je te convoquerai plus tard, lorsque j'aurai besoin de toi. D'ici là, retire-toi de ma vue, fils de Su.

Nan-Yung se releva lentement, mais comme sa mère, il ne se redressa pas. Les deux Su sortirent à reculons de la salle du trône avec toute l'humilité qu'on attendait d'eux. Ils ne se redressèrent que lorsque leurs pieds se posèrent sur la longue dalle sculptée de dragons de la terrasse extérieure.

Nan-Yung partit devant sa mère.

— Tu marches devant moi, mon fils. C'est un geste de défi.

— À partir d'aujourd'hui, mère, j'invente de nouvelles règles de vie. Tu ne dirigeras pas mon existence comme mon père le faisait. Il a failli nous faire tuer. C'était un imbécile. Je trouverai un moyen de nous venger une fois pour toutes des Duke.

— Tu n'es qu'un enfant. Que peux-tu faire?

— Je les ferai payer pour avoir fait de moi un mendiant. Même les eunuques méprisés de tous ont un statut plus élevé que le nôtre.

— Il est vrai qu'à cause d'Ambrose Duke, la lignée de nos ancêtres est interrompue. Il n'y a plus d'honneur, plus de lignée à honorer maintenant que ton père nous a déshonorés. Pis, il ne peut même pas nous aider de l'Au-delà.

— Je n'avais pas pensé à cela, mère. Merci de me le rappeler. Je le hais encore davantage.

— Écoute-moi, Nan-Yung. C'est uniquement si tu nous venges que nous obtiendrons la paix éternelle. Tout dépend de toi, mon fils. Je prie que tu aies du courage.

Le garçon s'arrêta net et fit volte-face.

— Ce n'est pas de courage dont j'ai besoin, mère. C'est d'une opportunité. Là seulement, je créerai mon destin.

Imperturbable, elle passa devant lui.

— Fais en sorte d'y voir.

Vingt

« Les dieux craignaient d'avoir fait l'homme trop parfait ils soufflèrent donc un nuage de brouillard pour brouiller leur vision[27]. »

— Légende quiché des Indiens du Nouveau Monde (Aztèques), Hubert Howe Bancroft, *Native Races*, tome 5

L'empereur Tao-kuang mourut en 1851. Son fils lui succéda âgé de vingt ans, il s'appelait Hsien-feng, ce qui signifie « de l'abondance universelle ». La même année, Nan-Yung célébra son vingtième anniversaire.

Depuis onze ans, Nan-Yung et sa mère vivaient dans le quartier le plus hideux de Pékin, se lamentant sur leur sort, n'assumant pas la responsabilité de leur situation et subsistant grâce à la « générosité » fort mesurée de leur empereur. Ils survivaient, mais c'était tout. Nan-Yung ne trouvait de joie en rien, car c'était ce qu'il choisissait. Il préférait blâmer le barbare, Ambrose Duke, qui avait échappé à la colère de l'empereur. Durant des années, le sommeil du garçon avait été perturbé par des cauchemars qui lui avaient fait craindre n'importe quel membre de la garde impériale, car il était certain que cette fois, on venait pour le décapiter.

Par les fenêtres de sa maison, il avait maintes fois vu le jeune empereur se promener en palanquin dans les rues, entouré d'une importante procession de porteurs de bannières et d'eunuques. On aurait dit que l'opulence de l'empire avait augmenté au fil des années

---

27. N.d.T.: Traduction libre.

pourtant, le sort des classes inférieures de Mandchous comme la sienne, sans mentionner la racaille chinoise, s'était détérioré.

À Pékin, personne ne respectait la famille Su, puisque l'empereur avait fait apposer un édit sur les murs de la ville, ainsi qu'il l'avait annoncé. De plus, le fils du Ciel avait imposé à Nan-Yung un sort encore pire en déclarant que lorsqu'il se marierait, il devrait donner à ses enfants le nom de Su, plutôt que son propre nom comme c'était la coutume. Cela afin d'humilier encore plus les Su et de se faire encore davantage comprendre des opiomanes et des trafiquants d'opium.

En Chine, Nan-Yung vivait l'existence d'un mort vivant. L'empire du Milieu était le plus grand royaume du monde, et pourtant, il s'y sentait limité, claustrophobe. Il chercha d'abord à s'en échapper mentalement, mais ce n'était pas suffisant. Il savait qu'il devait définitivement quitter la Chine. Il savait ce qu'il voulait. Ce qui l'arrêtait, c'était le «comment».

* * * *

Immobile, Yin Ch'u était assise devant l'astrologue, la marieuse et le devin qui faisait rouler les tiges d'achillée entre ses mains, attendant de prédire l'avenir de la jeune fille.

Le devin, Sing-Lu, était un homme impatient, trop petit, à l'ossature trop fine. Selon Yin, il ressemblait trop à une femme, ce qui expliquait son manque de caractère. Elle avait entendu raconter bien des histoires sur sa façon de mésuser des bâtonnets du *Yi King* pour prédire uniquement ce que ses clients voulaient entendre. Yin était plus intelligente que le devin : elle savait qu'elle ne devait croire qu'en elle et qu'en son instinct. Elle écouterait ce qu'il avait à dire, mais sans plus. Elle faisait en sorte que l'écran de son visage ne trahisse pas l'opinion qu'elle avait de lui. La tâche était ardue, car l'homme n'avait vraiment rien d'attirant. Il ne devait pas peser plus d'une trentaine de kilos. Yin était plus grande que lui, et son visage n'était pas vérolé comme le sien. Comme sa beauté et son teint pâle étaient naturels, la jeune fille avait échappé à plusieurs rituels de beauté et autres formes de torture. Elle ne couvrait pas son visage de poudre de riz mêlée de plomb qui occasionnait des irritations cutanées, de l'acné ou pis, la mort. Sa chevelure avait toujours été un objet de vanité pour elle ; elle n'avait pas besoin de postiches pour obtenir les coiffures torsadées et lisses que les Mandchous affectionnaient. Mais surtout, ses mains et ses pieds étaient si petits et d'une telle perfection que ses pieds n'avaient jamais été bandés. Cela suffisait à susciter l'envie de presque toutes ses compagnes. Elle ne connaissait que deux autres jeunes filles dont la bonne fortune et l'abondance étaient à l'égale de la sienne. Yin remerciait les dieux quotidienne- ment de lui avoir accordé autant de présents, car elle craignait les représailles, les maléfices et les envoûtements.

Yin était superstitieuse, son expérience de la vie lui ayant enseigné que c'était une bonne chose. Ses amies et ses sœurs ne prêtaient pas attention aux devins et aux oracles, elles n'écoutaient pas les voix dans le vent qui parlaient constamment à l'homme, uniquement s'il choisissait d'écouter. Par conséquent, elles étaient les seules à en souffrir. Mais pas Yin. Dans ce domaine, Yin était une jeune femme sage.

Elle se tourna vers le devin.

— Comme tu es très impatient, Sing-Lu, tu peux interroger tes bâtonnets d'achillée en premier. J'entendrai les autres ensuite.

Sing-Lu se contenta de hocher la tête. Il sortit son petit livre relié en cuir et le posa sur le sol. La couverture s'ornait de deux idéogrammes peints, et les pages étaient usées par des années de consultation. Puis, il sortit de son sac à cordonnet en soie noire un pinceau, du papier, un bâtonnet noir, ainsi qu'une pierre à encre avec une dépression en son centre. Il s'en servirait pour confectionner son encre en taillant des copeaux de charbon de bois qu'il déposerait dans la cavité avant de les réduire en poudre et de les mélanger à sa salive. Comme il le faisait toujours, il écrirait ensuite ce qu'il découvrirait de l'avenir de Yin Ch'u.

Ramassant les bâtonnets d'achillée polis, il les tint dans ses mains, les yeux fermés, concentré sur son but. Puis, il ouvrit brusquement les yeux et retira un bâtonnet du lot, qu'il déposa devant Yin. Il posa ensuite le reste des bâtonnets sur le sol entre la jeune fille et lui.

Yin divisa le paquet en deux. Sing-Lu prit un bâtonnet dans le paquet le plus proche de sa main droite, puis le saisit entre les doigts de sa main gauche. Il prit ensuite le deuxième paquet dans sa main gauche et se mit à en soustraire les bâtonnets par groupe de quatre, jusqu'à ce qu'il n'en reste plus qu'un. Il plaça le quatuor entre le majeur et l'annulaire de sa main gauche. Ensuite, il ramassa le paquet resté sur le sol et en retira les bâtonnets par groupe de quatre, jusqu'à ce qu'il ne reste plus qu'un groupe. Il posa le quatuor restant sur le sol, en même temps que les autres bâtonnets. Ses mouvements étaient vifs et ses mains ressemblaient à des colibris.

Il saisit son fusain et traça une ligne sur le papier. Ensuite, il entama le rituel consistant à compter et à recompter les petits tas de bâtonnets, et à tracer des lignes sur le papier jusqu'à ce qu'il en ait six.

Il vérifia la position des lignes brisées horizontales et verticales. Il fit claquer sa langue devant le résultat, ouvrit son livre et consulta l'oracle, jumelant les traits supérieurs de son dessin aux traits correspondants dans son livre.

— C'est bien ce que je soupçonnais. Tu ne seras pas choisie par l'empereur. Je suis désolé de t'apporter de si mauvaises nouvelles.

Yin ne permit pas à sa joie de transparaître. Aussi rigide que le marbre, son visage ne révéla rien, pas plus que ses yeux habituellement si expressifs.

— Je vais consulter les étoiles.

Elle se tourna légèrement sur l'opulent coussin en satin, garni de duvet, sur lequel elle était agenouillée.

— Dis-moi ce que les planètes prédisent.

L'astrologue avait plusieurs livres et de nombreuses notes. Il semblait avoir de la difficulté à synthétiser son information. Mais c'était l'homme en qui Yin avait le plus confiance, car son travail semblait plus scientifique que les tas de bâtonnets polis du *Yi King*, même s'ils ne s'étaient jamais trompés.

— C'est ainsi. Comme cela a toujours été. Tu voyageras très loin. Tu es la septième fille, ce qui te donne le don de « double vue », mais tu n'auras qu'un fils. Son épouse te donnera sept petites-filles. La septième sera une femme très courageuse. Ton destin et le sien sont étroitement liés. Tu devras t'en souvenir. Elle sera la fille aimante que tu désires et dont tu as besoin pour combler ton cœur. Tu épouseras un homme fortuné.

— Mais ce ne sera pas l'empereur? demanda-t-elle pour clarifier la réponse.

— Non, ce n'est pas ton destin. Ta Vénus est en Capricorne, ce qui signifie que tu deviendras encore plus belle avec les années. Tu seras de plus en plus riche en vieillissant. Plus intelligente aussi. Tu es née en 1831, l'année du Mouton : ce n'est pas bon. Tu te crois audacieuse, mais ce n'est pas le cas. Tu n'es pas faite pour diriger, mais pour suivre tu fais partie de la foule et tu possèdes bien peu pour te démarquer du lot.

Il fit claquer sa langue contre son palais.

— Tsst. Je n'ai jamais vu autant de planètes conflictuelles. Contre un ennemi puissant, tu ne puiseras pas tes forces dans des méthodes guerrières. Tu dois conquérir par ton silence et par ta seule présence. Ton élément est le métal. Par conséquent, peu de gens arriveront à briser ta volonté, même s'ils tentent bien de le faire. Tu seras plus forte que ton entourage tant que tes intentions seront bienveillantes.

— Vois-tu autre chose, vieil homme sage ? demanda la jeune fille en regardant le cercle du zodiaque divisé en douze maisons.

— Parfois, je vois des choses que je choisis de ne pas révéler.

— Révèle-les-moi, répliqua Yin d'un ton ferme. Je ne suis qu'une enfant, mais je comprends beaucoup de choses.

— C'est la vérité, car tu as reçu le don de prophétie. Tu ne t'en sers pas actuellement, mais tu devrais bientôt commencer à sentir sa présence. L'homme à qui appartiendra ton cœur ne sera pas ton époux. Ton amour restera dans l'ombre.

La jeune fille redressa brusquement le dos.

— Il n'est pas de notre race.

— Tu le vois ?

— Oui. Il est là, comme un brouillard, dit-elle en montrant du doigt l'espace à côté de Sing-Lu. Je ne distingue pas son visage.

— Tu n'es pas censée le voir non plus. Pas encore.

— Que vois-tu encore ? ajouta-t-elle, en déglutissant péniblement.

— Ton destin est d'être le catalyseur pour d'autres, afin qu'ils fassent leur chemin dans la vie. Par ton entremise, une grande injustice sera réparée. La haine annihilée. La colère évacuée. Mais ce sera à d'autres de choisir. Ce ne sera pas ta décision.

— Je ne comprends pas, murmura la jeune fille.

— Tu y parviendras, en temps et lieu. L'astrologue fit silence un moment. Je peux te dire que tu quitteras la Chine dans le courant du mois.

— C'est impossible.

— Rien sur cette terre n'est impossible. La plupart des gens pensent que l'homme ne peut pas accomplir grand-chose de sa vie.

Ces gens ont de petits esprits. L'esprit peut créer tout ce qu'il désire. Il peut guérir. Il peut créer des merveilles artistiques. Il peut communiquer avec le divin. Toi, de toutes les personnes en ce monde, tu devrais le savoir.

— Et comment reconnaîtrai-je mon seul et unique amour quand je le verrai ?

— Tu le sauras, répondit l'astrologue. Tant que tu auras la foi.

— J'ai la foi.

— Bien, conclut-il. C'est tout ce que tu dois savoir. Il s'affaissa légèrement. Maintenant, tu dois rapporter ton horoscope à la Cité interdite pour que l'astrologue impérial l'étudie.

* * * *

C'est dans une cahute de nattes que Nan-Yung entendit pour la première fois parler de l'or de San Francisco, une ville située de l'autre côté de la mer de Chine, au-delà de l'océan Pacifique, dans un pays appelé Amérique.

— Combien d'or y a-t-il ? demanda-t-il au vieux marchand tout ratatiné.

— À Shanghai, les marins barbares rapportent qu'il y en a assez pour bâtir plus de palais que n'en contient la Cité interdite et pour recouvrir toutes leurs toitures d'or.

— Difficile à croire, laissa tomber Nan-Yung.

— C'est la vérité, s'entêta le vieil homme en s'emparant du tael que le jeune homme lui tendait. — Mais pourquoi est-ce que cela t'intéresserait ? Il faut beaucoup d'argent pour se rendre en Amérique, à moins que tu ne travailles comme esclave pour le barbare.

— Jamais ! Nan-Yung redressa la tête avec indignation.

Le marchand se tourna vers son gril et, armé d'une longue fourchette en étain à deux dents, retourna les fines tranches de viande pour en vérifier la cuisson.

La curiosité de Nan-Yung s'enfla comme un puissant dragon crachant des flammes. Il fallait qu'il en sache davantage.

— Y a-t-il des navires qui se rendent à San Francisco ?

— Tous les jours. En partance de Shanghai. Beaucoup de Chinois s'embarquent pour chercher de l'or là-bas. J'ai entendu dire que le fils de mon frère travaille sur un navire qui va en Amérique, pour payer son passage.

— Je ne ferais jamais cela. Je ne devrai pas ma vie à un autre.

— Ha! Tu la dois déjà au fils du Ciel. Ha! Toi, fils de Luang Su!

Le jeune homme se hérissa : entendre le nom de son père était pour lui comme entendre un maléfice. Il était devenu la risée de toute la Chine. La guerre de l'opium était terminée, mais la dépendance n'était pas morte. Elle avait simplement rampé sous terre. Littéralement. Il y avait maintenant plus de fumeries d'opium souterraines qu'il n'y en avait jamais eu avant, et beaucoup de mandarins mandchous s'enrichissaient quotidiennement. Cependant, Nan-Yung avait compris qu'il était préférable de garder le silence. Un jour viendrait où il pourrait exercer sa vengeance contre ceux qui riaient actuellement de lui.

Le jeune homme s'éloignait lorsque, tout à coup, des hérauts firent résonner leurs gongs en laiton et leurs petits tambours pour annoncer le passage d'un mandarin. En levant les yeux, Nan-Yung vit une vingtaine d'eunuques et non pas un palanquin, mais toute une file de chaises à porteurs et de palanquins déboucher de la rue de l'Étain.

— Que se passe-t-il? demanda-t-il au marchand.

— Le nouvel empereur a convoqué les vierges afin de faire son choix pour son gynécée. On dit que soixante jeunes filles sont attendues.

Tandis qu'il observait la procession de jeunes filles vêtues de façon recherchée et couvertes de bijoux qui passaient devant lui, il reconnut Tz'u-hsi et sa sœur qui vivaient comme lui dans la rue de l'Étain, mais dans la plus belle maison de la rue. La procession progressait lentement et s'arrêta plusieurs fois. Une jeune fille particulièrement adorable, dont la beauté éclipsait celle de toutes les autres, s'arrêta et regarda Nan-Yung.

Yin Ch'u pencha la tête d'un côté, puis de l'autre, comme si elle l'inspectait. Ce qu'elle vit sembla lui plaire, car son visage s'éclaira d'un large sourire.

— La fillette rayonnante! murmura Nan-Yung. Elle est aussi effrontée qu'avant.

— Tu la connais? demanda le marchand.

— Non. Mais je vais faire sa connaissance.

Le marchand secoua la tête, mais il continua à admirer la jeune fille d'une beauté enivrante.

— Elle sera certainement choisie. Je n'ai jamais vu de jeune fille aussi délicate.

Nan-Yung ne la quittait pas des yeux il était tout aussi envoûté.

— Je suis certain que son père sera honoré de son mariage avec l'empereur.

Le vendeur évalua la richesse du palanquin.

— Je crois que son père est vraiment très riche. Sa dot serait considérable pour n'importe quel homme. Bien entendu, l'empereur ne se soucie pas de telles choses.

— Sa dot?

L'esprit de Nan-Yung s'emballait. Il avait besoin d'argent pour payer le coût de son voyage en Amérique. Il se voyait déjà en train de chercher de l'or et d'en découvrir des hectares entiers. Il s'imagina, vivant la vie d'un empereur à San Francisco, où que ce soit sur la planète. Il prit conscience qu'il avait besoin de cette jeune fille. Mais c'était trop tard. Ou était-ce le cas?

Vif comme l'éclair, il vola un morceau de délicieux canard rôti et le piqua sur une brochette en bois. Puis, se tournant vers l'échoppe de fleurs à côté de lui, il s'empara de quelques branches de pommiers en fleurs mises à tremper dans l'eau d'un récipient en verre.

— Que fais-tu? demanda le marchand de fleurs, mais le jeune homme n'avait pas un instant à perdre.

Bientôt, la procession se remettrait en marche et il ne reverrait plus jamais la jeune fille rayonnante.

Il se précipita vers Yin, et avec beaucoup d'audace, lui offrit ses présents.

— J'espère qu'il ne te choisira pas.

Il ne prêta pas attention à l'eunuque qui se tenait à un mètre de lui et dont la tâche consistait à empêcher les badauds de s'approcher de sa charge.

Yin baissa les yeux vers Nan-Yung. Le parfum des fleurs de pommiers embauma ses narines et elle sourit.

— Je serai la première qu'il refusera.

— Ah! Quel bonheur me procurent tes paroles! Comment le sais-tu?

— C'est dans mon horoscope. Je suis destinée à traverser les océans.

Nan-Yung en eut le souffle coupé. « C'est trop beau pour être vrai. »

L'eunuque fit entendre un grognement. Puis, il gronda :

— Toi, éloigne-toi de là !

Nan-Yung ne broncha pas.

— Tu vas vivre de l'autre côté de l'océan ?

— Oui.

— C'est incroyable. C'est aussi mon destin. Tu es mon destin.

— Oui, fit-elle avec un sourire indulgent, comme s'il était un chiot bâtard ou un être inférieur.

— Je sais beaucoup de choses, Nan-Yung.

— Tu connais mon nom ?

— Bien sûr. Je l'ai toujours su. Je vois des choses. Des noms, même.

— Si tu sais tant de choses, comment se fait-il que tu ne sois pas venue à moi avant ?

— Je ne suis pas venue à toi. C'est toi qui es venu à moi, pouffa-t-elle. Pauvre bêta, le temps n'était pas venu.

Nan-Yung n'aimait pas le ton sur lequel elle lui parlait, mais il était tout de même envoûté. Brusquement, la procession repartit. L'eunuque au visage à la peau flasque s'irrita du comportement outrageant de Nan-Yung. Il le repoussa pour l'éloigner du palanquin

— Va-t'en ! ordonna-t-il avant de se tourner vers les porteurs et de leur lancer quelques ordres.

Le palanquin s'éloigna et bien que Nan-Yung continue de marcher à côté, Yin ferma les rideaux et refusa de lui adresser de nouveau la parole.

Ils parvinrent ainsi aux portes de la Cité interdite, et Yin disparut avec le reste de la procession. Nan-Yung n'avait jamais rencontré une jeune fille aussi étrange, et pourtant, elle l'attirait. Une fois le dernier palanquin disparu, le jeune homme eut le sentiment angoissant qu'il ne la reverrait jamais. Comme tout cela était étrange. Elle savait qui il était, alors qu'il ignorait tout d'elle. Il ne savait même pas son nom. Mais quelque chose lui disait qu'il devait croire en elle, en son retour, car elle était la réponse à ses rêves. Elle était son avenue hors de Chine.

Les soixante jeunes filles mandchoues furent escortées au-delà de la rivière aux Eaux d'or et franchirent la porte du Comportement juste. Yin Ch'u savait qu'elle aurait dû porter attention à chaque fleur de lotus et à chaque tapisserie, mais elle n'en fit rien. Elle pensait à Nan-Yung. Elle savait qu'elle ne serait pas une vierge prisonnière de la Cité interdite, dédaignée par l'empereur, simplement parce que ses planètes n'étaient pas alignées correctement. Elle éprouvait de la compassion pour les autres jeunes filles qui seraient indubitablement condamnées à une existence sans homme, ni enfants.

Dans les bureaux du Nei Wu Fu, service de la maison impériale, l'astrologue en chef attendait les jeunes filles. Yin patienta tandis que les jeunes filles étaient présentées. L'une après l'autre, elles furent acceptées ou refusées sur-le-champ. Plus tard, Yin devait apprendre que vingt-huit jeunes filles avaient été choisies cependant, elle fut renvoyée aussi rapidement qu'elle l'avait anticipé.

Sourire aux lèvres, elle fut transportée hors du palais. Elle savait qu'elle ne devait pas laisser s'écouler un mois lunaire avant de revoir Nan-Yung.

Elle lui fit remettre une note par un messager, un allié qu'elle s'était fait à l'intérieur des murs de la maison de son père. Elle organisa une rencontre avec le jeune homme pour le lendemain, dans les échoppes de la Ville intérieure. À cette heure de la journée, elle savait que personne ne les interromprait, personne ne l'obligerait à rentrer à la maison. En Chine, les jeunes filles mandchoues disposaient de quelques stratagèmes pour contrer la surveillance des eunuques et des gardes de leur père, les sorties pour acheter des soies, des bijoux et des ornements pour leur chevelure en faisaient partie.

* * * *

Le lendemain, lorsque Nan-Yung vit Yin approcher dans son palanquin, il comprit que sa vie venait finalement d'être mise en ordre.

Yin descendit du palanquin avec l'aide de son plus jeune eunuque. Nan-Yung recula d'un pas, de nouveau surpris par la lumière qui semblait émaner de la jeune fille. Plutôt que de le regarder, elle se dirigea vers une échoppe et attendit. Son eunuque fit le tour du palanquin et sortit en cachette sa pipe à opium de son pantalon noir.

Nan-Yung s'approcha la jeune fille.

— Je ne sais trop que dire.

— Tu n'as rien à dire du tout, puisque c'est moi qui parlerai. Tu dois m'épouser, Nan-Yung, c'est écrit dans mes planètes. Nous devrons quitter la Chine dès que je me serai enfuie de la maison de mon père.

Le jeune homme sourit.

Yin ne capta pas la lueur mauvaise qui s'était allumée au fond de ses yeux.

— Nous irons à San Francisco, déclara-t-il.

— Je n'ai jamais entendu parler de cet endroit.

— J'ai l'intention de devenir riche. Je pourrai alors redorer le blason du clan Su. Les Chinois ne considéreront plus ma maison, ni mes enfants, avec dédain. Une fois que je serai riche, je me vengerai de tout le mal que le barbare a fait subir à ma famille.

— Quel barbare ?

— L'homme qui est responsable de l'exécution de mon père. L'homme appelé Duke.

Yin faillit reculer tant la force de sa haine était intense. Elle enveloppait Nan-Yung comme un voile maléfique. Sans trop s'attarder, elle se demanda quelle potion ou quel sort elle pourrait utiliser pour dissiper la force de l'émotion du jeune homme.

— Tu portes toujours ta vengeance en toi ?

Il la regarda vivement avant de détourner les yeux.

— Je suis seulement ambitieux. Pas vengeur.

— Ne mens pas.

Une profonde souffrance brûlait sous le voile de haine qui obscurcissait le regard du jeune homme.

— Parfois, la vengeance fait nécessairement partie de la vie.

— Sois sage, Nan-Yung. Lâche prise.

Elle tourna son visage vers lui.

— Tu as peur de moi, supposa-t-il.

— Non. Tu es mon destin. Mais je vois que tu dois changer les pôles qui forment l'axe de ton esprit. Je dis cela pour ton bien.

— Je vais y réfléchir.

Elle sourit.

— C'est bien.

Nan-Yung lui prit la main à son contact, Yin sentit un courant électrique circuler entre eux. C'était la première fois qu'elle désirait un homme. Elle comprit qu'ils avaient la capacité de fonder ensemble une famille solide.

— Je n'ai pas d'argent pour la traversée en Amérique, dit-il. Cela exige beaucoup d'argent.

— Je vais en voler pour toi. Je possède beaucoup de bijoux.

L'espoir du jeune homme grandit.

— Quand?

— Nous partons la semaine prochaine, dit-elle.

Elle voyait l'avenir aussi clairement que si elle le vivait déjà.

— Je te rejoindrai ici, au marché, comme je l'ai fait aujourd'hui. À midi, lorsqu'il y a foule. Nous disparaîtrons dans la presse de gens. Tu dois faire les arrangements nécessaires pour que nous puissions descendre le Grand Canal en jonque.

— Je m'en occupe, lança-t-il en faisant preuve de trop d'impatience.

Yin ressentit un élan d'excitation, provoqué autant par les possibilités de son avenir que par le contact de la main ferme de Nan-Yung.

Elle se détourna de lui. Elle ne lui jeta pas un regard, ne lui dit même pas au revoir. Ils n'auraient aucune difficulté à se glisser hors de la cité sur l'une des nombreuses jonques à voile rouge qui sillonnaient les eaux du Grand Canal jusqu'à Shanghai. Acheter leur passage serait chose facile avec ses joyaux. Dès que Nan-Yung avait parlé de San Francisco, elle avait compris que c'était le lieu de l'autre côté de l'océan dont lui avait parlé l'astrologue. Elle crut donc que tout était en ordre. Elle marchait vers l'avenir, vers son destin. Elle retourna à son palanquin pour rentrer à la maison.

Pas une seule fois dans tous ses calculs, dans la multitude de questions qu'elle avait soumises aux devins, Yin Ch'u n'avait songé à demander si son destin serait heureux.

La réponse l'aurait tout simplement abasourdie.

Vingt et un

« Mais, prêtres, dites-moi,
l'or dans un sacrifice, que fait-il ? »

— PERSE, *SATIRES*, L. 69

San Francisco, 22 juin 1851

Jefferson regardait l'incendie dévorer des pâtés entiers de maisons. C'était le cinquième à se déclarer de la sorte depuis son arrivée à San Francisco, seize ans auparavant. Il avait follement espéré que les habitants de la ville aient enfin compris la leçon, mais ils n'apprenaient jamais. Les yeux fixés sur les profits éclair, l'argent rapide et la prochaine escroquerie, ils étaient trop occupés à vivre le moment présent pour se préoccuper de sécurité publique et de construction de qualité.

Il y en avait toujours pour accuser Jefferson de s'enrichir avec chaque incendie. Le fait était que ces sinistres étaient profitables, mais l'idée lui déplaisait souverainement. Dans une ville à ses débuts, on pouvait gagner des millions sans mettre la vie humaine en péril. Or, San Francisco croissait cahin-caha, comme toujours depuis sa fondation l'urbanisme se faisait au petit bonheur, la corruption régnait en politique, et la ville s'offrait les meilleurs promoteurs possible : l'or et la cupidité.

Les flammes orange et rouges léchaient les murs de la banque les tentacules invisibles de la chaleur envahirent le bâtiment, le

277

pressèrent de toute part et finirent par le broyer. Comme un amant dévergondé, la construction s'abandonna aux flammes. Ils ne firent qu'un avant de périr, ne laissant derrière eux que le germe d'une étincelle qui enflamma le bâtiment suivant.

Jefferson n'aimait pas cette armure de plus en plus dure qui se formait graduellement autour de ses émotions et de ses sentiments. Bien qu'il détestât l'idée de la qualifier de cynisme, c'était précisément cela. À trente-six ans, Jefferson était un homme d'affaires prospère et respecté dans sa communauté. Mais dans son esprit, maturité et désillusions avaient grugé sa psyché petit à petit, et il éprouvait de la difficulté à retrouver son essence et les débris de ses rêves.

Il avait à peine été conscient des années de la ruée vers l'or, avec son chic clinquant et ses divertissements vulgaires. À l'exception des variations à la hausse ou à la baisse de ses stocks, Jefferson ne marquait les années que par le sentiment grandissant de solitude qui le prenait, même lorsqu'il était dans la même pièce que Caroline. Miraculeusement, il avait pu voler juste assez de nuits avec elle dans les collines, les jardins derrière le Presidio ou dans son lit, pour ne pas sombrer dans la folie. Des années auparavant, lorsqu'elle était rentrée de Boston avec leur fils, il avait trouvé le moyen de la revoir. Leur amour était toujours aussi fort, mais il restait toujours dans l'ombre.

Trop de voitures dévalaient la rue Powell en direction de la berge où l'incendie faisait rage pour que Jefferson entende Caroline s'approcher derrière lui.

Le souffle lui manquait à chacune de leurs rencontres. Cette fois, elle osa murmurer :

— Jefferson... mon amour.

Il sentit sa présence, comme toujours lorsqu'elle se trouvait à proximité de lui. Il ne fit pas volte-face : il s'était habitué à ne pas l'accueillir en lui ouvrant les bras. Il attendit qu'elle s'avance et s'arrête à ses côtés. Toujours conscient des rumeurs de scandales qui couraient à leur sujet, il ne fit rien qui eut pu trahir ses véritables sentiments aux gens qui passaient.

Il lui dit plutôt d'un ton courtois :

— Bien le bonjour, madame Mansfield.

— Je savais que tu serais ici.

Elle effleura son visage du regard, laissant derrière elle les marques indélébiles de la possession. Elle s'arracha à sa contemplation et tourna les yeux vers l'incendie.

— J'ai entendu dire que les pertes étaient beaucoup plus considérables que l'incendie des 3 et 4 mai. Cette fois du moins, les flammes n'ont pas été vues clairement depuis Monterey.

— Avec de la chance, il n'y aura pas de suicide, cette fois.

Des larmes montèrent aux yeux de Caroline qui se rappela le drame de bons amis à elle : en entendant la nouvelle de la mort de leurs proches, ils s'étaient suicidés avec des pistolets qui provenaient de son magasin. Pour se réconforter, mais sans réfléchir, elle posa une main protectrice sur le bras de Jefferson et l'y laissa.

— Dis-moi que tu ne feras jamais une telle chose.

— Si quelque chose devait vous arriver, à Lawrence ou à toi, je ne sais pas ce que je ferais.

Il toucha sa petite main gantée de dentelle.

— Je t'aime.

Elle souffrait de ne pas pouvoir le serrer dans ses bras, non seulement dans l'intimité, mais en public.

— Je déteste cette vie que nous menons. Je veux que tout le monde sache que nous sommes un couple.

— Tu n'as qu'un mot à dire. Dis-moi que tu le quittes.

Elle reporta son regard sur l'incendie.

— Je ne peux pas faire cela. Tu le sais.

— Je sais. Tu l'as promis à ton père. Tu laisses un homme mort régenter notre existence.

Elle fronça les sourcils.

— Ne me juge pas. Tu m'as raconté les visites que ta mère te fait en rêve. Les morts sont vivants. Tu l'as dit toi-même. Tu es simplement possessif.

— Tu as raison. Je te veux... tout de suite.

— Alors, tu seras heureux d'apprendre que William s'est embarqué hier sur le vapeur *Tennessee*.

Jefferson aurait aimé la prendre dans ses bras et la faire tourbillonner tellement il était heureux. Il raffermit plutôt son masque impassible et fit semblant d'observer l'incendie.

— Combien de temps sera-t-il absent ?

— Trois mois.

Jefferson savait que William n'était jamais parti aussi longtemps, mais il fut incapable de résister à l'envie de taquiner Caroline.

— Franchement, il n'aurait pu choisir pire moment!

Il feignit de froncer les sourcils.

Caroline écarquilla les yeux.

— Qu'est-ce que tu veux dire?

— J'ai beaucoup de travail en ce moment. Il y a le nouvel entrepôt et toutes ces nouvelles marchandises à décharger.

Du coin de l'œil, il la vit qui se tortillait. Il se frotta le menton de la main.

— Je voulais travailler sur un nouveau système d'inventaire, mais je suppose que je pourrai trouver un peu de temps pour toi.

Il fut incapable de retenir son hilarité plus longtemps.

En constatant qu'il riait, Caroline lui assena par jeu un coup de poing sur son bras musclé.

— Oh, toi!

Audacieusement, il la souleva dans ses bras et l'embrassa très vite sur le sommet du crâne avant de la reposer par terre.

— Désolé... je n'ai pas pu résister.

— Je suppose que je le mérite pour toutes les fois où j'ai dû me décommander pour une raison ou une autre, répondit-elle d'un ton sombre.

— L'important, c'est que nous aurons plus de temps pour être ensemble.

Jefferson porta brusquement la main à son front.

— Mais j'y pense. Et Lawrence? Il faudra que tu restes avec lui, sauf quand tu seras au magasin.

— J'y ai pensé. J'ai engagé Lydia McGillivray comme nounou. Elle est arrivée de New York, il y a deux semaines, à bord de l'*Antelope*. Elle n'a pas de famille et affirme avoir été la gouvernante et la préceptrice des enfants Throckmorton.

— Impressionnant. Est-ce que tu la crois?

Caroline pouffa.

— À vrai dire, non. Mais elle a du caractère et elle ne s'est pas encore résignée à vivre sur la côte de Barbarie, comme tant de jeunes filles le font en arrivant ici. Je lui donne au moins cela. Honnêtement, pendant la ruée vers l'or, j'ai craint de ne plus jamais rencontrer une jeune femme avec de l'estime de soi. Dernièrement, il m'a semblé que tous les vapeurs qui arrivent amènent de plus en plus de femmes venues rejoindre leur mari et de familles souhaitant réellement s'établir ici.

— C'est bon signe.

Les yeux de Caroline brillaient d'amour pour Jefferson et pour son pays.

Lorsqu'il plongeait son regard dans le sien, Jefferson avait la conviction d'y voir son avenir. Il tenta de freiner les mots qui montaient de son cœur à ses lèvres, mais il en fut incapable.

— Je rêve du jour où nous pourrons former une vraie famille. Toi, Lawrence et moi.

Il leva la main pour lui caresser la joue, mais au bruit soudain de sabots martelant les pavés, il laissa retomber le bras. Il se retourna et sourit à la conductrice de la voiture qui passait.

Caroline leva le bras pour saluer madame Ned Beale qui se promenait fièrement dans sa calèche, le premier équipage privé de la ville.

— J'ai songé à importer de nouveaux attelages. J'aimerais voir ici des cabriolets et des bogheis aussi élégants que ceux de New York et de Paris.

Jefferson ne se laissa pas duper une minute en constatant que Caroline orientait la conversation vers le terrain neutre des ventes, des stocks, de la publicité et de la marchandise. Il voyait le rouge de l'anticipation et du désir colorer ses joues. Il remarqua qu'elle se mordait la lèvre inférieure dans un effort pour refouler ses larmes. Il avait fait de même pour éviter que ses émotions ne détruisent les fondements de sa vie. Jefferson ne craignait pas que leur idylle soit découverte, mais il avait peur pour Caroline et Lawrence : au bout du compte, il savait qu'ils souffriraient beaucoup plus que lui. Mais sa plus grande peur était de perdre Caroline dans la souffrance aveuglante d'une vérité sans fard. Il ne pouvait vivre sans elle.

— Quand et où pourrai-je te voir ?

— Ce soir. Je viendrai chez toi vers minuit et demi. Nous aurons des heures devant nous, Jefferson. Des heures.

Elle lui sourit, mais du demi-sourire qu'on présente à un voisin, ne permettant à personne de discerner sa passion. À personne, sauf à Jefferson.

Tout comme l'incendie qui faisait rage en eux, Caroline voulait consumer Jefferson et qu'il la consume en retour. À ses yeux, nulle soif d'amour n'était plus grande que la sienne, sauf celle de Jefferson pour elle.

Elle s'éloigna. Il n'osa pas la toucher. Mais alors qu'elle le quittait, il sentit l'air se raréfier, comme si elle était devenue une ombre qui glissait dans l'éther de l'espace.

* * * *

— Maman! Maman!

Lawrence hurlait dans l'obscurité de sa chambre.

— Maaaamaaaan!

Vêtue d'une robe de chambre d'été en soie bleue, Caroline attendait que les heures passent avant de rejoindre Jefferson. Prenant prétexte d'aller dormir, elle avait plongé dans le rôle qu'elle s'était donné pour que Lydia ne se doute de rien. Les hurlements de Lawrence traversèrent la porte de sa chambre et la tirèrent de son lit.

Elle ouvrit la porte en acajou exactement au même moment où Lydia ouvrait la sienne. Tout en s'enveloppant de sa robe de chambre en coton, la jeune fille fila dans le corridor à toute allure. Elle passa devant Caroline, ses pieds touchant à peine le sol.

— Vous inquiétez pas, m'dame. J'suis là, non?

La chevelure de la jeune fille tombait en un long voile roux dans son dos, et oscillait de droite puis de gauche comme un épais rideau cuivré, en réponse à sa course. Lydia s'engouffra dans la chambre de Lawrence et alluma la lampe à l'huile à côté du lit. Avant même d'atteindre la chambre de son fils, Caroline entendit de petits murmures consolateurs qui émanaient de la voix distinctive de Lydia, mélange de sécheresse et de chantonnement.

— Chut. Là, là, mon cœur. Tu peux pas pleurer, maintenant, ouais?

Lawrence essaya de reprendre son souffle, mais ses sanglots étaient trop gros pour sa petite poitrine étroite.

— C'était horrible.

— Qu'est-ce qui était horrible? s'enquit Caroline en se glissant dans la chambre.

Elle s'assit de l'autre côté du lit, posa la main sur la tête de son fils et lissa sa chevelure blonde. Tout le monde disait qu'il lui ressemblait énormément, mais elle savait que la texture et la légèreté de ses cheveux lui venaient de Jefferson. Elle frotta le dos de l'enfant et attendit que ses nerfs se calment. Il ne s'écarta pas de Lydia, car il ne voulait pas lui enlever son autorité, mais il tendit la main et la posa sur le genou de sa mère. Lawrence n'était qu'un petit garçon, mais il comprenait fort bien la nature humaine.

Il avait aimé Lydia dès le jour de son arrivée. La jeune fille était sa première véritable compagne de jeu, bien qu'elle lui ait dit avoir presque vingt ans. La plupart des enfants n'aimaient pas Lawrence : c'était un garçon studieux et intelligent qui préférait converser avec les adultes plutôt que s'amuser avec ses jouets.

Or, Lydia avait des histoires formidables à raconter sur l'Écosse où elle était née, et l'Irlande où elle avait vécu presque toute sa vie. Elle parlait à Lawrence de la terrible famine de pommes de terre qui avait tué ses frères et sœurs. Non seulement Lydia aimait-elle Lawrence autant que sa mère, mais elle avait du temps à lui consacrer, ce que sa mère ne pouvait pas faire fréquemment. Caroline se sentait coupable de devoir partager son temps entre son fils et son magasin. Mais sans le talent de sa femme pour les affaires, William aurait fait faillite depuis longtemps. C'était elle qui les protégeait de la famine et leur assurait un toit William, lui, nourrissait son ego en prétendant qu'il était le moteur de l'entreprise.

— Dis-moi, Lawrence, à quoi as-tu rêvé ? Pourquoi est-ce que c'était si horrible ? demanda de nouveau Caroline.

— J'ai peur. Je n'avais jamais fait un rêve comme cela avant.

Les clairs yeux gris-bleu de Lydia scintillèrent dans la lumière de la lampe.

— T'as pas besoin d'avoir peur.

La jeune fille se tourna vers Caroline et souffla d'un air de conspiratrice :

— C'est du naufrage qu'il rêve.

Stupéfaite, Caroline ouvrit la bouche en même temps que Lawrence relevait la tête.

— Comment tu le sais ? demanda Lawrence.

— Oui, comment savez-vous ? répéta Caroline en haussant les sourcils.

Un sourire de farfadet dansa sur les lèvres de la jeune fille tandis que son regard passait de la mère au fils.

— Ben, je l'ai entendu parler, juste quand j'arrivais dans la chambre, répondit-elle innocemment.

— Oh. Je vois, fit Caroline en entourant son fils de ses bras. Je comprends. Tu es inquiet au sujet de ton père, c'est ça ?

— Oui, soupira l'enfant en posant la tête contre la poitrine tiède de sa mère. C'était vraiment effrayant. J'ai vu le bateau qui se faisait malmener. L'océan était plus noir que la nuit. J'ai vu père qui s'accrochait au bastingage. Crois-tu qu'il va bien ?

— Oui, mon chéri. J'en suis certaine. C'est peut-être l'incendie qui t'a bouleversé. Je suis persuadée que lorsque de pareilles choses se produisent, on dirait que la fin du monde est arrivée. Et c'est la première fois que ton père part loin de nous. Mais William est vivant et il va bien. Tu es ici avec Lydia et moi. Nous sommes tous en sûreté.

Elle embrassa l'enfant sur la joue et le serra de nouveau dans ses bras avant de le border dans son lit. Jetant un coup d'œil à la pendule posée sur le manteau en bois de la cheminée, elle constata qu'il était plus de vingt-trois heures. Elle ne pourrait pas aller chez Jefferson cette nuit.

Lydia souffla la flamme de la lampe à l'huile et sortit de la chambre avec Caroline.

— 'Scusez, m'dame, murmura la jeune fille, alors qu'elles atteignaient le corridor. J'me disais... Peut-être que je devrais rester avec le p'tit, cette nuit. Comme ça, vous pourriez vaquer à vos affaires.

— Mes affaires ?

— Vous r'poser convenablement, m'dame. Ça m'ferait rien, vous savez.

Le sourire de Lydia était limpide et son intention pure même en scrutant attentivement son visage, Caroline n'y découvrit aucune trace de malice.

— Ce serait peut-être mieux, en effet.

Lydia opina de la tête. Elle entra dans sa chambre, défit rapidement les draps et la courte pointe de son lit, et retourna dans la chambre de Lawrence, où elle s'installa une couche de fortune sur le plancher, à côté du lit de l'enfant.

Une demi-heure plus tard, Lydia et Lawrence dormaient à poings fermés et n'eurent pas conscience que Caroline quittait la maison.

La nuit d'été était torride, et nulle brise ne soufflait pour chasser la fumée des flammes agonisantes. L'excitation causée par l'incendie s'était calmée, et la ville avait sombré dans un sommeil épuisé. Il y avait peu de gens dehors à cette heure. Les criquets eux-mêmes somnolaient et personne, ni homme ni bête, ne savait que Caroline et Jefferson tissaient leurs rêves de concert.

Assise sur le bord du lit, elle regardait les flammes vacillantes qui s'élevaient toujours, plus bas, près de la baie. Semblables à des serpents agressifs, d'énormes colonnes de fumée noire montaient en spirale dans le ciel indigo et dissimulaient les étoiles. Jefferson entoura de sa main le sein blanc de Caroline et, à la lueur vive de la lampe, regarda ses doigts faire l'un après l'autre le tour du téton durci. Il déposa un baiser délicat et velouté sur la tempe de la jeune femme. Lentement, elle laissa tomber le lourd rideau et, les yeux fermés, s'abandonna à son étreinte. Une gouttelette de transpiration glissa le long de la colonne de son cou, tandis qu'elle s'adossait à la tête de lit en acajou sombre. Un gémissement de plaisir monta des profondeurs de sa poitrine, mais ne dépassa pas ses lèvres. Elle posa doucement sa main sur celle de Jefferson et pressa le bout de ses doigts dans la chair ferme de son sein. Chaque centimètre de sa peau avait faim de lui.

— Seigneur, Jefferson, je pensais que je ne te toucherais plus jamais.

Elle ne précipita pas les choses, car elle voulait jouir de chaque millième de seconde de plaisir qu'ils se donnaient.

Elle se rappela s'être demandé aux premiers jours de leur liaison si sa nature illicite n'agissait pas comme un catalyseur pour stimuler l'ardeur de leur passion. Mais après une décennie où elle avait été forcée de glisser dans les ombres de la nuit, de contourner la vérité et de colorer le mensonge de romantisme, elle s'émerveillait que leur amour ne se soit pas consumé dans ses propres flammes. Elle aimait Jefferson encore plus qu'avant. Chaque jour, Caroline se disait qu'il était impossible que son amour grandisse encore. Or, elle découvrait toujours qu'elle avait tort. Ses émotions nichaient dans les chambres les plus intimes, les plus secrètes de son cœur. Là, elles vivaient, dissimulées aux yeux du monde, mais pour Caroline, elles formaient la source de son courage, les seules étincelles qui donnaient un sens à sa vie.

La jeune femme croyait tout savoir de Jefferson. Le bifteck était son aliment favori. Il aimait que ses sauces soient fortement relevées de poivre et il exigeait des légumes croustillants. Il allait à la messe tous les dimanches à la mission Dolores, mais il avait confié à Caroline qu'il ne s'était jamais officiellement converti au catholicisme. Il y avait pourtant un crucifix dans chaque pièce de sa maison. Sur le plan politique, il était libéral, mais souhaitait que la loi et l'ordre règnent : c'était un relent de l'époque de la ruée vers l'or où la cupidité dépassait le sens commun. Il aimait les chevaux, la Sierra Nevada, les feux ronflants, l'eau-de-vie, un bain chaud tous les jours, les femmes qui disaient ce qu'elles pensaient, ainsi que les costumes gris, jamais bruns. Il aimait les bijoux, mais seulement sur les femmes. Il ne se fâchait pas facilement, mais un jour, rue Stockton, elle l'avait vu attraper un politicien corrompu par le cou et le soulever du trottoir en bois. Il avait failli l'étrangler. Jefferson détestait la neige, l'injustice, la cruauté et les cancans, dans l'ordre. Il aimait que les lumières soient tamisées lorsqu'ils faisaient l'amour, mais s'ils se laissaient tenter une deuxième fois, il préférait éteindre. Il l'aimait, elle, plus que son pays, mais moins que son Dieu.

Lorsqu'elle pensait qu'il n'avait plus grand secrets à lui révéler, il lui dévoilait une nouvelle facette de sa personnalité. Néanmoins, aucune n'était jamais étrangère à son caractère, et chacune ne faisait que confirmer ce que Caroline savait et aimait de lui.

— C'est très étrange, Jefferson, j'ai le sentiment que nous sommes plus que mariés. Nous sommes un esprit. Une âme.

— Je crois que c'est le cas.

— Parfois, je crois sincèrement que j'arrive à sentir que tu penses à moi. Je me dis que je suis illogique, mais je sais dans mon cœur que j'ai raison.

Il hocha la tête.

— Nous pouvons mettre ta théorie à l'épreuve.

— Comment?

— Ce soir, à vingt-trois heures, tu as pensé à moi. Tu étais triste. Pourquoi?

L'étonnement la laissa bouche bée.

— C'est vrai! Lawrence a fait un cauchemar. J'ai craint de ne pas pouvoir venir te voir.

Il lui caressa la joue.

— Ma mère m'a dit que les amants qui décident d'être ensemble dans cette vie sont toujours en contact par l'esprit. C'est de cette manière que nous avons été réunis au départ. Je t'ai volontairement fait venir dans ma vie.

— Jefferson, tu dis parfois des choses vraiment bizarres.

— Penses-tu vraiment que je suis bizarre ? demanda-t-il en tournant les yeux vers la porte de sa bibliothèque privée, fermée à clé.

— Bien sûr que non.

— Peut-être que si tu me connaissais mieux, tu ne dirais pas la même chose.

— Jefferson, aucune femme sur cette terre n'a jamais connu un homme aussi bien que je te connais.

— Tu ne sais pas tout, reprit-il en tournant de nouveau les yeux vers la porte.

Caroline se dressa dans le lit.

— Tu le fais encore.

— Quoi ? dit-il en se tournant vers elle.

— Tu fais des mystères.

— Qu'est-ce qu'il y a de mal à faire un peu de mystère ?

Il se força à rire.

— Rien, sauf que chaque fois que tu prends cet air, tu regardes vers ta bibliothèque. Comment se fait-il que depuis toutes ces années, j'aie vu toutes les pièces de ta maison, sauf celle-là ? Qu'y a-t-il là que tu ne veux pas que je voie ?

— Rien. Ma vie et ma maison te sont ouvertes.

— Non. Tu me caches quelque chose. Je le sens.

Jefferson déglutit péniblement. Depuis toutes ces années, il n'avait jamais eu le courage d'avouer la vérité à Caroline. À propos de son ancienne vie d'esclave. Des années plus tôt, il avait peint le portrait de sa mère et l'avait accroché dans la bibliothèque. Et à partir de ses rencontres avec le fantôme de Yuala, il avait peint ce qu'il croyait être un portrait à sa ressemblance et l'avait aussi suspendu dans la pièce.

Un million de fois au moins, il avait souhaité ouvrir cette porte et tout raconter à Caroline. Il avait échoué, chaque fois. Pour une raison très simple.

Il ne pouvait supporter l'idée de la perdre.

Il craignait que le choc n'entraîne leur rupture. Il craignait que son secret ne déchaîne la colère de Caroline, surtout après la naissance de Lawrence. Il craignait qu'elle ne l'aime pas assez pour accepter la vérité.

Ses vulnérabilités le grugeaient, et il ne savait absolument pas comment s'y prendre pour y mettre fin.

Elle embrassa sa lèvre inférieure et reprit d'un ton taquin :

— D'accord. Ne me dis rien à propos de cette mystérieuse bibliothèque.

Il lui rendit son baiser.

— Dis-moi que tu m'aimes.

— Je t'aime. Je t'ai toujours aimé et je t'aimerai toujours, dit-elle avant de baisser les yeux d'un air pensif. Est-ce que je peux te poser une question ?

— Bien sûr.

— Parfois, quand je suis seule et que je lis, je t'entends prononcer mon nom. Ce n'est pas un bourdonnement dans mes oreilles j'entends distinctement le son de ta voix. Puis, j'arrive parfois à te sentir à mes côtés, comme si d'une façon quelconque, tu t'étais échappé de ton corps et que tu étais près de moi. Comment est-ce possible ?

Jefferson gloussa.

— Ma mère appelait cela « le voyage de l'âme ». Les anciens yogis indiens le pratiquent. C'est compliqué à expliquer. Mais dans ces moments-là, je suis plus avec toi que je ne suis avec moi-même. Sache seulement que je suis là.

— Je suis journaliste de formation, Jefferson. Je suis désolée, mais j'ai besoin de faits pour étayer les phénomènes. J'ai de la difficulté à appréhender les pensées mystiques cependant, certaines choses m'arrivent que je n'arrive pas à comprendre.

— Sache seulement que tu n'es jamais seule. Je suis toujours avec toi. Toujours.

Il posa ses lèvres sur les siennes, savourant le moment. Il essaya de ne pas penser à l'avenir, à ce qui allait se produire au-delà de l'instant, mais il avait toujours été trop exigeant, autant du destin que de lui-même.

— Épouse-moi, Caroline...

— Jefferson, non... Nous avons déjà abordé la question.

— Je sais, répondit-il, tandis que la souffrance gagnait son cœur.

Il était fou de s'accrocher à ce rêve, en dépit de la prédiction de sa mère que Caroline et lui ne seraient jamais unis par les liens du mariage.

« Je suis comme un opiomane envoûté par sa drogue. Mais je ne peux pas vivre sans garder l'espoir de pouvoir tenter le sort. »

Abattu, Jefferson se redressa et s'appuya lourdement contre la tête de lit. Il ouvrit le bras, et Caroline vint se nicher tout contre lui. Elle posa une main protectrice sur son cœur, comme pour atténuer le coup qu'elle venait de lui porter.

— Je ne peux pas te donner ce que tu désires, Jefferson. Et pourtant, je suis consciente que je me montre égoïste. J'ai une famille. Tu n'en as pas. Je t'ai volé cette chance. Peut-être, ajouta-t-elle en ravalant la boule brûlante qui lui entravait la gorge et en priant d'avoir le courage de continuer, peut-être qu'il serait préférable que tu ne me revoies plus. Tu serais alors libre d'en aimer une autre.

Ses paroles avaient à peine franchi ses lèvres que Caroline se sentit envahie par la peur. Elle n'avait jamais été en proie à un froid aussi glacial, comme si la mort était venue lui rendre visite. Son cœur cessa littéralement de battre pendant un long et douloureux instant. Soudain, elle n'eut plus ni pensées ni émotions, ni conscience d'elle-même. C'était comme si elle n'existait plus. La peur voila ses yeux. Elle les garda rivés sur la poitrine de Jefferson elle ne voulait pas le regarder et lire sa réponse dans ses yeux.

« Qu'était-elle en train de dire ? » Elle savait qu'elle ne pourrait jamais aller jusqu'au bout. « Et s'il acceptait son sacrifice ? Serait-elle capable de quitter San Francisco ? »

Elle savait que Jefferson la considérait comme une femme forte, mais elle ne l'était pas. Elle savait qu'elle ne pourrait pas vivre dans la même ville que lui. Voir Jefferson faire sa vie avec une autre la tuerait. Pourtant, c'était exactement ce qu'elle lui faisait subir.

Il finit par répondre :

— C'est moi qui me montre égoïste. Je m'en excuse, mon amour. J'avais tort de te demander d'abandonner tes principes. À la vérité, je suis heureux juste de te voir. Il lui fit lever la tête. Tu es aimante et courageuse, et je ne veux rien changer à ta nature. C'est simplement que j'ai ces idées, lorsque je n'ai pas été avec toi depuis un moment...

— Comme de bâtir des châteaux en Espagne ?

— Quelque chose comme cela. Je suppose que je devrai me contenter d'en construire en Californie. Il l'attira plus près. Tu me rappelles beaucoup ma mère.

Elle rit.

— Je suis certaine que ta mère était beaucoup plus grande dame que moi. Personne n'a jamais dit d'elle qu'elle était «indépendante» et qu'elle «avait son franc-parler», en particulier dans les journaux.

Caroline ne pouvait s'empêcher de songer à l'article de l'*Alta California* qui traitait de ses opinions politiques.

Jefferson eut soudain la vision de Rachel, ses boucles cuivrées en tire-bouchon volant au vent. Le souvenir glacial des étiquettes dont on l'avait affublée — «esclave», «chienne mulâtre», «putain noire» — résonna brusquement, porté par la voix de Maureen.

Encore une fois, Jefferson eut la conscience aiguë de sa bâtardise et du fait qu'il n'était pas le descendant blanc de la lignée royale des Duke. Il voulait désespérément dire la vérité à Caroline.

Il se lança :

— Il y a quelque chose que tu ne sais pas à mon sujet.

— Jefferson, tu as l'air tellement sérieux. Est-ce grave ?

Il remarqua qu'elle s'était raidie dans ses bras.

— Grave ?

La peur s'immisça entre eux. Caroline la sentit. Cela ne lui plut pas du tout.

— As-tu un problème ? S'agit-il de tes affaires ? De la loi ?

— La loi ?

L'esprit de Jefferson luttait contre la fange du passé. Il était prisonnier d'une situation précaire qu'il avait en grande partie créée. Sa gorge se serra comme si on l'étranglait.

— Non, ce n'est pas la loi, mentit-il. «Je suis un esclave en fuite. Selon certaines lois, je suis un fugitif. Selon la loi de Dieu, l'esclavage n'existe pas.»

— Alors, de quoi s'agit-il ?

Caroline avala péniblement sa salive.

— De ma mère, répondit-il en regardant en direction de la porte de la bibliothèque.

— Parle-moi d'elle.

Jefferson se détendit un peu il tira le drap de lin immaculé et en recouvrit leurs corps, puis caressa l'épaule de Caroline.

— Elle a écrit des choses, commença-t-il en pensant aux feuillets cachés que Rachel avait si diligemment rédigés.

— Donc, c'était une écrivaine. C'est merveilleux ! Tu ne me l'avais jamais dit. A-t-elle été publiée, comme moi ?

— Non. Elle n'a jamais terminé son histoire.

Jefferson se tut et songea que, n'eut été de lui, Rachel aurait peut-être vécu plus longtemps. Peut-être aurait-elle écrit un livre ou des poèmes. Un éclair de colère assombrit son regard.

— Elle est morte trop jeune.

La compassion se peignit sur le visage de Caroline.

— Elle te manque beaucoup.

— Énormément. Elle voulait tant de choses pour moi, Caroline. En fait, pour toi et moi.

— Quoi ?

— Je ne te l'ai jamais dit, mais ma mère était clairvoyante. Elle voyait l'avenir. Elle avait des visions. Elle m'a dit que j'avais un destin particulier, que j'allais venir ici et bâtir une ville. Elle m'a prédit que nous aurions un fils, toi et moi.

Caroline inspira fortement.

— Mon Dieu, est-ce qu'elle m'a vraiment vue ? demanda-t-elle, les yeux écarquillés par la curiosité et l'émerveillement.

Il secoua la tête.

— Pas vraiment. Mais elle t'a décrit. Et tu es telle qu'elle l'avait prédit.

Fascinée, Caroline se redressa et s'assit face à Jefferson. Ses yeux brillaient d'émerveillement : elle avait l'air d'une enfant à Noël.

— Est-ce que tu croyais à ses visions ?

— Pas quand j'étais jeune, avoua-t-il, avec un petit rire perplexe. Je me disais que j'étais instruit et que j'avais l'esprit plus scientifique que mère qui n'avait pas eu le même genre de précepteurs que moi, même si elle était plutôt instruite.

— Évidemment, acquiesça-t-elle de la tête. C'est parce que tu étais un homme et elle, une femme.

« Non, songea-t-il. C'est parce que Yuala consacrait tout son temps à instruire maman sur les herbes, les sorts et les racines curatives. Henry Duke lui a enseigné la lecture et le calcul, mais il n'y a jamais eu de précepteur. »

— Aujourd'hui, je crois aux visions de ma mère.

— Pourquoi aujourd'hui?

— Parce qu'elles se sont avérées.

— Ah... la science de l'observation. Je suis d'accord qu'il est essentiel de connaître les faits. J'aurais aimé la connaître, dit Caroline en se laissant retomber contre Jefferson. Mais il y a quelque chose d'autre que tu ne m'as pas dit. Je le sens.

La peur saisit de nouveau Jefferson. «Tout ce que j'ai à faire, c'est déverrouiller cette porte et lui montrer les portraits. Elle comprendra en une fraction de seconde. Mais ensuite?»

— Parle-moi, Jefferson. Ce doit être quelque chose d'important pour que tu te débattes tant avec la question. Je t'en prie, laisse-moi t'aider à porter ton fardeau.

Il hocha la tête. Il allait tout lui dire. Il le fallait.

— Ma mère était... eh bien... elle et mon père...

Caroline lui serra la main pour lui insuffler du courage.

Jefferson porta la main de Caroline à ses lèvres. «Que tu es douce. Je serais incapable de continuer si tu me laissais, Caroline.» Il perdit la moitié de son cœur. La moitié de son courage.

— Mes parents n'ont jamais été légalement mariés, avoua-t-il enfin en scrutant son regard et en se demandant si une demi-vérité suffirait.

Caroline cligna des yeux.

— C'est tout? C'est ce que tu avais peur de m'avouer?

— Oui.

— Comme c'est ridicule, Jefferson. Je me fiche de ce que tes parents ont fait ou omis de faire. Tout ce qui compte à mes yeux, c'est que tu m'aimes.

Il la serra très fort.

— Il faut que tu comprennes. Je suis un bâtard. Notre fils est un bâtard. Voilà pourquoi je veux t'épouser, Caroline. Je veux officiellement adopter Lawrence et lui donner son nom légitime.

— Son nom légitime.

— Oui.

Elle s'écarta de lui.

— Jefferson, je ne pourrais pas faire cela à Lawrence. Pour l'instant, c'est un enfant heureux. Son monde est stable. Il n'a aucune idée de ce que signifie être un bâtard. Au contraire de toi. Cela t'a hanté et t'a fait vivre de la culpabilité cela t'a même conduit à me cacher cette partie de toi toutes ces années. Qu'est-ce que cela ferait à notre fils ? Que gagnerions-nous en lui imposant cela ? Elle secoua la tête. Je ne peux me montrer aussi égoïste, Jefferson. Oui, nous serions plus heureux. Incroyablement heureux, mais est-ce que nous servirions le plus grand bien ? Il faut que nous nous posions la question.

Jefferson baissa les yeux.

— Tu me fais honte de mes propres désirs.

— Ce n'est pas ce que je voulais dire. Je voulais simplement...

Il posa les doigts sur ses lèvres pour la faire taire.

— Je sais ce que tu voulais dire, et tu as raison. Entièrement raison. Je n'aborderai plus jamais la question.

— Merci de tes confidences, Jefferson. Il t'a fallu beaucoup de courage pour m'avouer cela, dit-elle en fermant les yeux et en l'embrassant.

Jefferson sentit un froid sidéral s'insinuer dans ses viscères.

« Je suis plus couard que tu l'imagines, Caroline. Et je ne suis guère un héros. »

Ému jusqu'au fond de l'âme, Jefferson se moqua de son envie ridicule des signes extérieurs que conférait la licence de mariage. Après tout, sa mère n'avait pas adopté le nom de famille de Richard. Elle était née Duke, et en raison de sa bâtardise, Jefferson avait reçu le nom de famille de Henry Duke. Il serait toujours prisonnier du nom des Duke, comme Lawrence s'il devait l'adopter. Et s'il n'y avait aucun avantage au fait d'hériter de ce patronyme ?

Jefferson prit conscience que l'amour qu'il tenait dans ses bras était pur et réel, un trésor rare et précieux que peu de mortels ne trouvaient jamais, il le savait. Cette nuit était un nouveau début pour Caroline, et un éveil pour lui.

Il ne rêverait plus de ce qui ne pouvait être. Il était temps pour lui de bâtir un nouvel avenir. Et cette fois, ses fondements seraient justes. Il conserverait son trésor raffiné, mais en le cachant, et il ne prendrait aucune décision risquant de mettre sa sécurité en péril.

En tant qu'ami de la famille, il voyait Lawrence aussi souvent que n'importe quel père, et certainement plus que William qui préférait ses livres comptables et ses registres de stocks aux gens.

Un jour, devenu adulte, Lawrence découvrirait peut-être la vérité. En prévision de ce jour, Jefferson avait beaucoup à faire.

Il avait un empire à bâtir, une ville à soutenir et une résidence à construire. Ses pensées tourbillonnaient tandis qu'il structurait son avenir. La maison dont Lawrence et ses enfants hériteraient un jour ne devrait être rien de moins qu'un palais. Il était impératif qu'elle soit érigée sur un sommet, avec San Francisco à ses pieds et le ciel seul au-dessus. Jefferson comptait la meubler somptueusement d'antiquités, de tapisseries, de tapis et de cristaux. Même s'il devait y consacrer le reste de sa vie, il ferait en sorte qu'aucun des Duke qui l'avaient précédé n'ait jamais vécu sur un tel pied. Jefferson vivrait une existence que son fils et ses petits-enfants admireraient. Il s'élèverait à de tels sommets que s'il arrivait que sa condition d'esclave refasse surface, personne n'oserait y croire. Jefferson était le seul à pouvoir protéger Lawrence et Caroline des blessures que ce genre de souffrance infligeait.

Il bâtirait son « château en Espagne », car c'était le seul endroit où il pourrait vivre l'existence dont il rêvait avec Caroline.

Jefferson se pencha et souffla la lampe à l'huile. Puis, il écarta le rideau pour contempler le ciel nocturne. Tandis que Caroline dormait, il observa l'horizon pour y détecter les signes annonciateurs de l'aurore. Comme toujours, ce serait le signal pour Caroline de quitter son lit et de rentrer chez elle.

Leur idylle était de nouveau terminée.

Vingt-deux

« Tous les hommes seraient des tyrans
s'ils le pouvaient[28]. »

— DANIEL DEFOE,
THE HISTORY OF THE KENTISH PETITION

Février 1852

Nan-Yung marchait d'un pas traînant à côté de son mulet chargé, qui progressait avec lenteur. Son pantalon en soie noire était maculé de boue séchée, et sa longue tunique sentait la sueur et la déception. En moins de deux mois dans les montagnes, le lit des rivières et des ruisseaux de la Californie, à creuser la terre et à laver à la batée, Nan-Yung avait compris que le peu d'or qui restait était réservé exclusivement à l'homme blanc. Les hommes de race jaune étaient encore plus victimes de discrimination que les rares Noirs qu'il avait croisés. Nan-Yung possédait plus d'argent comptant que la plupart des mineurs américains, mais cela ne lui valait pas le respect, pas plus que cela ne lui permettait d'acheter une concession.

Comme il comprenait fort peu l'anglais et encore moins les mines, les propriétés et le marquage des concessions, le jeune Mandchou avait été expulsé des Twin Mines, ainsi que des camps de mineurs de Lucky Lady. Il avait cru naïvement aux histoires selon lesquelles l'Amérique était le pays de la liberté. On aurait dit que chacun de ses pas le faisait fouler un terrain « d'intérêt privé ».

---

28. N.d.T.: Traduction libre.

Errant sans but, il s'enfonça plus profondément dans les monta-gnes, jusqu'à ce qu'il découvre un terrain inoccupé au centre duquel coulait un ruisseau d'eau froide. Après deux semaines à travailler comme un forçat à laver à la batée, Nan-Yung se réveilla un matin pour découvrir que son petit sac en tissu contenant sa poudre d'or avait disparu et qu'on avait attaché sa longue queue à un pieu qui avait été enfoncé dans le sol à côté de sa tête.

Lorsqu'il se tortilla pour se tourner sur le côté, il se retrouva vis-à-vis d'une lame affûtée d'un couteau.

— R'garde-moi ça, Nate, grogna l'homme aux yeux bruns à l'adresse de son compagnon.

Nan-Yung fronça le nez, assailli par l'odeur de sueur et l'haleine chargée de l'homme. Les yeux du jeune Mandchou se rétrécirent. Il connaissait cette odeur. Tous les barbares avaient la même. Il ne broncha pas et ordonna mentalement à son corps de ne trahir aucun signe de frayeur. Les gouttelettes de transpiration qui s'étaient formées sur son front se désintégrèrent rapidement.

— Est-ce que j'nous fais cuire du chinetoque ?

L'homme malodorant piqua l'abdomen de Nan-Yung de son couteau, déchirant le tissu de sa tunique et traçant un sillon peu pro-fond sur sa peau.

Nan-Yung centra sa concentration. Il ne sentait rien... sauf la haine qui montait comme une bulle indigeste du plus profond de son abdomen.

L'homme appelé Nate s'approcha d'un pas nonchalant une fois à la hauteur de son partenaire, il baissa les yeux sur Nan-Yung et secoua la tête.

— J'ai l'or, grommela-t-il en montrant le sac de poussière d'or qu'il tenait à la main. Égorge-le et tirons-nous d'ici.

Nate mordilla le cigare puant qui lui déformait la bouche avant de s'éloigner d'un pas indolent.

Nan-Yung n'avait pas saisi le sens de leur échange, mais il savait ce qui se tramait. Il allait mourir, comme son père. Sans raison, des mains d'un barbare.

D'un geste brusque, il lança les bras au-dessus de sa tête et arracha sa queue du pieu. Puis, il bondit sur ses pieds et grimaça, tordant son visage dans les expressions les plus bizarres, les plus effrayantes et les plus épouvantables qu'il puisse imaginer. Il se mit à lancer des obscénités en chinois ainsi que des maléfices de son pays, depuis longtemps oubliés. Il agita les bras en tout sens et pirouetta sur lui-même comme s'il était possédé par des démons. Il poussa des cris d'animaux, des râles d'agonie et d'étranges sons aigus semblables à ceux de la sorcière qu'il avait vue en rêve lorsqu'il était enfant. Bref, il se comporta en psychotique.

Son plan fonctionna. Manifestement à moitié ivre, l'homme malodorant tenta plusieurs fois de le poignarder, sans succès. Nan-Yung pirouettait et tourbillonnait hors de sa portée. Il leva une jambe plus haut de sa tête et continua de gesticuler et de proférer des sons étrangement inhumains.

Nate sauta sur son cheval.

— Qu'est-ce que t'as fait, Charlie, sacrebleu ? Fichons le camp d'ici !

Le malodorant Charlie recula en trébuchant jusqu'à sa monture, en zébrant l'air de son couteau, même si Nan-Yung était manifestement hors de portée. Lorsqu'il vit Nan-Yung sauter et virevolter dans les airs, l'écume à la bouche, la peur et le choc lui firent sortir les yeux de la tête. Il saisit vivement les rênes de son cheval, serra son couteau entre ses dents et hissa son corps grassouillet sur le dos de sa monture.

Nate éperonna son cheval et s'enfuit au galop dans la forêt. Charlie le suivait de près, tout en continuant de surveiller Nan-Yung dans sa fuite.

— J'ai jamais rien vu de tel ! Nate ! Penses-tu qu'il a la rage ? Nate ! M'entends-tu ? Maudits Orientaux.

Le son de la voix de Charlie s'éteignit tandis qu'il s'enfonçait dans l'épaisseur des arbres et des fourrés.

Nan-Yung tomba à genoux, épuisé, et observa la fuite de ses deux assaillants. Pendant un long moment, il entendit le son étouffé des sabots de leurs chevaux sur les aiguilles de pin et les feuilles sèches. Ensuite, plus rien. C'était comme s'ils n'avaient jamais existé. Ou presque.

Les mains de Nan-Yung tremblaient encore, mais son esprit était calme tandis qu'il revoyait toutes les nuances de l'incident. Ses assaillants auraient tout aussi bien pu l'assassiner pendant la nuit. Son or s'était envolé, tout comme son rêve. Nan-Yung maudit celui qui avait failli le tuer pour son manque de courage. Il aurait voulu être mort.

Honteux, il s'assit sur ses talons et cacha son visage dans ses mains. Rien n'avait tourné comme il l'avait imaginé.

— Comment cela se peut-il ? Le destin a fait en sorte que je vienne en Amérique avec mon épouse, mais je possède encore moins ici qu'en Chine.

Les épaules du jeune homme s'affaissèrent lourdement sous le chagrin. Il se remémora le long voyage vers l'Amérique, puis se souvint progressivement d'autre chose. Il se souvint de ce qu'il avait vu dans les yeux verts du barbare, le jour où il s'était tenu, enfant, devant l'empereur au côté son père.

La détermination et la compréhension se firent jour dans son esprit. Il commença à comprendre le retournement du destin. Comme un phare brillant, la vérité vint à lui. Les hommes blancs gouvernaient l'Amérique. Les hommes blancs possédaient la terre et l'or, et ils avaient le pouvoir d'éliminer quiconque se mettait en travers de leur chemin. En Amérique, l'ennemi de Nan-Yung était encore plus puissant que l'empereur l'avait été en Chine.

Le jeune Mandchou envisagea plus précisément sa vengeance. Le destin l'avait conduit en Amérique, non pour découvrir de l'or, mais pour prendre l'or des Blancs, comme on lui avait volé le sien. Nan-Yung se servirait de l'ingéniosité de l'homme blanc pour l'abattre. De la même manière que le Britannique, Ambrose Duke, et sa Compagnie anglaise des Indes orientales avaient introduit l'opium en Chine, Nan-Yung introduirait l'opium à San Francisco.

Il s'inclina et se prosterna sur le sol.

— Je remercie la terre, le vent, l'air et l'eau de maintenir l'harmonie dans ma vie. Tout sera remis en équilibre dans l'Univers. La maison des Su sera de nouveau vénérée.

Il se mit debout, le courage et la détermination vibrant dans ses muscles. Il rassembla et empaqueta rapidement ses outils. Il détacha son mulet, le laissa boire l'eau fraîche et glacée du ruisseau, puis but longuement à son tour. Il leva la tête vers le ciel bleu et le soleil hivernal qui se levait. En reprenant la piste qui le ramènerait des montagnes à San Francisco, Nan-Yung songea que ce jour était le plus important de sa vie.

C'était le premier jour de sa nouvelle carrière d'homme d'affaires.

* * * *

Yin Ch'u avait été abandonnée par son époux. Bernée par l'échafaudage de fantasmes romantiques qu'elle entretenait au sujet de Nan-Yung, la jeune femme mit près d'un mois à accepter la vérité de sa situation. Nan-Yung lui avait dit qu'il allait prospecter de l'or. Il lui avait dit qu'à son retour, il serait riche. Il avait pris tous les bijoux de Yin et ne lui avait laissé que l'argent pour payer la chambre du petit hôtel de la rue Dupont, qui était maintenant son foyer. C'est cette réalité qui la frappa et la réveilla, un dimanche matin. Et c'est là que Yin prit des décisions. On lui avait enseigné qu'elle ne devait jamais rien désirer, mais la jeune femme avait éprouvé des désirs en secret. Elle croyait que son désir de ne pas faire partie du gynécée de l'empereur l'avait conduite en Amérique. La mère de Yin lui avait enseigné à ravaler son amertume, à se charger de la souffrance d'autrui et à donner sa vie entière à son époux. C'est ce que Yin avait fait depuis le jour où elle s'était enfuie avec Nan-Yung. Aujourd'hui, elle comprenait que sa mère ne lui avait pas dit la vérité. Yin avait fait tout cela, mais elle découvrait qu'elle était beaucoup plus heureuse lorsqu'elle défiait les enseignements maternels. Rebelle, la jeune femme songea qu'elle pouvait se faire une vie bien à elle.

Yin se leva et s'approcha de la fenêtre pour regarder les collines sablonneuses masquées par la lumière grise de l'hiver. Elle tourna son regard vers la structure semblable à un moulin à vent qui avait été érigée au sommet de Signal Hill. La position de ses pales à lamelles indiquait trois heures, ce qui signifiait qu'un navire s'apprêtait à entrer dans le port. En bas, dans le hall de l'hôtel, un tableau explicatif affiché au mur décrivait chaque signal et le type de navire qu'il annonçait. Yin avait mémorisé le tableau en moins d'une heure et avait été désespérée de constater qu'elle avait assimilé l'information aussi facilement. En Amérique, l'ennui était un ennemi plus formidable que la dépression consécutive à un abandon. Yin fit un effort pour mieux voir le signal affiché : les pales à lamelles étaient à angle droit, ce qui annonçait un bateau à aubes à vapeur.

« Comme tout est différent et étrange en Amérique. Même les bateaux. Les jardins privés de la maison me manquent. Ainsi que les fleurs de lotus flottant sur l'étang où je me mirais. Mes heures de méditation et de contemplation de l'Univers me manquent.

Et tout coûte si cher, ici ! »

Les Chinois parlaient de l'afflux d'or qui descendait des montagnes. Une rumeur courait selon laquelle les autorités municipales s'attendaient à un total de cinquante millions de dollars américains. Yin avait vu le prix du blanchissage d'une chemise pour un Blanc grimper à deux dollars. Elle avait entendu parler de l'arrivée des joueurs, des prostituées et des escrocs qui avaient envahi les quartiers blancs de la ville.

Les «étrangers» d'Australie emmenaient les «poules» les plus dégénérées. Venues du Pérou, du Chili, de Mazatlán et de San Blas, les filles de joie avaient installé leur commerce mal famé le long des quais. Yin avait remarqué que San Francisco semblait attirer les personnes qui vivaient à la frontière de leur culture et du mauvais côté de la morale. Dans le quartier chinois, elle avait découvert un autre style de vie. Ici, presque tous les hommes étaient mariés, et elle apprenait la naissance d'un nouvel enfant quotidiennement. Il lui semblait que le quartier chinois était le seul à établir une base stable sur laquelle ériger une ville nouvelle. Mais elle devait aussi perdre cette illusion.

La jeune Mandchoue entendit des histoires d'escroquerie et de contrebande. Le meurtre était un bien de consommation comme les autres, et son prix connaissait des fluctuations quotidiennes. Yin apprit que les Chinois étaient aussi assoiffés de pouvoir que les Blancs. Elle songea que les hommes étaient tous les mêmes, partout dans le monde. Sans s'attarder, elle se demanda si les femmes étaient aussi toutes les mêmes.

Yin voulait désespérément devenir une autre femme que celle que sa mère avait été. Elle ne voulait pas ravaler ses larmes lorsqu'elle était triste. Elle voulait avoir le droit d'ouvrir la bouche et de se libérer de son chagrin, et de sa colère. Elle voulait exprimer à voix haute les pensées qui bombardaient son esprit. Yin voulait être une personne dans cette cité nouvelle.

Durant presque un mois, elle s'était stupidement restreinte à la voie que son époux lui avait tracée. Elle prenait aujourd'hui conscience qu'elle n'était pas obligée de cheminer sur cette voie. Nan-Yung n'existait plus pour elle. Il l'avait déshonorée en la quittant. Elle avait perdu la face dans sa communauté. En Chine, elle n'aurait eu aucun choix, mais ici, en Amérique, elle en avait plusieurs. Elle pouvait pleurer ou sourire. Elle pouvait mourir de faim ou manger. Elle pouvait attendre le retour de son mari ou tracer sa propre voie.

Yin était d'avis que les femmes chinoises n'étaient pas prêtes à prendre des décisions par elles-mêmes. Elle n'était pas certaine de faire les bons choix. Aligner des pensées était si exigeant que son cerveau battait sous l'effort. Mais au bout d'un moment, la jeune femme prit conscience qu'une énergie inhabituelle se répandait dans le lacis de ses veines. Elle se sentait étourdie. Elle pouffa en prenant conscience qu'en ce jour maussade d'hiver, elle voyait de l'argent partout où se posait son regard. C'était la couleur de son avenir, brillant, scintillant et, fait surprenant, à sa portée. Yin relégua alors la Chine et son passé derrière elle. En enfilant un pantalon et une tunique en laine noire, elle songea qu'elle était aussi puissante que n'importe quel homme. Elle paverait d'or et d'argent les voies de son avenir.

Le *hulihudu*, le brouillard sombre qui lui avait embrouillé l'esprit, s'était levé. Yin sourit intérieurement en empruntant l'escalier pour se rendre au comptoir de la réception.

— J'aimerais obtenir une audience du propriétaire, dit-elle à l'employé chinois debout derrière le comptoir.

— Chang Wu est trop occupé.

— Une audience, ou je ne paie pas.

Une rencontre fut rapidement organisée.

Chang Wu était un vieil homme il avait acheté un lot sur la rue Dupont durant la ruée vers l'or et y avait fait bâtir un hôtel. L'extérieur du bâtiment au toit pagode était peint en rouge chinois il offrait des chambres peu meublées à une clientèle exclusivement orientale. Au rez-de-chaussée, une cuisine offrait deux repas par jour, petit-déjeuner et dîner, moyennant finance.

Chang Wu était assis bien droit, le cou et le menton en avant comme une oie. En s'approchant de lui, Yin s'inclina, comme elle était censée le faire, et remarqua qu'il était capable de garder un œil sur ses papiers tout en la regardant directement de l'autre. C'était un tour de force tout à fait surprenant. La jeune Mandchoue était certaine que le vieil homme s'en servait pour effrayer les gens, mais cela ne fit que l'amuser. Comme elle n'était pas intimidée, Chang Wu fut intrigué, comme elle s'y attendait. Il concentra le regard de ses deux yeux sur elle et l'invita d'un geste à s'asseoir sur le tabouret laqué de noir, placé devant son bureau.

— Je t'en prie, assieds-toi.

Yin s'assit, en gardant les yeux fixés sur le sol comme elle était censée le faire.

Chang Wu s'adressa à elle en chinois.

— Pourquoi es-tu ici ?

— Je cherche du travail.

— Mes cuisines sont pleines. Tout comme mes boutiques de linge de maison. Informe-toi à la buanderie de l'autre côté de la rue. Ils ont toujours besoin de lavandières.

— Je ne suis pas une servante, lâcha-t-elle d'un ton sec.

Le vieux Chang ricana.

— Il n'y a pas d'autres tâches pour les femmes chinoises ici. Je n'ai rien pour toi. Va voir l'homme blanc.

Lentement, Yin releva sa tête qui se dressa fièrement sur ses épaules fines.

— Je ne serai pas la servante d'un barbare.

Une étincelle d'amusement jaillit dans les yeux du vieil homme.

— Tu es plus naïve que la plupart. Depuis combien de temps es-tu ici ?

— Trois phases de la lune.

— Ha ! Tu vois ? Tu ne peux pas survivre dans le San Francisco de l'homme blanc. Tu dois apprendre à calculer le temps en jours et en semaines, et tu dois parler anglais.

Elle sourit presque en voyant le vieil homme progresser comme un pion sur l'échiquier de son plan.

— Vous parlez anglais ?

— Oui. Je suis un homme d'affaires.

— Vous pourriez me l'enseigner ?

Le cou du vieil homme recula sur ses épaules en se rengorgeant, il avait encore plus l'air d'une volaille. Il répondit pompeusement :

— La femme est incapable d'apprendre quoi que ce soit !

Yin regarda l'abaque posé sur le bureau.

— Je peux calculer plus rapidement que tous les hommes que je connaissais en Chine.

Elle prit un air timide, pencha la tête de côté et laissa son corps se détendre en ajoutant :

— Je lis les bâtonnets du Y King. Je fais votre horoscope, je lis vos feuilles de thé et je prédis votre avenir.

— Prouve-le, exigea-t-il en pressant du doigt un sourcil touffu, semblable à une chenille noire.

— Je vois des mouches noires dans votre bol de riz. Vous avez de la difficulté à renouveler vos stocks en cuisine. Cela vous fera perdre beaucoup de clients, tant chinois que blancs.

Yin fit grimper sa voix d'une octave. Ses paroles flottèrent entre eux comme de minuscules papillons. Ses yeux étaient aussi vides que ceux des fantômes des femmes adultères qui hantaient toujours la terre et qui venaient à elle pour lui donner le don de double vue.

— Vous vous êtes disputé avec un puissant guerrier de Canton. Ses ancêtres étaient des Chiang, de grands gouverneurs, très puissants. Il exerce encore son pouvoir sur vous, ce qui vous contrarie.

— Ha! tonitrua le vieil homme. Ce n'est qu'un expéditionnaire!

— Mais vous avez besoin de lui. Demain, prosternez-vous devant lui. Mais ne lui montrez pas votre vrai visage. Faites grand étalage du besoin que vous avez de lui. Ensuite, quand vous aurez gagné sa confiance, faites-lui signer un contrat que «vous» aurez rédigé à votre avantage.

— Tu es stupide, comme le renard qui croit trop en lui et se fait dévorer par l'ours.

Les yeux de Yin ne renvoyèrent à Chang Wu que sa propre image. Il ne distingua rien dans leur profondeur. La jeune femme poursuivit :

— Je vois cet homme comme votre serviteur. Il chérit les marques superficielles de respect. Et pourtant, il ne respecte rien. Vous pouvez le gagner par la ruse.

Chang Wu resta immobile pendant presque une demi-heure. Son esprit traça les labyrinthes de chaque voie que sa décision lui ferait emprunter. Peu importait qu'il refuse catégoriquement de croire aux affirmations d'une femelle : le vieux Chinois était assez sage pour entendre la vérité lorsqu'on la lui présentait. Il ne pouvait pas laisser son ennemi détruire son entreprise. Cette petite femme semblable à une hirondelle lui montrait le chemin pour sortir du labyrinthe. Il choisit de la croire.

Chang baissa les yeux sur ses mains qu'il avait serrées en deux poings noueux. Relâchant sa maîtrise sur lui-même, il fit bouger ses doigts. Comme elle observait ses mouvements, Yin comprit qu'elle venait de mettre son adversaire échec et mat. Elle dissimula ses sentiments réels derrière un masque impassible.

— Je vous ferai gagner de l'argent.

— Explique-toi, je te prie.

Yin reprit immédiatement.

— J'ai besoin d'une table et de deux chaises. Elles seront installées dans le hall, près de la porte que les clients empruntent pour louer une chambre ou acheter un repas. J'ai également besoin qu'une affichette annonçant ma présence soit placée dans un coin de votre devanture. En une semaine, je promets de vous rapporter plus d'argent que le total des recettes que vous gagnez avec les repas servis ici. Je garderai la moitié de l'argent. L'autre moitié vous reviendra.

Chang haussa ses sourcils en forme de chenilles.

— Ridicule! Je fais plus de cent dollars par semaine avec mes cuisines. C'est impossible!

Yin resta calme.

— Soit je fais mes affaires dans votre hôtel, soit je trouve un autre protecteur. Voulez-vous la moitié de mes profits ou dois-je les donner à votre voisin de l'autre côté de la rue?

— Tu es trop sûre de toi. Je devrais te donner une bonne leçon. Si tu ne me rapportes pas cent dollars d'ici une semaine, je louerai ta chambre à quelqu'un d'autre.

— Il n'y a pas d'autre hôtel dans le quartier chinois. Je n'aurai nulle part où aller, répondit-elle, imperturbable. Je crois en mon don. Je sais qu'aujourd'hui, je vous ai déjà fait faire de l'argent en vous indiquant comment vaincre votre ennemi. Pourtant, vous me traitez comme une vilaine petite chose — *hwai dungsyi*. Ce que je ne suis pas.

— C'est mon offre. Je te mettrai à l'épreuve sur bien d'autres sujets.

Les yeux du vieux Chang étaient chargés de colère.

Yin se leva lentement et gracieusement, comme on le lui avait enseigné. Elle savait qu'elle ressemblait à un cygne se dressant sur son perchoir. Elle avait autant confiance en sa beauté qu'en son talent.

— C'est une bonne offre.

Elle s'inclina avec révérence, comme elle savait que Chang Wu s'y attendait. Elle recula vers la porte en l'atteignant, elle tourna le dos au vieil homme.

Celui-ci leva un doigt arthritique : une boule de curiosité lui obstruait la gorge.

— Un instant.

Il se tut tandis qu'elle tournait lentement la tête pour le regarder par-dessus son épaule.

— Je suis vieux. Je n'ai jamais rencontré une femme comme toi.

La lèvre supérieure de Yin s'étira dans une ombre de sourire.

— Vous n'en rencontrerez jamais. Je vois votre avenir : je ferai de vous un homme riche.

En moins d'une heure, une table et deux chaises apparurent dans le hall de l'hôtel, aux murs couverts d'un papier peint jaune. Yin traça un signe chinois sur un morceau de papier kraft et l'attacha à une patte de la table. Elle calligraphia un autre signe chinois de sa belle main d'écriture qu'elle maîtrisait si bien. Ensuite, elle rassembla les outils indispensables à son commerce : théière, tasses, feuilles de thé, ainsi qu'un bol d'eau pour pallier l'absence d'un cristal dans lequel scruter l'avenir. Elle rangea les livres d'astrologie qu'elle avait apportés de la Cité céleste à côté de ses accessoires. Ses bâtonnets d'achillée et son livre de *Yi King* étaient cachés dans un sac en soie noire.

Trois heures durant, Yin resta assise à sa table sans recevoir de clients. Elle garda ses mains croisées dans son giron et pria, les yeux baissés. Elle ne perdit jamais patience. Elle ne perdit jamais la foi. Elle observa la coupe des vêtements des clients de l'hôtel. Certains Chinois portaient des pantalons en soie, merveilleusement cousus, et de délicates pantoufles en chevreau. À l'inverse, les vêtements des femmes étaient usés, leurs couleurs défraîchies et leurs ourlets rapiécés et réparés. En Chine, les épouses des hommes riches portaient des bijoux et des vêtements sophistiqués. Elle se rendit compte qu'en Amérique, les Chinoises s'en tiraient moins bien qu'en Chine.

Yin entendit bruisser la soie de ses vêtements avant que la femme de haute taille, à la peau dorée, s'arrête devant sa table

— Combien ? demanda-t-elle en chinois, d'une voix de rossignol.

— Un dollar. Américain.

— Trop cher, laissa tomber la belle avant de se détourner et de s'éloigner.

Yin leva la tête et posa un regard vide sur la tunique en soie vert émeraude de la jeune Chinoise. Elle était déjà en transe.

— Votre nom est Ming. Vous avez vingt ans. Vous êtes la maîtresse de Lee Wang qui a acheté cette soie verte que vous avez cousue.

La belle jeune fille fit volte-face et s'approcha vivement de Yin. Elle plongea la main dans la large manche de sa tunique et en sortit une petite bourse en soie rouge. Elle tira sur les cordonnets et sortit de sa bourse quatre pièces de vingt-cinq cents qu'elle posa sèchement sur la table avant de s'asseoir.

Yin sourit.

— Voulez-vous que je lise les feuilles de thé ou que je fasse votre horoscope ? L'horoscope coûte plus cher.

Ming se pencha vers elle d'un air de conspiratrice.

— J'achèterai l'horoscope plus tard. Dites-moi tout.

Yin n'eut besoin d'aucun outil de divination.

— Demain, un nouveau bienfaiteur entrera dans votre vie. Vous le suivrez, mais vous devrez vous méfier de lui. Il est assez puissant pour vous posséder. Votre départ du quartier chinois provoquera bien des larmes.

Ming dévisagea la devineresse assise en face d'elle d'un regard chargé d'incrédulité.

— Lee Wang a été bon pour moi. Pourquoi est-ce que je le quitterais pour un autre ?

— Le nouveau bienfaiteur est blanc.

— Ahhh ! Ming prit une profonde inspiration elle comprenait parfaitement l'augure. Où irai-je ?

Yin ouvrit sa main et la posa, paume vers le ciel, sur la table.

— Cette main est vide. Elle a besoin d'être remplie.

Ming voulut prendre sa bourse.

— Non. Yin l'arrêta d'un geste, écartant l'argent. J'ai besoin de votre aide. Demain, une fois que cet événement aura eu lieu, dites à tous ceux que vous connaissez que je l'avais prédit. Suggérez-leur de venir me voir. Alors, je vous révélerai le reste de votre avenir.

Ming posa une délicate main dorée sur la main que lui offrait la jeune Mandchoue.

— Je vous le promets.

Elle se leva, gracieuse, les yeux remplis d'une nouvelle sagesse.

— Vous m'avez dévoilé beaucoup. Mais le plus extraordinaire est que nous pouvons nous entraider.

— À demain.

Yin la chassa d'un geste et fit disparaître les quatre pièces de monnaie dans la poche de son pantalon noir fripé.

Le lundi soir suivant, dès vingt et une heures, Ming avait fait en sorte que le récit de sa rencontre fortuite avec le capitaine Thomas O'Malley soit connu de tous les habitants — hommes, femmes et enfants — du quartier chinois. Elle raconta à qui voulait l'entendre comment elle s'était rendue à la porte arrière du magasin de Caroline Mansfield, pour prendre livraison des aiguilles et du fil qu'elle avait commandés. Elle y avait rencontré Thomas O'Malley qui venait de mettre son navire, le *Boston Beacon*, à l'ancre à Yerba Buena. Ming comprenait fort peu l'anglais, mais elle connaissait certains mots. «Belle» en était un. La jeune femme pouvait uniquement répondre au capitaine avec ses yeux et l'écouter avec son cœur. Elle savait que le jeune blanc de vingt-sept ans, aux cheveux bruns et aux yeux bleus, avait eu le coup de foudre pour elle. Il était allé jusqu'à la reconduire à la maison.

Comme des pies bavardes, les oiseaux de la joie, les clients empressés accoururent à la table de Yin dans le hall de l'hôtel. Certains étaient difficiles à lire, et Yin devait alors avoir recours à certains de ses outils. D'autres étaient comme Ming : Yin lisait leur avenir comme s'il était imprimé sur leur visage, visible aux yeux de tous. L'avenir de certains était tragique. Dans ce cas, tout ce que la jeune femme pouvait faire était de les fortifier devant la vérité, en nuançant leurs épreuves à l'aide d'avertissements modérés et de mensonges bien enrobés.

Yin avait respecté la promesse faite à Ming. Elle lui avait prédit que Thomas et elle s'embarqueraient à la fin du mois, qu'ils se marieraient et que Ming aurait un garçon. La jeune Mandchoue avait aussi vu que Ming vivrait une tragédie, mais elle savait qu'elle était forte et c'est ce qu'elle lui dit. Elle ajouta que la jeune femme serait victime de beaucoup de préjugés à Boston, et qu'elle devrait avoir la sagesse de ne pas laisser Thomas ou d'autres personnes la dépouiller de son pouvoir personnel. Ming allait survivre à Thomas et revenir un jour à San Francisco pour y vivre une existence de femme riche.

— Serai-je heureuse ? demanda la jeune Chinoise.

— Je ne réponds jamais à cette question.

À la fin de la semaine, Yin retourna voir Chang Wu avec ses profits. Elle ne lui parla pas des cinq dollars qu'elle avait obtenus en prime.

Le regard du vieux Chinois passa lentement du visage de Yin au tas de pièces et de papier monnaie. Il y avait en tout cent seize dollars. L'hôtelier demanda d'un ton soupçonneux :

— Est-ce tout ?

Yin sourit.

— Bien sûr que non. Vous ne vous attendiez pas à ce que je sois honnête. J'ai satisfait à vos exigences.

Le visage du vieux Chang demeura sans expression il hocha la tête, puis étendit le bras sur le bureau pour manipuler l'argent de ses doigts arthritiques.

— Vous ferez une bonne personne d'affaires, dit-il en divisant l'argent en deux et en empochant sa part. J'ai signé un nouveau contrat avec mon fournisseur.

Il n'avait pas l'habitude de s'incliner devant la supériorité d'un autre. Par conséquent, c'était sa façon de remercier Yin.

Celle-ci pencha la tête d'un mouvement presque imperceptible. Elle savait qu'elle ne devait pas jubiler, ni se montrer trop exubérante. Un tel comportement lui ferait perdre la confiance que Chang Wu avait en elle, sans compter que cela briserait la carapace de son ego, à laquelle les hommes tiennent tant. Elle s'éloigna des pensées qu'elle entendait dans l'esprit du vieux Chinois et exprima les siennes propres.

— Combien me demanderez-vous pour les leçons d'anglais ?

Semblable au saut vif d'un criquet, un sourire éclaira le visage austère de l'hôtelier.

— Vous voulez parler avec la langue lourde ?

— Oui.

— Cinq dollars.

Yin sourit.

— Vous savez combien d'argent j'ai gardé ?

— Oui. Je sais beaucoup d'autres choses, répliqua-t-il en tapotant sa tempe d'un index noueux.

Le sourire de Yin s'effaça.

— Je crois que vous ne pouvez savoir que ce que votre commis à la réception vous rapporte. Peut-être lui avez-vous ordonné de compter le nombre de mes clients et l'argent qu'ils ont dépensé à ma table.

— Peut-être.

Yin aimait bien ces réparties qu'ils s'échangeaient du tac au tac. Dans cette vie, son mentor était la première personne à lui témoigner du respect. C'était un cadeau précieux. Elle se promit, dans les profondeurs de son esprit silencieux, de ne pas abuser de ce cadeau.

— Maintenant, enseignez-moi l'anglais.

La leçon dura plus de deux heures. Chang Wu souligna brièvement le fait que Yin apprenait vite. Elle ne répondit pas, ce qui fit comprendre au vieil homme qu'elle s'attendait à ce qu'il voie cette qualité en elle. En quittant la pièce, elle s'inclina profondément, non parce que c'est ce qu'on attendait d'elle, mais parce qu'elle le voulait. Elle voulait que Chang sache qu'elle le respectait pour sa bienveillance. Elle le lui exprima par la pensée. Car Yin savait que Chang Wu était le genre d'homme qui écoute avec ses yeux et non avec son cœur.

* * * *

Nan-Yung noua la longe de sa mule au poteau d'attache de l'hôtel rouge où il avait laissé son épouse. Durant le trajet de retour, il avait réfléchi aux différentes versions à donner de son séjour dans les montagnes, mais aucune ne le satisfaisait. Il savait qu'il ne devait aucune explication à Yin, étant donné qu'elle était sa femme et que son rôle était d'accepter les épreuves de l'existence. Le jeune homme avait besoin d'argent pour acheter l'opium qu'il comptait vendre à quiconque pourrait en payer le prix. En affaires, Nan-Yung n'avait pas de préjugés. Il avait l'intention de vendre de l'opium à toute personne qui serait prête à payer.

Il s'engouffra dans le hall de l'hôtel et passa devant son épouse, occupée à lire la paume d'une Chinoise d'âge mûr. En arrivant au pied de l'escalier en pin, Nan-Yung se rendit soudainement compte que c'était la voix de Yin qu'il avait entendue murmurer dans un coin du hall.

Il examina la scène. Il vit le signe peint à la main fixé à la patte de table, le visage captivé de la femme d'âge mûr et les yeux sincères de son épouse dont les lèvres marmonnaient et bougeaient, émettant des sons qui éclairaient de joie le visage de son interlocutrice.

Furieux, Nan-Yung frappa le plancher en pin de sa chaussure à semelle de cuir mince il était prêt à bondir sur Yin et à la réprimander pour la honte qu'elle avait attirée sur le nom de son époux. Mais soudain, le jeune homme vit briller deux pièces d'or sur la table.

Il suspendit aussitôt son geste. Une dizaine de pièces d'argent s'entassait à côté des pièces d'or. Faisant le tour du hall du regard, Nan-Yung comprit que les personnes assises le long du mur sur le banc laqué de noir et les coussins de soie rebondis à côté de l'âtre faisaient la queue pour rencontrer son épouse. Les yeux du jeune Mandchou revinrent aux pièces d'or.

« La bonne fortune me sourit de nouveau, Fille rayonnante ! »

Nan-Yung s'écarta, maintenant prêt à patienter pour voir son épouse. Son avenir se déroula devant lui. Encore une fois, Yin était l'outil de son destin. Avec l'argent qu'elle avait gagné, il pourrait acheter le terrain dont il avait besoin pour bâtir une échoppe sur la rue — restaurant ou peut-être blanchisserie. C'était sans importance. Car sous terre, il bâtirait une fumerie d'opium, identique aux « temples » chinois. Il en serait le propriétaire. Il deviendrait riche et puissant, comme il l'avait toujours su.

Bien qu'elle n'ait pas vu son mari entrer dans l'hôtel, Yin sentait son regard posé sur elle. Elle termina la lecture de sa cliente, puis leva lentement un regard brillant et jubilatoire sur le visage de son mari. Nan-Yung irradiait le triomphe. Elle le voyait clairement. Elle rougit presque en songeant à quel point elle avait de la chance de susciter tant de désir chez son époux.

La jeune femme crut discerner de la fierté pour elle dans les yeux de Nan-Yung. Elle crut que c'était son ingéniosité, son intelligence et son talent qui le ravissaient.

Nan-Yung ne voyait plus la beauté de Yin. Il n'était plus conscient de sa peau délicate, blanche comme une fleur de lotus, de ses mains et de ses pieds tout petits, de sa superbe chevelure soyeuse, ni de son regard incroyablement brillant.

Elle se leva et s'approcha de lui. Il lui prit la main. Ils se sourirent, le regard troublé par leurs chimères.

Soudain, Yin se rendit compte que ce n'était pas son époux qu'elle voyait devant elle : ce qu'elle voyait dans ses yeux était simplement le reflet de ce qu'elle était.

Quand elle s'était rendue à la Cité interdite et qu'elle avait vu Nan-Yung pour la première fois, elle avait eu la vision qu'il deviendrait son époux. Il représentait sa chance d'être libre du gynécée. Aujourd'hui, elle prenait conscience que sa décision de l'aider à quitter la Chine avait été trop hâtive.

La jeune femme se rendit compte qu'elle aurait dû être furieuse parce qu'il l'avait abandonné durant des mois. L'ego de son mari était tel qu'il croyait qu'elle se plierait à la situation, peu importait la manière dont il la traiterait. Elle comprit également que l'esprit de son mari était beaucoup trop concentré sur l'or qu'elle gagnait.

Elle continua de lui sourire, le laissant croire qu'il l'avait bernée.

Yin savait qu'elle n'était pas destinée à se laisser berner par qui que ce soit. Y compris par Nan-Yung. À partir de maintenant, elle se montrerait prudente avec lui. Elle pèserait ses décisions très soigneusement avant de poser des gestes susceptibles de changer sa vie. Elle était assez intelligente pour savoir qu'elle avait le pouvoir de saisir les occasions qui se présentaient à elle. Après tout, elle avait déjà établi un lien d'affaires avec Chang Wu. Elle avait pris une leçon d'anglais avec le vieil homme. Elle négocierait une entente pour en recevoir beaucoup plus, de façon à pouvoir offrir des lectures et des horoscopes aux Blancs fortunés. Elle avait été sage de s'allier au vieux Wu qui la considérait maintenant comme sa fille.

La jeune Mandchoue avait déjà compris que Nan-Yung avait tendance à se précipiter dans l'action sans réfléchir au préalable. D'après ce qu'il lui avait raconté sur son père, Luang Su, et ce qu'elle avait entendu dire sur la disgrâce de la famille Su alors qu'elle vivait encore à Pékin, Yin avait compris que son mari était un imbécile.

Elle devrait se montrer très prudente avec cet homme.

«Celui qui frotte trop souvent ses souliers dans la boue du destin n'accomplira jamais sa destinée.»

Yin laisserait croire à son époux qu'elle était soumise, comme sa mère lui avait enseigné que les femmes devaient se comporter. Mais elle ferait en sorte qu'aucun homme, aucun époux, ne la domine jamais entièrement.

«Je serai ce que les Blancs appellent "une femme autonome".»

Vingt-trois

« [...] de même mes pensées de sang, dans leur
marche violente, ne regarderont jamais en arrière.
Jamais elles ne reflueront vers l'humble amour,
mais elles iront s'engloutir dans une profonde
et immense vengeance. »

— WILLIAM SHAKESPEARE,
OTHELLO, ACTE III, SCÈNE IX

La rumeur des talents divinatoires de Yin Ch'u se répandit
lentement jusqu'aux *waigoren*, les étrangers. Ils affluèrent dans
le quartier chinois à bord de leurs belles voitures laquées de
noir et, tels des hannetons de nuit, s'agglutinèrent sur la rue devant
l'hôtel de Chang Wu. En cette année 1852, l'or coulait à flots dans la
ville comme une rivière de lave jaune, transformant instantanément
la ville et ses cultures pour toujours. Ceux qui avaient été pauvres
devenaient riches. Ceux qui n'avaient pas de lignée s'inventaient des
antécédents et fondaient des dynasties. Les joueurs se métamorpho-
saient en banquiers. Les escrocs devenaient marchands, les hommes
d'affaires politiciens, les putains des dames, puis des femmes
mariées, et enfin, des mères. La société naissante sortait des cendres
de la ruée vers l'or.

Ayant délaissé les boulevards de Paris, des Françaises déboulè-
rent dans le quartier chinois au bras de prospecteurs afin de se faire
divertir par les jolies femmes orientales dont tout le monde parlait.
Les cuisines de Chang Wu servaient de pleines assiettées de canard

de Pékin, des monceaux de riz léger et d'enivrants vins de prune. Yin divertissait la clientèle en tirant les bâtonnets du *Yi King* et en décrivant les visions qui apparaissaient sur son écran mental. Elle disait aux riches qu'ils trouveraient le bonheur, aux pauvres qu'ils deviendraient riches. Elle avait toujours la phrase positive, mais percutante, qui convenait à chacun.

Les femmes outrageusement maquillées riaient des prédictions de Yin, mais persuadaient quand même leur bienfaiteur de leur offrir des horoscopes détaillés. Les hommes laissaient tomber leurs pièces d'or comme s'il s'agissait de babioles sans valeur, tout en soutirant un baiser langoureux à leur maîtresse. Yin ne jugeait pas ses clients. Elle gardait ses pensées dans sa tête, derrière un masque que ni les *waigoren* ni son époux ne pouvaient lire.

La jeune femme triplait le coût des consultations offertes aux étrangers, car Nan-Yung les détestait violemment. Yin avait écouté le récit de son séjour dans les montagnes et du vol de son or, mais elle n'avait entendu que la haine qui agitait son époux. Elle avait observé son visage qui grimaçait et les rides qui se creusaient de chaque côté de sa bouche. Elle avait vu ses yeux brûler comme des charbons ardents, et ses lèvres s'amincir et se plaquer sur ses dents, tandis que des maléfices sortaient de sa gorge.

Yin avait peur lorsqu'elle était avec Nan-Yung. Elle découvrit qu'elle était incapable de voir son avenir. Quand il évoquait les richesses qu'il accumulerait un jour, elle ne voyait rien qu'un sombre abysse.

Lorsqu'il lui disait qu'il lui offrirait des vêtements dignes de l'impératrice de Chine, elle se voyait vêtue de haillons. La jeune femme finit par comprendre que son talent avait des limites. Elle pouvait aider les autres à connaître leur destin, mais son propre avenir était perpétuellement caché par un brouillard obscur.

Le cœur lourd, Yin prit conscience que Nan-Yung n'avait aucun remords de l'avoir abandonnée. Il se souciait comme d'une guigne qu'elle ait été effrayée ou isolée. Comme elle n'aimait pas ce trait de caractère chez lui, elle décida de lui en parler.

Ils étaient dans leur chambre d'hôtel, et Nan-Yung comptait les recettes de Yin.

Elle dit :

— Es-tu conscient que je suis une personne pleine de ressources ?

— Je ne vois pas cela, grogna-t-il sans la regarder.

Elle s'entêta :

— Tu n'as rien fait pour gagner cet argent. C'est moi qui ai fait tout le travail. C'est mon talent qui te donne cette chance.

— Balivernes. C'était mon destin de venir en Amérique. Je le savais depuis longtemps.

Yin fronça les sourcils devant l'égocentrisme de son mari.

— Je pensais que notre destin était d'être ensemble. De nous entraider.

Nan-Yung jeta un coup d'œil à sa belle épouse au cerveau rempli d'idées dangereuses. Comment pourrait-il la dominer si elle en arrivait à se croire son égale ?

— En effet, il est vrai que tu m'aides. Mais c'est « mon destin » qui fait venir l'or à toi. Tu es simplement le canal à travers lequel je suis obligé de travailler pour l'instant.

Yin n'aima pas du tout ce qu'elle entendait. L'âme de Nan-Yung n'était pas aussi pure qu'elle l'avait cru en le rencontrant. Cet homme avait deux cerveaux : l'un croyait que Yin était bonne pour lui parce qu'elle lui rapportait de l'argent. L'autre la considérait comme un démon parce qu'elle se servait de sa cervelle pour gagner de l'argent. Le savoir inné de Yin, son *chuming,* lui révéla que la haine de Nan-Yung envers les *waigoren* suintait de sa peau et la contaminait, elle.

Yin ne voulait pas que son existence suive le tracé accablant d'autres Chinoises. Les couleurs brillantes dont elle avait peint ses rêves pourraient en pâlir. Elle n'avait pas encore dit à Nan-Yung qu'elle portait son enfant. Et dans l'immédiat, elle se tairait. Son secret lui donnait du pouvoir.

Il fallait qu'elle tire des plans pour son enfant et pour elle. Elle commencerait dès le lendemain par une rencontre avec Chang Wu.

* * * *

Yin était assise devant le bureau du vieux Chang.

— Je réussis bien en affaires. Je vous l'ai prouvé.

— En effet.

— J'aimerais faire d'autres affaires avec vous. Je souhaite mettre de côté un certain pourcentage de l'argent de mes clients à l'insu de mon mari.

Le vieil homme secoua la tête.

— Il n'est pas dans mes habitudes de perturber l'équilibre harmonieux qui règne dans le foyer d'un homme.

Yin plissa les yeux.

— Si vous n'exaucez pas mon souhait, je vais perturber l'équilibre harmonieux de votre hôtel en le quittant.

— Tu ne fais pas confiance à ton mari. C'est très mauvais.

— Les hommes mauvais ne méritent pas la confiance.

L'hôtelier opina de la tête.

— Très bien. Je vais t'aider. Je lui parlerai et je lui dirai que je prendrai un pourcentage plus élevé, disons, dix pour cent?

Yin hocha la tête sans sourire.

— Cela suffira. Par contre, j'ai besoin que vous m'accordiez une autre faveur.

— Tu exiges beaucoup de mon amitié.

Le sourire de Yin se teinta de sarcasme.

— Nous ne sommes pas des amis. Nous sommes dans les affaires. La loyauté est plus grande quand il y a de l'argent à la clé.

— Tu apprends vite, pour une femme. Il se tut un instant. Quelle est cette faveur?

— Je veux apprendre plus d'anglais. Tout ce que vous pourrez m'enseigner.

— C'est tout?

Il était étonné.

— C'est assez, répondit-elle. Plus qu'assez.

* * * *

En Amérique, le temps passe plus vite que dans les autres pays, songea Nan-Yung, en comptant la monnaie et le papier-monnaie dans la minuscule chambre d'hôtel de Chang Wu. Quand les arbres avaient été dénudés, il avait pu tenir son argent dans ses mains. Maintenant que les arbres avaient endossé leur livrée, il avait bourré sept sacs et commencé à en remplir un huitième. Dès ce soir, il espérait pouvoir remplir ce sac à ras bord avec les recettes de son épouse. Le jeune homme avait découvert des moyens de prélever de l'argent sur la part de Chan Wu, en dépit de l'insistance du vieil homme d'augmenter de dix pour cent sa part de profit. Nan-Yung avait découvert quelques astuces pour cacher les pourboires de Yin et l'argent qu'elle recevait pour ses horoscopes privés. Mais surtout, il avait découvert où il comptait dépenser les profits de Yin.

À trois pâtés de maisons de l'hôtel, Yan Tsing possédait une petite blanchisserie sur la rue Dupont. La construction en pin à deux étages était peinte en jaune, avec un habillage vert. De la rue, on pénétrait dans une petite aire de réception où il y avait un comptoir pour déposer les effets. Derrière le comptoir, le mur avait été divisé en deux cent dix casiers en pin verni. Chacun était identifié au moyen d'un chiffre en chinois on s'en servait pour déposer les chemises et le linge de maison fraîchement lavés. Un rideau en coton fermait la porte étroite qui menait à la pièce sur cour où on avait installé les fers, les tables, les cuves à lessive et les planches à laver, ainsi que les fours servant à chauffer les fers à repasser. Au fond de la pièce, une porte s'ouvrait sur la ruelle et sur une cour à ciel ouvert où s'alignaient d'autres cuves à lessive, et où le linge était mis à sécher. C'était dans cette cour que les blanchisseuses faisaient la lessive douze heures par jour.

Yan Tsing était vieux et travaillait comme un forçat, ce à quoi l'on avait attribué son décès de la nuit précédente. Le vieil homme n'avait aucune descendance pour reprendre son entreprise. Sa veuve était une excellente blanchisseuse, mais elle avait fait savoir à ses voisins qu'elle voulait vendre le commerce et s'installer chez sa sœur à Monterey.

Nan-Yung dissimula soigneusement ses sacs d'argent dans la doublure en duvet de sa veste en satin. Puis il quitta l'hôtel, sa veste sur le bras.

On avait peint un signe chinois sur une affiche pour faire savoir que la buanderie de Yan Tsing était fermée pour cause de décès. Au-delà de l'affiche, Nan-Yung scruta l'intérieur de l'échoppe à travers la vitre floue. Il vit la veuve debout derrière le comptoir, qui l'attendait. Clopinant sur ses jambes rachitiques, elle ouvrit la porte fermée à clé et s'inclina devant Nan-Yung.

Celui-ci la suivit derrière la porte fermée par un rideau jusqu'à la pièce sur cour. Sur la gauche se dressait un grand bureau à cylindre où Yan Tsing rangeait ses registres, ses livres comptables et ses documents juridiques. Nan-Yung prit place sur la chaise sans accoudoirs, à côté de la chaise en acajou plus imposante qui avait été celle de Yan Tsing.

— Madame Tsing, je vous prie d'accepter mes condoléances.

Il inclina encore une fois la tête.

Elle ne le regarda pas, mais garda les yeux baissés, comme sa mère le lui avait enseigné.

— J'ai entendu dire que vous souhaitez vendre ce terrain et ce bâtiment. J'ai entendu dire que vous souhaitez vivre avec votre sœur. Je suis venu ici pour vous aider à réaliser vos souhaits, madame Tsing.

Le jeune homme remarqua que la vieille femme opinait légèrement de la tête. C'était bon signe. Il était évident qu'elle ne s'était pas préparée à négocier une entente.

— Je suis prêt à payer votre voyage jusqu'à Monterey et à voir à vos frais de subsistance une fois que vous serez là-bas. J'ai de l'argent, madame Tsing, ajouta-t-il en extirpant lentement de sa veste un sac en satin noir rempli d'argent.

Il le laissa tomber sur le bureau. Les pièces d'argent tintèrent. Nan-Yung vit les yeux de la veuve se poser sur le sac et y rester.

Il sortit un deuxième sac et en fit tinter les pièces avec emphase. Il vit les doigts de la vieille se détendre. Elle voulait toucher à l'argent. C'était un autre bon signe.

— Je suis prêt à vous donner quatre mille dollars pour l'entreprise de votre mari, annonça-t-il calmement.

Cette fois, le visage ridé de la vieille femme se tourna un moment vers le sien elle le regarda dans les yeux. Puis, elle reporta son regard sur les sacs d'argent.

— Je ne connais pas la valeur de mon terrain. Je dois réfléchir.

Nan-Yung faillit sourire, mais réussit à rester impassible.

— Excellent. Réfléchissez aussi aux autres solutions qui s'offrent à vous. Comment avez-vous l'intention de gérer le commerce ? Vous êtes à l'hiver de votre vie. Les jours où vous laviez les vêtements avec l'entrain d'une jeune fille sont terminés. Vous devriez vivre le crépuscule de votre vie avec votre sœur, comme vous le souhaitez. Je ne veux pas que la veuve de mon voisin meure comme lui d'avoir trop travaillé. Je suis jeune, madame Tsing. Je reprendrai votre commerce. Je n'enlèverai même pas le nom de Tsing sur l'affiche.

Madame Tsing pencha sa petite tête à gauche. De toute évidence, ce geste avait de l'importance pour elle. Nan-Yung s'émerveilla d'être aussi astucieux, car c'était une pensée qu'il avait eue après coup.

— Madame Tsing, quatre mille dollars représentent beaucoup d'argent pour une vieille femme.

— Ouvrez les sacs. Je veux voir l'argent.

Il obtempéra.

— C'est l'argent de l'homme blanc, jusqu'au dernier *cent*, dit-il en empilant les pièces d'or de vingt dollars et les pièces d'argent en un gros tas sur le bureau.

Toutefois, comme il l'avait escompté, c'était le sac bruissant de papier-monnaie qui piquait le plus l'intérêt de la veuve. Ils comptèrent l'argent ensemble. En constatant que le compte y était, madame Tsing, satisfaite, ouvrit le long tiroir du bureau, en retira le double fond et sortit l'acte de propriété que son époux avait signé huit ans auparavant. Nan-Yung sortit le document sur lequel il avait énoncé les termes de leur entente. Il l'avait rédigée en chinois.

Madame Tsing signa l'entente et tendit l'acte de propriété et la clé du bureau de son mari à Nan-Yung. Elle rassembla les pièces et le papier-monnaie et les fit glisser dans un grand sac de blanchisserie, avant de remettre les petits sacs en soie à Nan-Yung. Elle l'informa qu'elle vendrait la majorité de ses biens et qu'elle partirait pour Monterey d'ici la fin du mois.

En quittant la blanchisserie, le jeune Mandchou était très conscient d'avoir payé le commerce un quart de sa valeur. Il était crucial que la veuve n'ait pas le temps de consulter quiconque au sujet de la vente. La transaction étant réglée, peu de gens s'informeraient des détails. Madame Tsing quitterait San Francisco, et les résidents du quartier chinois l'oublieraient bientôt. Il n'y avait qu'une formalité à régler : le transfert du titre de propriété au bureau du maire. Nan-Yung engagerait le neveu de Chang Wu pour cette tâche comme il parlait anglais, il lui servirait d'interprète. Une fois madame Tsing partie, Nan-Yung engagerait de nouveau ses blanchisseuses, puis il commencerait à excaver le sol sous l'échoppe.

Il calcula qu'il lui faudrait six mois de travaux pour terminer les fumeries d'opium qu'il avait en tête. Entre-temps, il insisterait pour que Yin continue de donner des lectures, étant donné que sa clientèle augmentait. Ils habiteraient l'appartement au-dessus de la buanderie, comme Yan Tsing et son épouse l'avaient fait. Il ne paierait plus de loyer à Chang Wu et surtout, il ne partagerait plus jamais ses profits avec personne.

* * * *

Jefferson Duke tourna le dos à la baie si encombrée de navires à hauts mâts qu'elle ressemblait à une forêt d'arbres calcinés. Il grimpa sur le siège du conducteur de son chariot ouvert en songeant qu'il était épuisé.

— Mort de fatigue, voilà ce que je suis, marmonna-t-il.

Il essuya de la manche la sueur qui coulait sur son front avant de saisir les rênes.

Contrairement à plusieurs de ses concurrents, Jefferson n'avait pas surchargé son entrepôt de bois d'œuvre et de matériaux de construction durant l'année écoulée. Il avait plutôt misé sur des stocks allégés. En théorie, le flot d'or qui ruisselait aux quatre coins de la ville aurait dû se traduire par de meilleurs profits pour son entreprise, mais il avait été plus sage que la plupart des marchands. Son sens commun lui soufflait que la cupidité engendrée par la fièvre de l'or ne ferait pas qu'attirer davantage de prospecteurs. Elle attirerait aussi davantage de marchands et, par conséquent, plus de concurrents et de bouches désireuses d'obtenir une part du gâteau. Jefferson croyait en l'avenir de San Francisco suivant cette idée, il s'était mis à diversifier ses activités. Ses investissements dans l'immobilier représentèrent la première étape. Il fut l'un des premiers à aménager South Park et y bâtir des maisons. Or, au cours de l'année écoulée, South Park avait supplanté Rincon Hill et était devenu « le » chic quartier résidentiel en vogue. En fait, le quartier était né du remue-méninges de George Gordon, un Britannique qui était aussi propriétaire de la première raffinerie de sucre de la ville. South Park devait imiter les « résidences raffinées » de Londres, avec leurs élégantes façades et leurs terrains aménagés comme des parcs. Le quartier couvrait douze acres, entre Bryant, Brannan et les Deuxième et Troisième Rues. Les nouvelles résidences comportaient deux étages ainsi que des portes-fenêtres qui s'ouvraient sur des balcons en fer.

Dans ce quartier, les détails architecturaux étaient de première importance. William M. Gwins y avait fait construire la première salle de bal de la ville. Avec son revêtement en bois, la Troisième Rue, pas encore pavée, s'enorgueillissait d'un service d'omnibus qui la parcouraient d'un bout à l'autre. Comme tous les résidents de South Park, Jefferson attendait avec impatience la fontaine en fer forgé, magnifiquement sculptée, que George Gordon avait commandée à la fonderie Coalbrookdale, d'Angleterre.

Dans sa vision d'avenir, Jefferson croyait toujours que Nob Hill deviendrait le prochain quartier chic et, au bout du compte, l'emplacement le plus souhaitable pour bâtir une résidence. Avec les profits qu'il avait tirés de la construction résidentielle de South Park, Jefferson avait acheté un lot d'un acre et demi près du sommet de Nob Hill. En façade, le terrain courait le long de la rue California, avec une entrée secondaire sur Mason.

Cependant, Jefferson se rendit compte qu'avec son nouvel entrepôt de la rue Montgomery, il aurait besoin de plus d'argent pour bâtir le genre de résidence qu'il avait en tête.

Il se mit donc en quête d'investisseurs potentiels. Lorsque Peter Donahue et son frère James ouvrirent la société gazière Gas Works sur Natoma, Howard, Freemont et Première Rue, Jefferson devint un de leurs associés passifs. Il fit de même quand les deux frères ouvrirent la fonderie sur Market, Première Rue, Bush et Battery. Jefferson s'intéressa à la manière dont les Donahue importaient des tuyaux de canalisation de la côte Est et du charbon de Swansea, au pays de Galles. Il se mit en quête de sources nationales de charbon et découvrit bientôt une nouvelle mine en Virginie-Occidentale, ce qui lui permit d'importer du charbon par chargement entier.

La deuxième étape de la liste de Jefferson concernait la société d'adduction d'eau. Ayant prévu que la ville serait éclairée au gaz, il avait aussi compris qu'un jour, les résidences et places d'affaires auraient l'eau courante et un système d'évacuation des eaux d'égout. Cependant, convaincre l'hôtel de ville du bien-fondé de sa vision s'avéra une tâche frustrante. D'entrée de jeu, la relation que Jefferson entretenait avec les politiciens et la politique municipale en était une d'amour-haine.

Le maire, William K. Garrison, croyait au même genre d'infrastructures et de services publics que Jefferson. Mais la ville comptait plus de cinquante mille résidents qui avaient tous besoin d'un toit, de nourriture et de vêtements.

Lors d'une réception de mariage à laquelle il assistait dans l'une des grandes maisons du côté sud de Rincon Hill, Jefferson attira Garrison à l'écart.

— William, il faut que vous m'aidiez. La ville a besoin de canalisations d'eau et d'égouts. Laissez-moi mettre ce projet en œuvre dès aujourd'hui, avant que de nouvelles rues soient tracées. Autrement, elles devront être entièrement démolies et refaites.

— J'entends bien, Jefferson. Mais bon Dieu, mon ami ! J'ai le sentiment d'en avoir plein les bras juste pour faire accepter à l'électorat la nécessité de prélever un impôt pour paver les rues. Avez-vous entendu parler de cette jeune femme qui a traversé le revêtement en bois sur Sacramento ?

— Oui. Elle s'est évanouie et n'eut été de la boutique de l'apothicaire à proximité, Dieu sait quand elle aurait repris connaissance.

— Ne soyez pas facétieux. Cette ville est encore à moitié sauvage et à moitié civilisée. Il y a trois jours, un Français a descendu un couguar non loin du Presidio. Plus de huit kilos ! J'ai entendu dire qu'il mesurait presque quatre-vingts centimètres, du nez au bout de la queue. Les loups, les ours et les renards rôdent encore aux alentours. À la saison des pluies, les rues se transforment en bourbier et aucune voiture, ni aucun homme, ne peut les traverser. À la saison sèche, l'endroit n'est qu'une trombe de poussière. J'ai tout essayé pour obtenir qu'on recouvre les plages et les dunes de nattes !

Pensif, le maire but une gorgée de vin espagnol. Puis, une étincelle dans le regard, il se pencha plus près de Jefferson :

— Avez-vous entendu parler du prospecteur allemand qui a découvert un gros filon ? Il s'est rendu à la boutique du joaillier Buckelew, non loin de votre nouvel entrepôt, pour commander une boucle de ceinture entièrement sertie de diamants !

— C'est une ville de paradoxes. Voilà pourquoi je l'aime. Songez combien je pourrais l'aimer davantage si je pouvais installer des canalisations d'eau et de gaz dans les quartiers de Mission, de South Park et de Nob Hill.

Garrison finit son verre.

— Vous n'abandonnez jamais, n'est-ce pas, Jefferson ?

— Jamais. Jefferson s'esclaffa. Par conséquent, vous feriez tout aussi bien de vous joindre à moi. Sinon, je vais vous rendre fou, William.

— D'accord. Je vais voir ce que je peux faire. Qu'est-ce qui vous motive, Jefferson ? Avez-vous l'intention de devenir l'homme le plus riche de la ville ?

Les yeux brillants de Jefferson reflétèrent le sens profond qu'il avait de sa mission.

— Je sais que cette ville peut devenir la plus grande d'Amérique. J'ai l'intention d'être celui qui fera en sorte que cela devienne réalité.

William secoua la tête.

— Je serais stupide d'en douter.

— En effet.

— Je vais maintenant dénicher la bouteille de vin de Madère. Vous joindrez-vous à moi ?

— Je pense que j'en ai assez pour ce soir. Je vais plutôt saluer nos hôtes et aller me reposer. Après tout, j'ai une ville à bâtir, demain.

William assena une claque dans le dos de Jefferson et le quitta.

Celui-ci posa son verre sur une table et s'apprêtait à partir lorsqu'il vit Caroline. Elle portait une robe en soie d'un rose très doux, sur une de ces crinolines françaises que les femmes de San Francisco avaient adoptées, à l'instar de leurs sœurs new-yorkaises. Son abondante chevelure était coiffée en longues boucles anglaises argentées, retenues sur la nuque par des peignes d'or sertis de saphirs, assortis à la couleur de ses yeux.

En la voyant, Jefferson songea à une vision céleste.

Elle le vit du coin de l'œil s'excusant auprès du groupe qui l'entourait, elle se dirigea vers le buffet où des monceaux de fruits de mer frais attendaient les invités.

Jefferson la suivit et fit semblant d'examiner les plateaux en verre débordant de crevettes bouillies, d'huîtres et de saumon fumé. Sans se presser, il s'approcha d'elle, s'empara d'une assiette en porcelaine et se mit à la remplir de pattes de crabe marinées dans une sauce au beurre à l'ail.

— Je veux te voir ce soir, Caroline.

— Je ne peux pas, Jefferson. Lawrence est avec moi.

— Plus tard, dans ce cas.

Elle choisit une petite rondelle de pain et y déposa une fine tranche de saumon.

— J'ai des montagnes de papiers à terminer d'ici demain. Il faudra que tu patientes jusqu'à vendredi.

— Je ne veux pas patienter. Je suis amoureux, pour l'amour du ciel.

Elle eut un petit sourire.

— Je sais, mon chéri. Le temps semble bien long quand je ne suis pas avec toi.

— Je sais, mon amour. S'il n'en tenait qu'à moi, je changerais la façon dont il nous faut vivre. Tu n'as qu'un mot à dire.

La brillance de ses yeux s'atténua un instant, mais son sourire revint aussitôt, car elle était follement heureuse d'être aux côtés de Jefferson, ne serait-ce qu'un moment.

— Raconte-moi ce que notre bon maire avait à dire, reprit-elle en harponnant une crevette rose à l'aide d'une fourchette à fruits de mer en argent.

— Oh. Il hocha la tête. Nous passons à des sujets moins épineux, à ce que je vois, la taquina-t-il avant de lui rapporter sa conversation avec William Garrison.

Captivés par leur échange, Jefferson et Caroline n'eurent pas conscience que Lawrence les observait de sa cachette, sous la table du buffet recouverte d'une nappe blanche.

Le garçon avait promis à Lydia, sa gouvernante, de lui rapporter un morceau du gâteau de mariage. Il avait également pris la décision de lui faire encore plus plaisir en dérobant un hors-d'œuvre de chaque sorte.

Il n'avait eu aucun mal à voler une crevette. Les pattes de crabe des neiges avaient été aussi très faciles à subtiliser. Mais, alors qu'il goûtait à une huître glissante, Lawrence avait entendu la voix de sa mère. Il avait englouti l'huître en une seule bouchée, puis soulevé le bord de la nappe juste ce qu'il fallait pour reconnaître la robe de Caroline.

Il avait aussi immédiatement reconnu la voix de Jefferson Duke. Bizarrement, celui-ci ne parlait pas comme d'habitude, d'un ton sec et prosaïque. Non seulement il s'adressait à sa mère dans un murmure, mais ses inflexions de voix étaient réconfortantes, séduisantes même.

Lawrence n'avait jamais entendu son père s'adresser ainsi à sa mère par contre, il savait que c'était le ton que le père de Charlie Wilson employait pour parler à la mère de Charlie. Les yeux de

Lawrence s'écarquillèrent lorsque le sens essentiel de cette constatation le frappa.

Jefferson Duke était amoureux de sa mère.

Lawrence se pencha tout près du bord de la nappe.

— Caroline, je t'en prie, murmura Jefferson d'un ton sensuel. Oublie la paperasse pour ce soir. William revient la semaine prochaine. Viens me voir.

— Je ne peux pas.

— Tu le ferais si tu me désirais autant que je te désire.

— Ne dis pas de sottises ! Rien ne saurait être plus éloigné de la vérité.

— Vendredi m'apparaît comme une éternité, grogna Jefferson.

— Parce que c'en est une, mon amour.

Lawrence souleva de nouveau la nappe et observa les chaussures des deux adultes qui s'éloignaient. Il aurait dû être choqué, mais il ne l'était pas. D'après les enseignements bibliques qu'il avait reçus et les sous-entendus moraux des romans que son père l'avait autorisé à lire, Lawrence savait que l'adultère contrevenait aux lois de Dieu et à celles des hommes. Néanmoins, il avait subtilisé l'exemplaire de *Madame Bovary* de sa mère et avait lu sur l'amour romantique. Il avait aussi entendu Lydia raconter les histoires d'Emily Brontë. Il savait certaines choses à propos des hommes et des femmes. Lawrence et son ami Billy Chester discutaient constamment de sexualité, assis sur l'escalier arrière de la maison de Billy, rue Powell. Billy savait toutes sortes de choses sur la sexualité. Il avait même parlé à Lawrence des prostituées de la côte de Barbarie. Âgé de treize ans, Billy aimait bien que Lawrence s'intéresse à ce qu'il avait à raconter.

Lawrence ne fut pas bouleversé d'apprendre que sa mère et Jefferson s'adonnaient peut-être aux activités dont parlait Billy. Il aimait à penser qu'ils étaient comme les personnages du roman de Lydia, *Les hauts de Hurlevent*. D'une certaine façon, un étrange sentiment de paix, un voile de justesse, descendit sur le garçon. C'était comme si tout ce qui, jusqu'ici, avait été de travers dans sa vie venait d'être remis en ordre. Le monde de Lawrence ne lui avait pas échappé il avait au contraire acquis une nouvelle solidité.

Lawrence avait toujours eu de la difficulté à situer l'homme indifférent et falot qu'était William Mansfield dans sa vie. Le statut de père lui avait toujours paru le plus improbable de tous.

De son côté, sa mère était pleine de vie et d'énergie. Pour elle, tout était une occasion de célébrer : les anniversaires, les dimanches, le temps splendide et les bonnes journées d'affaires. Elle rendait toutes choses plaisantes. Aux yeux de Lawrence, la meilleure part de son enfance était le fait que sa mère l'incluait toujours dans presque tous les domaines de sa vie.

Lawrence avait assisté avec sa mère à des réunions municipales, à des rassemblements politiques, à des voyages d'achat et à des dîners entre amis, étant donné que William ne voyait pas l'utilité d'entretenir des conversations oiseuses à table. Ainsi, ce soir, Lawrence était le seul enfant présent à cette réception de mariage, à l'exception des enfants de la famille immédiate.

Le garçon avait toujours eu le sentiment d'être le bras droit de sa mère. Dans son esprit, ils étaient ensemble par rapport au reste du monde. Lydia était sa gouvernante et son amie, mais pour Lawrence, il n'y avait qu'une personne dans sa vie, et c'était sa mère.

Il se rappela la conversation qu'il avait eue avec Lydia, la veille, au sujet de son père.

— Ta maman n'a pas l'air de s'ennuyer beaucoup de ton papa, pas vrai ?

Il avait haussé les épaules.

— Je ne comprends pas ce que tu veux dire.

— Elle lui écrit pas. Il t'écrit pas non plus. C'est ben curieux.

— Pas vraiment. Lawrence l'avait regardée. Je connais beaucoup d'hommes à San Francisco. Maman a plus de douze employés. Parmi mes amis à l'école, il y en a dix qui n'ont pas de mère. Elles sont mortes en ayant des bébés. Je suis très chanceux d'être aussi proche de ma mère. Je l'aime beaucoup.

Lydia lui avait ébouriffé les cheveux.

— Ouais. C'est ben vrai.

Puis, elle l'avait serré dans ses bras.

Non, le fait que sa mère ait un amant n'étonnait pas Lawrence le moins du monde. Il était heureux pour elle et espérait qu'elle était heureuse. Il était même fier qu'elle ait choisi Jefferson Duke. À l'école, tous les garçons l'admiraient et le respectaient.

Des souvenirs refluèrent dans l'esprit de Lawrence, lorsqu'il se rendit compte que l'association de sa mère et de Jefferson Duke remontait à plusieurs années. Il ne se rappelait pas du temps où

Jefferson n'avait pas participé aux célébrations organisées chez les Mansfield pour les Fêtes. Avant la ruée vers l'or, les gens bien se recevaient mutuellement. Par conséquent, la présence de Jefferson n'était pas perçue comme inconvenante. La vieille garde serrait toujours les coudes, même si elle se voyait forcée d'admettre de nouvelles familles dans son cercle à mesure que la ville prospérait. Mais les piliers qu'étaient les Mansfield, les Richardson, les Cogswell, les McAllister, les Parkman, Jefferson Duke, et quelques autres étaient à la base des souvenirs de Lawrence.

Plutôt que de se sentir amer, il se questionna. « Quand la liaison de ma mère et de Jefferson Duke a-t-elle commencé ? »

Le garçon engloutit une deuxième huître salée, savourant le goût et la texture exotiques. Il jeta un coup d'œil derrière lui au long tunnel de sa cachette. Rassemblant les trésors épicuriens qu'il avait dérobés à l'intention de Lydia, il souleva la nappe pour déterminer la voie qu'il prendrait pour s'échapper. La plupart des invités étaient retournés sur le plancher de danse. Lawrence se précipita vers les portes-fenêtres conduisant à l'office, puis retourna au salon pour attendre que sa mère le rejoigne avant de rentrer à la maison.

Il était assis sur un canapé en brocard blanc lorsque sa mère entra dans la pièce. Elle était seule. Jefferson n'était pas avec elle : il était en conversation avec leur hôte dans le vestibule. Lawrence ne put s'empêcher de remarquer que les yeux de Caroline brillaient, comme il ne les avait jamais vus briller, et que ses joues étaient rosies, comme si elle était allée dehors par un jour d'hiver.

Il lui sourit. Il réfléchit au fait que lorsque son père serait de retour à la maison, la semaine suivante, sa mère ne serait plus aussi heureuse.

Il se leva et lui tendit la main.

— T'es-tu bien amusée, mère ?

— Bien sûr, mon chéri, répondit-elle d'un ton allègre.

— J'en suis heureux pour toi, mère, dit-il avant de l'accompagner vers la sortie et leur voiture.

* * * *

Le retour de William Mansfield à San Francisco ne donna lieu à aucune célébration, mais uniquement parce qu'il méprisait les fêtes que Caroline voulait toujours organiser pour les départs, les retours et, bien entendu, les anniversaires.

— Tu pourrais au moins me laisser inviter quelques voisins pour dîner, William. Ton dernier voyage a duré trois semaines, et tu nous as tous manqué. N'est-ce pas, Lawrence ?

— Oui, mère, répondit Lawrence sans grand enthousiasme en regardant le visage austère de son père.

— Je veux m'occuper sur-le-champ de mes livres. Je suis certain qu'ils sont dans un état lamentable. Je n'ai pas de temps pour ces folies.

Les épaules de Lawrence s'affaissèrent.

— Mais mère a confectionné un gâteau pour célébrer ton retour, avec des pacanes et des raisins secs du ranch Sanchez.

William écarta ces objections d'un geste de la main avant de s'éloigner.

Caroline soupira.

— Certaines choses ne changeront jamais, murmura-t-elle, oubliant la présence de Lawrence à ses côtés.

Le garçon se dirigea vers le tiroir à ustensiles, en sortit un couteau et s'approcha du gâteau à trois étages.

— Veux-tu un gros morceau de gâteau, mère ? Pour ma part, je crois que je vais en manger deux !

Il éclata de rire. Caroline joignit son rire au sien.

— Qu'est-ce que je ferais sans toi, Lawrence ?

* * * *

Jefferson tira sur les rênes de son attelage, et les chevaux s'arrêtèrent devant son entrepôt. Trois employés sortirent en courant du bâtiment pour décharger le tombereau. Jefferson sauta à bas de son perchoir et se dirigea vers la porte de côté qui donnait sur son bureau.

En entrant, il découvrit Lawrence, assis sur un baril de bois contenant des clous. Il tenait quelque chose dans une serviette de table en lin.

Le visage de Jefferson s'éclaira en voyant son fils.

— Lawrence ! Quelle bonne surprise ! Est-ce que ta mère t'envoie chercher le planchéiage dont elle a besoin ?

— Non, monsieur. Elle croit que je suis chez mon copain Billy. Je vous ai apporté un morceau de gâteau de fête. Ma mère dit qu'elle en a inventé la recette.

Le sourire de Jefferson s'effaça.

— Ton père est rentré?

— Oui, monsieur.

Le visage de l'enfant était aussi austère que celui de l'homme.

— On dirait que quelque chose te préoccupe, Lawrence.

— C'est vrai, monsieur.

Lawrence glissa de son perchoir, accrochant au passage son knicker en laine sur le cerclage en fer du baril.

— Damnation! lança-t-il en inspectant les dommages.

— Lydia pourra peut-être réparer l'accroc avant que ta mère ne le découvre. Elle te couvrira.

Laurence fit volte-face et regarda Jefferson, ses yeux bleus agrandis par l'étonnement.

— Comment le savez-vous?

— Je sais beaucoup de choses.

— Par ma mère?

Jefferson sentit les poils de sa nuque se hérisser en guise d'avertissement. Il devait se montrer prudent en tout temps.

— J'ai découvert qu'en ce qui te concerne, Lydia est une véritable commère. Mais selon moi, c'est parce qu'elle est très fière de toi. Comme ta mère. Et ton père.

Inconsciemment, Lawrence bomba le torse.

— Je sais.

— Bien, répondit Jefferson, l'œil aux aguets.

— Je sais aussi que vous êtes amoureux de ma mère.

Le garçon laissa échapper cette vérité si vite qu'il fut estomaqué de la voir planer devant lui, moqueuse comme un prisonnier tout juste évadé. Il plaqua sa main sur sa bouche.

— Je te demande bien pardon, Lawrence. Je crains qu'on t'ait induit en erreur. Qui t'a dit cela?

Lawrence prit son courage à deux mains et reprit la parole.

— Je vous ai entendu parler avec ma mère, à la réception de mariage. J'étais caché sous la table du banquet.

Jefferson sentit ses genoux faiblir. Vacillant légèrement, il s'assit sur le coin de son bureau. Durant toutes ces années, Jefferson ne s'était jamais préparé à cette confrontation.

Comme il avait été idiot de penser qu'on ne découvrirait jamais la vérité à leur sujet! Au pire, il aurait amassé des munitions pour répondre aux rumeurs agressives. Il avait des alibis, des mensonges et des excuses fallacieuses dans son arsenal, mais en regardant dans les yeux confiants de son fils, Jefferson comprit qu'il n'avait jamais cru devoir un jour étaler la vérité.

— Je l'aime. Je l'ai toujours aimée. Est-ce que cela te met en colère? Il s'interrompit. Seigneur! Qu'est-ce que je raconte? Bien entendu que cela te met en colère.

— Non! répondit le garçon en levant la main. C'est ce que je suis venu vous dire. Je ne suis pas en colère. Je suis heureux pour elle.

Jefferson inspira fortement. Il était surpris, mais plaisamment surpris.

— Est-ce qu'elle... je veux dire... lui as-tu dit que tu sais?

— Non. Je n'en avais pas l'intention. J'avais juste le sentiment que je devais d'abord vous en parler.

Jefferson sourit.

— Elle s'inquiète tout le temps à ton sujet. Ce que tu penses. Ce que tu ressentirais si tu savais.

Lawrence baissa les yeux et regarda de côté durant un moment, comme s'il réfléchissait aux paroles de Jefferson. Lorsqu'il releva les yeux, rien dans son attitude n'annonçait ce qui allait suivre. À sa manière juvénile et désinvolte, il demanda simplement:

— Depuis combien de temps êtes-vous amoureux de ma mère?

— Quoi?

Lawrence ne cilla pas, mais Jefferson sentit les larmes monter aux yeux du garçon avant de les voir apparaître.

— À quel moment... je veux dire... quand avez-vous compris?

Jefferson se tenait sur le fil du rasoir, et la souffrance qui l'assaillait était épouvantable: en disant la vérité à Lawrence, il risquait de détruire Lawrence, mais aussi la vie de Caroline. S'il lui mentait, il détruirait sa seule chance de devenir un véritable père pour son fils. Soudain, la vision du visage de Rachel passa devant ses yeux. Il vit sa chevelure cuivrée et sa peau mate. Il sentit son sourire chaleureux le réconforter. En une fraction de seconde, il se souvint de

toutes les paroles qu'elle lui avait dites. Égoïstement, il voulait reven-
diquer sa paternité, fonder sa dynastie et sculpter son destin. Mais en
regardant dans les yeux bleus de Lawrence, Jefferson choisit de se
sacrifier... encore une fois.

— Eh bien..., commença-t-il du ton le plus désinvolte possible, je
suppose que c'est tout de suite après son retour de Boston, lorsqu'elle
est rentrée en te tenant dans ses bras. Tu lui ressemblais trait pour
trait, et je me suis dit : «Maintenant, il y en a deux à aimer, même de
loin».

Lawrence était trop jeune pour comprendre que Jefferson lui
avait menti tout en lui disant la vérité. Il ne prit pas conscience que
son aîné lui avait avoué par inadvertance qu'il était amoureux de
Caroline avant son départ pour Boston. Lawrence sourit et accepta
l'histoire en toute confiance.

Il sourit à Jefferson et lui tendit la main :

— Merci, monsieur Duke.

— C'est un plaisir, répondit Jefferson en souriant aussi. Il attira
le garçon à lui et le serra dans ses bras.

Sur les entrefaites, Shamus O'Connor frappa à la porte et l'ouvrit
sans attendre de réponse.

— Monsieur Duke? Y'a un problème qui demande votre
attention, là dehors.

Jefferson suivit Shamus sous le soleil, puis dans la cour où des
piles de bois d'œuvre étaient entreposées sous des bâches, derrière
une clôture en bois.

Curieux, Lawrence se faufila à leur suite pour observer, puis
décida de suivre Jefferson.

— Je viens avec vous, dit-il en courant pour rejoindre Jefferson.

Debout à côté de Daniel Flannery, le contremaître affecté au bois
d'œuvre, il y avait un jeune homme chinois, vêtu d'une tunique et
d'un pantalon en soie. Il était accompagné d'une jeune femme menue
et très belle dont Lawrence se dit qu'elle devait être sa femme. Il
remarqua tout de suite que la jeune femme était très, très enceinte.
Levant les yeux vers Jefferson, il remarqua que celui-ci avait constaté
la même chose.

Lawrence n'avait jamais prêté beaucoup d'attention aux Orientaux
qui débarquaient à San Francisco par dizaines. Il était incapable de
s'empêcher de dévisager la belle jeune femme à la peau dorée et aux

yeux en amande. Ces deux personnes venaient de Chine, très loin de l'autre côté de l'océan. Il n'y avait jamais songé avant, mais il se demanda pourquoi Dieu avait choisi de leur donner une apparence si différente de la sienne.

— Elle est très belle, n'est-ce pas? fit le garçon.

— Oui, tu as raison, répondit Jefferson en posant une main sur l'épaule de son fils.

— Quel est le problème, Daniel? demanda-t-il à son contremaître.

— Je ne comprends pas ce que ces Orientaux racontent, patron. Elle parle mieux anglais que son mari, mais il ne veut pas la laisser faire.

Shamus se pencha et murmura à l'oreille de Jefferson.

— En arrivant, il lui a mis des planches sur le dos en s'attendant à ce qu'elle les porte. Avec elle en famille, et tout. Bon sang, Jefferson. Ces gens-là n'ont pas de sens commun.

— Shamus, va chercher le chariot, lança Jefferson.

— Oui, monsieur, acquiesça l'homme en s'éloignant vivement.

— Je suis le propriétaire. Puis-je vous être utile?

Jefferson essaya quelques gesticulations, mais son effort s'avéra futile.

Nan-Yung examina Jefferson d'un œil méfiant. Un vague sentiment de familiarité balaya son regard. Cet homme lui rappelait quelqu'un, mais comme il était très préoccupé par les affaires qui l'intéressaient, il chassa immédiatement cette impression.

Il agita du papier-monnaie sous le nez de Jefferson et fit un geste circulaire de la main en direction des tas de poutres, et des piles de planches.

— Je paie! Je paie!

Jefferson hocha vigoureusement la tête.

— Bien. Il leva les mains. Combien? dit-il en désignant le tas de poutres du doigt.

Le jeune Chinois opina à son tour avant d'indiquer avec ses doigts qu'il voulait dix, puis quinze poutres.

Jefferson se tourna vers Daniel.

— Charge quinze poutres dans le chariot.

Daniel s'éloigna rapidement pour se mettre au travail.

Nan-Yung se tourna ensuite vers le bois débité en planches. Il indiqua de nouveau avec ses doigts qu'il voulait vingt-cinq planches.

Puis, il tendit son paquet de dollars à Jefferson. Celui-ci voulut prélever le montant de l'achat, mais le jeune Chinois s'empara immédiatement de l'argent.

Sans réfléchir, Yin lança en mauvais anglais :

— Il veut facture totale.

Nan-Yung lui jeta un regard méprisant.

Yin savait que les leçons d'anglais de Chang Wu lui donnaient un certain ascendant sur son époux égocentrique et égoïste. Elle choisit de le défier, quitte à en subir les conséquences par la suite. Elle regarda Jefferson.

— Mon époux. Lui vouloir savoir combien pour tout ?

— Soixante-sept dollars, répondit Jefferson. Il se tourna vers Laurence. Va vite me chercher le carnet de commandes qui se trouve sur mon bureau.

— Oui, monsieur, répondit Lawrence qui s'éloigna en courant vers l'entrepôt.

Yin observa la scène elle vit beaucoup de choses, même si elle choisissait maintenant de garder la tête baissée comme son mari l'exigeait. Elle songea qu'elle pouvait presque lire les pensées du propriétaire, l'homme de haute taille.

« C'est le fils du propriétaire. Mais je vois des secrets tourbillonner autour de ces deux personnes. »

Yin leva les yeux et les observa plus attentivement tandis que le jeune garçon revenait.

Elle frissonna.

« Quelqu'un vient de marcher sur ma tombe. Non. C'est mon avenir que je vois actuellement. »

Elle examina le visage de Lawrence. Son cœur s'arrêta. Le temps s'arrêta. Yin savait qu'elle avait certainement pâli.

« Impossible ! Je ne peux pas voir ce que je vois. Pas pour moi. Pas pour moi ! Ce garçon est beaucoup plus jeune que moi. Mais lorsqu'il sera devenu un homme, notre différence d'âge n'aura pas d'importance pour nous. »

Elle sentit ses genoux se dérober sous elle. Elle devait se montrer forte. Il ne fallait pas que son époux la voie ainsi. Elle posa une main sur le côté du chariot pour se ressaisir.

Nan-Yung était tellement pris par son échange qu'il ne prêta aucune attention à Yin.

— Je vais demander à mon employé de vous livrer la marchandise.

Nan-Yung se tourna vers Yin.

— Qu'est-ce qu'il dit ?

Elle traduisit les paroles de Jefferson en chinois pour son époux. Puis, elle regarda Jefferson.

Celui-ci lui demanda avec compassion :

— Est-ce que ça va, madame ?

« Peut-il voir ma vision ? Il a les mêmes pouvoirs que moi. Je le sens. »

Elle scruta le regard de Jefferson. « Non, il ne voit pas le lien entre son fils et moi. »

— Je vais bien, répondit-elle.

Nan-Yung s'impatienta.

— Que dit-il ?

Elle se détourna de lui en répondant :

— Il nous souhaite une bonne journée.

« L'homme blanc s'inquiète plus de mon bien-être que mon propre époux. Je n'ai peut-être pas tort de voir mon avenir avec un autre homme. »

Elle se tourna vers Jefferson.

— Nous remercions vous pour votre bienveillance, dit-elle avec l'ombre d'un sourire.

— Ce n'est rien, conclut Jefferson.

Nan-Yung fronça les sourcils. Il détestait la facilité avec laquelle Yin apprenait à maîtriser cette langue horriblement difficile. Il détestait aussi le fait de dépendre de son savoir.

— Arrête de parler au barbare ! la réprimanda-t-il en chinois. Dis-lui que je ne paierai pas le prix exorbitant qu'il demande pour la livraison.

Yin fit semblant de ne pas entendre sa réprimande. Elle n'avait d'yeux que pour Jefferson.

— Pas livraison. Trop cher.

Nan-Yung s'élança vers Daniel pour interrompre le chargement du chariot.

Jefferson tendit le bras et attrapa Nan-Yung par le coude.

— Arrêtez ! La livraison est gratuite avec les commandes de plus de cinquante dollars.

Le jeune homme eut un geste brusque pour se libérer de l'étreinte de Jefferson. Il le poignarda du regard.

Jefferson retira sèchement sa main et regarda Yin.

— S'il vous plaît, dites-lui que je ne veux pas d'argent pour la livraison. C'est gratuit. Comprend-il ce que « gratuit » veut dire ?

Les yeux de Yin étaient voilés de souffrance.

— Rien jamais « gratuit » pour personne, souffla-t-elle avant de se tourner vers Nan-Yung et de lui traduire les paroles de Jefferson.

Elle jeta ensuite à Jefferson un regard reconnaissant. Tous deux savaient que sans le chariot, Yin aurait été forcée de rapporter une bonne partie de la marchandise sur son dos.

Nan-Yung revint vers sa femme. Il s'inclina devant Jefferson. Yin s'inclina devant Jefferson. Les imitant, Jefferson s'inclina devant eux.

— Jefferson Duke vous remercie de faire affaires avec lui, dit-il d'un ton formel, puis il posa la main sur l'épaule de Lawrence et rentra avec lui dans son entrepôt.

Nan-Yung crut que le sang s'était retiré de son corps.

— Comment a-t-il dit qu'il s'appelait ?

— Jefferson Duke, répondit Yin, attentive au pouvoir de ce nom, consciente du fait que sa vie venait de bifurquer sur un nouveau chemin.

En ce jour, tout venait de changer dans sa vie. Les dieux lui avaient donné une vision de son destin.

Mais ils avaient aussi révélé la vérité quant au destin de Nan-Yung.

— C'est un Duke ?

— Oui, fit-elle calmement.

— J'ai été conduit ici pour venger ma famille. Tes prédictions étaient exactes.

— Oui.

Ils se détournèrent du parc à bois, les yeux fixés sur la route.

— Alors, je dois assassiner Jefferson Duke, annonça Nan-Yung avec conviction.

Yin jeta un regard de côté à son mari et songea au fils de Jefferson. « Où nos avenirs se rencontreront-ils ? »

Vingt-quatre

« Changer en un clin d'œil
les lis et les langueurs de la vertu
pour les extases et les roses du vice.
Ô splendide et stérile Dolorès,
Notre Dame des sept douleurs[29]. »

— ALGERNON CHARLES SWINBURNE,
DOLORES, 9E STROPHE

San Francisco, 1857

Caroline caressa de la main la laque noire, lisse comme du verre, de la nouvelle calèche de Jefferson, tout juste arrivée de New York.

— Es-tu assez riche, maintenant, Jefferson ?

Il l'attrapa par la taille et gloussa :

— Depuis le temps, tu devrais savoir que je crois à l'abondance en toutes choses.

Espiègle, elle se défit de son étreinte.

— Personne à San Francisco ne possède un équipage comme celui-ci, dit-elle, en admirant les carreaux en verre biseauté des lanternes en laiton.

À l'avant, le perchoir du cocher était recouvert de velours bourgogne, tout comme le siège arrière, ostensiblement réservé au laquais ou au garde du corps, comme c'était le cas pour l'équipage de plusieurs gros joueurs.

---

29. N.d.T.: Traduction libre.

— Je l'ai commandée l'an dernier. La suspension est équipée des meilleurs ressorts elliptiques à lames d'acier.

— Toujours ce qu'il y a de mieux, fit Caroline en souriant.

— Bien entendu, ma liste de modifications était tout simplement épouvantable.

— Comme l'habillage des banquettes en velours gris tourterelle?

— Oui, fit-il en caressant de la main une de ses boucles de cheveux.

La chevelure de Caroline était maintenant striée de gris, mais cela ne faisait que lui conférer un air encore plus éthéré.

— C'était ce qui se rapprochait le plus de la couleur argentée de tes cheveux, ajouta-t-il, la bouche sèche de désir.

Il recula d'un pas, espérant ainsi parvenir à maîtriser ses émotions.

— J'ai fait rembourrer les sièges avec trois fois plus de duvet que d'ordinaire.

— Plutôt qu'en crin de cheval?

De nouveau, il l'attira vivement dans ses bras.

— Rien que le meilleur pour ma dame. Et les capitons des cloisons sont en argent, plutôt qu'en tissu.

Caroline regarda le bout-de-pied en acajou pour les dames: assorti à la garniture intérieure en acajou plaqué, il était garni de duvet et recouvert de cuir gris. Un tapis amovible recouvrait le plancher de la calèche, ce qui en rendait l'entretien plus facile: en effet, San Francisco comptant fort peu de rues pavées, la boue était une préoccupation constante. Les rideaux étaient en soie gris perle, retenus par des houppes en soie argentée.

— C'est plus qu'élégant, Jefferson, conclut-elle.

— J'ai mis autant de temps à réfléchir au plan de cette voiture que je l'ai fait avec ma maison. Après avoir vu le carrosse bleu turquoise de H. J. Henseley et son attelage de quatre chevaux blancs, j'ai compris que je ne voulais rien d'aussi flamboyant. Quant à la calèche brune de Milton Latham, avec ses roues jaunes, son habillage en satin bleu pâle et ses deux chevaux immaculés, elle frise le mauvais goût. Bien entendu, les Donahue ont une voiture en verre, ce qui serait merveilleux si nous étions mariés tout le monde pourrait alors voir à quel point tu es adorable.

— Jefferson...

— J'ai donc décidé de faire la seule chose que je n'avais pas encore vue à San Francisco.

— C'est-à-dire ?

— J'ai fait preuve de bon goût.

Caroline s'esclaffa de bon cœur.

— Mon chéri, je t'assure que tu es la seule personne qui arrive encore à me faire rire.

— Tu es si pleine de vie, Caroline. C'est toi qui illumines mon existence, répondit-il.

— Je me nourris de l'amour que tu me portes, se défendit-elle en plongeant son regard dans le sien. Par conséquent, tout est de ta faute, tu vois ?

Il la souleva dans ses bras et l'installa dans la calèche puis, il monta à ses côtés et l'embrassa profondément. L'ample jupe à crinolines de Caroline remplissait tout l'habitacle. Elle s'était abandonnée sur les coussins sans se préoccuper de la disposition de ses jupes.

— Jolie culotte, murmura Jefferson.

— Cesse de te rincer l'œil et embrasse-moi.

— Avec plaisir.

Il explora de la langue l'intérieur suave de sa bouche, et elle glissa sa main gantée derrière sa nuque, accueillant son désir. Il caressa sa cuisse d'un mouvement preste, s'empara du ruban qui retenait sa culotte à la taille, le défit et plongea sa main entre ses cuisses.

Elle gémit :

— Chéri, c'est impossible.

— C'est possible, et tout de suite, rétorqua-t-il.

Elle glissa plus près du bord du siège pour se nicher plus étroitement contre lui. Elle était à la torture. Elle défit les boutons de son spencer, ouvrit sa chemise et lui offrit sa douce poitrine haletante. De sa main gantée, elle pressa la tête de Jefferson contre son sein. Des spasmes électriques la traversaient.

— Prends-moi, gronda-t-elle.

— Pas tout de suite.

Jefferson continua d'attiser le désir de son amante avec ses mains, sa langue et ses lèvres. Il la lutina jusqu'à ce qu'elle frissonne, tremble et se convulse enfin dans l'orgasme.

Haletante, Caroline cherchait à reprendre son souffle. Elle saisit la ceinture de Jefferson et en défit la boucle. Ses doigts tâtonnèrent avec les boutons du pantalon et finirent par libérer son sexe. Jefferson s'enfonça en elle, et elle gémit de plaisir.

Il la fit glisser sous lui jusqu'à ce qu'elle soit étendue sur le siège. Il souleva ses hanches pour pouvoir plonger de plus en plus profondément en elle. Elle l'entoura de ses cuisses.

Jefferson ferma les yeux et vit apparaître sous ses paupières le feu d'artifice annonciateur de l'orgasme. Trop de nuits sans elle, trop de rêves d'elle : il éjacula beaucoup trop vite.

Il ouvrit les yeux elle le regardait en souriant.

— Je t'aime, Jefferson, souffla-t-elle en lui caressant la joue d'un geste amoureux.

— Je t'aime aussi, ma douce.

— Je n'avais pas planifié ceci...

— Déçue ?

— Pas du tout. Mais ne devrions-nous pas... remettre de l'ordre dans nos tenues avant que quelqu'un nous surprenne ?

Jefferson l'embrassa passionnément, dessinant les contours de sa bouche avec sa langue, à l'écoute de l'ombre du tremblement qui l'agitait encore.

— Je suppose que nous le devrions. Il ne m'en faudrait pas beaucoup pour recommencer, par contre.

Caroline avait de la difficulté à penser tellement son cœur battait la chamade.

— Je sais.

— Mais tu as raison. Cette partie de mon entrepôt n'est pas privée. J'ai surpris deux de mes employés, hier, en contemplation devant la voiture.

Il reboutonna son pantalon et ferma sa ceinture. Du coin de l'œil, il vit la déception qui assombrissait le visage de Caroline. Il l'aida à reboutonner son spencer, tandis qu'elle remettait de l'ordre dans ses jupes.

— Viens me voir, ce soir, Caroline.

Il savait qu'elle dirait non, comme elle le faisait la plupart du temps. Il y avait toujours une raison. Il les avait toutes entendues. Mais il le lui redemanderait. Encore et encore. Ce n'était pas grave quand il s'agissait de Caroline, Jefferson n'avait aucun orgueil.

— D'accord.

— Quoi ?

L'expression de surprise qui s'était peinte sur le visage de Jefferson était si inattendue que Caroline éclata de rire.

— Tu veux que je vienne, non ?

— Oui ! s'exclama-t-il, heureux. Bien entendu ! C'est juste que tu dis généralement non.

— Plus maintenant, annonça-t-elle d'un air résolu.

Il fronça les sourcils, soupçonneux.

— Qu'est-ce que tu veux dire ?

— J'ai plus de quarante ans. Je pourrais continuer à vivre en me niant moi-même. Mais dernièrement, j'ai commencé à me dire que le diable l'emporte. J'ai donné presque toute ma vie à William. Parfois, je pense même que Lawrence sait la vérité.

— C'est le cas, jeta Jefferson d'un ton sec.

— Quoi ? Comment ?

— Il le sait depuis cinq ans. Cela ne l'a pas tué. Mais je lui ai promis que je ne te dirais rien. Il a peut-être voulu te cacher qu'il était au courant. Ou peut-être qu'il ne savait trop qu'en penser. Il n'a pas abordé la question depuis le jour où il m'a confronté avec la vérité.

Caroline pressa ses mains sur ses tempes.

— Lawrence est au courant ?

— Oui.

Elle secoua la tête à mesure qu'elle absorbait les faits.

— D'un côté, cela ne me surprend pas. Peut-être parce que j'ai toujours senti que ma relation avec toi était la seule bonne chose de ma vie. C'est la présence de William dans mon existence qui n'a aucun sens. Il n'a jamais été à sa place dans ma vie. J'aurais souhaité que Lawrence me parle de ses soupçons.

— Pourquoi ? Jefferson s'adossa à la banquette. Je pense que c'est l'élément le plus remarquable, la plus grande marque d'amour et de confiance de votre relation. Il n'était pas forcé de dire quoi que ce soit. Il connaissait les faits et comprenait la situation. Tu ne devrais pas lui cacher l'amour que tu me portes. C'est seulement en société que tu dois jouer au chat et à la souris.

— La société, répéta-t-elle.

Elle se laissa aller contre le dossier d'un air de défaite.

— Est-ce que j'ai trop payé ?

— Peut-être.

Elle avait le regard lointain.

— J'ai trop donné à William.

Jefferson lui prit la main.

— Est-ce vraiment ce que tu ressens ?

— Oui, c'est ce qui m'habite de plus en plus.

Jefferson l'observa tandis qu'elle scrutait la vallée de sa vie. Quelque chose changeait dans leur existence. Au moment opportun, le fait que Lawrence sache tout de leur relation finirait par convaincre Caroline. Jefferson en était certain. Le temps lui avait montré qu'elle gâchait sa vie en restant mariée à William. Elle aurait peut-être le courage de passer à une autre étape et de prendre les choses en main. Mais il savait qu'il fallait que la décision vienne d'elle.

Il s'empara de sa main pour la baiser.

— Viens, mon amour. Il faut que nous te fassions sortir d'ici avant qu'un de mes employés nous surprenne.

— Dieu nous en garde ! lança-t-elle d'un ton sarcastique.

Il descendit le marchepied escamotable et se tourna pour aider Caroline à descendre.

Alors qu'elle se levait, les jupes de Caroline firent tomber quelque chose sur le plancher de la calèche.

— Qu'est-ce que c'est ? dit-elle.

Relevant sa jupe, elle poussa un cri.

— Oh mon Dieu ! Qu'est-ce que c'est, Jefferson ?

Elle lui sauta presque dans les bras.

Jefferson se pencha à l'intérieur de la voiture et ramassa le cadavre d'un rossignol.

— Que diable fait un oiseau mort dans ma nouvelle calèche ?

Il le retourna et Caroline cria une seconde fois.

— Il a une épingle à chapeau dans la poitrine !

Elle leva les yeux vers Jefferson.

— Jefferson, cet oiseau a été tué quelqu'un l'a tué délibérément. Et l'a déposé ici. Mais pourquoi ?

— C'est un avertissement, dit-il. Mais de quoi ? Et de qui ?

Caroline se détourna.

— Enterre-le, Jefferson. C'est peut-être une mauvaise blague.

Des frissons parcoururent l'échine de Jefferson. Tout à coup, il se rappelait trop d'histoires que sa mère lui avait contées. Trop d'incantations. Trop de rituels.

« Ce n'est pas une blague. J'ai un ennemi. Il me connaît.

Tout ce que j'ai à faire, c'est le trouver. »

— Je vais m'en débarrasser, dit-il à Caroline en la prenant par le bras et en l'entraînant entre les piles de marchandises et d'antiquités en provenance des Indes, de la Chine, de la France, de l'Italie et de l'Allemagne, qu'il avait achetées pour meubler sa résidence de mille quatre cents mètres carrés.

— C'est peut-être un des employés qui ont travaillé sur ta maison. Ils n'ont pas caché le fait qu'ils ont mis six ans à la bâtir plutôt que deux.

L'esprit de Jefferson était à la dérive. Il n'avait jamais eu d'ennemi déclaré auparavant. Uniquement les spectres de son passé. Maureen. Les chiens de chasse traquant les esclaves en fuite. Des scénarios de cauchemars. Mais ceci, ceci était différent. C'était le présent. C'était dangereux.

Jefferson savait que le plus important était de garder Caroline dans l'ignorance, de lui faire garder son calme. Aussi banalisa-t-il l'événement. Il ferait enquête plus tard.

— Tu as un bon point. Il y a eu beaucoup de grogne au cours de la dernière année.

— Et qui les en blâmerait ? Pourquoi as-tu besoin de deux salles de bal, Jefferson ? La salle à manger peut maintenant accueillir plus de cinquante personnes. Qu'est-ce que tu as l'intention de faire avec cette maison ?

— Accueillir des présidents, laissa-t-il tomber.

— Tu n'es pas sérieux ?

Il s'arrêta net.

— Je suis sérieux. Je pense que notre fils ferait un bon président. Elle en eut le souffle coupé.

— Quoi ?

D'un seul coup, tout prit un sens pour Caroline. Depuis le jour de son retour à San Francisco avec Lawrence, Jefferson avait toujours fait en sorte de se dépasser. Il avait amassé plusieurs fortunes, et elle ne s'était jamais demandé pourquoi. Elle avait supposé qu'il était ambitieux. Comme elle. Mais elle n'avait jamais cherché à creuser son travail pour en connaître les motivations. C'était plein de sens. Jefferson avait planifié chaque carreau vitré, chaque latte du plancher, les boiseries en ronce de chêne de la bibliothèque, l'ameublement des huit chambres, les installations en or des dix salles de bain, les lustres à gaz en verre de Tiffany, les manteaux de cheminée en marbre et les papiers peints en brocart. L'architecture était de style néoclassique, mais la maison était à l'image de Jefferson. Elle se dressait au sommet de Nob Hill, seule et distante, tout en irradiant une aura majestueuse, surtout le soir lorsque les lampes étaient allumées. Comme bien d'autres résidents de la ville, Caroline avait le sentiment qu'elle pouvait presque toucher aux confins du rêve de Jefferson, lorsqu'elle levait les yeux sur la colline et voyait toutes ces lumières illuminer la nuit.

Jefferson ne cachait pas ses aspirations pour l'avenir de San Francisco. Il voulait que la ville s'élève jusqu'à des sommets de beauté, d'élégance et de célébration de l'esprit. Et il voulait que Caroline l'accompagne dans son voyage.

Maintenant, elle savait précisément où il l'emmenait, et elle se demanda si elle était vraiment prête à l'accompagner.

Ils sortirent de l'entrepôt par la porte de côté et firent le tour du bâtiment dont la façade donnait sur Montgomery. Trois maçons travaillaient à charpenter et à briqueter l'ouverture de nouvelles fenê-tres en façade. Avec l'augmentation du commerce de détail, Jefferson avait remarqué que des boutiques plus à la mode s'étaient installées dans le quartier. Il avait donc déménagé son stock de bois d'œuvre sur un autre terrain, à trois pâtés de maisons de là, et subdivisé son entrepôt en échoppes. Ce côté serait bientôt loué à un couturier de Paris. La boutique adjacente serait occupée par un mercier pour hommes. Il n'avait pas encore loué le troisième et dernier local. Dans deux semaines, il espérait avoir déménagé tous ses biens dans sa nou-velle résidence et installé sa calèche lustrée bien à l'abri dans la remise à voiture à chevaux dont on venait de terminer la construction derrière sa résidence.

— Un nouveau restaurant a ouvert ses portes hier de l'autre côté de la rue. Que dirais-tu d'oser déjeuner avec moi ?

Elle sourit, oubliant les rossignols assassinés et les projets d'avenir politique. Pour le moment, elle ne souhaitait qu'être avec Jefferson.

— J'aimerais beaucoup.

Caroline descendait du trottoir en bois quand un étalon noir déboucha au grand galop sur la rue en terre.

— Attention, Caroline ! Jefferson la tira en arrière.

Il repéra le cavalier de loin. Ou plutôt la cavalière. En dépit du fait qu'elle était entièrement vêtue de noir, cette femme n'était pas en deuil. Elle ne portait pas de voile sur sa chevelure noire, et sa robe n'était pas une tenue de jour, mais une robe de bal au décolleté terriblement plongeant.

Les sabots de l'étalon martelaient bruyamment la boue craquelée et le revêtement en gravier et coquillages broyés de la rue. Le cheval fonçait directement sur Jefferson et Caroline.

— La cavalière a perdu le contrôle de sa monture, lança Jefferson.

— Elle n'a pas tiré sur les rênes. Elle éperonne même le cheval! s'écria Caroline, choquée.

Elle recula d'un pas et entra en collision avec l'un des maçons accroupi derrière elle. Celui-ci faillit tomber.

— Damnation! gronda-t-il avant de voir le cheval qui fonçait sur eux à toute vitesse. Elle vient droit sur nous!

— Jefferson! cria Caroline.

Elle avait le dos collé au nouveau mur de briques. Il était clair que la cavalière avait perdu le contrôle de sa monture.

— Nous allons être tués!

Jefferson fit rapidement le tour du poteau d'attache il voulait courir pour intercepter le cheval, saisir ses rêves et arrêter l'animal emballé.

Mais soudain, la cavalière tira sur les rênes et força l'étalon à s'arrêter si brusquement qu'il se dressa sur ses pattes postérieures, et battit l'air de ses antérieurs. L'écume ruisselait de la tête et du dos de l'animal maltraité. Il renâcla et hennit, cherchant à reprendre le contrôle. Mais sa cavalière était sans piété et ne cessa pas de tirer sur les rênes.

L'étalon tenta de désarçonner son bourreau, mais c'était manifestement une cavalière émérite. Finalement, le cheval se soumit et laissa retomber ses antérieurs sur le sol.

— Dolores! s'exclama Jefferson en constatant que c'était elle. Qu'est-ce que vous essayez de faire, pour l'amour de Dieu?

Bien qu'il ne l'ait presque jamais revue au fil des années, Jefferson avait eu connaissance des quelques occasions où elle avait séjourné à San Francisco. Le jour de son départ pour l'Espagne, la jeune femme s'était rendue au parc à bois de Jefferson. Comme il était absent par affaires, elle avait laissé une note à son intention. Elle était restée cinq ans en Espagne. Après son retour, elle était venue lui rendre visite un soir, mais Jefferson était en compagnie de Caroline. Elle ne lui avait jamais écrit, et il n'avait jamais communiqué avec elle. Mais voilà que le mois dernier, Jefferson avait reçu une lettre, une longue lettre pleine de souffrance, de regret et de colère. Il avait alors compris que pour Dolores, le temps s'était arrêté.

À l'évidence, elle était toujours amoureuse de lui.

Il avait deviné qu'il finirait par la revoir. Ce n'était qu'une question de temps.

Il la réprimanda :

— Vous auriez pu vous faire tuer !

— Comme si tu t'en souciais ! cracha-t-elle.

Elle était échevelée, et de longues mèches de cheveux voletaient autour de son visage. Elle avait les yeux cernés de noir et sa peau pâle, avec son réseau de veines bleues si convoité des Espagnoles, était terne et gonflée. Il y avait longtemps que sa beauté l'avait abandonnée. Sa tête ballottait sur ses épaules comme si elle avait le cou brisé. Elle avait les yeux vitreux et le regard vague.

— Jefferson, dit Caroline en se détachant du mur. Aide-la. Elle a l'air... malade.

Jefferson s'approcha de Dolores pour l'aider à descendre de cheval. Elle lui tomba presque dans les bras. C'est alors qu'il comprit.

— Vous êtes ivre, dit-il en essayant de la remettre debout.

Dolores se laissa aller dans ses bras, faisant en sorte de frotter sa poitrine contre celle de Jefferson. Après toutes ces années, l'excitation procurée par son contact était plus enivrante que le vin qu'elle avait bu.

— Le vin est mon seul ami, dit-elle en mâchonnant ses mots. C'est le couvent idéal. Je suis présente tout en n'étant pas forcée de parler avec père que je déteste, comme tout le monde le sait, plus que le diable lui-même. En plus, le vin m'aide à recréer mon passé avec toi.

— Vos fantasmes, corrigea Jefferson.

— C'est vrai, je suis ivre, reprit-elle en s'exprimant avec soin d'une langue malhabile.

Caroline voulut s'approcher, mais elle changea d'idée. Il valait mieux que Jefferson s'occupe de la situation.

— Pourquoi êtes-vous ici ? demanda-t-il.

Elle leva les yeux vers lui.

— Toujours la couleur du printemps, ces yeux. Ils me hantent depuis des années.

Elle se tut et une larme perla à ses yeux. Tout aussi soudainement, son visage grimaça en même temps que sa rage explosait.

— Salaud!

Clllaaaapp! Elle le gifla à toute volée.

Jefferson ne broncha pas sous l'attaque. Il la fusilla du regard, et quand elle leva de nouveau la main pour le frapper, il saisit son poignet de la main droite.

— Je pense que vous en avez eu assez. Moi aussi.

— Ha! Tu n'as aucune idée de ce que j'ai traversé. De ce qui m'est arrivé. Tu ne m'as jamais aimée!

— Je voulais que nous soyons amis. Vous vouliez quelque chose que je ne pouvais pas vous donner. Il se pencha, le regard fixé sur ses yeux sombres qui étaient comme deux puits de colère. Je crois que vous m'avez utilisé, Dolores.

— Moi, je vous ai utilisé?

— Oui. Vous aviez besoin d'une excuse pour ne pas affronter la vie, et j'ai remporté les honneurs. Il lui rendit son bras d'un geste sec. Pourquoi êtes-vous ici aujourd'hui, Dolores?

Elle vacilla. Sa colère commençait à se dissiper. Le remords l'envahit, ainsi que l'apitoiement sur soi.

— C'est ta faute si je suis si malheureuse.

Des sanglots étouffés s'agitèrent dans sa gorge. Puis, le pendule de ses états d'âme revint du côté de la haine. Faisant volte-face, elle affronta Caroline du regard, qui redressa les épaules et se prépara à parer l'attaque de Dolores.

— C'est ta catin qui nous a séparés. Dolores marcha sur Caroline. Tu couches toujours avec lui, n'est-ce pas?

Caroline s'avança à son tour fermement vers Dolores.

— Vous êtes ivre, Dolores. Vous ne savez pas ce que vous dites.

— Ivre ou non, cela ne fait aucune différence.

Caroline s'approcha presque nez à nez de son adversaire et avoua :

— Je l'aime. Il m'aime. Il m'a toujours aimée. Je donnerais ma vie pour être avec lui, mais cela ne fait pas partie de nos choix. Par contre, je ne me promène pas en utilisant cela comme excuse pour me détruire. Vous n'aimez pas Jefferson. Vous avez essayé de faire courir des rumeurs sordides à notre sujet, il y a des années, mais cela n'a pas fonctionné. Vous êtes incapable d'aimer qui que ce soit, Dolores, parce que vous êtes incapable de vous aimer vous-même.

— Aha! Je l'ai enfin! De ses lèvres. Une confession!

Dolores se pencha vers les maçons allemands en désignant Caroline du doigt.

— Vous avez entendu ce qu'elle a dit? Elle est sa maîtresse!

Elle leva les bras en l'air et cria ces paroles en tournant la tête vers le soleil. Elle sentit le triomphe éclater dans son cerveau comme une trompette.

— Rentrez chez vous, Dolores. Retournez à Monterey.

Dolores saisit le visage de Caroline entre ses doigts et le serra très fort. Caroline écarta le bras de la Castillane d'un geste, en même temps que Jefferson se précipitait à sa défense. Caroline lui lança un regard de mise en garde.

— Salope! siffla Dolores.

Caroline resta calme :

— Rentrez chez vous. Laissez-nous en paix.

— Je vais raconter à tout le monde ce que tu viens d'avouer!

— Allez-y. Faites-le. C'est votre spécialité, n'est-ce pas? N'est-ce pas?

La voix de Caroline restait ferme, tandis que l'inquiétude colorait les inflexions de sa voix.

— Après tout, peut-être êtes-vous capable d'amour. Je vous ai peut-être sous-estimée. Peut-être aimez-vous assez Jefferson pour ne pas vouloir le détruire, ni ce qu'il a bâti de ses mains.

Dolores fit silence un long moment, comme si elle réfléchissait sérieusement aux paroles de Caroline.

— Détruire? murmura-t-elle pour elle-même. Je ne veux détruire personne, ajouta-t-elle à l'intention de Caroline avant de se détourner. Sauf moi.

Jefferson saisit les rênes de son cheval et les lui tendit.

— Je vais vous aider à remonter en selle.

Dolores le regarda d'un air nostalgique l'alcool lui brouillait le regard. Elle hocha la tête, puis prit les rênes des mains de Jefferson. Elle le laissa la prendre par la taille et la hisser sur son cheval. Elle enfonça ses pieds dans les étriers. Elle leva la tête, et son geste

rappela à Jefferson la beauté autrefois hautaine qui avait ébloui tant
de cavaliers. Mais c'était une autre femme, dans un autre monde.

Aux yeux de Jefferson, Dolores symbolisait la fin de l'époque
romantique espagnole. Les festivals et les défilés des jours fériés ne
peignaient plus la ville de couleurs vives. Il n'y avait plus de pique-
nique dominical où les jeunes filles coulaient des regards en coin de
dessous leurs mantilles de dentelle, et échangeaient des galanteries
avec les jeunes gens derrière le dos de leurs duègnes. Le son des
castagnettes, des mélancoliques guitares espagnoles et le martèlement
arrogant des talons des danseurs de flamenco s'étaient tous éteints au
cours de la décennie précédente. Les combats d'ours et les corridas
qui se tenaient à la mission Dolores avaient même été interdits. Ce qui
restait de l'aristocratie espagnole, pour moitié brutale et pour moitié
raffinée, vivait comme Dolores et sa famille à Monterey. Autrement,
ils avaient été assimilés dans la nouvelle culture *élégante* de
San Francisco.

En voyant les larmes de Dolores, Jefferson vit le reflet de ses
propres regrets. Il y avait tant de beauté et de sagesse dans les vieilles
coutumes pourtant, les hommes comme lui, les hommes impatients,
les bâtisseurs d'empires avaient toujours été plus que disposés à faire
table rase de l'ancien pour paver le chemin au nouveau.

Ils avaient tous commis des erreurs.

— J'aurais aimé que nous trouvions une autre façon d'être,
avoua-t-il, mais Dolores l'interrompit.

— Jamais, murmura-t-elle en se penchant pour lui caresser la
joue. Je voulais tout. Mais cela ne m'était pas destiné.

Elle le contempla un long moment, puis se redressa et tira sur
les rênes de son cheval. Le dos fier et droit, elle mit sa monture au trot.
Puis, la lançant au galop, elle tourna le coin de la rue à toute allure et
repartit en direction des montagnes. Pendant une fraction de seconde,
elle fut de nouveau la jeune Dolores, fière, indépendante et certaine
de son chemin.

Jefferson s'approcha de Caroline. Ils se dévisagèrent un long
moment, sensibles à la profondeur de leur regret, mais incapables
de parler. Les mots étaient inadéquats.

— Je te ramène au magasin.

— Je peux conduire mon boghei. Elle jeta un regard aux maçons.
Ils auront peut-être besoin de toi.

Jefferson était toujours étonné de la facilité avec laquelle Caroline lisait en lui comme dans un livre. Il voulait être seul. Cette rencontre avec Dolores avait ouvert en lui un gouffre qu'il pensait avoir scellé depuis longtemps.

— Est-ce que je te verrai ce soir ?

— Oui, murmura-t-elle, avant de se diriger vers son boghei à deux roues.

Elle s'empara des rênes, dégagea l'attelage à capote rabattable en cuir noir de son emplacement et s'engagea dans la rue. Elle ne se retourna pas, se contentant de lever la main gauche en un salut plein de maîtrise.

Jefferson ne put s'empêcher de comparer les deux femmes. Elles étaient toutes les deux fières de leur héritage, de leur intelligence, de leur beauté toutes les deux farouchement indépendantes. C'est en songeant à elles qu'on avait inventé le mot *cran*. Dans ce cas, par quel retournement du destin était-il tombé amoureux de Caroline, déjà mariée, plutôt que de Dolores ? Avec Dolores, il aurait pu mener une vie normale, avoir plusieurs enfants. Elle aurait été aussi aimante que Caroline, peut-être même plus. Il aurait bâti les mêmes entreprises, investi dans les mêmes affaires, eu les mêmes amis, peut-être même davantage d'amis, à dire vrai.

Pourquoi avait-il eu la malchance de tomber amoureux d'une femme qui ne pourrait jamais être à lui ? Avait-il commis une erreur ? Une erreur épouvantable qui non seulement avait poussé Dolores à boire jusqu'à l'inconscience, mais ne lui avait apporté, à lui, que de la souffrance. Et qu'en était-il de Lawrence ? Sa décision avait aussi influé sur la vie de son fils.

Jefferson regarda le boghei de Caroline disparaître à l'angle de la rue. En cet instant, il crut qu'aucun homme n'avait jamais commis de péché pire que le sien.

Un cheval hennit, puis renâcla fortement. Les deux chevaux caracolants qui descendaient la rue en trottant devant un nouvel *attelage* s'arrêtèrent net et se cabrèrent comme si un serpent les avait effrayés. Comme une réaction en chaîne, les chevaux, attachés ou non, se mirent à renâcler, à ruer ou à faire les deux, tout le long de la rue Montgomery.

— Que diable se passe-t-il ? dit Jefferson à voix haute.

Des chiens filèrent en aboyant de chaque côté de lui, manquant le renverser.

Une femme hurla lorsqu'un berger allemand passa en courant devant elle, faisant tomber le sac de paquets enveloppés de papier kraft qu'elle tenait, au sortir du magasin général Wilson. Un jeune garçon poursuivit le chien en criant son nom.

— Reviens ici, King! hurla-t-il.

C'est alors qu'un rugissement semblable à celui d'un lion qui se réveille se fit entendre sous terre.

Jefferson sentit le sol bouger et trembler. Il eut l'impression que ses jambes dansaient sous son torse de leur propre volonté. Il leva les yeux vers le ciel : il n'y avait ni tonnerre ni éclairs. Pas d'orage à l'horizon.

— Damnation!

Le baromètre suspendu à un clou à côté de la porte de l'entrepôt tomba sur le sol, et le précieux verre se brisa. De l'autre côté de la rue, les tasses en étain mouchetées de bleu, disposées sur la table devant le magasin général Wilson, tombèrent en claquant sur le trottoir en bois et roulèrent dans la rue.

La cloche d'une église sonna, irrégulière.

Puis comme un chœur, les passants se mirent à crier et à hurler tous ensemble.

Jefferson reporta son regard sur le sol. Des morceaux de gravier et de coquillages roulaient l'un sur l'autre et tournaient en tout sens. Le sol trembla de nouveau.

Le grondement se fit plus féroce, accompagné d'une sorte de halètement distinct, presque identique au son produit par le bateau à aubes à vapeur qui accostait en ville deux fois l'an. Le sol tangua de nouveau. Puis, la secousse s'arrêta aussi brusquement qu'elle avait débuté.

Jefferson se jeta à genoux et palpa le sol sous ses mains. On aurait dit que rien ne s'était produit. Pendant une fraction de seconde, il se demanda s'il n'était pas en train de faire un de ses rêves étranges.

Il tourna son regard vers les deux maçons. Agenouillés eux aussi, ils se protégeaient la tête de leurs bras. La dernière rangée de briques sans mortier était tombée sur le trottoir en bois. Sinon, à peu près rien n'avait bougé dans son commerce.

Il s'approcha vivement de ses deux employés :

— Est-ce que ça va?

— Oui, monsieur. Nous sommes indemnes.

— Faites le tour de ce côté-ci de la rue. Toutes les boutiques. Assurez-vous qu'il n'y a pas d'incendie. Si un bâtiment s'enflamme, nous y passons tous.

— Oui, monsieur!

— Je vais vérifier de ce côté. Ensuite, nous ferons de même pour toutes les maisons, jusqu'au sommet de Nob Hill. Compris?

— Nous allons demander de l'aide.

— Bonne idée, dit Jefferson avant de s'éloigner en courant de l'autre côté de la rue pour voir comment allaient le garçon et son chien, et la femme avec ses paquets. Il passa de boutique en boutique pour s'assurer que personne n'avait été blessé. Il n'y avait pas d'incendie.

Jefferson passa le reste de la journée à vérifier l'état de ses amis et à inspecter sa nouvelle résidence de Nob Hill.

Ce n'est que deux jours plus tard que les résidents de San Francisco devaient apprendre que le nord du comté de Los Angeles avait été frappé par le séisme le plus important de toute l'histoire écrite de la Californie. Des constructions en bois et en briques de trois étages, et des arbres vieux de deux siècles étaient tombés. San Francisco n'avait essuyé qu'une petite secousse, rien de plus.

Le séisme fit une impression durable sur Jefferson. Il songea que tant qu'il vivrait, il n'oublierait jamais le bruit terrifiant de ce rugissement si particulier qu'il avait entendu. Il savait qu'il ne vivrait jamais de sensation plus déstabilisante que le mouvement du sol sous ses pieds. Pendant une fraction de seconde, et la secousse n'avait certainement pas duré plus longtemps, c'était comme si l'enfer s'était ouvert pour le dévorer.

— Ai-je été jugé et condamné pour avoir aimé Caroline?

« Ou est-ce autre chose? Un avertissement? »

— Deux avertissements en une seule journée. L'un vient de la main de l'homme, c'est évident, l'autre vient de Dieu. Mais que m'annoncent-ils? Et que devrais-je craindre le plus?

Jefferson descendit à grands pas le corridor conduisant à sa bibliothèque privée. Il ouvrit rapidement la porte fermée à clé. La pièce faisait trois fois la taille de la bibliothèque, elle aussi fermée à

clé, de son ancienne maison. Les tablettes en ronce de chêne n'attendaient plus que les livres.

Mais pour l'instant, Jefferson ne voulait lire qu'une chose. Le
portrait de Rachel était suspendu au-dessus du foyer.

Il s'approcha de la toile et regarda sa mère dans les yeux. Comme
toujours, la chair de poule l'envahit de la tête aux pieds.

— J'arrive à te sentir avec moi, mère.

Pressant le bord doré de l'encadrement, Jefferson éloigna la peinture du mur, révélant un coffre-fort mural.

Il fit tourner le bouton à gauche, puis à droite. La petite porte
s'ouvrit dans un claquement. Avec précaution, il sortit du coffre
un coffret en acier fermé par un cadenas. Il choisit une petite clé de
laiton parmi les clés de son anneau et ouvrit le coffret.

— Les journaux de Rachel, murmura-t-il, d'un ton émerveillé.

Il s'assit dans un fauteuil à oreilles en cuir vert bouteille, monta
la flamme de la lampe à gaz de couleur canneberge, et lut ce que sa
mère avait écrit à propos de ses ancêtres.

— Il faut que les réponses soient là-dedans, se dit-il avec
désespoir.

Dans les méandres de sa mémoire, Jefferson se rappelait quelque
chose à propos d'un rossignol mort. Mais il n'arrivait pas à se rappeler
si Rachel avait noté l'histoire, ou si elle la lui avait simplement
racontée.

Les parchemins étant de plus en plus vétustes, il devait faire
attention pour ne pas déchirer les feuillets, ni les effacer. La justesse
d'une traduction pouvait dépendre d'un mot effacé.

Dans la section sur les herbes médicinales et les sortilèges
vaudou, Jefferson ne vit rien à propos d'un rossignol.

Il pressa ses tempes battantes de ses doigts.

— Je m'en souviens, pourtant. De quoi s'agissait-il?

Le spectre de la vérité se leva enfin dans son esprit.

— C'était Andrew Duke. Et sa femme Brenna. Yuala avait vu un
rossignol mort. Mais qu'est-ce que cela signifiait?

Soudain, il se souvint de la vision de sa mère dans les montagnes.

«Un ennemi venu de l'autre côté de l'océan. C'est ce qu'elle m'a
dit.

Il me déteste parce que je suis un Duke.»

— Mon Dieu! fit Jefferson en inspirant fortement. Je perçois sa haine. C'est plus que la jalousie d'un homme vis-à-vis d'un autre. Cet homme se croit engagé dans une guerre sainte.

Des gouttelettes de sueur perlèrent sur son front.

— Comment puis-je combattre un tel mal? Je suis seul dans cette lutte.

Tout en réfléchissant, il alluma un feu dans l'âtre. Il jeta un regard à la pièce, encore vide : il avait dépensé une rançon de roi pour la meubler, mais cette résidence était tellement vaste qu'il lui faudrait encore deux fortunes pour en venir à bout. Un jour, la maison serait meublée exactement comme il le fallait. Il espérait aussi qu'un jour, il entendrait la voix de Caroline et son rire tandis qu'elle s'esclaffait en écoutant les blagues de leurs invités de la soirée.

Il avait rêvé de regarder les enfants de Lawrence, ses petits-enfants, jouer sur le tapis persan, ou de leur lire des histoires tandis qu'ils seraient rassemblés à ses pieds.

Un jour, il comprendrait pourquoi Rachel avait donné sa vie pour qu'il puisse accomplir son destin. Un jour, il saurait quel était son destin.

Les événements de la journée lui avaient fait comprendre que la vie était plus précaire et plus précieuse qu'il le pensait. Il péchait par un sens mensonger de sécurité.

Il replaça vivement les feuillets dans le coffret de sûreté et le coffret dans le coffre-fort.

— En sûreté, fit-il.

Il songea à Caroline.

— Si ce démon veut me tuer à cause de ma lignée, cela signifie que si je devais déclarer ouvertement que Lawrence est mon fils, je mettrais son avenir, et peut-être même sa vie, en danger.

Il leva les yeux sur le portrait de Rachel.

— Quelle sorte de destin est-ce là, mère? Chaque fois que le bonheur vient à portée de ma main, il m'est enlevé. Si cet ennemi rode bel et bien, je n'ai d'autre choix que de garder mes secrets inavoués.

«Si j'épouse Caroline, il faudra que je surveille mes arrières, et ceux de Lawrence, le reste de notre vie.»

Vingt-cinq

« De ci de là, tourbillonne l'âme reflet,
portée par le vent
entr'aperçoit un millier de fois,
mais jamais ne voit l'ensemble[30]. »

— MATTHEW ARNOLD,
EMPÉDOCLE SUR L'ETNA, ACTE I, 2E STROPHE, L. 82

Caroline entra rapidement dans la maison et examina l'ourlet taché de boue de sa jupe en laine noire à motif écossais. Elle tira sur ses gants, en songeant que quelques minutes auparavant, ses mains étaient dans celles de Jefferson qui la suppliait de rester. Perdue dans ses pensées, elle déboutonna son manteau trois-quarts en laine noire et s'approcha du feu pour se réchauffer. Elle n'avait pas vu William assis dans l'un des fauteuils à oreilles, son crâne de plus en plus dégarni penché sur une épaisse liasse de papiers posée sur ses genoux. Sa respiration était si ténue que la moitié du temps, Caroline ne savait pas s'il était mort ou vivant.

Elle jeta un regard à la théière en argent sur le plateau posé à côté de son mari.

— Reste-t-il du thé, William ?

Comme d'habitude, il ne répondit pas il ne grogna pas, ne marmonna même pas pour l'accueillir. Cependant, son silence était troublant.

— William ?

---

30. N.d.T.: Traduction libre.

— Si tu étais rentrée à une heure convenable, tu aurais pu prendre le thé avec moi.

Caroline en resta bouche bée. En vingt ans, c'était la réponse la plus élaborée que son mari lui avait faite.

— J'ai été retenue, je n'ai pu rien y faire. J'étudiais nos concurrents. Savais-tu que Pandolfini importe des statues d'albâtre, des huiles, des vases, des trépieds et des ornements de cheminée? Bonestell et Williston offrent les plus belles peintures que j'ai vues depuis dix ans. Si je pouvais seulement me rendre en Italie pour voir certaines de ces marchandises, je pourrais faire des achats magnifiques.

— Tais-toi, Caroline! gronda William, sans lever la tête.

— Quoi?

— Tu nous acculerais à la ruine en un rien de temps.

Il finit par lever la tête et la regarda par-dessus son pince-nez.

— S'il y a des voyages à entreprendre, ce sera moi qui ferai les achats.

Caroline faillit se mordre la langue pour étouffer sa rage. Plus que tout, elle voulait prendre la théière et lui en assener un coup sur la tête.

— Tu passes tes nuits à chercher des erreurs dans les livres comptables dont j'ai fait la conciliation. Tu vérifies deux fois les inventaires que j'ai calculés. Tu ne peux t'empêcher de chercher l'erreur que j'aurais pu commettre, n'est-ce pas, William? C'est ta passion. Tu es tellement imbu de toi-même, et en même temps, tu manques tellement d'assurance que tu as de la difficulté à respirer. Tu dénigres mes capacités avec chacun de tes actes. As-tu seulement idée à quel point tu es ridicule à mes yeux? Aux yeux d'autrui? Tu agis comme si je n'avais pas une once de cervelle. Après toutes ces années, tu n'as jamais, jamais trouvé une seule erreur dans mes chiffres ni dans mes stratégies commerciales. Tu ne diriges pas cette entreprise, William. C'est moi qui le fais!

William retira soigneusement ses lunettes et versa le thé qui restait dans sa tasse.

— C'est ce que tu penses parce que je te le laisse croire.

— Tu m'exaspères plus que tout au monde!

Elle leva les bras au ciel avant de les laisser retomber lourdement le long de ses flancs.

— Pas plus que tu ne m'épuises. Si je t'avais laissée faire, tu nous aurais fait fermer boutique depuis longtemps. Tu penses que tes frénésies d'achats vont durer éternellement? Tu ne lis donc pas les journaux? Le Nord et le Sud sont à couteaux tirés. Je prédis qu'il y aura une guerre.

Elle roula des yeux.

— Tu exprimes l'évidence.

— Tout va s'arrêter. C'est ce qui arrive quand un pays est en guerre, tu sais.

— Pas ici, en tout cas. Les San Franciscains vont continuer de contourner le cap Horn pour se rendre en Europe. Les gens qui veulent éviter la guerre vont se rassembler ici. Nous sommes en terrain neutre. La ville va grandir au-delà de toute imagination. Les femmes voudront toujours porter la dernière mode parisienne. Leurs thés, leurs épices et leurs soies viendront toujours de Chine. San Francisco est une ville internationale, William. Le problème, c'est que tu manques de vision.

— Et tu en as, je suppose?

— Oui. Je lis d'autres journaux que ceux que tu as sur les genoux. Je suppose que tu n'as pas lu l'entrefilet de l'*Alta California* selon lequel on a découvert de l'argent?

William bâilla.

— En quoi l'argent nous concerne-t-il? C'est insignifiant.

— Il y a présentement six mines, pas seulement celle de la rivière Fraser. Tu dois préparer l'avenir, William.

— Et je suppose que toi, tu le prépares? fit-il sur un ton d'exaspération mâtiné d'ennui qui mettait les nerfs de Caroline perpétuellement en boule.

— Je veux divorcer, annonça-t-elle d'un trait.

Elle regarda William et attendit sa réaction. En fait, elle pensait lui annoncer cela depuis déjà un bon moment. Mais elle ne comprenait pas pourquoi elle en avait parlé maintenant.

Brusquement, elle vit sa vie pour ce qu'elle était, un assemblage terne et mal pensé qui présentait fort peu de qualités pour la racheter. Elle ne donnait rien à William, à l'exception d'une vieille haine éculée qu'elle aurait dû éprouver envers son père. Il était temps qu'elle reporte ses émotions sur leurs propriétaires légitimes.

Les petits yeux de William se rétrécirent sous l'ombre de ses sourcils broussailleux et grisonnants.

— Il n'en est pas question.

— Quoi? souffla-t-elle.

C'était impossible, elle avait mal entendu.

— Il n'y aura « pas » de divorce.

Il se leva, le dos raide et droit, et eut un petit mouvement du menton, comme celui d'un général tyrannique juste avant qu'il lance ses hommes dans un assaut mortel.

— Il n'y a jamais eu de divorce dans la famille Mansfield. Je n'ai pas l'intention d'être le premier à emporter cette tache dans ma tombe. Qui plus est, ton père en mourant a exprimé le vœu que je prenne soin de toi toute ta vie, pas seulement le temps qui te conviendrait. Bien qu'il soit évident pour moi que rien n'est sacré à tes yeux. Aucune promesse n'est trop précieuse pour être brisée.

Il laissa tomber la pile de papiers qu'il avait étudiée avec tant de soin et de minutie un peu plus tôt.

— Ne suffit-il pas que tu sois la risée de la ville en raison de tes prises de position sur les droits des femmes? Tu as fait campagne pour tout, d'un arboretum au nettoyage du quartier de la Bowery, en passant par la nécessité d'établir des mesures d'assainissement et de paver les rues. Tu te mêles de politique, alors que tu devrais rester à la maison pour prendre soin de ton fils.

— Je prends soin de Lawrence. Il ne manque de rien.

— Je n'ai pas dit que c'était le cas.

— C'est ce que tu as insinué. C'est toi qui ne lui as pas donné une once d'affection depuis le jour de sa naissance.

— C'est un Mansfield. Cela suffit!

— Imbécile arrogant! Lawrence est un être humain. Tout comme moi! Tu ne peux pas vivre en nous traitant comme si nous étions les vases de porcelaine que tu vends.

— Et pourquoi pas? hurla-t-il. Mon père l'a bien fait!

Les yeux étincelants, Caroline le dévisagea.

William vit la pitié colorer le regard de sa femme lorsqu'elle prit subitement conscience du poids de son aveu. Il eut honte.

— William...

Il entendit la pitié dans sa voix et cela le rendit malade.

— Pas de divorce. Tout va continuer comme avant. Rien ne changera. Je prendrai les décisions d'affaires. Lawrence et toi continuerez de vivre sous mon toit.

Il se tut, ramassa ses papiers et les fourra dans une serviette en cuir qu'il serra sous son bras. Il regarda Caroline. Dans les profondeurs de ses yeux, elle vit l'écrasante montagne des paroles jamais exprimées. Son cœur faillit se briser devant cet homme qu'elle connaissait à peine.

— Même si tu pars d'ici, je n'autoriserai jamais Lawrence à vivre ailleurs que dans cette maison.

Elle n'avait jamais escompté que William pourrait exiger quelque chose de Lawrence. Il n'avait jamais voulu de son fils. Il n'agissait ainsi que pour la contrôler.

— William, dit-elle doucement, il a quinze ans. Dans peu de temps, il terminera ses études et se lancera dans une vie bien à lui.

Les lèvres de William se tordirent dans un méchant sourire.

— Il ne partira pas. Il m'est loyal. Crois-moi, Caroline, il ne te suivra pas dans la maison de ton amant.

Caroline sentit ses genoux trembler et eut l'impression que le plancher tanguait sous ses pieds. Elle se demanda si une nouvelle secousse s'était produite. Elle dévisagea son mari et sentit un élancement horrible lui déchirer le cœur en deux avant de lui transpercer l'estomac.

« Il sait ? Quelle imbécile j'ai été ! Je croyais que nous avions été discrets, Jefferson et moi.

Dolores ! C'est elle qui le lui a dit. Toute la ville est au courant. »

Un énorme charbon ardent lui brûla la gorge et l'empêcha de parler. Bien déterminé à exploser, son cœur battait la chamade contre ses côtes. Elle n'avait jamais voulu que William le sache. Elle avait toujours souhaité lui épargner cette souffrance.

Elle le regarda dans les yeux.

« Il ne souffre pas. Il ne sent rien. Mon Dieu ! Il est aussi vide que je le soupçonnais. »

Le plus effrayant, c'est qu'elle ne vit aucun amour en lui. Pas même une étincelle. Ni pour elle, ni pour Lawrence.

Ils avaient toujours fait partie des possessions de William. Il l'avertissait simplement qu'il en serait toujours ainsi.

— Depuis quand es-tu au courant ?

— Depuis une semaine.

— Une semaine ? répéta Caroline, la voix blanche.

« Une semaine ? Mais Dolores n'est venue en ville qu'aujourd'hui. »

— Qu'est-ce qui s'est passé la semaine dernière ?

— J'ai reçu une visite de Dolores Sanchez le jour où tu es allée chez la couturière pour tes « dessous ». C'était probablement un mensonge, d'ailleurs.

— Non ! J'ai bel et bien commandé ces jupons et ces dessous pour la nouvelle section du magasin destinée aux dames. Je te l'ai dit.

— Menteuse !

— William, écoute-moi. Dolores est une ivrogne. Elle est déséquilibrée.

Il agita le bras dans sa direction.

— Cela n'a aucune importance. Je l'ai crue quand elle m'a dit que tu étais avec Duke.

— Elle est jalouse.

— Pour l'amour de Dieu, donne-moi un peu de crédit. Je ne peux pas le supporter quand tu mens. Tu mens tellement mal, d'ailleurs. Tu as déjà avoué ton péché. Restons-en là.

Péché ? Elle n'avait jamais pensé que son amour pour Jefferson était un péché. Sa souffrance était profonde, elle la déchirait et la bouleversait, mais elle n'avait rien à voir avec sa relation avec Jefferson.

— Tu as tort. C'est notre vie, William, qui est un péché. Tu ne m'aimes pas et tu ne m'as jamais aimée.

— Aimer ? Qu'est-ce que l'amour vient faire là-dedans ? C'est un mariage !

Elle le regarda droit dans les yeux.

— C'est pourquoi je dois chercher l'amour ailleurs !

— Bien. Assure-toi simplement de le confiner là.

Un instant, il la foudroya du regard. Puis, il se détourna et quitta la pièce.

Caroline le regarda s'éloigner. Elle frissonna, comme si un vent froid avait soufflé dans la pièce. Puis, elle prit conscience que ce sentiment glacial venait du vide qu'il y avait dans le cœur de William.

— Ne t'inquiète pas, William. Je ferai en sorte que mon amour n'envahisse jamais ton territoire, se dit-elle à mi-voix, très calme.

Elle se pencha, saisit la pelle en laiton et ramassa une pelletée de charbon qu'elle lança sur le feu. Elle approcha ses mains du combustible rutilant, mais ne sentit aucune chaleur. Quelque chose lui disait qu'il faudrait bien plus qu'un feu pour faire fondre le rideau de glace qu'elle venait de tirer sur son cœur.

Quartier chinois

Lon Su avait cinq ans la première fois que son père, Nan-Yung, le complimenta pour une de ses actions. Ce n'était pas sa capacité à parler anglais, ni son adroite utilisation de l'abaque ni même sa capacité à distinguer les couleurs qui plut à son père. Lon Su remporta honneurs et accolades parce qu'il avait gagné la bataille à coups de poings qui l'avait opposé à Lu Wang, huit ans, derrière l'hôtel Oriental.

Lon Su avait un hématome à l'œil droit, mais Lu Wang était rentré à la maison couvert de bleus, le nez ensanglanté.

— Je suis fier de toi, dit Nan-Yung à son fils.

Il observait son épouse qui soignait l'ecchymose du garçon avec des feuilles de thé mouillées enveloppées dans un morceau d'étamine.

— Un jour, tu seras le chef de mes gardes du corps. J'ai toujours su que tu serais digne de diriger mes affaires pour moi. Aujourd'hui, tu me l'as prouvé.

Le garçon ne comprenait pas tout ce que son père disait. Il avait surtout vécu avec Yin, sa mère. C'était elle qui lui avait enseigné l'anglais, qui lui avait montré à lire le chinois, à additionner et à soustraire. Mais à mesure que les années passaient et que s'amenuisait à chaque échec de sa mère l'espoir que caressait Lon Su d'avoir un frère, le garçon avait de moins en moins de respect pour sa mère, tout comme son père.

Ces échecs, ou fausses couches, étaient toujours des garçons. C'était ce que Lon Su avait entendu la sage-femme expliquer à son père. Et chaque fois, il avait entendu les nombreuses injures que son père lançait au destin et aux dieux du nouveau monde qui lui refusaient des fils.

Lon Su se sentait souvent mal à l'aise en entendant ces injures, comme s'il n'était pas assez bon pour être fils unique. Bien des soirs, il s'était couché en se demandant pourquoi il n'avait pas de valeur.

Que lui manquait-il pour que son père veuille un autre fils, un fils différent, meilleur ?

Dès lors, Lon Su décida qu'il trouverait des moyens de prouver sa valeur à son père. Le garçon comprit qu'il ne saurait rien du monde tant qu'il s'accrocherait aux jupes de sa mère. Il apprit à écouter aux portes. Il apprit à se glisser dans les catacombes creusées sous la ville et à connaître le commerce de son père. Il apprit que la maison Su avait bâti de grandes fumeries d'opium que fréquentaient de nombreux Chinois.

Mais surtout, le garçon apprit que son père avait fait construire une nouvelle fumerie d'opium, plus petite que les autres, mais meublée avec beaucoup plus de raffinement. C'était un lieu particulier dans le quartier chinois : en effet, Nan-Yung avait été le premier Chinois à vendre de l'opium aux Blancs.

Lon était accroupi derrière une gigantesque fougère en pot : il espionnait la conversation de son père avec l'un des hommes qui géraient ses fumeries.

— Assure-toi que les pipes contiennent le double de l'opium que nous vendons aux Chinois.

— Mais Nan-Yung, vous allez perdre des profits.

— Tu n'es pas visionnaire, Lu Tang. À mesure que leur accoutumance grandira, les Blancs voudront encore plus d'opium pour monter au ciel. J'ai été témoin de ce phénomène en Chine.

— Vous êtes sage, Nan-Yung.

Ce dernier acquiesça de la tête.

— Pourvois aux besoins des Blancs. Ne leur vole rien pendant qu'ils dorment. Traite-les bien.

— Je le ferai, Nan-Yung. L'homme s'inclina.

Nan-Yung s'éloignait déjà, quand il s'arrêta après quelques pas.

— Tu as laissé le rossignol dans la maison de Jefferson Duke ?

— Sa maison est gardée par les brutes irlandaises qu'il emploie dans son parc à bois. On dit que ses biens sont très coûteux. J'ai réussi à m'introduire dans son entrepôt. J'ai mis l'oiseau dans sa nouvelle calèche.

— Et tu as laissé l'aiguille dans le cœur de l'oiseau ?

— Oui. Pensez-vous qu'il comprendra que sa mort est imminente ?

— C'est sans importance. Il sera mort bientôt. S'il vient à la fumerie, souviens-toi de bien t'en occuper. Mais viens immédiatement me chercher.

— Il est spécial, Nan-Yung? demanda l'homme, les yeux brillants de malice.

— Très spécial. Je souhaite le tuer de mes mains.

Lon en eut le souffle coupé. Il en croyait à peine ses oreilles. Son père voulait tuer l'homme blanc appelé Duke. Le garçon savait qu'il ne pouvait pas questionner son père au sujet de Jefferson Duke et de ce qu'il avait fait pour mériter sa colère. On avait défendu à l'enfant de descendre dans les catacombes, et il était certain d'être puni pour avoir espionné. Mais la curiosité tourbillonnait dans son cerveau comme une volée de chauves-souris prisonnières.

«Le crime que Duke a commis contre mon père doit être terrible et sévèrement défendu par le ciel pour mériter la mort.»

Envahi par la peur, le garçon s'éloigna à reculons de la scène. Il s'enfuit, désireux de sortir des catacombes au plus vite.

Il courut le long des tunnels aux parois en terre et grimpa à toute allure l'escalier qui menait à la sortie sur la rue.

Haletant, hors d'haleine, il renversa la tête vers le soleil.

— Si j'arrivais à découvrir la vérité à propos de Jefferson Duke et de la raison pour laquelle il doit mourir, j'en saurais autant que mon père. J'aurais du pouvoir.

Il sourit intérieurement.

— Je suis très bon pour me cacher. Je connais plusieurs des secrets de mon père. Je pourrais trouver le moyen de m'introduire dans la maison de Duke. Je pourrais tuer des rossignols et les laisser pour mon père. Je pourrais lui être utile.

L'enfant descendit la ruelle en courant et se faufila entre les vêtements mis à sécher par les blanchisseurs chinois sur des cordes à linge. Il était pressé. Il savait exactement où aller et comment dérober des rossignols aux vendeurs d'oiseaux.

Il respira profondément et se sentit fort.

Lon Su n'était qu'un jeune garçon, mais il avait déjà cerné son identité.

Vingt-six

Je reconnais l'existence des Furies,
je crois en elles,
j'ai déjà entendu le battement désastreux
de leurs ailes[31].

— THEODORE DREISER,
TO GRANT RICHARDS

Transpercé, le cœur de Dolores saignait. Il avait désespérément besoin de guérison. La belle Castillane savait qu'elle avait tout fait pour se faire aimer de Jefferson. Elle s'était jetée à sa tête durant des années, alternant ces épisodes avec des périodes d'absence douloureuse, en espérant qu'il se languirait d'elle comme elle se morfondait loin de lui. Son âme était tourmentée par une profonde souffrance, une souffrance viscérale qui devenait plus aiguë à chaque heure qui passait. Quand Dolores était loin de Jefferson, le temps semblait s'arrêter. Elle se sentait en suspension dans un néant permanent.

Le dernier rejet de Jefferson faillit la faire basculer dans la folie. Ces jours-ci, Dolores s'efforçait de ne pas boire, car elle savait qu'anesthésier sa souffrance dans l'alcool ne représentait qu'une cure temporaire. Il fallait qu'elle remonte à la source de son être, qu'elle exorcise ses démons et extirpe une bonne fois pour toutes de son esprit et de son cœur l'image de Jefferson.

La seule chose qui pouvait la guérir maintenant, c'était l'espoir, l'espoir de parvenir à se bâtir une vie sans Jefferson. Dolores avait

---

31. N.d.T.: Traduction libre.

désiré un homme qui ne pourrait jamais lui appartenir durant tant d'années qu'elle craignait d'être maintenant esclave de la souffrance. Ne comprenant pas pourquoi elle n'était pas destinée au bonheur, elle ne faisait que constater son malheur. Pour la première fois, elle voulait mettre fin à son calvaire.

Mais elle ne savait pas vers qui se tourner, ni comment trouver le remède qu'il fallait. Elle avait besoin d'une amie.

Lorsque Dolores séjournait à San Francisco, elle descendait chez sa belle-sœur, Angelica Peralta Sanchez. Comme bien d'autres jeunes filles de la noblesse espagnole, celle-ci avait quitté le ranch familial en se mariant et habitait maintenant une immense maison sur Rincon Hill. Assise dans le salon somptueusement décoré d'Angelica, Dolores l'écoutait bavarder à perdre haleine des changements survenus dans la ville.

— Es-tu allée au City of Paris? C'est le magasin le plus à la mode de San Francisco, à l'angle de Geary et de Stockton. Il appartient au petit-fils de Félix Paul Verdier, qui en est aussi le directeur. Bien entendu, les Verdier sont associés au mouvement actuel d'union des économies et du bien public de la France et des États-Unis.

Dolores fronça les sourcils en portant une tasse de thé chaud à ses lèvres.

— Depuis quand t'intéresses-tu aux Français?

— Depuis qu'ils confectionnent les vêtements les plus fabuleux du monde. Parfois, tu fais tellement l'autruche, Dolores! rétorqua Angelica, sur la défensive. Les choses changent à San Francisco. J'ai assisté au Washington Hall à la pièce *The Wife* et à *Sentinel*, une comédie délicieuse.

Dolores posa sa tasse sur la table au plateau en marbre, poussa un profond soupir et regarda par la fenêtre. Pour elle, rien n'avait changé. Le beau visage et les yeux verts brillants de Jefferson la hantaient, quel que soit l'endroit où se posait son regard.

— Parle-moi des autres divertissements qu'on trouve en ville, reprit-elle en espérant ainsi se distraire un moment de son obsession.

Angelica jeta un coup d'œil vers le vestibule pour s'assurer qu'il n'y avait pas de domestiques aux alentours, puis se pencha avec un air de conspiratrice vers Dolores.

— C'est dans le quartier chinois qu'on trouve ce qu'il y a de plus nouveau.

— Vraiment?

— Oui. Il y a là une femme du nom de Yin Ch'u elle travaille dans une blanchisserie. Elle prédit l'avenir de façon si précise que la moitié des dames de San Francisco ne jure que par elle. L'autre moitié en a peur et affirme que c'est une sorcière.

— Et toi, que crois-tu?

Les yeux bruns d'Angelica pétillèrent.

— J'ai eu la preuve que c'est un trésor. Il y a plus d'un an, elle m'a dit que j'aurais un autre enfant. Or, la semaine dernière, j'ai découvert que j'étais de nouveau enceinte.

Dolores regarda sa belle-sœur. Angelica était heureuse : elle habitait une maison magnifique, et une fois marié, son mari avait semblé trouver le bonheur. Il aimait son épouse et ils avaient deux beaux enfants en santé. La vie est injuste, songea Dolores, avant d'éclater en sanglots.

— Je suis heureuse pour toi, mentit-elle, à travers ses larmes.

Elle pleurait sur elle-même. Elle pleurait sur les enfants qu'elle n'aurait jamais. Elle avait été jeune, idiote et stupide, le jour où elle était tombée amoureuse de Jefferson, il y avait de cela si longtemps.

Angelica s'approcha de Dolores et l'entoura de ses bras. La jeune femme possédait plus de sagesse que Dolores ne lui en donnait le crédit.

— Tu dois apprendre à t'en détacher, Dolores. Si tu ne le fais pas, aucun homme ne pourra prendre sa place. Et je sais qu'il y a quelqu'un qui t'attend. San Francisco est rempli de beaux hommes excitants et, de nos jours, très, très riches.

— Je suis trop vieille. Tu ne le sais donc pas? Je suis une vieille fille. C'était une chose de convaincre mon père d'abandonner son projet de me marier à mon cousin. Mais ensuite, lorsqu'il m'a autorisée à aller en Espagne et que j'en suis revenue célibataire, il a compris que ma volonté était plus forte que la sienne. Je veux Jefferson. Je voudrai toujours Jefferson.

— Chut. Laisse-moi t'emmener voir Yin. Elle te dira toutes sortes de choses qui pourraient te rendre heureuse.

Dolores s'essuya les yeux et renifla.

— Crois-tu vraiment qu'elle pourrait m'aider?

Angelica sourit.

— Je pense que tout est possible en ce monde. En tout cas, cela ne pourrait pas faire de tort.

— J'imagine que non.

Les deux belles Espagnoles se rendirent dans le quartier chinois à bord d'une calèche laquée de noir dont se servait depuis deux ans l'un des plus récents nababs de l'or de San Francisco. La voiture était somptueusement équipée de banquettes en luxueux velours crème, les parois étaient capitonnées de brocart crème, les poignées et les lampes étaient en or massif. Elle était tirée par quatre étalons d'un noir de jais, parés de houppes et d'aigrettes en bronze et en or. Aux yeux de Dolores, c'était une livrée ostentatoire et de mauvais goût, mais elle était tout de même verte de jalousie. Si elle avait épousé Jefferson, elle se serait promenée dans sa nouvelle calèche noire, songea-t-elle tristement, en regardant les nouvelles constructions par la glace de portière.

San Francisco croissait à pas de géant. L'une après l'autre, les rues étaient éclairées au gaz, bien qu'aucune ne soit encore pavée. La calèche passa devant le bureau de poste Dolores vit une femme qui portait des crinolines si larges qu'elle n'arrivait pas à passer entre les poteaux de l'entrée. Elle avait l'air d'un parachute suspendu à un ballon des frères Montgolfier, accroché à un arbre. Dolores éclata de rire en voyant la scène.

La calèche remonta les rues étroites du quartier chinois jusqu'à la blanchisserie appartenant à Nan-Yung Su, sur l'avenue Grant.

Yin lisait l'avenir d'une matrone particulièrement corpulente de San Francisco, qui portait autour de son cou gras des rivières de diamants plus longues qu'il n'y avait de mètres de soie sur les crinolines françaises de Dolores.

Lorsque Dolores et Angelica pénétrèrent dans sa blanchisserie, Nan-Yung les salua de la tête. Il savait qu'elles n'étaient pas anglaises il savait aussi qu'elles n'étaient pas les filles de l'une des grandes maisons, car elles portaient des vêtements de grand prix. Les femmes de la vieille noblesse espagnole ne venaient pas souvent à sa boutique, car d'après ce que Nan-Yung avait entendu dire, l'Église catholique considérait la divination comme un péché. Ce n'était pas la première fois qu'il était témoin d'un péché.

— Vous voulez voir Yin?

Il avait appris cette phrase en anglais.

— Oui, beaucoup, répondit Angelica avant de se tourner vers Yin dont le regard exprima qu'elle l'avait reconnue.

La dernière fois qu'Angelica était venue à la blanchisserie, Nan-Yung était absent. Elle n'était pas à l'aise en sa présence, mais elle ignorait pourquoi. Elle aimait et respectait Yin, mais cet homme était étrange. Déconcertant.

— Nous pourrions peut-être revenir un autre jour.

— Vous restez ! Nan-Yung fit un geste à l'intention de Yin qui acquiesça de la tête.

La grosse femme demandait à Yin de lui en dire davantage à propos de la mine d'or de son mari. Elle voulait savoir à combien d'argent elle pouvait s'attendre exactement et comment faire pour obtenir de son mari qu'il arrête de boire.

— Le fleuve d'argent dont vous avez profité sera à sec dans moins d'un an. Votre mari dépense beaucoup plus qu'il ne vous l'avoue. Économisez votre argent ou vous devrez vendre vos bijoux. Cachez-les. Dans dix ans, vous n'aurez plus que l'argent que vous aurez subtilisé. Servez-vous de votre cervelle pour vous sauver.

Yin glissa un regard en coin à Nan-Yung : il observait toujours les deux Espagnoles. Comme il ne connaissait pas beaucoup l'anglais, et pas du tout l'espagnol, il était en position de faiblesse. Yin faisait en sorte qu'il n'entende jamais les conseils qu'elle donnait à d'autres.

Elle referma la main de la matrone.

— C'est tout ? s'exclama cette dernière, en colère.

— C'est assez.

Yin ouvrit la main pour se faire payer et la femme pressa une pièce d'or dans sa paume.

— Merci. Je reviendrai.

— Je sais, répondit Yin en souriant.

En sortant, la grosse femme consentit à peine un regard à Dolores et à Angelica. Dans son esprit, son héritage anglo-saxon était supérieur à l'ascendance latine des deux femmes. Elle ne vit pas leur dédain pour ses manières frustes et son absence de noblesse.

Dolores s'approcha de Yin avec circonspection. Tout à coup, elle n'était plus vraiment certaine de sa décision. L'Église interdisait la divination, les pères le lui avaient toujours dit. La jeune femme n'avait jamais fait attention à leurs mises en garde, parce qu'elle n'avait jamais pensé qu'elle aurait un jour besoin d'une diseuse de bonne aventure, mais elle en était là.

— N'ayez pas peur. Je ne vous demanderai pas grand-chose, dit Yin en jetant un coup d'œil à son mari qui retournait à ses tâches de gestion derrière le comptoir de réception.

Elle savait que la seule raison de sa présence à la blanchisserie était due à la maladie de deux de leurs employés de jour. En effet, la grippe semblait passer de famille en famille dans le quartier chinois, comme un serpent silencieux et sournois. Yin était contente que ce mal pernicieux n'ait pas choisi de rendre visite à la maison Su.

Dolores s'assit et regarda Yin. Elle vit de brillantes étincelles argentées danser dans les yeux sombres de la jeune femme. Dolores n'avait jamais ressenti un tel mélange de calme et d'anticipation. Elle était intriguée.

— Que dois-je faire en premier?

— Demandez ce qu'il y a dans votre cœur, répondit Yin. Mais d'abord, je vous dirai que vous avez vécu beaucoup de tristesse dans votre vie. Vous n'avez pas d'enfant, bien que vous en vouliez.

— Il faudrait d'abord que j'aie un mari, ne pensez-vous pas? Dolores s'esclaffa, énigmatique.

— Vous êtes mariée dans votre cœur, mais pas sur papier? s'enquit Yin.

— Vous le savez? Dolores resta stupéfaite lorsque Yin opina. Alors, pouvez-vous me dire si j'épouserai un jour Jefferson Duke?

Lorsque le nom de l'ennemi juré de son mari résonna dans la pièce, l'air ambiant devint tout à coup glacial.

Nan-Yung n'écoutait pas ce que Yin révélait de l'avenir à cette femme idiote. Une seule chose lui importait: que le flot de visiteuses venues consulter sa femme continue de circuler et qu'elles aient toutes de l'argent. Mais que la belle inconnue prononce le nom de Jefferson Duke devait absolument être considéré comme un signe que le destin favorisait de nouveau Nan-Yung. C'était la chance qui avait fait en sorte que ses employés soient malades et qu'il soit ici, à cette heure, pour entendre ces paroles toutes-puissantes, susceptibles de transformer sa vie.

Il fit semblant de continuer à tracer des caractères sur les cartes de blanchisserie, mais en fait, il écouta attentivement ce que disait Dolores.

— Vous aimez cet homme ? demanda Yin.

— De tout mon cœur. Je donnerais mon âme pour être sa femme. Pour avoir son enfant. Pour savoir ce que serait être aimée de lui. Je ne comprends pas pourquoi je me sens ainsi on dirait que je suis possédée.

— Pas du tout. C'est seulement que vous avez des souvenirs d'une vie passée où vous étiez sa femme. Mais dans cette vie, vous ne lui avez pas été fidèle. Vous avez refusé de porter ses enfants. C'est pourquoi cette fois, il refuse de vous en faire.

— Une quoi ?

— Une vie passée. Dans un autre lieu. Il y a cent ans ou plus. En France, je crois. Oui. Vous aimez ce genre de choses. Les vêtements élégants, les meubles dorés.

Angelica pouffa.

— Elle dépense une fortune en vêtements. En robes et en bijoux sophistiqués.

— Oui, je vois que vous étiez à la cour de France. Voilà pourquoi vous êtes si attachée à cet homme. Vous croyez que vous êtes toujours mariés.

— Je ne comprends rien de ce que vous dites.

— C'est sans importance. Les faits sont les faits. Votre âme comprend. Je pourrai vous enseigner ces choses par la suite.

— Et combien cela me coûtera-t-il ? demanda Dolores.

— Je ne demande que de l'or. Pas votre âme. Elle, vous semblez la donner pour rien.

Dolores soupira.

— Que puis-je faire ?

Yin savait que Nan-Yung la battrait si elle ne soutirait pas le plus d'information possible à Dolores, mais elle connaissait déjà son sort.

— Il aime une autre femme, mais il n'est pas marié avec elle. Consolez-vous avec cette pensée. Il n'appartient à aucune femme.

Dolores frappa du poing la table en bois.

— Mais je le veux !

Yin ferma les yeux devant la vague d'énergie colérique qui explosa du cœur de Dolores et se précipita dans sa direction.

— Il ne fait pas partie de votre destin.

Les larmes montèrent aux yeux de Dolores. Jusque-là, elle n'avait pas compris à quel point, en très peu de temps, elle avait mis d'espoir dans les paroles de cette femme. À son arrivée chez Angelica, elle était au désespoir. Pendant un bref instant, elle avait été de nouveau remplie d'espoir. Mais voilà que la clairvoyante elle-même affirmait que Jefferson et elle ne formeraient jamais un couple. Ses rêves de tenir Jefferson dans ses bras, de le laisser lui faire l'amour et l'imprégner de sa semence, s'évanouirent dans un brouillard doux-amer. Dolores regarda Yin à travers le brouillard de ses rêves brisés et le rideau de ses larmes. Sa vie était terminée.

— N'y a-t-il rien que je puisse faire?

— Il faut vous montrer très prudente en sortant d'ici. Vous êtes triste en ce moment, mais vous serez bientôt très en colère. Comme la colère vous est familière, vous ne vous en méfierez pas. Elle vous poussera à courir des risques, ce que vous ne devez pas faire. Soyez prudente et ne courez aucun risque, ce soir. Si vous êtes tentée de sortir marcher sous le clair de lune, ne le faites pas. Si vous êtes tentée de lancer votre puissant cheval au galop dans la forêt, ne le faites pas. Surveillez les ombres autour de vous. Je vois beaucoup de danger partout où vous allez.

Les yeux de Yin étaient vides et sa voix plus basse d'une octave on aurait dit que ses paroles sortaient du fond d'un puits.

Dolores en fut effrayée. Ses mains se mirent à trembler et sa bouche s'assécha, tandis qu'elle dévisageait Yin de ses yeux craintifs.

Brusquement, Angelica fut incapable d'en supporter davantage. Elle tendit le bras et posa une main sur l'épaule de Dolores.

— Je crois que nous devrions partir.

— J'ai assez entendu de mauvaises nouvelles pour le reste de ma vie. Je suis venue vous voir parce qu'Angelica m'a dit que vous pourriez m'aider, Yin, ajouta Dolores, la voix tremblotante.

Yin hocha la tête.

— C'est ce que j'essaie de faire.

Dolores sortit une pièce d'or et la posa sur la table.

— Jefferson et moi ne sommes peut-être pas mariés, mais je sais que s'il interrogeait son cœur, il découvrirait qu'il a des sentiments profonds pour moi. Personne ne pourra jamais me dire le contraire.

Yin tourna vers Dolores des yeux suppliants.

— Prenez garde à vos actions. Protégez-vous de votre impétuosité. Cela causera votre chute.

Dolores se leva et se détourna de Yin.

— Angelica, sortons d'ici, je t'en prie. Je n'aurais jamais dû venir. Promets-moi que tu ne reviendras pas non plus.

Angelica se contenta de hocher la tête, tandis qu'elles se dirigeaient rapidement vers la porte et sortaient.

Nan-Yung sortit vivement de derrière le comptoir. Traînant ses pantoufles en cuir et en soie sur le plancher en bois, il alla jusqu'à la porte et la verrouilla derrière les deux femmes. Puis, il se tourna vers Yin.

— Dis-moi ce que tu as vu.

Elle tourna la tête tandis qu'il ramassait les pièces d'or et les empochait.

— C'est la femme la plus malheureuse que je n'ai jamais vue.

— Jefferson n'est pas bon pour sa femme, dit Nan-Yung avec un sourire.

— Ce n'est pas sa femme.

— Bah! Nan-Yung ne croyait rien de ce que disait Yin. Je sais qu'il doit avoir une femme. C'est elle.

Brusquement, Yin décida qu'il était temps de tromper Nan-Yung. En lui disant ce qu'il voulait entendre au lieu de la vérité, peut-être serait-elle en mesure de diriger son propre destin avec plus de force, d'assurance et de pouvoir. Elle l'appâta :

— Et si c'était la femme de Jefferson?

Nan-Yung comprit qu'il avait toujours eu raison. Il était mécontent de constater que Yin choisissait délibérément de le détourner de la vérité. Il prit conscience qu'il lui faudrait se méfier encore plus de son épouse que de ses ennemis.

— Si c'était sa femme, elle devrait partager son destin, non? Comme tu le fais?

— Oui, répondit Yin, ne sachant pas où il voulait en venir avec ses questions.

Nan-Yung s'approcha de la porte et poussa le verrou. Il retourna l'affiche indiquant que la blanchisserie était fermée.

— Viens, femme. Reposons-nous et mangeons. Ce travail est aussi exigeant pour toi que pour moi.

* * * *

Le même soir, Dolores fut incapable de trouver le sommeil. Comme toujours, des visions de Jefferson peuplèrent ses rêves et l'empêchèrent de se reposer comme elle en aurait eu besoin. Elle s'approcha de la fenêtre et contempla la pleine lune. De gros nuages sombres traversaient le ciel illuminé par le clair de lune, comme des nuées d'oiseaux dans le vent.

— Jefferson, murmura la jeune femme, avec douceur et vénération, en évoquant de nouveau son visage.

Elle caressa son sein et sentit le mamelon sensible durcir. Comme un feu de brousse, la chaleur de son corps se répandit en lourdes vagues dans sa poitrine, son ventre, le long de ses jambes, et remonta ses cuisses comme la langue d'un amant. Elle écarta imperceptiblement les jambes et s'ouvrit au contact de sa main. Elle imagina que c'était Jefferson qui la caressait ainsi, touchant la moiteur de son sexe qui perlait de son corps et humectait ses doigts. Son cœur se mit à battre de plus en plus vite tel le muscle puissant qu'il était, il cogna contre les parois de sa cage, de la pulsation au coup de boutoir.

— Tout comme tu le ferais en moi, mon amour, soupira Dolores devant la vision de son amant fantomatique.

Elle comprit qu'elle ne pourrait plus contenir sa passion bien longtemps. Il fallait qu'elle boive. Elle s'approcha du meuble à tiroirs qui flanquait son lit et où elle avait caché une bouteille de porto de Madère. Toute la maisonnée savait qu'elle buvait la nuit. Ce n'était pas les jours qui étaient difficiles pour la jeune femme, mais les nuits où elle pouvait prétendre que ses visions de Jefferson étaient réelles.

Elle avala une gorgée de l'épaisse liqueur sucrée et retourna à la fenêtre. Renversant la tête, elle but à la bouteille, laissant l'alcool couler dans sa gorge. Comme elle aurait aimé boire Jefferson ainsi!

En colère contre elle-même et contre la vie, elle lança la bouteille vide sur le sol.

Elle arracha sa robe de nuit en soie de ses seins gonflés qui ignoraient la caresse, et la lança sur une chaise. Elle endossa rapidement une jupe d'amazone en velours brun chocolat et un chemisier blanc à mangues longues. Puis, elle noua d'un ruban brun sa chevelure noire qui lui tombait jusqu'à la taille et enfila une paire de bottes d'écuyère en cuir brun.

Elle sortit de sa chambre, dévala l'escalier en spirale protégé d'un tapis et sortit de la maison par la porte arrière. Elle se dirigea vers les écuries où l'étalon de son frère avait été enfermé pour la nuit.

Les balades nocturnes n'étaient pas inhabituelles pour Dolores. Elle sortait souvent pour chevaucher lorsqu'elle était à la campagne. Mais ici, on était à la ville. Elle chevaucherait donc dans le parc au pied de la colline. Peut-être pousserait-elle jusqu'au Presidio où les eucalyptus parfumaient l'air marin.

Elle sella le cheval et l'enfourcha aisément. C'était un animal plus fort que celui auquel elle était habituée sur le ranch de son père. Son frère avait toujours aimé les chevaux avec du caractère. Descendant l'allée couverte de gravier, elle gagna la rue. Le cheval semblait connaître le chemin, aussi lui laissa-t-elle la bride sur le cou.

Tout en chevauchant, Dolores songeait à Jefferson. Elle sentait encore ses mains sur ses seins qui tendaient le tissu de son chemisier. Même si elle n'avait jamais rien fait de plus que dérober un baiser à cet homme, son imagination lui faisait croire qu'elle savait ce que signifiait faire l'amour avec lui.

Elle était tellement prise par ses fantasmes qu'elle ne vit pas les ombres sinistres qui la suivaient. Elle ne remarqua pas la petite taille de ces poursuivants, ni leurs habits noirs et la queue qui tombait sur leur nuque.

Dolores monta jusqu'au Presidio et lança son cheval au galop, le poussant à sauter par-dessus d'énormes troncs d'eucalyptus qui semblaient onduler sur le sol et en surgir comme des serpents de mer sinueux.

Sortis de nulle part, trois des sbires de Nan-Yung surgirent brusquement et effrayèrent l'étalon. Le cheval pila net, se dressa sur ses pattes postérieures et battit l'air de ses antérieurs, en hennissant sauvagement. Dolores ne vit pas les trois hommes dont les silhouettes sombres se confondaient avec les bosquets.

Elle lutta pour conserver son équilibre, mais le cheval était fort et déterminé à se débarrasser de sa cavalière. Elle finit par choir sur le sol.

Étourdie, la jeune femme ne s'aperçut pas que les trois hommes l'encerclaient avant qu'il ne soit trop tard. Le plus laid des trois, les yeux noirs menaçants et l'haleine pestilentielle, marcha sur elle, armé d'un couteau. Elle ne comprit pas qu'il n'était qu'un leurre.

Le plus grand s'approcha par-derrière en catimini, l'attrapa par le cou et lui brisa la nuque aussi facilement qu'on craque un bréchet de poulet à l'Action de grâces.

Les yeux de Dolores se fermèrent.

Elle trouva le bonheur dans l'oubli.

Elle découvrit un monde où elle n'avait plus besoin d'attendre Jefferson Duke pour être aimée.

Vingt-sept

« Quand tomba la nuit, les vagues blanches
firent la navette sous le clair de lune, le vent
apporta le son de la grande voix de l'océan aux
hommes sur le rivage, et ils crurent qu'ils
pourraient s'en faire les interprètes[32]. »

— STEPHEN CRANE,
LE BATEAU OUVERT

San Francisco, 1857-1865

L e jour où on enterra Dolores, Jefferson était debout à côté de
la tombe. Bien que les autorités aient conclu à un accident, son
intuition lui soufflait que la mort de la jeune femme comportait d'autres facettes que celles que tous connaissaient. Il n'avait pas
de preuve. Ni de théorie. Mais quelque chose au sujet de sa mort ne
lui paraissait pas clair.

Jefferson n'avait aucun droit sur cette femme, même s'il la considérait comme une amie. Sans trop s'attarder, il se demanda si son
esprit était assez fort et assez déterminé pour lui *rendre visite*, comme
sa mère le faisait à l'occasion.

— Votre fille représentera toujours *les beaux jours* pour moi, dit-il
à un don Miguel vieillissant.

Le vieux noble hocha tristement la tête en serrant la main de
Jefferson.

---

32. N.d.T.: Traduction libre.

— Je me demande si j'ai eu tort.

— Tort?

— Elle n'a jamais caché qu'elle vous aimait. Je croyais à ce que croyaient mon père et son père avant lui. Nous sommes castillans. Mais aujourd'hui, ma fille est morte. Les vieilles coutumes ne peuvent me la ramener, n'est-ce pas?

— Non, don Miguel, répondit Jefferson en regardant au-delà des eucalyptus. Elle ne reviendra jamais. Mais elle vit, ne serait-ce que dans le souvenir que nous gardons d'elle.

Le vieil homme se détourna et s'éloigna de la tombe à la tête de sa famille. Jefferson attendit que la procession des vieux dons accompagnés de leurs femmes et de leurs enfants s'éloigne à la suite de don Miguel.

Il ne put s'empêcher de songer qu'autrefois, à son arrivée en Californie, la vie coulait moins vite et qu'on la savourait plus lentement, comme un bon vin.

Le tonnerre gronda au loin, et la foudre tomba non loin du cimetière. Jefferson songea qu'il était tout à fait approprié que les cieux pleurent Dolores en ce jour.

— Monsieur Duke. Brian Kelly arrivait en courant. Nous devons partir avant la pluie, monsieur.

Il tendit un journal à Jefferson pour que celui-ci se protège de la pluie.

— Oui, il faut nous hâter, répondit Jefferson en se dirigeant rapidement vers sa calèche à la suite de son cocher.

Il ferma la portière et ouvrit le journal marqué de gouttes de pluie.

— Mon Dieu, la guerre ne fait qu'empirer.

Jefferson se rappelait que les Confédérés avaient pris le fort Sumter le 13 avril 1860. Un cavalier du Pony Express avait transmis la nouvelle à San Francisco, complétant le trajet en trois heures de moins que d'habitude. Sur son parcours, le cavalier était descendu de sa monture pour écrire son message à la craie sur le tableau noir placé devant chaque bureau de poste. Dans la ville, les sympathisants à la cause sudiste étaient en minorité. Bien qu'ils aient fondé deux sociétés secrètes, les chevaliers du cercle d'or et les chevaliers de l'étoile de Colomb, ils n'avaient aucune chance de s'incruster, étant donné que Jefferson Duke était à la tête des sympathisants de l'Union.

Pour la majorité des San Franciscains, les pluies printanières torrentielles étaient bien plus d'actualité que la guerre. Les jardins d'agrément délimités par la Dix-septième, la Dix-huitième Rue, Mission et Valencia, avaient été emportés. La plupart des familles étaient catastrophées, car on avait beaucoup profité des pelouses, des jardins, de la rivière bordée de saules, de la volière, du carrousel, de l'étang des otaries et du zoo. On s'inquiétait plus de savoir où les familles trouveraient à se divertir que de décider quelle faction de la guerre civile il fallait soutenir.

Durant les années du conflit, les racines de Jefferson n'avaient jamais été découvertes. Néanmoins, personne n'avait pu se méprendre sur ses sentiments lorsqu'il s'était exprimé dans les réunions publiques et les assemblées politiques. Quand se leva le 4 juillet 1860, il n'y avait plus aucun doute que la ville était presque unanimement pour l'Union. San Francisco était décorée de bannières, de fleurs et de drapeaux bleus, blancs et rouges, pour le grand défilé que Jefferson avait contribué à organiser.

Peu d'hommes s'engageaient en faveur de la guerre. La plupart des San Franciscains lisaient ce qu'on racontait sur les batailles en étant détachés du contexte, car selon le moyen de transport choisi, deux vastes chaînes de montagnes ou le cap Horn s'étendaient entre eux et le lieu des affrontements. San Francisco s'affairait à se bâtir, tandis que le reste du pays s'entredéchirait.

Pour San Francisco, il y avait plus important que la guerre : la construction des chemins de fer du Central Pacific, du Western Pacific et du Southern Pacific. Les quatre principaux promoteurs — Leland Stanford, Mark Hopkins, Collis Potter Huntington et Charles Crocker — avaient la vision qu'il fallait pour comprendre l'importance de la nouvelle abondance qu'ils feraient entrer en Californie.

Jefferson Duke était non seulement l'un de leurs plus fervents partisans, mais aussi l'un de leurs partenaires passifs.

En 1859, Jefferson acheta deux scieries sur le territoire de l'Oregon, deux jours après avoir assisté à un bal à la résidence du général Irwin McDowell et de sa femme, où il avait rencontré les quatre magnats des chemins de fer et été mis au courant de leurs projets.

Jefferson obtint aisément du quatuor un contrat d'approvisionnement en traverses pour les rails et en bois d'œuvre pour les bâtiments. Comme il s'était organisé pour que le bois soit envoyé directement sur les chantiers de construction, peu de San Franciscains étaient au fait de son commerce auxiliaire, commerce qui devait le rendre presque aussi riche que les barons du chemin de fer eux-mêmes. Jefferson n'en parla délibérément à personne, pas même à Caroline. Il voulait d'abord s'en ouvrir à Lawrence.

Ce dernier avait vingt-deux ans lorsque Jefferson l'approcha pour l'inviter à travailler pour lui. Ils déjeunaient ensemble à l'hôtel, quand Jefferson déclara :

— Je crois que le bifteck s'impose, ce midi, Lawrence.

— Accompagné d'un bordeaux, qu'en dis-tu ?

Jefferson sourit et lui assena une claque amicale dans le dos.

— Tu apprends vite, fiston. Avec la moitié de la côte atlantique sous blocus, on dirait que tout ce qu'il y a de français et d'italien sur le marché trouve son chemin jusqu'à San Francisco.

— Maudite soit cette malchance ! répondit Lawrence en riant. Mais il n'existe rien sur quoi j'aime plus dépenser mon argent.

— Bien. Alors, buvons à la fin de tes études à Harvard. Il me semble que c'était hier que j'étais sur le quai à te regarder t'éloigner à bord de l'*Alta California*.

— Je n'oublierai jamais : maman pleurait. Je ne l'avais jamais vue pleurer avant.

— C'est une femme forte, mais elle s'est terriblement ennuyée de toi. Tu étais sa vie.

— Je me suis ennuyée d'elle aussi.

— Mais pas autant, ajouta Jefferson.

— Probablement pas. J'étais occupé, fit Lawrence en souriant.

Jefferson se rappelait qu'il était resté à l'écart pour assister au départ de son fils. Seul dans sa calèche, il avait attendu à l'extrémité du quai, près de l'entrepôt, restant caché pour qu'on ne le voie pas. Caroline et William étaient partis une fois que le navire eut quitté du quai, mais Jefferson était resté.

Au moment où on levait l'ancre, alors que le navire était prêt à partir, Lawrence avait vu la calèche de Jefferson, dissimulée à la vue de son père. Il avait alors délibérément gagné le bastingage pour saluer Jefferson de la main. Celui-ci était descendu de sa voiture et était resté debout dans le soleil, les yeux rivés sur son fils. Lawrence n'avait pas bougé il était resté à la vue de Jefferson pour lui faire comprendre à quel point il appréciait sa loyauté et son amour. À cette distance, Jefferson n'avait pas vu les larmes qui mouillaient les yeux de son fils, mais il les avait senties. Jefferson et Lawrence partageaient un lien profond qui allait au-delà du sang et du parentage. Ils étaient unis par le cœur.

Jefferson avait attendu que le navire ait quitté le port et atteint la haute mer. Le soleil était presque couché, lorsque son cocher lui avait finalement demandé s'il souhaitait partir. Jefferson s'était laissé tomber lourdement contre les coussins en velours de la banquette sur laquelle il se souvenait d'avoir fait l'amour à Caroline quand la calèche était neuve.

— Oui, ramenez-moi à la maison.

Jefferson haïssait la distance que la société et les convenances lui imposaient de conserver avec son fils unique. L'impossibilité de dire la vérité à Lawrence était une prison plus douloureuse que l'esclavage. Mais il aimait si profondément Caroline qu'il se pliait à sa volonté.

— J'ai une proposition d'affaires à te faire, Lawrence, lança-t-il en souriant.

Il regarda l'épaisse chevelure brune et brillante que Lawrence portait longue, le visage au teint pâle, la mâchoire ferme, le nez droit et le front haut. Bien qu'il ressemblât vaguement à Jefferson, Lawrence ne ressemblait plus autant à Caroline maintenant qu'il était devenu adulte. Il était unique, et cela se voyait dans son visage et sa personnalité. À l'exception de ses yeux verts qui avaient exactement la même nuance que ceux de Jefferson, Lawrence semblait s'être dessiné lui-même.

Le jeune homme prit son verre, fit tournoyer le nectar rouge en inhala le bouquet et le goûta soigneusement.

— Je ne veux pas diriger tes magasins, Jefferson. Je veux voir le monde. Le monde « entier ». Maintenant que je suis sorti de San Francisco, je me rends compte que j'aime beaucoup voyager.

Jefferson éclata de rire :

— Mais tu n'es allé qu'à Boston. Que sais-tu des voyages ?

— Je ne suis pas resté tout le temps à Boston. Entre les semestres, je suis allé à Washington, à New York et à Baltimore. Et au mois d'août dernier, je me suis même rendu en Nouvelle-Écosse.

— Pour quelle raison, pour l'amour du ciel ? s'enquit Jefferson.

— J'ai eu l'occasion de rendre visite à un de mes confrères de classe. Son père possède une entreprise de pêche très lucrative là-bas. Je voulais voir de quoi cela avait l'air.

— Et ?

— C'est sauvage, gris, froid et fascinant. Les gens sont aussi chaleureux qu'il fait froid. L'océan est comme un monstre qui se débat. Il est absolument indompté. Je ne suis jamais aussi sensible à la puissance de l'océan que lorsque je suis à bord d'un bateau et que je navigue à travers les récifs.

— Tu ferais bien de ne jamais raconter cela à ta mère, conseilla Jefferson.

Sur les entrefaites, le serveur apporta deux énormes biftecks baignant dans un lac de beurre doré.

— Ne t'inquiète pas, dit Lawrence en riant. Elle devient hystérique dès que je mentionne New York, alors pour ce qui est du reste...

— Elle est simplement heureuse que tu sois de retour. Je suppose qu'elle aimerait que tu restes un peu aux alentours, mais tu parles déjà de repartir.

Lawrence découpa un gros morceau de bifteck et le mastiqua, l'air affamé. Il hocha la tête.

— Hier soir, au dîner, j'ai dit à mère et à père que j'aimerais me rendre en Chine pour chercher des antiquités et des porcelaines précieuses : j'ai cru qu'elle allait passer à travers le plancher ou le plafond. Un des deux. Je ne sais que faire pour la calmer. Je ne peux pas rester à San Francisco *toute* ma vie, Jefferson. Elle ne comprend tout simplement pas. Il y a un monde incroyable qui m'attend, et je veux tout voir. Tout goûter. Tout vivre.

Jefferson sourit et avala une bonne gorgée de vin.

— Je pense avoir la solution à ton problème.

Lawrence s'adossa à son siège et dévisagea intensément Jefferson.

— Je suis ouvert à tes suggestions.

— Pour l'instant, la meilleure chose à faire serait peut-être de faire un compromis, tant avec ta mère qu'avec toi. Tu devras peut-être maîtriser un peu ton impatience. Mais le monde sera toujours là dans six mois. Dans un an.

Lawrence roula des yeux de jeune idéaliste, mais écouta tout de même.

— Continue. Je veux savoir comment tu comptes calmer maman. Je n'ai jamais vu l'un d'entre nous obtenir ce qu'il voulait une fois qu'elle a décidé ce qu'elle voulait.

Jefferson s'esclaffa. Néanmoins, il songea à la façon dont Caroline lui faisait l'amour et à la manière dont, en effet, elle «obtenait ce qu'elle voulait». Elle pouvait se montrer très déterminée au besoin. Puissante, même. Mais Jefferson ne s'en préoccupait guère, car il avait toujours fait ce qu'il voulait avec Caroline. Parce qu'elle l'aimait, elle était toujours prête à plier.

— Ce que ta mère veut n'est pas ce qu'il y a de mieux pour toi, maintenant que tu as grandi. Néanmoins, nous ne sommes pas obligés de la blesser non plus. Ce que je te propose, c'est de faire de toi le président de ma nouvelle compagnie de bois d'œuvre. J'ai besoin de quelqu'un en qui je peux avoir confiance pour m'assurer que les détails de ma nouvelle entreprise coulent le moins possible dans le public. Les San Franciscains adorent les potins, et c'est une très petite ville. Mes allées et venues sont déjà commentées par beaucoup trop de curieux.

— Pourquoi veux-tu garder cette affaire secrète ? demanda Lawrence.

— Pour plusieurs raisons. J'ai signé une entente avec Charles Crocker et Leland Stanford. Si je le veux, je peux leur fournir tout le bois dont ils ont besoin pour bâtir le chemin de fer du Pacifique au Midwest.

— Wow ! siffla Lawrence, élogieux. Tu vas devenir plus riche que tout ce beau monde réuni.

Jefferson sourit fièrement.

— Pas tout à fait, mais pas loin, tout de même. Au fil des années, j'ai étudié les autres hommes d'affaires et observé leur dégringolade. Je ne veux pas commettre la même erreur avec cette opportunité. Si la rumeur de ce que je suis en train de faire se répand, tous les Pierre, Jean et Jacques voudront acheter des scieries et offrir leur marchandise à moindre coût. J'ai une entente, mais on peut briser une entente. J'ai besoin que quelqu'un se rende dans l'Oregon pour superviser la livraison du bois aux chantiers de construction durant les six à neuf premiers mois, au moins. Aux yeux de mes acheteurs, cela me forgera une réputation de fournisseur fiable. Une fois que j'aurai acquis leur confiance et, au moment opportun, leur amitié, personne ne pourra plus me voler leur patronage. Tu seras loin de la maison, mais sans qu'un océan nous sépare. Tu verras tes parents au moins une fois par mois, mais tu vivras dans le territoire encore très sauvage de l'Oregon. Comme l'âpreté de la Nouvelle-Écosse t'a plu, la beauté des forêts de l'Oregon touchera peut-être ton âme.

Lawrence resta silencieux.

Jefferson versa un peu de vin dans leur verre. Il ne dit rien, sachant que son fils avait besoin de temps pour que l'idée fasse son chemin dans son esprit.

— Six mois, donc? demanda le jeune homme.

— À un an. Pas plus. Ensuite, tu pourras lentement habituer ta mère à l'idée que tu t'embarques pour Canton, Singapore, ou peu importe où que tu veux aller. Elle se sera faite à tes absences. Par ailleurs, une fois que tu lui auras prouvé à quel point tu excelles dans ce que tu fais, elle aura davantage confiance en toi. C'est un point important à considérer. Tu es encore très jeune, Lawrence. Il n'est pas nécessaire que tu plonges dans l'océan pour te rendre compte qu'au fond, tu ne sais pas nager. Prends la vie un peu moins vite. Savoure chaque bouchée en son temps. De cette manière, tu en sortiras gagnant.

Lawrence acquiesça.

— Sais-tu ce que j'ai toujours admiré chez toi, Jefferson?

— Quoi?

— Ta sagesse. Tu sembles en faire plus en une seule journée que la moitié des hommes de cette ville et pourtant, tu agis comme si tout te venait sans effort. Comment fais-tu?

Jefferson pouffa.

— Tu veux connaître tous mes secrets, c'est cela?

— Pas tous. Juste celui-là, répondit le jeune homme en fixant d'un regard enthousiaste cet homme qu'il respectait et aimait.

— Je planifie chaque détail le plus soigneusement possible. Je pèse toutes les possibilités. J'étudie toutes les facettes. Une fois que j'ai fait tout cela, je m'assieds en silence dans ma tanière et je regarde en moi pour voir ce qu'il y a dans mon cœur. C'est le cœur qui décide pour nous, Lawrence. Ce que tu ne sens pas dans ton cœur ne vaut pas la peine d'être entrepris. Ce n'est pas pour toi. C'est peut-être juste pour quelqu'un d'autre, mais cela ne te rendra jamais heureux. Vois d'abord à ton bonheur, et tout le reste se mettra en place.

Les yeux de Lawrence étaient remplis d'admiration.

— Jefferson, de tout ce que tu aurais pu me dire, ce n'est *pas du tout* ce que je m'attendais à entendre de ta bouche.

Jefferson posa les coudes sur la table, croisa les doigts et appuya pensivement son menton sur ses mains réunies. Il regarda au loin un moment, puis reporta son regard sur Lawrence.

— Les hommes ordinaires vivent des existences ordinaires. Depuis l'enfance, je sais que je ne suis pas un être ordinaire. Je suis différent. Bizarre, diront certains. Mais je me connais. L'entreprise peut s'avérer difficile... mais elle peut aussi se révéler la plus facile de toutes, si on accepte le bon et le mauvais. Un homme ordinaire ne court jamais de risques, alors que moi, je m'épanouis dans le risque. Et les risques viennent du cœur. Si nous le laissons faire, notre intellect arrive à nous convaincre de laisser tomber à peu près n'importe quoi. Écoute ton cœur, Lawrence. Va en Chine, en Afrique, aux Indes, si tu le souhaites. Vois le monde. Expérimente tout ce que tu peux. Tu es un jeune homme intelligent, tu as une bonne constitution et tu possèdes la vision qu'il faut pour vivre plus qu'une vie ordinaire.

— C'est ce que je vais faire ! s'écria Lawrence, enthousiaste.

— Bien. Je suis fier de toi. Tu seras bientôt fier de toi-même. Et c'est mieux que de l'argent en banque.

Lawrence tendit la main à Jefferson.

— Je crois que tout ce qui me reste à faire, c'est de me présenter au travail en tant que ton nouveau président. Je pars quand pour l'Oregon ?

Jefferson saisit la main de son fils et couvrit leur poignée de main de sa main gauche. Il regarda Lawrence avec tout son amour et répondit :

— Demain matin.

* * * *

Lawrence grimpa avec son étalon alezan jusqu'au repère d'abattage sur le flanc de montagne, au-dessus la scierie dont Jefferson avait fait l'acquisition un mois auparavant. Le jeune homme s'était attendu à trouver mortellement ennuyeux le travail banal, la paperasserie élémentaire et les conversations fades des bûcherons. Mais dès son premier jour à la scierie, il avait affronté plus de défis que lors de cette tempête sur l'océan de la Nouvelle-Écosse. Les bûcherons d'expérience rechignaient à accepter les ordres de quelqu'un qui ne connaissait rien à l'industrie du bois de sciage que ce qu'il avait lu dans les livres. Ils n'aimaient pas Lawrence parce qu'il était jeune, riche et qu'il sortait de l'université. Ils étaient déterminés à le faire fuir en lui rendant la vie impossible.

— Quel est le problème, Hardesty? demanda Lawrence au contremaître.

Hardesty, un quinquagénaire mince à la peau tannée par la vie au grand air, leva son bras droit pour éponger son visage. Ce léger mouvement fit jaillir un biceps dur comme la pierre qui étira au maximum le tissu de sa chemise en laine.

— Rien que j'peux pas régler, répondit-il en jetant un œil arrogant aux trois Chinois qui, assis sur un tronc abattu, fixaient le sol du regard.

L'un des trois hommes se leva et écarta le col de sa tunique en coton noir, révélant une meurtrissure purulente à l'épaule. Lawrence comprit immédiatement qu'elle avait été causée par trop d'heures passées à hâler les billes de bois, ou par des châtiments corporels. D'après ce que Collins, l'assistant de Hardesty, avait raconté à Lawrence, Hardesty pouvait se montrer «plus méchant qu'un putois affamé». Dès sa première nuit au camp, Lawrence s'était méfié du contremaître, car ce dernier avait essayé de tricher au poker. Lawrence n'avait rien dit sur le coup, puisque ce comportement ne semblait pas irriter les autres hommes.

Cependant, les rapports qu'il recevait sur Hardesty étaient inquiétants. Il était temps qu'il s'occupe de son contremaître.

— Z'avez qu'à ramener vos précieuses petites miches à la scierie et dire à monsieur Chickasee que Hardesty est maître d'la situation.

Lawrence serra les mâchoires. Il leva les yeux vers la lumière dorée du soleil qui filtrait à travers les grands pins et marbrait le sol de longues ombres automnales. C'était un affrontement de trop avec le belliqueux contremaître : Lawrence en avait tout simplement assez de cette histoire. Les yeux verts du jeune homme avaient pris la dureté de l'ardoise lorsqu'il fusilla Hardesty du regard. Il descendit prestement de cheval et marcha à grands pas sur le contremaître.

— Collins dit que les Orientaux ne veulent pas travailler pour toi, Hardesty, parce que tu les éreintes. Pour ta gouverne, ce ne sont pas des esclaves.

— Tu parles qu'ils en sont pas ! gronda le contremaître d'un air menaçant. J'ai pas besoin qu'un p'tit prétentieux de la ville vienne me dire comment mener ma barque.

Lawrence était maintenant nez à nez avec Hardesty. Les deux hommes étaient de taille égale — plus de 1,80 mètre.

— Ce n'est pas ta barque, trouduc.

Hardesty était soupe au lait, et Lawrence le savait.

Le quinquagénaire leva le poing et le lança en direction de Lawrence. Celui-ci se pencha vivement, contourna Hardesty et adopta immédiatement la position du pugiliste. Genoux fléchis, les pieds dansant avec légèreté sur le sol, Lawrence se mit à sautiller et à esquiver les tentatives impuissantes de l'autre pour le frapper.

— Arrête de grouiller ! s'écria Hardesty en ratant une nouvelle fois le visage de Lawrence.

L'agilité et la jeunesse de Lawrence lui furent très utiles, jusqu'à ce que le contremaître constate, assez rapidement d'ailleurs, que son adversaire avait tendance à sautiller vers la gauche et à esquiver vers la droite.

Lawrence tomba à la renverse quand le poing de Hardesty percuta sa mâchoire. Le contremaître éclata de rire.

— Debout, le dandy. Laisse un homme, un vrai, te montrer c'est quoi, la vie.

Un élancement atroce fulgura dans la mâchoire de Lawrence et se répercuta dans sa gorge, et sa boîte crânienne. Il se demanda s'il avait la mâchoire brisée. Il sourit péniblement à Hardesty. Il avait espéré ce coup de poing, car c'était pour lui le signal d'y aller sans retenue.

Il sauta sur ses pieds et se remit à sautiller et à esquiver les coups, comme l'autre s'y attendait. Mais cette fois, contrairement aux attentes de Hardesty, il esquiva vers la droite plutôt que vers la gauche. Il assena alors une série de coups à l'abdomen du contre-maître, avant de le frapper sauvagement dans la zone du foie : il savait que l'homme ne pouvait traverser la journée sans une bonne dose de whisky. Il ne s'arrêta pas en entendant Hardesty gémir. Il continua de le rosser de tant de coups au visage et à la tête que les

Orientaux, toujours assis sur le tronc, ne purent bientôt plus distinguer quel poing menait la danse.

Hardesty essaya bien de reculer, mais Lawrence ne le laissa pas faire. Il voulait pulvériser cet homme. Le contremaître finit par tomber sur le sol et se couvrit le visage de ses bras levés. Gémissant, il demanda grâce.

— Frappe-moi pas! Il avait déjà l'œil droit presque fermé.

— Je te botterai le cul jusqu'en enfer si jamais je te revois sur ces terres. Rassemble tes affaires et va-t'en. Tu es congédié.

— Congédié? Qui diable va mener ces maudits Orientaux pour vous? Qui va transporter la marchandise à la gare de Sacramento?

Lawrence haletait tellement qu'il avait la sensation que ses poumons étaient en feu. Il était obligé de garder les mains sur ses cuisses simplement pour avoir la force de tenir debout. À la vérité, il avait besoin du contremaître, mais il ne tolérerait jamais de mutinerie. C'était contre cela qu'il s'était battu. Personne ne lui avait démontré une once de respect, ni les scieurs, ni le personnel administratif, ni les bûcherons, ni les ouvriers chinois eux-mêmes, sacrebleu! Eh bien! À partir d'aujourd'hui, il l'obtiendrait. Même s'il fallait qu'il congédie tous les hommes de la scierie. Il le ferait. Il recommencerait de zéro. Il ne savait pas ce que Jefferson en penserait, mais dans son cœur, Lawrence savait qu'il devait prendre position.

— C'est moi, répondit-il sèchement.

Hardesty se mit à rire. Il cracha une giclée de sang sur le sol durci.

— Tu parles! Tu connais rien à rien.

Lawrence sourit l'effort lui coûta une douleur fulgurante à la mâchoire.

— J'en sais assez pour te botter le derrière. Maintenant, dégage.

Hardesty se releva péniblement. Il se dirigea d'une démarche faible et tremblante vers son cheval. Il l'enfourcha, l'éperonna rageusement et descendit au galop le flanc de la montagne jusqu'au camp où il gardait des vêtements de rechange, une bouteille de whisky et deux jeux de cartes pour le poker. Il se trouverait un nouveau boulot dans une autre scierie. Il y était toujours arrivé.

Lawrence se tourna vers les trois Orientaux. Debout, ils le regardaient d'un air froid et méfiant. Le jeune homme s'approcha du long tronc de pin et saisit la hache à ébrancher. Il ébrancha le tronc et le nettoya. Puis, il passa autour de l'arbre la longue sangle en cuir grâce à laquelle on hâlait les troncs abattus jusqu'au lançoir menant à la scierie, au pied de la montagne.

Les Chinois échangèrent des regards intrigués. Puis, hochant la tête de concert, ils s'avancèrent derrière Lawrence et placèrent les sangles sur leur épaule. L'un des Chinois écarta Lawrence. Ce dernier les observa tandis qu'ils tiraient le tronc jusqu'au lançoir et le poussaient sur la pente. Le tronc glissa sans peine jusqu'à la scierie.

Lawrence sourit intérieurement en constatant que l'équipe se remettait au travail. Il ne pouvait s'empêcher de se souvenir des conseils de Jefferson. Lawrence n'avait jamais blessé quiconque de sa vie. Il avait pratiqué la boxe à l'université, mais comme sport, sans plus. Aujourd'hui, il avait eu besoin de cette aptitude pour s'assurer que la scierie continue de fonctionner. Si ce premier lot de bois d'œuvre n'arrivait pas à temps au chantier du chemin de fer, Jefferson risquait de perdre l'ensemble du contrat. Pour la première fois, Lawrence prit conscience de la multiplicité des petits rouages dans la grande roue des affaires. En se battant contre Hardesty, il avait compris l'importance du rôle de chacun dans la vie. Et cela l'avait rendu humble.

Il se promit de ne jamais oublier la leçon.

Vingt-huit

« [...] si l'on avance hardiment dans la direction de ses rêves, et s'efforce de vivre la vie qu'on s'est imaginée, on sera payé de succès inattendu en temps ordinaire. »

— HENRY DAVID THOREAU,
WALDEN

San Francisco, 1866

Jefferson attendait sur le quai que le bateau à vapeur de Lawrence jette l'ancre. Le jeune homme avait travaillé dix-huit mois comme président de la société forestière Duke et avait aidé Jefferson à consolider sa position d'homme parmi les plus riches de San Francisco. Néanmoins, Jefferson avait compris qu'il ne pourrait le retenir plus longtemps de réaliser son rêve de voir le monde. Pas plus que Caroline, d'ailleurs.

En Chine, Lawrence avait découvert des antiquités irremplaçables. Caroline les avait vendues à des prix exorbitants dans son magasin, durant le règne de l'argent qui surpassait même les beaux jours de la ruée vers l'or de 1849. À bord d'un clipper, Lawrence s'était ensuite rendu jusqu'à la baie du Bengale et avait exploré les marchés de Calcutta et de Rangoon, en Birmanie. Il avait fait du trekking dans les montagnes de Bali et admiré les danseuses exotiques vêtues de pantalons et de tuniques dorés, qui portaient des coiffures élaborées semblables à des tours. Il avait découvert les merveilles du monde, mais il manquait tant à Jefferson qu'à Caroline.

Lawrence s'abrita les yeux du soleil et descendit dans le ketch qui le conduirait à terre. De loin, il voyait Jefferson qui l'attendait dans sa calèche étincelante.

— Comme toujours, se dit-il, en saluant son ami d'un grand geste de la main.

Une fois à terre, il s'élança vers Jefferson et le prit dans ses bras.

— Comme c'est formidable de te voir, Jefferson! Comment vas-tu? Comment va ma mère?

— Nous sommes tous les deux heureux que tu sois de retour.

Le sourire de Lawrence s'effaça.

— Et mon père?

— William va bien, répondit Jefferson.

— Tu sais, Jefferson, je trouve très intéressant qu'à chacun de mes retours, ce soit toi qui viennes m'accueillir au quai. Est-ce parce que mon père ne peut daigner se déranger?

Le visage de Jefferson s'assombrit.

— Tu veux la vérité?

Lawrence sourit.

— J'ai déjà déduit la vérité. Il s'en fiche éperdument. Et mère?

— Elle sait que c'est une gâterie pour moi et elle me consent cette faiblesse. Nous avons beaucoup de choses à discuter ensemble, au sujet de nos affaires entre autres, ajouta Jefferson.

— Menteur. Tu veux simplement t'arrêter manger un bifteck et boire du rouge!

Jefferson lui assena une claque dans le dos.

— Tu as entièrement raison! Il se détourna. Est-ce qu'on arrive avec tes bagages?

— Je m'en occupe, fit Lawrence. Il retourna en courant vers l'un des matelots de pont, déjà en train de décharger les bagages.

Avant de se retourner pour faire un signe de la main à Jefferson, Lawrence n'avait pas vu la queue de marchands chinois, agglutinés sur le côté ouest du quai, attendant qui des marchandises, qui des membres clandestins de leur famille.

Son bras retomba comme une pierre lorsque son regard croisa celui de Yin. Il retint son souffle.

— Je la connais.

« Mais comment ? Et d'où ? »

Lawrence se creusa les méninges, pendant qu'elle le dévisageait hardiment.

« Tellement belle ! Tellement exotique... et sacrément familière. »

Lawrence était au-delà de la fascination : il était envoûté.

Yin lui rendait son regard, intuition pour intuition, énergie pour énergie.

« Il est comme le soleil. Et je suis la lune. Mais que signifie ce sentiment que j'éprouve ? Je maudis ce don de prophétie qui me permet de venir en aide à tout le monde, sauf à moi-même. »

Si elle avait su qu'elle allait rencontrer son destin le jour même, elle se serait préparée. Pour le moment, elle avait le sentiment d'avoir été changée en pierre. Elle était incapable de bouger d'ailleurs, elle n'y tenait pas du tout.

Pourtant, il l'effraya en se dirigeant vers elle.

« Est-ce l'homme dont l'astrologue m'a parlé, il y a si longtemps ? Comment saurais-je avec certitude ? Et pourquoi est-ce un Blanc ? Pourquoi ma vie doit-elle être si compliquée ? »

Lawrence s'approchait toujours.

« C'est dangereux ! »

La lucidité lui revint en un clin d'œil. Les autres Chinois observaient l'homme blanc qui s'approchait. Ils le regardèrent, puis reportèrent leur regard sur Yin, le soupçon inscrit dans leur regard.

Yin dévisagea Lawrence et secoua imperceptiblement la tête. Puis, elle baissa les yeux.

Soudain, Lawrence comprit qui elle était. Il n'était qu'un garçon la première fois qu'il l'avait rencontrée. C'était la belle femme du parc à bois. Elle était enceinte à l'époque.

« Mais, comment cela se peut-il ? Elle n'a pas l'air d'avoir vieilli du tout. En fait, elle est encore plus belle que dans mon souvenir. »

En examinant son souvenir, Lawrence conclut que la jeune femme devait avoir dix-neuf ou vingt ans, à l'époque.

Elle se détourna brusquement et s'enfonça dans la foule de Chinois. Comme ils portaient tous une tunique et un pantalon noirs, Lawrence aurait de la difficulté à la suivre.

Il s'avança, en pensant qu'il pourrait demander aux autres qui elle était. Peut-être que quelqu'un la connaissait.

Subitement, le visage de Yin apparut dans la foule elle fronçait les sourcils, l'avertissant de ses yeux pleins de frayeur de ne pas la suivre.

Puis elle disparut.

Tiraillé par une foule de questions et d'émotions, Lawrence retourna à la calèche de Jefferson.

— As-tu vu quelqu'un que tu connais ? demanda Jefferson.

— Oui.

— Un ennemi ?

— Pourquoi ?

— Parce que tu es blanc comme un linge.

Lawrence s'essuya le front.

— Je ne savais pas. Désolé.

— Ne le sois pas. Qu'est-ce qui s'est passé ?

— Je n'en suis pas certain. J'ai vu une femme qui fait partie d'un souvenir d'enfance. Ce n'est rien, ajouta-t-il en regardant par la portière.

Il ne voulait pas la chercher. Mais en même temps, il le voulait. Il ne la voyait nulle part.

— C'est comme si c'était un fantôme.

Jefferson s'adossa à la banquette.

— Est-ce le cas ?

— Quoi ?

— Était-ce un fantôme ? reprit Jefferson.

Lawrence s'esclaffa.

— Voyons, Jefferson, de telles choses n'existent pas.

L'expression de Jefferson ne changea pas.

— Tu es assez vieux pour savoir que c'est le contraire.

— Quoi ? Lawrence pouffa, mais en voyant à quel point Jefferson était sérieux, il abandonna sa légèreté. Tu ne crois pas vraiment...

— J'y crois absolument, au contraire. Tous les sages y croient. Il y a plusieurs fantômes qui vont et viennent dans ma maison.

— Et ils te parlent ?

— Périodiquement. La plupart du temps, ils prédisent des événements de l'avenir.

Les yeux de Lawrence s'arrondirent.

— Tout ceci est incroyable.

— Pourquoi, parce que ton père t'a dit que les fantômes n'existent pas ?

— C'est ce qu'il a dit. Mais là n'est pas la question.

Jefferson lança :

— Mon cher, tu découvriras que la plupart des corruptions de cette vie viennent des enseignements de nos proches soi-disant bien intentionnés.

— Est-ce pour cela que tu n'en as pas ?

— Seulement des morts, sourit Jefferson, amusé. Mais je gage que ton fantôme est tout ce qu'il y a de plus vivant.

— Oui, je sentais...

— Qu'est-ce que tu as senti ? demanda Jefferson en se penchant vers lui.

— Je ne sais pas. Elle m'a ébloui avec son regard. Je savais que je la connaissais. Mais il y a plus. Elle était belle, oui, mais j'ai vu de belles femmes en Birmanie, au Maroc, un peu partout. Or, c'était différent. Elle me rappelait quelque chose de délicat. Je ne sais pas. Un rossignol.

— Un rossignol ? Jefferson sentit les poils de sa nuque se hérisser. Bizarre que tu dises cela.

— Pourquoi bizarre ?

— Oh, ça ne voudrait rien dire pour toi. Alors, dis-moi, est-ce que tu as été assez intrigué par cette femme pour partir à sa recherche ?

— Eh bien ! Je ne sais pas si j'irais jusque-là. De toute façon, je ne suis ici que pour une quinzaine. Je repars ensuite.

— Si vite ? Jefferson était visiblement déçu.

— Il le faut. Mère me dit que peu importe la quantité de marchandise que j'achète, elle la vend plus vite que je n'ai le temps de la marchander.

Jefferson éclata de rire.

— Dans ce cas, je vais augmenter la pression. J'ai une pile de commandes dont j'aimerais que tu t'occupes.

— Oh ! La concurrence deviendrait-elle féroce ? s'enquit Lawrence en riant.

— Il le faut ! Le dernier bordeaux que nous avons partagé m'a coûté la peau des fesses.

Lawrence éclata de rire.

— Seigneur ! Comme tu m'as manqué, Jefferson ! Tu n'as pas idée.

— Oh, je peux l'imaginer, répondit celui-ci d'un ton jovial. Viens, allons le boire, ce vin !

* * * *

Yin lança les bâtonnets d'achillée. Il était clair qu'un nouvel amant était sur le point d'entrer dans sa vie. Elle sentait pourtant qu'il était en son pouvoir de s'écarter de lui. Il ne la trouverait jamais dans le quartier chinois. Il n'en connaissait pas les méandres. Elle pouvait s'y cacher aussi longtemps qu'il le faudrait.

Elle s'approcha de la fenêtre de son petit appartement et contempla le ciel nocturne. Elle ne voyait pas les étoiles, seulement son reflet dans la vitre, qui la fixait.

« Ma vie est vide d'amour. Je n'ai pas épousé le bon homme. En retournant sur les quais, je pourrais changer ma destinée. Je pourrais retrouver le fils de Duke. »

Des frissons la parcoururent de la tête aux pieds. Elle serra ses bras autour de son corps.

« Quel genre de destin est-ce que j'apporterais à cet homme, l'ennemi juré de mon époux, si je devais chercher à me faire aimer de lui ? Nan-Yung le tuerait. En dépit de mon attirance, je dois combattre mes sentiments de toute mon âme. »

Yin regarda par la fenêtre elle aurait aimé que les étoiles lui parlent. Ce qu'elles lui dirent la bouleversa.

Elles lui dirent que son destin avait été tracé avant sa naissance. Elle vivrait de la joie. Mais aussi des souffrances. Sa vie ne différerait pas de celle de ses semblables. Elle n'avait qu'un seul choix : vivre.

San Francisco, 1881

Lawrence fit cinq fois le tour du monde avant d'avoir trente-neuf ans. Il ne se maria jamais.

Il chercha l'amour, mais ne sembla jamais trouver de temps à lui consacrer. Il y avait toujours un autre pays exotique à visiter. Un retour à la maison. Un autre départ. L'océan était sa maîtresse, et il n'aurait pu imaginer un autre style de vie.

La société de San Francisco avait énormément changé depuis l'enfance de Lawrence. L'ère des chercheurs d'or indisciplinés qui s'abattaient à grand fracas sur la ville, les poches pleines d'or, était révolue. Durant les années 1870, la ruée vers l'argent avait même fait briller le brouillard de la baie.

La vogue était maintenant aux demeures de conception et à la décoration arabisantes. On voyait des tours fantastiques, des balustrades et des poignées de porte en argent, ainsi que des tapis orientaux, dont la moitié provenait des voyages de Lawrence au Maroc, en Chine et aux Indes.

Ces maisons n'étaient pas des maisons, mais des palais qu'un sultan aurait enviés. Lawrence était plus que ravi de participer à la circulation du flot d'argent qui passait des mines d'argent au grand magasin de sa mère avant de retourner en Orient. Mais, il vieillissait. Le chant de sirène de l'océan s'étiolait. Les nuits à bord n'étaient plus aussi enivrantes qu'elles l'avaient été lorsqu'il était plus jeune. Maintenant, elles n'étaient plus que solitaires. Dernièrement, il avait commencé à penser à ce que ce serait de tomber amoureux et d'avoir des enfants.

Un matin, Caroline lisait le *Daily Morning Call* en prenant son petit-déjeuner, lorsque Lawrence rentra d'une chevauchée sur la plage près du Presidio. Les années de soleil, d'océan et de vent avaient ridé le coin de ses paupières et creusé de profonds sillons de chaque côté de sa bouche. Il n'avait pas encore de cheveux gris, mais le soleil avait illuminé sa chevelure de mèches claires. Il était incroyablement beau et, au vu des sommes faramineuses qu'ils faisaient en cette période, il était aussi incroyablement riche.

— Joins-toi à moi et prends un café, suggéra Caroline en glissant sa main dans la sienne, alors qu'il se penchait pour l'embrasser sur la joue.

— Je vais faire mieux, répliqua-t-il en fonçant sur le buffet et en remplissant une assiette en or d'œufs brouillés, de saucisses, de pâtisseries italiennes et d'une montagne de pommes de terre grillées. Je n'ai pas mangé de repas maison depuis des lustres.

Caroline éclata de rire. Ses cuisines s'enorgueillissaient des trois meilleurs chefs de San Francisco. Il y avait plus de dix ans qu'elle avait cuisiné un repas. Actuellement, ses dîners étaient considérés comme la crème de la crème par la société san franciscaine. Il fallait faire partie de la vieille garde, dont Jefferson et elle, les Richardson et quelques autres se réclamaient encore, ou être membre d'un corps d'élite axé sur le bien public. Par ailleurs, il fallait non seulement être fabuleusement riche, comme les Crocker, mais aussi intensément dévoué à l'érection d'une ville d'avenir.

À l'instar du maire, Thomas H. Selby, des Atherton, des Eyre, des Stanford et de Mark Hopkins et sa femme, Caroline s'investissait comme mécène.

— J'ai acheté un abonnement pour l'opéra. Comme tu es de passage pour quelques semaines, peut-être aimerais-tu voir quelque chose de spécial avant de t'embarquer pour... Elle leva les yeux. Où iras-tu lors de ton prochain voyage?

— À Saint-Pétersbourg.

Elle secoua la tête.

— Penses-tu qu'un jour, tu te poseras quelque part, Lawrence?

Il lui offrit un sourire charmant. Il ne voulait pas qu'elle s'inquiète pour lui c'était déjà bien assez qu'il soit préoccupé par le sujet même qu'elle abordait.

— J'en doute fort, laissa-t-il tomber, parfaitement désinvolte.

Elle poussa un profond soupir, laissa tomber son menton dans sa main et posa son coude sur la table.

— Je n'aurai jamais de petits-enfants, n'est-ce pas?

Lawrence lui fit un sourire diabolique.

— Qui te dit qu'à ce jour, je n'ai pas semé des marmots partout sur la planète?

Caroline écarquilla ses yeux bleus.

— Je n'avais jamais songé à cela. Seigneur Dieu! Ce n'est pas le cas, n'est-ce pas?

Lawrence hurla de rire.

— Pas à ce qu'on m'a rapporté, en tout cas. Je pourrai vérifier la prochaine fois que je serai à Canton.

Caroline agita ses deux mains devant son visage en secouant la tête.

— S'il te plaît. N'en dis pas plus. Je ne veux rien savoir.

— Oh, maman. Je te taquinais. Tu es tellement prévisible. Te rends-tu compte qu'à chacun de mes retours de voyage, tu essaies de me pousser dans les bras d'une jeune vierge sans défense qui papillonne des yeux et halète en bombant la poitrine hors de sa robe largement échancrée, en essayant de me faire tomber à genoux pour lui proposer le mariage?

Il tendit le bras et saisit sa main à la peau douce.

— Mère, je t'aime. Mais je ne suis pas intéressé. Les mondaines qui marivaudent n'ont pas de personnalité. Pas de cœur. Elles sont en quête d'un mari, parce que leur mère leur a dit qu'elles seraient condamnées à une vie de misère à moins d'épouser un homme riche, comme moi.

Caroline frappa la table du plat de la main.

— Elles ne sont pas toutes comme cela ! Je n'ai jamais été comme cela !

Lawrence engloutit une bouchée d'œufs brouillés.

— Nous y voilà ! C'est ta faute si je n'arrive pas à trouver quelqu'un qui me plaît. Le fait d'avoir été élevé par une femme avec un cerveau et une personnalité me nuit pour ce qui est des autres femmes. Maman, il faut voir la vérité en face. Aucune femme ne t'arrive à la cheville.

— Tu dis des choses qui me touchent beaucoup.

Elle fronça les sourcils. Mais cette fois, cela ne fonctionnera pas.

— J'organise ce soir une fête pour célébrer ton retour.

Elle se leva de table et rassembla les pans de sa robe de chambre.

— Sois à la maison à vingt heures.

— Très bien.

— Quoi ? Tu veux dire que tu ne te regimberas pas ? Tu seras à l'heure ?

— Oui, répondit-il, sérieux.

Caroline vit à travers son jeu. Elle posa une main sur la sienne.

— Tu as l'air triste.

— J'ai beaucoup réfléchi à ma vie, dernièrement. Ce que je vais faire avec ce qui en reste. Et pour parler franchement, je ne suis pas tout à fait prêt à repartir courir le monde. J'ai pensé... eh bien... que peut-être...

— J'ai raison, interjeta Caroline.

— Peut-être.

Son sourire était pâle.

Elle posa un baiser sur son front.

— Laisse la nature suivre son cours, Lawrence. Si l'amour doit te trouver, il le fera, mais il faudra que tu sois prêt à l'accueillir.

— Je crois que c'est ce dont je parle. Je suis prêt.

Elle lui sourit pour le réconforter et se releva.

— J'ai une centaine de détails à régler. S'il te plaît, monte voir ton père. Il a encore été malade. Il ne s'est jamais vraiment remis de la pneumonie dont je t'ai parlé dans mes lettres.

Lawrence acquiesça.

— Je suis surpris qu'il sache que je suis rentré.

* * * *

Lawrence cogna à la porte en bois sombre de la chambre à coucher de son père, dont on avait fait une bibliothèque plus de dix ans auparavant.

— Qui est-ce ? La voix de William était faible, rauque et irritée.

— Lawrence.

— Qui ?

— Ton fils, rétorqua Lawrence, révélant une irritation égale à celle de son père.

— Entre, fit William.

Lawrence poussa la porte.

La pièce était plongée dans l'obscurité en dépit du fait qu'on était le matin. De lourds rideaux de velours bleu royal fermaient les fenêtres, et seule la lumière avare d'une très vieille lampe de piètre qualité, à l'huile de baleine, illuminait le fauteuil dans lequel William était assis, une couverture sur les jambes.

Lawrence s'approcha de son père et eut le souffle coupé en constatant à quel point il avait vieilli depuis huit mois. Sa mère avait raison : la pneumonie qui avait affligé William l'hiver précédent avait détruit sa santé. Lawrence soupçonnait même que les poumons de William n'étaient pas guéris.

Un livre comptable reposait sur ses genoux, et une pile de documents et de factures jonchait le sol à ses pieds.

« Que c'est étrange et triste. Toute ma vie, voici la seule image que j'ai eue de mon père. Il a au moins été fidèle à lui-même. Sans cœur, mais inchangé. »

— Bonjour, père.

— Bonjour, Lawrence.

William regarda momentanément son fils, comme on le fait lorsqu'un oiseau glisse devant la fenêtre, puis reprit son travail.

William n'avait rien à dire à son fils unique qu'il n'avait pas vu depuis plus de huit mois. Il ne s'intéressait pas aux lieux que Lawrence avait visités, ni à l'abondante cargaison de marchandises qu'il rapportait du Japon, ni à ce qu'il ressentait, pensait, voulait ou désirait.

« Seigneur, il est pathétique. Comment mère a-t-elle fait pour le supporter toutes ces années ? »

Tout à coup, tandis qu'il dévisageait la coquille de l'homme qui l'avait enfanté, Lawrence fut choqué de constater que d'une certaine manière — de bien des manières, peut-être — il était en train de devenir comme son père.

C'était une révélation extraordinaire, mais vraie !

« J'ai passé ma vie à chercher des lieux et des choses. Pas des gens ! Les relations de père sont avec les chiffres. Les miennes sont avec des biens. Si je ne change pas, je finirai comme lui... sans jamais m'être servi de mon cœur. »

Les mains de Lawrence tremblaient.

— Je vois que je te dérange, père. Je suppose que je ferais mieux de partir. Je reviendrai ce soir pour la fête de mère. Te verrai-je au dîner ?

— Quoi ? Une fête ? C'est le comble ! N'a-t-elle pas conscience du prix que coûtent ces activités idiotes ?

Le front de Lawrence se plissa.

— Le prix ? Tu ne comprends pas que j'ai contribué à faire de nous l'une des familles les plus riches de la ville ? Est-ce que tu ne regardes pas tes livres de comptes ? Nous sommes multimillionnaires ! Mère pourrait donner une fête tous les soirs de la semaine et ne jamais dépenser la fortune que j'ai gagnée. Seigneur, papa ! Elle profite de la vie.

William leva son visage étroit vers son fils et le fixa de ses yeux pâles.

— De quoi parles-tu ? Nous sommes pauvres comme Job.

Lawrence fut frappé d'horreur.

— Mon Dieu, tu es fou. Ou le pire avare qui soit.

— Sors d'ici ! hurla William.

— Avec plaisir, répondit Lawrence poliment avant de tourner les talons.

Le jeune homme referma la porte derrière lui, tira un mouchoir de sa poche et essuya la sueur glacée qui perlait sur son front. Il avait l'impression d'avoir vu son avenir. Il avait toujours cru qu'il était maître de son destin.

— Je ne finirai pas comme lui. Je le jure! songea-t-il en descendant l'escalier. Et mes changements commencent dès ce soir, à la soirée de mère.

Vingt-neuf

« L'amour est l'état où l'homme voit le plus
les choses telles qu'elles ne sont pas. La force
d'illusion y est à son comble, ainsi que la force
d'adoucissement, de transfiguration. Dans l'amour,
on supporte plus que d'habitude, on tolère tout. »

— FRIEDRICH WILHELM NIETZSCHE,
L'ANTÉCHRIST, APHORISME 23

Seigneur, c'est incroyable, mère ! s'exclama Lawrence, debout
près de Caroline, en contemplant les deux cents invités qui se
pressaient dans leur salle de bal.

— Regarde-moi ces garçons, répondit-elle. Ils tombent amoureux
dès qu'une débutante leur sourit.

Il marmonna, plus pour lui-même que pour sa mère :

— Au moins, ils tentent leur chance. Ton verre est vide, ajouta-
t-il, et il chercha du regard un des serveurs en livrée blanche et dorée,
qui circulaient avec leurs plateaux en or chargés de beaux verres en
cristal de Venise, débordant de champagne français.

— Merci, mon chéri, dit Caroline.

Elle tourna les yeux vers Jefferson qui venait d'entrer dans la
salle.

En croisant l'un des serviteurs, Lawrence voulut attraper un verre
au passage, mais suspendit son geste.

— Juste ciel!

La plus belle des jeunes filles qu'il eut vues de sa vie descendait l'escalier en marbre au tapis bleu roi.

Lawrence retint son souffle.

Le jeune homme à côté de lui eut la même réaction.

— C'est un ange, parvint-il à articuler.

— C'est le moins qu'on puisse dire, souffla Lawrence en admirant la belle aux yeux bleus et aux cheveux sombres.

Il l'observa tandis qu'elle examinait la salle et les personnes présentes, comme une reine étudierait ses sujets. Son attitude était à la fois royale et possessive, comme si elle savait qu'elle méritait l'admiration dont elle était l'objet. Elle avait coiffé sa chevelure à l'ancienne ses boucles cascadaient dans son dos et ondulaient de manière séduisante sous l'éclairage au gaz des lustres en laiton, qui tombaient du plafond. La lumière s'accrochait à sa chevelure comme une myriade d'étoiles dans un ciel nocturne. Son visage était la perfection même, doux ovale aux hautes pommettes aristocratiques naturellement teintées d'incarnat. Mais, c'est le sourire qu'elle offrit aux visages adorateurs des jeunes hommes, tout au plus des garçons, de l'avis de Lawrence, qui faillit le faire tomber à genoux. Puis, les yeux de la belle croisèrent ceux de Lawrence.

Il inspira fortement.

Son sourire était doux, et en s'ouvrant, ses lèvres roses et pulpeuses dévoilèrent des dents régulières semblables à des perles immaculées, sorties des fonds les plus rares et les plus profonds de la mer de Chine.

Lawrence déglutit avec peine.

La robe de bal en soie indigo foncé de la jeune fille rappelait à Lawrence les saphirs coûteux qu'il avait achetés en Afrique. Comme la mode imposait aux jeunes filles le port des couleurs pâles, l'audace et l'extravagance de cette tenue étaient humiliantes pour les jeunes filles présentes. Scandaleusement décolleté, le corsage dévoilait de façon théâtrale le renflement d'une poitrine crémeuse aux seins ni trop petits ni trop lourds. La jeune fille avait la taille fine, et à la façon dont le corsage en satin recouvert de soie lisse collait à son corps, Lawrence vit qu'elle ne portait pas de corset comme les autres femmes. Au lieu des boucles d'oreilles en diamants qui étaient la norme en pareille circonstance, elle ne portait que des pendants d'oreilles de perles et un camée sur un ruban de velours bleu roi. Lawrence constata qu'un minuscule manchon de bal était le seul compromis que la jeune fille avait consenti à la parure en vogue.

— Elle ressemble à mère lorsqu'elle était jeune, à l'exception de la chevelure, bien sûr.

« Pouvait-elle être plus parfaite ? »

En tout cas, elle était énigmatique. Ses yeux ombrés de longs cils ne prêtaient pas du tout au flirt. Au lieu de battre des cils et de détourner modestement le regard, elle se concentrait sur le visage de Lawrence, le dévisageant aussi audacieusement que lui. Elle soutenait son regard et se laissait toucher par sa puissance et son énergie. Elle lui sourit de nouveau, mais cette fois, avec un rien d'espièglerie.

Lawrence était follement intrigué.

— Qui est-ce ? demanda-t-il au jeune homme debout à ses côtés.

— Eleanor Baresfield, murmura ce dernier avec de l'admiration dans la voix.

— Je ne connais pas cette famille.

Le jeune homme se tourna vers Lawrence avec une expression de stupéfaction sur le visage.

— Son père a fait fortune dans l'or et l'argent il a tout légué à sa femme en mourant, il y a quatre ans. Toutefois, la rumeur veut que le montant de ses dettes ait été supérieur à celui de ses actifs. Eleanor est très sélective, même quant à qui elle accepte de parler. Elle est hautaine et vit retirée du monde. Sa présence ici ce soir n'est qu'une rigolade je le constate à la robe qu'elle a choisie. Dans cette ville, la plupart des gens la jugent trop rebelle pourtant, on continue de l'inviter aux soirées.

— Je comprends pourquoi. C'est la plus belle femme de toutes celles qui sont ici ce soir.

Tirant sur ses gants blancs, le jeune homme reprit :

— On raconte que l'an dernier, elle a repoussé un prince prussien qui était follement amoureux d'elle. Elle a balayé les sentiments de son prétendant sans aucun remords quand elle a découvert qu'il avait été déshérité par sa famille... à cause d'une divergence de vues politiques.

— Cela ne m'apparaît pas déraisonnable, répondit Lawrence.

Il remercia la chance d'avoir donné à Eleanor le bon sens d'attendre un meilleur parti. En dépit de son obsession pour les voyages, Lawrence avait toujours jugé ridicule cette idée d'épouser un étranger et de partir vivre en Europe le reste de sa vie pour le privilège de porter un titre. Il supposait que cela avait à voir avec le besoin masculin de posséder une femme.

Le jeune homme à ses côtés releva la tête à l'ossature fine et renifla d'un air snob :

— Si vous voulez mon avis, Eleanor a une trop haute opinion d'elle-même.

Lawrence ne put s'empêcher de retenir le sourire ironique qui lui venait aux lèvres.

— Et quand vous a-t-elle repoussé ?

Il s'éloigna tandis que l'orchestre faisait entendre les premières mesures d'une valse.

Il se dirigea vers Eleanor à grands pas décidés sa démarche était celle d'un homme qui approche d'un but qu'il a bien l'intention d'atteindre. À chaque pas qui le rapprochait de la jeune fille, Lawrence sentait une autre paire d'yeux se fixer sur lui. Bientôt, il sentit que plus de la moitié des invités l'observait.

Depuis qu'elle l'avait vu, Eleanor n'avait pas quitté Lawrence une seconde des yeux. Elle l'attendait patiemment, sans céder d'un centimètre. Elle avait l'impression d'être la princesse au sommet de la montagne en verre. Il faudrait que Lawrence escalade un précipice dangereux pour obtenir sa récompense. Et il paierait le prix fort.

Eleanor était grande pour une femme, mais Lawrence la dominait de toute sa stature. Il s'approcha tout près, en faisant fi de l'éloignement que les convenances entre homme et femme exigeaient qu'on respecte. Il voulait se rapprocher d'elle le plus possible sans la prendre dans ses bras. Il voulait sentir les battements de son cœur contre sa poitrine. C'est pourquoi il lui demanda :

— Aimeriez-vous danser avec moi ou votre carnet de bal est-il déjà plein ?

— Vous savez parfaitement que je viens juste d'arriver, monsieur Mansfield.

— Vous savez qui je suis ? Nous n'avons pas encore été présentés.

Une ombre passa dans ses yeux bleus, mais son visage resta impassible.

— Vous me brisez le cœur, monsieur. Vous ne vous souvenez pas de moi, n'est-ce pas?

— Me souvenir de vous?

Lawrence savait que seule une vision née de son imagination se rapprochait d'une beauté comme la sienne.

— Nous nous connaissons?

Son rire était comme une pluie paisible. Ses yeux pétillèrent comme des arcs-en-ciel chatoyants.

— Oh, Lawrence! Je suis amoureuse de vous depuis la première fois que je vous ai vu au magasin de votre mère, il y a plus de douze ans.

— Amoureuse de moi?

D'abord stupéfait, il sourit. C'était peut-être un nouveau stratagème de coquette avec lequel il n'était pas familier. Il choisit de se montrer circonspect.

— Vous n'étiez qu'une enfant, à l'époque. Et vous vous montrez aujourd'hui encore plus effrontée que ce qu'on m'a rapporté sur vous.

— Franche, Lawrence. Je suis franche. Il y a une différence.

— Dites-moi comment je vous ai ignorée aussi cavalièrement, la pressa-t-il.

— Vous reveniez d'un de vos voyages exotiques, et je faisais des courses en compagnie de ma mère. J'ai fait semblant d'examiner des boîtes de chocolats anglais.

— Belges, corrigea-t-il.

Elle sourit.

— En fait, j'écoutais la conversation fascinante que vous aviez avec votre mère. J'étais captivée par vos histoires sur l'Orient et par ce voyage que vous aviez fait dans l'Himalaya. Seigneur! Quelle vie excitante vous avez menée.

— J'aime à le penser, murmura-t-il séducteur en rapprochant son visage plus près du sien pour humer son parfum.

— Cependant, vous avez raison. Je n'étais qu'une enfant, et vous aviez vingt-sept ans. Je n'avais pas d'autre choix que de vieillir en espérant de vous faire tomber amoureux de moi le jour où je vous reverrais.

— Seigneur, mais, c'est que vous êtes audacieuse. Qu'en dit votre mère?

— Elle n'en sait rien. Par ailleurs, vous dites cela uniquement parce que vous constatez que je suis différente.

— Eh bien... oui. J'ai peu de rapports avec les égocentriques qui font plus de cas de l'opinion d'autrui que de ce qu'ils souhaitent obtenir pour eux-mêmes.

— Nous nous ressemblons en ce cas, répondit-elle.

— J'imagine, acquiesça-t-il.

Eleanor poursuivit :

— J'ai entendu dire que vous étiez à San Francisco aussi, en recevant l'invitation de votre mère, j'ai compris que le moment était venu pour moi de vous revoir avant votre départ pour un autre voyage. Franchement, je ne pensais pas pouvoir vous attendre plus longtemps.

— Plus longtemps? Quel âge avez-vous, Eleanor?

— Dix-neuf ans.

— Vous êtes si vieille que cela? la taquina-t-il.

Il savait qu'elle dépassait l'âge considéré comme «idéal» pour le mariage d'une jeune fille. Néanmoins, elle était d'une beauté remarquable, ce type de beauté intemporelle qui faisait que les hommes la désireraient encore lorsqu'elle serait une vieille femme.

— Vous me raillez, Lawrence, alors que vous devriez me prendre dans vos bras et danser avec moi.

— Êtes-vous toujours aussi hardie, Eleanor?

Il lui offrit le bras et se tournant vers la salle, la conduisit sur le plancher de danse. Il était conscient que son geste avait anéanti l'espoir de deux douzaines d'adolescents boutonneux.

— Oui, toujours, dit-elle fièrement en relevant son nez droit et aristocratique. Je suis fière d'avouer que je fais régulièrement honte à ma mère.

Lawrence rugit de rire, puis il l'enlaça fermement alors qu'ils rejoignirent les autres danseurs. La tenir serrée contre lui le rendait presque fou de désir. Il huma son parfum et se laissa griser. Certes, le vin et la musique l'enivraient, mais il était surtout ivre d'Eleanor.

Tout en dansant, il se demanda ce qu'il ressentirait à la tenir nue contre lui. Il se demanda si elle serait assez osée pour lui faire l'amour sous les étoiles, par une nuit torride d'été, la brise caressant leur peau. Il se demanda si une fois au lit, elle s'offrirait à lui aussi volontiers qu'elle le faisait maintenant.

— Ne me regardez pas ainsi, Eleanor.

— Comment est-ce que je vous regarde, Lawrence?

— Comme si j'étais le seul homme sur terre.

— Pourquoi est-ce un problème?

— Parce que je ne suis pas un enfant. Je suis un homme adulte, et je n'ai pas le temps de folâtrer.

— Bien. Encore une fois, nous nous ressemblons. Je ne folâtre pas. Je suis sérieuse.

— Je n'ai jamais aimé l'idée de vivre à San Francisco, avec la ville qui observe chacun de mes mouvements. J'ai toujours aimé l'aventure. Désiré l'aventure.

— Je désire aussi beaucoup de choses, Lawrence, répliqua-t-elle d'un ton séducteur. Mais, c'est ici que je vis. Je ne veux vivre nulle part ailleurs. Par conséquent, si c'est ce que vous voulez, vous feriez mieux de partir immédiatement.

— J'aime te tenir dans mes bras, murmura-t-il en l'attirant plus près.

Son sang s'échauffait de plus en plus.

— J'aime encore plus que tu le fasses, souffla-t-elle en pressant son bassin contre le sien.

«Elle me met au défi.»

Soudain, la vision de William assis dans sa chambre obscure, en train de compter son argent et de perdre la raison, traversa l'esprit de Lawrence.

Il baissa les yeux vers les lumières qui dansaient dans les magnifiques yeux bleus d'Eleanor et lui demanda :

— Si tu pouvais aller n'importe où dans le monde, disons en voyage de noces par exemple, quel serait ton fantasme?

Ses paupières voilèrent modestement son regard, et ses cils tracèrent de longues ombres sur ses joues. Puis, elle leva la tête et dévisagea intensément Lawrence. Elle le rejoignit sur la plaine de son âme.

— Tahiti, répondit-elle. J'aimerais voir le soleil se coucher à Tahiti.

Il pressa la paume de sa main dans le creux du dos de la jeune fille, écrasant sa poitrine contre son torse.

— J'aimerais te revoir demain, Eleanor.

Elle eut un rire léger, et sa voix se mêla aux accents du violon.

— Quoi? Et pas le jour suivant? Et le jour d'ensuite?

Le visage de Lawrence était sérieux le jeune homme n'était pas conscient que ses yeux avaient pris une lueur possessive.

— Oui, ceux-là aussi.

Élégante dans sa robe de haute couture française, en taffetas recouvert de soie bourgogne foncé comme le vin, Caroline sourit à Jefferson et accepta la flûte de champagne qu'il lui tendait. Comme d'habitude, William était resté dans ses appartements, refusant d'être l'hôte de la soirée donnée chez lui.

Au fil des ans, la plupart des amis de Caroline s'étaient habitués à ce que Jefferson assume le rôle d'hôte et d'accompagnateur en société. Ils ne faisaient plus courir de rumeurs sur leur liaison. Depuis toutes ces années, l'estime et l'affection qui liaient Jefferson et Caroline s'étaient tellement approfondies que plusieurs des membres de la vieille garde les considéraient comme mariés, d'une certaine façon. Quant aux nouveaux venus, s'ils jugeaient leur relation étrange, ils l'acceptaient.

— Tes yeux trahissent trop tes sentiments, Caroline, l'avertit Jefferson en la regardant observer l'échange entre son fils et Eleanor Baresfield.

Caroline toucha la main de Jefferson comme chaque fois, il sentit un courant électrique remonter son bras. Elle était aussi belle que le jour de leur première rencontre. À ses yeux, ses cheveux platine n'avaient pas changé, même si Caroline prétendait qu'ils étaient devenus gris. Ses yeux irradiaient toujours l'amour lorsqu'elle le regardait, en dépit des fines ridules de tristesse, de joie et de force de caractère qui marquaient son visage. Elle avait soixante-quatre ans et en paraissait vingt de moins. Elle avait confié à Jefferson qu'elle avait commencé à vingt ans à s'hydrater le visage avec de coûteuses crèmes françaises comme elle les achetait en gros, elle ne lésinait pas sur leur utilisation. Il devait convenir que les indulgences personnelles de Caroline avaient non seulement fait des envieuses parmi les femmes de San Francisco, même les plus jeunes, mais qu'elles avaient aussi énormément moussé les ventes de son grand magasin.

Caroline confia ce qui l'agitait à Jefferson :

— J'aurais souhaité que le choix de Lawrence se porte sur une autre femme qu'Eleanor Baresfield.

— Mon amour, murmura-t-il, plein de douceur. Nous savons tous les deux qu'Eleanor a depuis longtemps des visées sur Lawrence.

Caroline n'aimait pas l'idée, mais savait qu'il avait raison. Chaque fois que la jeune fille venait au magasin et croisait Caroline, elle lui demandait des nouvelles de Lawrence. Caroline avait remarqué que la jeune Eleanor réagissait aux récits des voyages de Lawrence avec curiosité et parfois même avec une fascination insatiable, en posant d'innombrables questions. Lawrence n'avait jamais démontré de l'intérêt pour les femmes de San Francisco. Caroline avait envoyé l'invitation à Eleanor après coup c'était le genre de geste spontané qu'on pose en réaction à la petite, mais très distincte, voix de l'inspiration.

Cependant, Eleanor était aujourd'hui sans fortune et parmi les matrones de San Francisco, plusieurs avaient confié à Caroline que la jeune fille planifiait ses marivaudages comme un général prépare ses combats. Comme ses parents étaient morts et que Gertrude, sa mère avare et dépourvue de goût, avait depuis longtemps dilapidé la fortune de son mari, Eleanor avait appris à budgétiser le peu d'argent qui lui restait, à l'investir le plus sagement possible et à vivre avec la rente modeste que lui versait son avocat. Caroline devait admettre qu'elle admirait la jeune fille pour son sens des responsabilités, mais elle se méfiait d'elle en raison des rumeurs qui circulaient sur son compte.

Madame James Flood n'avait-elle pas déclaré que la jeune Eleanor «avait une pierre à la place du cœur»?

Et l'an dernier, madame Charles Crocker n'avait-elle pas confié à Caroline que la jeune fille avait brisé des dizaines de cœurs parce qu'elle évalue les hommes à l'importance de leurs avoirs?

D'après Caroline, Eleanor était amoureuse de Lawrence : par conséquent, elle rejetterait tous les prétendants. Elle attendrait Lawrence. Caroline se souvenait d'avoir répondu aux accusations qui fusaient par la vérité :

— C'est une survivante. Elle doit se montrer sensée et penser à son avenir. Je ne vois rien de mal à cela.

Caroline voulait le bonheur de Lawrence. Or, son intuition lui soufflait que de tous les célibataires réunis dans la salle, Lawrence était l'un des plus riches et, même s'il avait vingt ans de plus qu'Eleanor, le plus beau.

— Penses-y, Jefferson. S'ils se marient, nous serons grands-parents.

— C'est écrit, mon amour. Ils auront une fille. Ils l'appelleront Barbara.

— Oui, répondit-elle en détournant son regard de Jefferson et se tournant vers Lawrence. Ce sera exactement comme Rachel l'a prédit. L'ordre divin règnera en tout, n'est-ce pas?

— Toujours, mon amour. Toujours.

Livre 4

La maison de toutes
les maisons

Trente

« Le soleil, la lune et les étoiles
auraient disparu il y a longtemps... s'ils s'étaient
trouvés à la portée des mains prédatrices
des humains[33]. »

— HAVELOCK ELLIS,
LA DANSE DE LA VIE

Le 11 décembre 1881, Eleanor et Lawrence Mansfield devinrent les heureux parents d'une petite fille qu'ils prénommèrent Barbara. La délivrance de la mère se déroula presque sans douleurs.

Lawrence tendit un cigare à Jefferson.

— Tiens. Il vient de La Havane. Et le cognac est du Louis XIII. Le meilleur. Rien que le meilleur pour moi, ce soir.

— Je suis si fier de toi, Lawrence. Elle est incroyable. « Comme je savais que serait ma petite-fille. »

Lawrence avala son cognac d'un coup.

— Prendrais-tu un verre de champagne ? J'en ai rapporté de Paris.

— Tu devrais ralentir la cadence, fiston. Tu ne veux pas te soûler le soir de la naissance de ta fille.

— Et pourquoi pas ? demanda Lawrence.

Il fit sauter le bouchon de la bouteille et versa le champagne qui déborda de sa coupe.

---

33. N.d.T.: Traduction libre.

— Je te connais mieux que n'importe qui, dit Jefferson en prenant la flûte que Lawrence lui tendait. Qu'est-ce qui se passe ?

Lawrence prit une bonne gorgée de champagne.

— Tu ne diras rien à mère ?

— Pas un mot.

— Vraiment ? Je pensais que tu lui disais tout.

— Tout ? Non. J'ai des secrets dont elle ne sait rien.

Jefferson baissa les yeux.

C'était à son tour de faire cul sec.

— Verse-m'en encore, dit-il.

Lawrence s'exécuta.

— Eleanor ne veut plus faire l'amour avec moi depuis notre voyage de noces. C'est là qu'elle est tombée enceinte. Elle est en colère contre moi depuis.

— Dieu du ciel, mais pourquoi ?

— Elle dit que le bébé déformera sa silhouette. Il semble que ses jolies robes parisiennes soient plus importantes à ses yeux que le bébé.

L'air sérieux, il baissa les yeux sur son verre.

— Ou moi.

— Je vois.

— Ironique, n'est-ce pas ? Tu as toujours aimé ma mère et tu n'as jamais pu l'épouser. Et j'ai épousé Eleanor, mais je ne peux pas faire l'amour avec elle...

— Ni l'aimer ? insista Jefferson.

— Non plus, répondit Lawrence d'un ton morose.

— Ce n'est pas bon, dit Jefferson.

— As-tu un conseil à me donner ?

Le sourire de Lawrence était ironique.

Jefferson soutint son regard.

— Pas un seul.

— J'imagine que je n'ai qu'un choix : accepter la situation avec philosophie. Barbara est ma seule chance de faire ma marque dans le monde. Je suppose que ce n'est pas rien, non ?

Le regard que Jefferson posa sur son fils exprimait l'affection :

— C'est énorme, Lawrence. Tu n'as pas idée.

* * * *

Caroline grimpa l'escalier trop vite : elle courait annoncer la nouvelle de la naissance du bébé à William. Soudain, elle ressentit une douleur à la poitrine, comme si quelqu'un s'était assis sur son cœur. Elle n'arrivait pas à reprendre son souffle. Elle s'arrêta à mi-chemin de l'escalier et s'accrocha à la rampe. Ses genoux la trahirent. Elle se retrouva assise sur une marche. Elle pressa une main sur son front et constata qu'il était couvert de sueur froide. «Qu'est-ce qui m'arrive?»

La nuit était avancée, et le personnel de cuisine était rentré chez lui. Le majordome et la gouvernante étaient les seuls domestiques à habiter la maison avec William et Caroline, mais ils dormaient depuis un bon moment. En effet, Caroline leur avait ordonné d'aller au lit, tandis qu'elle attendait la naissance de sa petite-fille, en leur disant que «les accouchements sont parfois très longs».

Comme le quartier des domestiques était situé à l'autre bout de la maison et deux étages au-dessus d'où elle était, Caroline doutait qu'on l'entende, même si elle avait la force d'appeler à l'aide.

Elle inspira profondément une première fois. Puis une seconde. On aurait dit que tout se déroulait au ralenti. Elle observa les particules de poussière qui dansaient dans le clair de lune filtrant à travers le vitrail plombé de la fenêtre du palier. Elle entendait le tic-tac de l'horloge de parquet dans le corridor à l'étage, mais le son était étrange, comme si on frappait sur un gong au ralenti. Elle avait la sensation que l'escalier ondulait sous elle, comme le sol au moment d'un séisme.

Mais Caroline savait que l'éruption n'était pas à l'extérieur. Elle se produisait en elle. Pour la première fois de sa vie, elle eut peur.

Elle n'avait pas peur de la mort : elle avait peur de ne pas avoir une journée de plus pour aimer Jefferson, Lawrence et maintenant... l'enfant.

Caroline pressa une main contre son cœur et lui ordonna de se guérir.

— Je ne peux pas mourir maintenant! Pas quand j'ai tout ce que j'ai toujours souhaité!

Elle appuya son visage contre l'une des colonnes de la rampe et sentit un flot de larmes couler sur ses joues.

— Je ne suis pas prête à partir. Je ne partirai pas. Pas encore.

Caroline se donna une demi-heure pour calmer son cœur et faire disparaître la douleur. Ensuite, elle se remit debout. Elle se rendit compte qu'elle avait le pied remarquablement sûr.

— Ce n'était peut-être pas mon cœur après tout, songea-t-elle en se dirigeant vers la chambre de William.

Elle ouvrit la porte et découvrit son mari affalé sur son siège, la lumière allumée.

Elle pénétra dans la pièce, mais avant même d'avoir franchi la moitié de la distance qui la séparait de William, elle comprit que quelque chose n'allait pas. Il y avait dans l'air un froid glacial qui atteignait son âme, mais pas sa peau.

— William?

Silence.

Elle s'approcha encore et souleva la main de son mari. Elle était encore tiède. Elle la replaça sur le livre comptable et baissa les yeux sur le corps sans vie.

— Il reste le même dans la mort que dans la vie. Pauvre homme. Il n'a jamais vraiment vécu.

Elle ne ressentait rien pour William. Elle avait renoncé depuis longtemps à essayer de le toucher émotionnellement. Il ne lui avait rien offert, et elle ne lui avait rien donné en retour.

Elle fut surprise de constater qu'une larme solitaire roulait sur sa joue. Elle ne s'était pas attendue à pleurer son mari. Puis, elle prit conscience qu'elle ne pleurait pas sur William, mais sur elle : elle avait gaspillé sa vie en restant mariée à cet homme, alors qu'elle aurait pu épouser Jefferson, l'homme qu'elle aimait.

Elle sortit de la pièce et ferma la porte, mais laissa la lumière allumée.

En fin de compte, elle serait obligée de réveiller les domestiques.

« Mais je ne resterai pas une nuit de plus dans cette maison. Je veux me réveiller dans les bras de Jefferson. Je rentre enfin chez moi. »

Quartier chinois, 1881

À la même heure, mais cinq minutes après la naissance de Barbara Mansfield, Chen Su vit le jour dans les catacombes du quartier chinois. L'enfant était la fille de Lon Su et de Ling Yutang. Personne n'assista à sa naissance à l'exception de Yin.

Yin s'acquitta de ses tâches de sage-femme et de belle-mère. Elle avait annoncé à son fils que son septième enfant ne serait pas le fils qu'il espérait et dont il avait besoin.

— J'en ai assez de tes prédictions, mère, avait répondu Lon Su. Si cet enfant n'est pas un garçon, tu peux t'en débarrasser, pour ce que cela me fait. J'ai des choses plus importantes à m'occuper. Mon père a besoin de moi.

— Ton père se sert de toi.

— Il me respecterait davantage si j'avais un fils, répondit Lon, d'un ton chargé de colère.

— Quand comprendras-tu que ton père ne respecte personne? Pas même lui. Son cœur est rempli de haine. Et tu suis bien ses traces. Je vois que ton avenir sera malheureux.

Le visage de Lon Su grimaça de frustration et d'amertume.

— Je ne veux pas entendre tes prédictions, vieille femme. J'ai besoin d'un fils!

— Cette enfant est une personne très importante. C'est à cause d'elle que je suis venue dans ce pays. Elle est ma destinée. Et la tienne.

— Bah! Paroles de femmes. Garde-les pour tes clientes!

Il s'élança hors de la maison avant que Yin puisse répondre.

Comme Yin l'avait prédit à Ling, Chen était née «coiffée». Cela signifiait qu'elle avait le même don de prophétie que celui qui avait guidé le cours de la vie de Yin.

Ling Yutang ne possédait rien de la débrouillardise que Yin avait cultivée toute sa vie. Elle était dirigée par Lon, presque son esclave, prisonnière de ses exigences et de ses désirs.

— Je vous admire, Yin, dit-elle en entendant la dispute entre Yin et Lon Su. Mais pourquoi comploter contre Nan-Yung et faire des plans si vous ne pouvez jamais vous échapper de la maison des Su?

Yin avait plusieurs fois admonesté Ling Yutang:

— L'esclavage est un état d'esprit. Personne ne contrôle ce que je pense, ni ce que je fais. Personne ne peut empêcher mes visions de se produire. Je suis bénie en ce sens.

Mais Ling Yutang avait répondu:

— C'est difficile pour moi de comprendre.

Yin sourit à la petite fille qui venait de naître.

— Chen comprendra. Ce n'est peut-être pas le combat que tu dois mener. Lorsqu'elle aura grandi, Chen comprendra beaucoup de choses. Elle pourra peut-être faire une différence pour notre peuple, les aider à comprendre que la peur et la haine causent réellement la disharmonie au cœur de la terre, comme les anciens sages l'affirmaient. Je suis vieille. J'échoue dans ma lutte contre Nan-Yung. Il crée son propre mal. Il pense qu'il est puissant, mais il ne comprend pas qu'il est à l'agonie.

Elle baissa de nouveau les yeux sur le bébé. Chen parut sentir les yeux de sa grand-mère, car elle lui rendit son regard. Yin savait que la petite ne pouvait pas encore voir avec ses yeux, mais elle savait qu'elle «voyait» déjà avec son cœur.

— Cette enfant m'apporte un nouvel espoir : non seulement «ma» lignée se perpétuera, mais elle s'épanouira et survivra au mal qui court dans le sang de Nan-Yung. Tu verras, Ling : Chen n'est pas une enfant ordinaire. Personne ne lui arrivera à la cheville. Elle sera unique parmi les femmes.

Ling se détourna du regard hypnotique de sa fille nouvellement née.

— Mon seul souhait est qu'elle soit heureuse.

Yin hocha la tête.

— Elle sera heureuse, mais pas avec un Oriental. Il sera blanc.

Ling se mit à pleurer

— Vous n'auriez rien pu m'annoncer de pire.

Yin se contenta de sourire.

— Tu es comme ma fille, mais ta vision ne voyage qu'à la surface des eaux.

Yin déposa le bébé à côté de Ling et caressa doucement le front de sa belle-fille.

— Ne crains rien quant à son destin. C'est toi que tu dois protéger. Maintenant, repose-toi.

Yin chanta une vieille berceuse dont elle gardait le souvenir de sa vie dans les murs de la Cité interdite. Lorsque Ling fut endormie, elle quitta la pièce et ferma doucement la porte.

14 février 1882

Jefferson Duke choisit d'être l'hôte de la fête organisée pour le baptême de Barbara. Épuisée et surmenée par la naissance de l'enfant et les soins à lui donner, en dépit des domestiques et de la nounou anglaise que Lawrence avait engagée, Eleanor laissa Jefferson se charger de la planification de la fête prévue pour quatre cent cinquante invités.

Aucune demeure ne surpassait en taille, en élégance ou en ameublement la résidence de Jefferson, sur Nob Hill. Comme il ne s'était pas marié, Jefferson n'avait jamais eu l'occasion d'organiser une réception aussi somptueuse : il se dit que c'était son tour de se montrer extravagant.

Il importa donc pour la fête des vins de France, du whisky d'Écosse et de la vodka de Russie. Il augmenta à quinze le nombre d'employés en cuisine chargés de préparer les pâtisseries, tartes et gâteaux dont on aurait besoin. On fit fumer et griller des cailles, des canards, des dindes et de la venaison on fit rôtir des porcs et trois bœufs entiers dans des fosses creusées derrière la maison. Des boisseaux de fruits et de légumes furent acheminés par bateau de la Californie du Sud. Plus de trois charges complètes de glace furent nécessaires pour garder au frais le saumon et le crabe des neiges.

Jefferson monopolisa presque toutes les serres de la région de la baie qui durent livrer des arrangements floraux, des fougères entières, des palmiers rares, des lits de mousse et de longues guirlandes de lierre et de roses dont on drapa les tables rondes aux nappes de lin blanc, les escaliers et le plafond de la salle de bal.

Les domestiques de la maison passèrent des semaines à nettoyer les prismes en cristal des vingt-six chandeliers de la résidence, à polir marqueteries et parquets, et à épousseter les cadres dorés de la vaste collection de toiles de Jefferson, toutes de nouveaux artistes français comme Édouard Manet et Pierre-Auguste Renoir.

La seule ombre à la joie et à l'exubérance de Jefferson était le fait qu'il ne pouvait présenter publiquement Barbara Mansfield comme la première de ses petits-enfants.

Étant donné que William Mansfield avait vécu en reclus durant plus de quinze ans, la plupart des résidents de la ville avaient à peine eu conscience de son décès. Par conséquent, peu de gens avaient commenté le fait que Caroline ne respectait pas l'étiquette du deuil. Elle ne portait pas de noir et acceptait les invitations aux soirées, aux dîners et aux bals. De fait, elle se lança avec fougue dans la gaieté de la saison des Fêtes, vêtue de robes de bal et de tenues hivernales tout juste arrivées de France et acceptant de bonne grâce de parader au bras de Jefferson, chaque fois qu'il le lui demandait.

Pour la fête du baptême, Caroline choisit une robe particulièrement impressionnante en épaisse soie bronze, à la tournure et à l'ourlet ornés de rosettes en soie or. Elle coiffa sa chevelure platine en chignon haut entouré de perles or et bronze. Elle dansa jusqu'à minuit et laissa Jefferson la serrer autant qu'il le voulait dans ses bras.

Étant trop jeune pour avoir entendu les vieilles rumeurs qui avaient déjà circulé sur Caroline et Jefferson, Eleanor fut choquée.

Elle portait une robe deux tons en soie rose et satin rose anglais l'ourlet de la robe et de la courte traîne était orné de guirlandes de violettes pourpres peintes à la main. En compagnie des filles Sperry et de leur mère, elle les écouta discuter de la conduite scandaleuse de leur hôte. Elle s'excusa poliment et se dirigea sur-le-champ vers son mari.

Tout en s'éventant avec un éventail doré décoré de roses rose, elle lui lança d'un ton troublé :

— Lawrence, je viens d'entendre quelque chose d'absolument scandaleux sur ta mère et Jefferson.

Lawrence glissa nonchalamment un bras autour de la taille d'Eleanor et embrassa sa joue suave. Dans son for intérieur, il sourit.

— C'est vrai, fit-il fièrement.

— Quoi ? Le choc d'Eleanor se transforma en horreur. Tu n'es pas sérieux !

— Elle l'aime depuis que je suis bébé. Et il l'aime. Je n'étais qu'un garçon quand j'ai confronté Jefferson sur la question. Il m'a confirmé les sentiments qu'il éprouvait pour mère, expliqua Lawrence.

— Mais, c'est épouvantable ! Comment allons-nous survivre à un tel scandale ? Regarde-les. Ils se conduisent comme de jeunes amoureux. À leur âge. C'est révoltant !

— C'est magnifique, rétorqua Lawrence, laissant paraître sa colère qui grandissait devant l'intolérance de sa femme. Je considère que leur amour est profond, loyal et durable. Mère a sacrifié son amour pour mon père, l'homme le plus égoïste et le plus mesquin que j'ai probablement jamais connu. Elle mérite le bonheur que je vois dans ses yeux ce soir, Eleanor.

Sa voix se fit sévère. Autoritaire.

— Si tu dis ou fais quoi que ce soit pour voler ce moment à ma mère, je te ferai personnellement quitter cette maison.

Eleanor était furieuse.

— Tu agis comme si les sentiments de Jefferson étaient plus importants que les miens pour toi.

Lawrence termina son verre de vin et foudroya sa femme du regard.

— Même en ce moment, tu me défends ton lit. Tu m'as fermé ton cœur, et j'en arrive à me demander si je n'ai jamais été uni à toi. J'admets que lorsque nous avons fait connaissance, mon bon sens a été momentanément émoussé par ton incroyable beauté et ta franchise. Ce n'est la faute de personne si je t'ai épousée si vite. Seulement la mienne.

Il fit silence un moment, songeur, avant de poursuivre :

— Cependant, entends-moi bien. Les sentiments de Jefferson et ceux de ma mère *ont plus d'importance* pour moi que ton ego.

Eleanor releva son nez admirable et rejeta en arrière ses épaules d'albâtre à la rondeur exquise.

— N'oublie pas que n'était-ce de moi, tu n'aurais pas ta précieuse fille qui, en passant, est l'objet de cette fête.

— J'entends bien, Eleanor. Mais c'est aussi ma fille. Ne l'oublie pas.

Les yeux de la jeune femme se plissèrent elle retourna dans son esprit les plans qui lui permettraient de rendre la monnaie de sa pièce à son mari. Elle n'était pas prête à le laisser s'en tirer à si bon compte après des paroles aussi mesquines et aussi blessantes.

— Je n'oublierai pas, Lawrence. Sois-en assuré !

Elle fit volte-face et s'éloigna, en cherchant du regard l'un des beaux et jeunes soupirants qu'elle avait éconduits, ces dernières années, et qui étaient toujours impatients de danser avec elle.

Jefferson serra Caroline contre lui et murmura :

— Tu ne peux pas savoir à quel point j'ai envie de grimper cet escalier avec toi et de défaire, une à une, les agrafes qui ferment ta robe. Je veux te voir sous le clair de lune. Je veux être en toi, là où est ma place.

— Et nos invités ?

— Je te taquinais. Mais plus tard...

Il l'embrassa au creux du cou.

— Épouse-moi, Caroline. Rien ne nous arrête, maintenant.

Elle s'agrippa à son dos et sentit des larmes de joie lui monter aux yeux.

— Oui, Jefferson. Je veux bien t'épouser.

Il était tellement habitué qu'elle refuse qu'il s'arrêta net de valser, et si brusquement que le couple qui les suivait les percuta.

— Désolé, pardon ? lâcha-t-il, non pas à l'adresse de l'homme qui venait de le heurter, mais à celle de Caroline. Tu veux bien ? ajouta-t-il.

Caroline éclata de rire.

— Il n'y a rien que je veuille davantage.

Il la souleva du sol. S'il avait été plus jeune, il l'aurait fait tourbillonner dans ses bras.

— Tu veux bien ! Tu veux bien m'épouser !

Il cria assez fort pour qu'on l'entende par-dessus la musique. La moitié des danseurs s'arrêta et échangea des regards curieux, mais une fois qu'on eut saisi ce qui arrivait, on se mit à applaudir. Les personnes à la périphérie du plancher de danse apprirent la nouvelle par celles qui entouraient Jefferson et Caroline. La demande en mariage eut bientôt fait le tour de la salle de bal. Il y eut un tonnerre d'applaudissements.

Caroline se tourna et sourit à ses amis lorsqu'elle regarda Jefferson, il la prit dans ses bras et l'embrassa longuement et ardemment, avec toute la passion et tout l'amour qu'il portait dans son cœur. Caroline glissa langoureusement ses bras autour de son cou et savoura leur premier baiser en public.

Eleanor fut la seule à désapprouver l'heureux couple. Son mari ne manqua pas de remarquer son dédain, mais choisit de faire fi de sa réaction. Il s'éloigna d'elle et s'approcha de sa mère et de Jefferson. Il les entoura de ses bras, leur accordant ainsi publiquement sa bénédiction.

Il se tourna vers la foule et déclara :

— Mon seul vœu pour ma mère et Jefferson est qu'ils n'attendent pas une minute de plus pour se marier. Y a-t-il un prêtre dans la salle ?

La foule éclata de rire, puis les invités s'approchèrent de Jefferson et de Caroline pour les féliciter.

Eleanor était furieuse que Caroline leur ait volé la vedette, à elle et à son bébé. La petite Barbara avait été présentée aux invités à vingt-et-une heures chacun avait pu l'admirer avant qu'elle retourne à l'étage avec sa nounou. Eleanor avait été laissée pour compte, même par son mari, et elle n'aimait pas cela du tout.

— Tu me le paieras, Jefferson Duke, se jura-t-elle, tandis qu'un autre couple passait devant elle pour aller offrir ses vœux de bonheur à Jefferson et à Caroline.

* * * *

Jefferson pressa son visage contre le sein de Caroline et en suça goulûment le mamelon. Caroline enfonça ses mains dans l'épaisse chevelure de son amant et le pressa contre elle.

— Comment t'y prends-tu pour que j'aie toujours le sentiment d'être une jeune fille avec toi? gémit-elle tandis que la main de Jefferson glissait le long de son ventre.

— Je t'aime, souffla-t-il, plein de ferveur. Je t'aimerai jusqu'au jour de ma mort, et même après.

Il s'allongea sur elle et la pénétra. Il enfouit son visage au creux de son cou et sentit la masse argentée de sa chevelure couler sur son épaule comme l'eau cascadant d'une falaise. Il l'amena jusqu'à l'extase, et ils crièrent ensemble leur ravissement.

Jefferson entoura Caroline de ses bras.

— C'est merveilleux de savoir que nous n'avons plus besoin de rester dans l'ombre. Si tu le veux, tu peux rester dans mes bras toute la nuit et toute la journée de demain.

— Je sais, soupira-t-elle. La vie a de drôles de retournements. Je n'avais jamais pensé que je méritais autant de bonheur.

— Comme c'est triste, mon amour. Il écarta une boucle de cheveux de sa joue. Cela explique peut-être pourquoi nous n'avons pu être ensemble avant aujourd'hui. Rappelle-toi ce que ma mère disait toujours : les pensées sont de la matière.

Elle bâilla :

— Peut-être qu'il y a de cela.

— Dors bien, ma chérie. Fais de beaux rêves.

Jefferson ferma les yeux.

Alors qu'il était loin dans les dimensions altérées de ses rêves, Jefferson constata qu'il était en Jamaïque, assis à côté de la cascade que sa mère, Rachel, lui avait décrite lorsqu'il était enfant. Le chant de l'eau qui cascadait par-dessus les rochers était un murmure. Sa grand-mère Yuala était assise au pied des rochers. Elle avait les traits d'une enfant. Elle tendit la main à Jefferson et l'invita à s'approcher d'elle.

— Tu es ma chair et mon sang, dit-elle, et parce que nous ne formons qu'un seul cœur, j'ai choisi d'être avec toi dans ce moment de tristesse.

Jefferson sourit :

— Tu fais erreur. Je n'ai jamais été aussi heureux de toute ma vie.

Les yeux sombres que Yuala levait vers lui étaient remplis d'un profond chagrin. Elle leva la main pour caresser la joue de son petit-fils.

— Je viens à toi uniquement pour que tu saches que tu n'es pas seul. Tu ne seras jamais seul. Ta mère est avec moi.

Tout à coup, Rachel se matérialisa à côté de la cascade, dans une robe de lumière dorée étincelante. Jefferson inspira fortement. Il y avait très longtemps que Rachel lui avait rendu visite.

Elle lui dit :

— Je suis venu te dire que je t'aime, Jefferson. Écoute ma mère.

Yuala leva l'autre main et la tendit vers la droite. Caroline sortit des ombres à la périphérie du rêve de Jefferson et s'avança. Elle était redevenue jeune, comme au jour de leur première rencontre. Sa chevelure brillait comme la pleine lune, et ses yeux bleus irradiaient une clarté stellaire. Elle offrit à Jefferson un sourire dont la sérénité, il le comprit, n'était pas de ce monde.

— Je t'aime, Jefferson. Je reste avec toi, comme ta mère et ta grand-mère. Ne doute jamais de mon amour pour toi. Jamais. Prends soin de Lawrence et de Barbara, et veille sur eux pour moi.

Jefferson se réveilla en sursaut et se dressa dans son lit, épouvanté. Il avait le corps couvert d'une sueur froide.

— Caroline ! hurla-t-il en baissant les yeux sur son amante endormie.

Il l'enveloppa de ses bras et la serra contre son cœur. Les larmes lui vinrent aux yeux tandis que les paroles de son rêve se gravaient dans sa mémoire. Les larmes de Jefferson tombèrent sur la joue de Caroline, mais elle ne broncha pas. Elle ne se réveilla pas. Il berça son corps inerte et s'abîma dans l'hystérie.

— Mon amour! Mon amour! gémit-il.

Mais Caroline ne l'entendit pas : son esprit avait quitté son corps.

Trente et un

« Le rêve est la petite porte cachée dans
le sanctuaire le plus profond et le plus intime de
l'âme, qui s'ouvre sur la nuit cosmique initiale, qui
était âme bien avant qu'il y ait un ego conscient
et qui sera âme bien au-delà de ce que l'ego
conscient ne pourra jamais atteindre[34]. »

— CARL GUSTAV JUNG,
*PSYCHOLOGICAL REFLECTIONS : A JUNG ANTHOLOGY, COLLECTED
WORKS, VOL. 10, THE MEANING OF PSYCHOLOGY FOR MODERN MAN*

L a nouvelle du décès de Caroline Mansfield la nuit même de ses
fiançailles avec Jefferson Duke ébranla les résidents de San
Francisco jusqu'à l'âme. On discuta avec la sentimentalité et la
vénération appropriées de l'histoire d'amour de Caroline et Jefferson,
qui avait duré près de quarante ans.

Les fleurs et les messages de sympathie déferlèrent tant sur la
résidence de Lawrence, sur la rue Sutter, que sur celle de Jefferson,
sur Nob Hill.

Durant les vingt-quatre heures qui suivirent le décès de Caroline,
Jefferson refusa de sortir de sa chambre à coucher et resta allongé
dans le lit où elle était morte.

— C'est comme si elle était toujours là, confia-t-il à madame
Kilcarney, la gouvernante.

---

34. N.d.T.: Traduction libre.

Il toucha les draps et ajouta :

— La place est encore tiède. Je sens encore son parfum sur l'oreiller.

Ses yeux se remplirent à nouveau de larmes.

Madame Kilcarney fut incapable de supporter la tristesse qui flottait dans la pièce.

— Vous voudrez peut-être manger un morceau plus tard, dit-elle avant de fermer la porte avec grand respect.

Jefferson sortit de sa torpeur le lendemain, lorsque Lawrence vint lui rendre visite avec Barbara.

— J'ai pensé que voir le bébé te remonterait un peu.

— C'est moi qui aurais dû te rendre visite, répondit Jefferson. Laisse-moi la prendre dans mes bras.

Lawrence lui tendit son tout petit bébé.

— Eleanor est encore très fatiguée...

— Tu n'as pas besoin de dire quoi que ce soit, Lawrence. Je comprends.

Lawrence secoua la tête.

— J'aimerais que ce soit mon cas. Elle a déjà engagé une nourrice. Elle ne veut rien avoir à faire avec Barbara.

Jefferson regarda le bébé, et son visage s'éclaira.

— Eh bien! Nous n'allons pas nous en faire avec cela pour l'instant, n'est-ce pas, mon amour? Ton papa et moi, nous allons te gâter en te donnant tout l'amour que tu pourras recevoir.

Le bébé se mit à gazouiller.

Jefferson leva les yeux sur Lawrence.

— Je croyais que les bébés ne souriaient pas avant d'avoir plusieurs mois.

Lawrence regarda sa fille.

— Ce doit être un vieux conte de bonne femme. Elle sourit. Et toi aussi, ajouta-t-il en jetant un regard en coin aux yeux rougis de Jefferson.

Les deux hommes échangèrent un long regard.

— Elle me manque, Lawrence. À chacune de mes respirations. C'est tellement... douloureux.

— Je sais. Elle me manque aussi. C'est la seule personne qui m'a vraiment aimé.

Une larme roula sur la joue de Jefferson.

— Tu as tort. Je t'ai toujours aimé.

Lawrence retint son souffle.

— Je pense que je le savais.

— Vous êtes ma famille, maintenant, Lawrence. Barbara et toi. Est-ce que cela te va ?

— Je ne voudrais pas qu'il en soit autrement, fit-il en essuyant sa joue du plat de sa main.

Tandis que Jefferson et Lawrence échangeaient, madame Kilcarney pénétra en catimini dans la chambre à coucher de Jefferson et changea la literie. Elle descendit l'escalier réservé aux domestiques, tendit les draps à Maria, la bonne d'étage, et lui dit d'emporter le linge de maison à la blanchisserie chinoise de l'avenue Grant, celle qu'Eloise, la bonne de madame Hutchinson, avait recommandée.

— La blanchisserie Su est la meilleure. Dis-leur de parfumer le linge à l'eau de lavande et que tu reviendras chercher le tout demain. Je ne veux pas de l'odeur de la mort dans cette maison, expliqua la gouvernante à la bonne.

— Oui, ma'me.

Maria salua madame Kilcarney et sortit avec les ballots de linge par la porte de derrière.

La calèche de Duke s'arrêta devant la blanchisserie Su. Maria en descendit et entra dans l'établissement avec deux ballots de linge de table et de draps à laver.

En s'approchant du comptoir, elle sentit l'air humide et chaud, les odeurs de savons et de lessive. Maintenant âgée de cinquante ans, Yin était debout derrière le comptoir. Maria ne connaissait pas beaucoup d'Orientaux, mais cette femme était particulièrement belle ses yeux en forme d'amande brillaient, son regard était amical et son visage irradiait un éclat qui paraissait presque hors de ce monde.

Maria ne remarqua pas l'homme d'âge mûr profondément concentré sur ses papiers, qui allait et venait d'un bureau à un autre, dans la pièce à l'arrière de la boutique.

La bonne tendit à Yin la bouteille que madame Kilcarney lui avait donnée.

— J'aimerais que ce linge de maison soit lavé et repassé. On m'a dit que vous pourriez parfumer les draps avec cette eau de lavande.

— Nous le faisons, répondit Yin qui traça quelques caractères chinois sur un bout de papier. C'est à quel nom ?

— Le linge appartient à monsieur Jefferson Duke, mais mon nom est Maria.

Au même moment, la cloche au-dessus de la porte tinta, et une autre bonne entra dans la blanchisserie. Simultanément, Nan-Yung s'approcha de son épouse, la prit par le cou et la fit s'éloigner du comptoir.

Nan-Yung avait entendu le nom de son ennemi. Nombreux étaient les jours où il avait pensé à ses richesses et au fait que sa fortune pouvait acheter les services des meilleurs assassins qui pouvaient se trouver. Il pouvait acheter l'anonymat dans le quartier chinois, mais pas dans San Francisco même. Non : Jefferson Duke était un citoyen incroyablement important. Sa mort ferait hausser bien des sourcils et susciterait beaucoup plus de questions que Nan-Yung était prêt à voir surgir. Il irait en prison si on remontait jusqu'à lui, grâce aux assassins. Cette idée l'inquiétait. Il lui fallait acheter davantage de politiciens blancs pour se protéger, pour s'assurer de pouvoir exercer sa vengeance un jour.

Entre-temps, Nan-Yung était satisfait de poursuivre son plan. Il se contentait de tuer toutes les personnes que Jefferson Duke aimait.

Il sourit à Maria.

— Vous venir de la grande maison Duke ?

— Oui, répondit Maria, alors que l'autre bonne s'approchait du comptoir.

La jeune fille s'exclama :

— Mais je te connais ! Madame Kilcarney m'a parlé de toi. Je suis Eloise. Tu travailles pour monsieur Duke depuis juste une semaine, non ?

— Oui, répondit-elle. Et il n'y a jamais eu de plus mauvais moment pour débuter. D'abord, l'autre soir, cette grande fête où j'ai cru que je croulerais sous le travail. Puis, monsieur Duke qui annonce ses fiançailles avec madame Mansfield. Et pour finir, madame qui meurt dans le lit de monsieur ! Je ne te dis pas tout ce que j'ai entendu de scandaleux depuis que je travaille dans cette maison !

Eloise se targuait d'être toujours au fait des indiscrétions de la société. Elle avait travaillé dans les résidences les plus huppées de San Francisco. Elle travaillait tellement bien qu'une surenchère avait éclaté le jour où elle avait annoncé à Jefferson Duke qu'elle quittait son service, trois ans auparavant. Elle n'avait rien contre lui personnellement c'était juste qu'il recevait et se mêlait si peu, qu'Eloise n'avait pas grand-chose à faire chez lui. Elle se disait qu'il lui serait impossible de se bâtir une réputation dans une maisonnée aussi terne. Or, voilà que Maria, cette nouvelle venue, s'appropriait le mérite de la rumeur la plus juteuse que San Francisco ait entendue en vingt ans.

— Il y a plus que ce que tu entendras dans cette maison, confia-t-elle à Maria.

Cette dernière se frappa la joue de la main de façon théâtrale, mais ses yeux trahirent son impatience d'en entendre davantage.

— Non! Raconte-moi tout!

— J'ai travaillé pour lui plusieurs années et j'ai vu de mes yeux que monsieur avait un lien très, très spécial avec Lawrence Mansfield. Les as-tu déjà vus ensemble? Tu remarqueras qu'ils ont les mêmes yeux. Je ne suis pas la seule à penser que Lawrence Mansfield est le fils de Jefferson Duke!

— Non!

Maria était choquée.

Eloise hocha vigoureusement la tête.

— Crois-en ma parole. Cette liaison remonte à plus loin qu'on le dit. Lawrence est au courant pour sa mère et Jefferson depuis long-temps. Je surprenais souvent mamzelle Caroline à l'aube quand elle se glissait hors de la maison. Si tu veux mon avis, le nouveau bébé est la petite-fille de Jefferson.

Maria était frappée d'émerveillement devant la perspicacité et le savoir supérieur d'Eloise.

— Je me demande si la nouvelle madame Lawrence Mansfield soupçonne que son mari est un bâtard.

Eloise sourit devant l'audace de Maria.

— Je t'aime bien, Maria. Je pense que nous allons devenir bonnes amies.

— J'aimerais bien, répondit Maria avant de quitter la blanchisserie.

Eloise se tourna vers Nan-Yung pour lui demander le linge de la maison Hutchinson.

Nan-Yung ordonna à Yin d'aller chercher les ballots de sa bonne cliente. Yin aida Eloise à porter les ballots dans le nouveau phaéton des Hutchinson et les déposa pour elle dans la malle arrière. Mais tout ce temps, elle garda les yeux fixés sur Nan-Yung. Elle savait qu'il ne connaissait pas suffisamment l'anglais pour saisir toute la conversation qu'elle avait si clairement comprise. Cependant, il reconnaissait le nom de Jefferson Duke lorsqu'il l'entendait.

« La mort de l'amante de Duke sera pour Nan-Yung le signe que sa haine est justifiée. Pour moi, c'est le signe que je dois viser haut. »

Yin inspira profondément avant de rentrer dans la blanchisserie. Elle attendit de voir Nan-Yung se précipiter vers l'arrière de la boutique où une porte secrète menait à son vrai bureau, dans les catacombes.

Tandis que son mari descendait l'échelle qui le menait au tunnel maintenant pavé de pierres, Yin saisit ses bâtonnets d'achillée et consulta le *Yi King*.

« Exactement comme je le pensais. L'enfant de Lawrence est enfin arrivé. Maintenant, nous pouvons être ensemble. »

Le tunnel que Nan-Yung avait fait creuser sous terre était maintenant si vaste qu'il pouvait s'y tenir debout. Il descendit le corridor qui menait à la porte savamment sculptée à la main, qui fermait son bureau et sa chambre de comptage.

À l'intérieur, l'odeur prenante de la fumée d'encens de bois de santal lui emplit les narines. Nan-Yung avait dépensé une fortune pour meubler ces pièces. Ayant vu à quoi ressemblait le palais de l'empereur à Pékin, il s'était promis qu'il s'offrirait le luxe qui lui revenait de droit en tant qu'empereur du trafic d'opium de San Francisco.

Les murs de briques disparaissaient sous des tapisseries élaborées en soie tissée de fils rouges, or et argentés. Des vases antiques en porcelaine de la hauteur d'un homme flanquaient la porte. Le bureau de Nan-Yung était en laque noire, orné d'or et d'ivoire sculpté. Un lit de repos en bois de rose sculpté de plus de deux mètres de haut occupait presque le centre de la pièce. Le pied et la tête du lit disparaissaient sous de gros coussins en forme de rondins recouverts de velours noir. Le lit était drapé de soie indienne et de peaux de zibeline de Russie. À l'instar du gynécée de l'empereur, le harem de Nan-Yung ne comprenait que les plus jeunes et les plus belles vierges du quartier chinois.

Dans la plupart des cas, il échangeait la virginité des jeunes filles contre les dettes de drogue et de jeu de leur père. Une fois qu'une jeune fille pénétrait dans son harem, elle ne pouvait plus jamais retourner dans sa famille. Celles qui déplaisaient à Nan-Yung au lit, en ne se soumettant pas à ses besoins et à ses désirs dépravés, se voyaient bannies dans les niveaux inférieurs des catacombes où il enfermait plusieurs de ses esclaves.

Nan-Yung se servait d'eux pour creuser d'autres tunnels et catacombes sous la ville. Il en utilisait certains sur ses navires qu'il envoyait en Chine et aux Indes où il achetait de l'opium. Il forçait certaines femmes à se prostituer sur la côte de Barbarie, dans des fumeries d'opium secrètes et des maisons de jeux cachées.

Au fil des ans, les besoins sexuels de Nan-Yung étaient devenus insatiables. Il était toujours à l'affût d'une nouvelle maîtresse. Il observait les fillettes qui jouaient dans les rues du quartier chinois, sachant qu'avec le temps, sa patience serait récompensée par une récolte toujours plus florissante de jeunes vierges. Il espérait qu'un jour, sa réputation d'amant puissant inciterait les jeunes filles à venir à lui pour recevoir des leçons sur la sexualité et les relations sexuelles.

Nan-Yung n'était pas conscient que son narcissisme avait perverti son esprit. Sa haine et sa soif de vengeance avaient créé un sombre et sinistre univers où son pouvoir intense aspirait quiconque entrait en contact avec lui.

Il prit place sur le trône à dossier droit en malachite noire, orné de sculptures complexes, qui avait autrefois appartenu à un empereur de la dynastie Ching. Saisissant un maillet recouvert de velours, il en frappa un gong en laiton posé à côté de son bureau pour convoquer un de ses hommes de main.

Un Chinois entra de la pièce voisine : il faisait un mètre quatre-vingt, et ses bras étaient énormes, sa poitrine massive et ses jambes très musclées. Lee Tong avait dix-sept ans. Il ne voulait rien de plus au monde que servir Nan-Yung, car il croyait qu'un jour, sa loyauté envers son employeur serait récompensée.

Nan-Yung n'avait jamais dit à Lee Tong qu'à ses yeux, sa loyauté était une forme de naïveté. Il s'adressa à lui :

— Mes désirs ont besoin d'être satisfaits.

— Que désires-tu ? demanda Lee Tong en pensant qu'il lui demanderait peut-être d'enlever une autre jeune fille de la maison de ses parents.

Il sentit brusquement son sexe réagir. Les fillettes de treize ans étaient impuissantes contre sa force herculéenne. Elles lui donnaient des coups de pied et certaines l'avaient même griffé. Parfois, Lee Tong s'accordait quelques faveurs sexuelles de son cru avant d'amener les filles à Nan-Yung. Elles ne révélaient jamais à Nan-Yung qu'elles avaient été molestées par son homme de main, car elles avaient peur des deux hommes.

Tant que Lee Tong ne déchirait pas l'hymen des vierges, il savait qu'il n'avait rien à craindre. Souvent, il se tenait dans l'ombre profonde, derrière la porte à demi ouverte de la chambre du trône de Nan-Yung : il observait son maître qui prenait les fillettes sans grande finesse ni imagination, ce qui constituait une insulte à la race chinoise. Lee Tong se masturbait fréquemment en observant son employeur. Lorsqu'une fille ne plaisait plus à Nan-Yung, il lui rendait visite dans sa cellule, soir après soir, pour lui enseigner comment le faire jouir avec sa langue, ses lèvres et sa bouche.

Lee Tong était intimement persuadé qu'un jour, il serait plus malin que Nan-Yung et même que son fils, Lon Su, et qu'il prendrait le contrôle du quartier chinois. Sa cupidité était telle qu'il ne rechignait devant aucune demande de Nan-Yung, même le meurtre.

— Le destin m'a de nouveau livré mon ennemi juré. Je veux que tu trouves Lawrence Mansfield. Découvre où il habite. Découvre quels sont ses vices. Ensuite, je m'attaquerai à lui. S'il veut de l'opium, vends-lui-en. S'il veut des femmes, donne-lui les plus accomplies que nous pourrons trouver. S'il joue, dépouille-le de sa fortune.

Lee Tong ne répondit pas il se contenta de s'incliner profondément devant son maître et se détourna pour quitter la pièce.

— Et lorsqu'il n'aura plus aucune estime de soi..., tue-le, ordonna Nan-Yung.

Lee Tong se contenta de sourire. Largement.

* * * *

Pendant presque trois ans, le chagrin de Jefferson l'enferma dans un brouillard mental dont il ne voulait pas qu'on le libère. Dans cet état, il pouvait être avec Caroline chaque fois qu'il le voulait. Il s'occupait de ses différentes entreprises commerciales et continuait de rencontrer les politiciens pour discuter des affaires locales et de l'État, mais son cœur s'était en grande partie éteint le jour où Caroline était morte.

Il ne s'extirpait de ses rêves éveillés que lorsqu'il rendait visite à Barbara, sa petite-fille.

Le passe-temps favori de Jefferson consistait à passer prendre Barbara tôt le matin, ce qui libérait Eleanor pour la journée. Elle pouvait ainsi faire des courses et assister aux nombreux déjeuners et thés auxquels elle était invitée.

Barbara était une enfant précoce, autonome, extrêmement brillante et plus belle que tous les enfants que Jefferson avait connus. Il adorait lui acheter des vêtements et l'emmener se promener dans sa calèche pour la parader devant ses amis.

Il la surnommait sa « danseuse étoile », parce que les paillettes platine de ses yeux bleu foncé lui rappelaient les yeux de Caroline. Elle avait la chevelure abondante et brun foncé d'Eleanor, mais l'ovale ferme de son visage, son nez droit, ses cils épais et la courbe de ses sourcils expressifs la rapprochaient davantage de Jefferson que de Lawrence. Aux yeux de Jefferson, la ressemblance était indubitable. À trois ans, Barbara était déjà plus grande que ses compagnes de jeu, et Jefferson pouvait déjà prédire qu'elle aurait une silhouette athlétique, une fois adulte. Elle chevauchait avec aisance en amazone, et quand Jefferson l'emmenait dans la campagne vallonnée, au nord de la ville, et lui permettait de monter à califourchon, elle galopait avec assurance à ses côtés.

Un jour, alors qu'ils chevauchaient dans les collines où Jefferson se rappelait avoir assisté aux fêtes espagnoles, Barbara tira brusquement sur les rênes de son cheval.

— Pouvons-nous nous arrêter ici, Jefferson ?

Du plus loin qu'elle se souvenait, Barbara avait toujours appelé Jefferson par son prénom. Elle se souvenait qu'elle n'avait pas eu de difficulté avec son patronyme, Duke, mais Jefferson avait dû l'encourager à faire un effort pour prononcer son prénom. Elle avait fait de gros efforts pour le dire correctement et se rappelait qu'au début, elle l'avait appelé « Jabberson ». Il adorait ce surnom, mais elle était fière d'avoir appris à prononcer son prénom comme il se devait.

— Bien sûr, répondit-il en mettant pied à terre.

Il saisit sa petite-fille par la taille et la fit descendre de cheval.

Ils s'installèrent sous un chêne particulièrement imposant. Tout à coup, Jefferson prit conscience que c'était sur cette colline que Caroline s'était assise sur la couverture de Dolores Sanchez, des années auparavant. Sentant ses genoux faiblir, il se laissa tomber sur le sol et se plongea dans ses souvenirs.

Barbara posa sa petite main sur la joue de Jefferson. Elle était mouillée.

— Jefferson, pourquoi est-ce que tu pleures ?

— Je ne m'étais pas rendu compte que je pleurais.

— Oui. Regarde.

Elle ouvrit ses petits doigts pour lui montrer sa larme.

— Je songeais à ta grand-mère Caroline.

Il y avait tant de tristesse dans la voix de Jefferson que Barbara voulut lui entourer le cou de ses petits bras pour le réconforter, mais ne parvint pas à l'enlacer complètement.

— Tu l'aimes, dit-elle.

Ses paroles n'étaient pas une interrogation, mais le simple énoncé d'un fait.

— Oui. Toujours.

— Je sais, soupira-t-elle en posant la tête sur son épaule.

— C'est ton père qui te l'a dit ?

— Oh, non ! Papa ne parle pas de grand-mère. Maman ne le laisse pas faire. Son visage devient tout grognon quand il parle de mamie Caroline.

— Alors, comment le sais-tu, petite ?

Il lissa ses longues boucles brunes le long de son petit dos.

— Grand-mère m'a dit qu'elle t'aime aussi.

Jefferson pouffa silencieusement et secoua la tête.

— Tu dois faire erreur. Tu étais bébé lorsque Caroline est morte. La nuit suivant la fête de ton baptême.

— Ne sois pas idiot, Jefferson. Elle me parle tout le temps. Parfois, quand je me sens seule parce que tu es trop occupé pour venir me voir et que maman doit encore sortir, je demande à mamie Caroline de me rendre visite, et elle vient.

Jefferson était stupéfait. Il sentit un frisson remonter le long de sa colonne vertébrale et lui hérisser le crâne.

— Elle... elle te rend visite ?

— Oui.

Barbara retira ses mains du cou de Jefferson et lui tourna le dos pour s'appuyer contre sa poitrine. Elle prit le bras de son grand-père et s'en entoura.

— J'aime m'asseoir comme ça. Je me sens en sûreté.

Jefferson murmura :

— Caroline avait l'habitude de dire la même chose. Et qu'est-ce qu'elle t'a dit?

— Seulement qu'elle est heureuse au paradis. Elle dit qu'elle est avec mes autres grands-mères. Elle dit qu'elle m'aime. En général, elle ne parle pas beaucoup. C'est moi qui fais la conversation. Je lui parle de mes jouets. Je lui montre mes poupées. Elle aime bien.

Jefferson ne douta pas un instant que Barbara disait la vérité. La majorité des gens n'aurait pas cru à ses propres expériences au royaume des rêves et de l'Au-delà pourtant, elles faisaient bel et bien partie de sa réalité. Il se souvenait de l'époque où ses rêves lui avaient indiqué quel projet entreprendre, dans quelle société investir et quels dangers éviter.

Cependant, il y avait trois ans qu'il ne s'était pas souvenu de ses rêves. Tout en tenant Barbara contre lui, Jefferson comprit qu'il s'était coupé du monde onirique parce qu'il savait au plus profond de son cœur que s'il rencontrait Caroline dans une autre dimension, il devrait admettre rationnellement sa mort. Il ne pourrait jamais la faire revenir.

Il leva son visage vers le soleil de l'après-midi et laissa la brise tiède du printemps sécher ses larmes.

— Barbara, Caroline est morte, déclara-t-il pour s'en convaincre.

— Je sais, répondit la fillette en lui tapotant la main pour le réconforter.

Jefferson serra sa petite-fille plus fort dans ses bras. Il était vivant, comme Barbara. Il était temps pour lui de se concentrer sur l'avenir, pour le bien de sa petite-fille. Il était temps pour lui de laisser son chagrin derrière lui et de donner son amour à cette petite. Le fait qu'elle ne saurait jamais qu'il était son grand-père n'était pas une raison pour l'empêcher de bâtir le monde meilleur dans lequel elle vivrait un jour.

Jefferson se rappela le rêve que sa mère avait fait, il y avait très longtemps, qui prédisait l'arrivée d'une belle jeune femme, sa petite-fille Barbara, dont la destinée était aussi intrinsèquement liée à celle de San Francisco que celle de Jefferson.

San Francisco vivait beaucoup de bouleversements. Jefferson voulait que Barbara reçoive la meilleure éducation que l'argent garantissait. Plusieurs membres éminents de la société l'avaient approché pour qu'il participe à la fondation du Bachelor's Cotillion Club. À ce jour, on avait laissé beaucoup trop de liberté aux jeunes filles, et plusieurs des pères fondateurs de la cité s'inquiétaient des escrocs qui parvenaient à s'infiltrer dans la bonne société san franciscaine, pour s'enfuir avec leurs filles ou causer leur perte.

Jefferson ne voulait pas qu'un tel avenir pour Barbara. Il voulait qu'elle fasse un bon mariage au moment opportun. Il espérait qu'elle trouverait le genre d'amour qu'il avait vécu avec Caroline, mais sans les mêmes souffrances. Peut-être était-il temps qu'il s'engage davantage dans de tels projets, songea-t-il. Un jour, il pourrait s'avérer important pour Barbara qu'il soit l'un des piliers de la vie mondaine de cette ville.

Mesdames Eleanor Martin et Ned Greenway proposaient la création du Bachelor's Cotillion Club afin de renforcer la structure de la bonne société san franciscaine, en fondant le choix des débutantes sur la fortune et les réalisations de leur père. Il faudrait que les jeunes filles soient bien éduquées, charmantes et affables. On restaurerait la coutume du chaperonnage. Jefferson songea qu'il était peut-être temps d'instaurer un leadership plus ferme et des censeurs plus rigides.

Après tout, Barbara était déjà une enfant impétueuse. À la manière dont elle menait son cheval, il voyait qu'elle ressemblait à Dolores par certains côtés, et il ne voulait pas qu'elle connaisse une fin aussi tragique que la belle Castillane. Il ne serait jamais aussi sévère avec Barbara que le père de Dolores l'avait été en la gardant enfermée dans la maison presque toute sa vie. Non, Barbara était différente de Dolores de bien des manières. Elle possédait l'intelligence de Caroline et l'imagination débridée qui caractérisait Jefferson. Celui-ci comprit qu'il fallait qu'il la protège, car elle était toujours disposée à essayer de nouvelles choses, parfois sans réfléchir aux conséquences.

Barbara était le plus précieux de ses trésors il était temps qu'il se concentre sur les vivants.

San Francisco, 1892

Lawrence était déchiré chaque fois qu'il devait quitter Barbara pour un de ses voyages d'achats outre-mer. Comme les affaires étaient toujours florissantes à San Francisco en dépit de la récession économique qui frappait la côte Est, Lawrence constatait que les stocks de son magasin diminuaient toujours plus vite qu'il n'arrivait à les remplacer.

Lorsque Barbara eut dix ans, Lawrence réussit enfin à se faire remplacer. Il engagea un homme formidable, un dénommé Jasper Akins, qui connaissait non seulement l'Orient et le Proche-Orient aussi bien que Lawrence, mais se montrait encore plus habile négociateur. En conséquence, Lawrence fit plus d'argent que jamais.

Eleanor le dépensa sans compter. Elle exigeait les plus belles robes de la couture française et les voyages à Paris pour les acheter. Lawrence y consentait. Elle réclamait des bijoux de chez Harry Winston, à New York. Lawrence lui offrit des bracelets de saphirs, des tiares de diamants, de longs sautoirs de rubis et des colliers d'émeraudes en cascade qui auraient fait l'envie des tsarines. Quand Lawrence et Eleanor se rendirent au Platt Hall pour la conférence d'Oscar Wilde, qui arriva vêtu d'une culotte au genou, d'un veston en velours, de chaussures à boucles d'argent, d'une chemise et de gants en dentelle, les journalistes commentèrent la beauté d'Eleanor à l'exclusion de toutes les autres femmes qu'ils ne mentionnèrent même pas.

Le lendemain de ces sorties, Barbara s'asseyait à la table du petit-déjeuner avec sa mère. Vêtue d'un négligé de style Empire récemment remis à la mode, un boa de plumes autour du cou, Eleanor dévorait les articles de l'*Argonaut*, du *Daily Morning Call* ou du *Chronicle*.

— Écoute, Barbara : monsieur Benet décrit ce que je portais à la réunion du club littéraire ! Et ici, ajoutait-elle en s'emparant d'une autre section du journal, il y a quelqu'un qui parle de moi... en compagnie de madame George Hearst, la fondatrice du nouveau Century Club.

Eleanor laissa tomber le journal et appuya un visage morose dans la paume de sa main.

— Qu'est-ce qu'il y a, maman ? Tout cela a l'air merveilleux. Un jour, je serai une grande journaliste et j'écrirai des comptes-rendus sur ton voyage en Europe pour rencontrer la reine d'Angleterre, s'exclama Barbara, désireuse de remonter le moral de sa mère.

— Il *faut* que je reparle à ton père. Il est temps pour nous de déménager.

Barbara jeta un regard au chandelier Waterford et aux somptueuses murales faites main qui décoraient les murs de la salle à manger.

— Qu'est-ce qui ne va pas avec cette maison?

— C'est la mauvaise adresse.

— Quoi?

Barbara n'arrivait pas à comprendre comment ils avaient pu vivre toutes ces années dans la même maison qui se révélait du jour au lendemain être la mauvaise adresse. Parfois, les propos de sa mère n'avaient tout simplement aucun sens. Pas étonnant que Jefferson n'ait pas le temps d'écouter les «âneries d'Eleanor», ainsi qu'il qualifiait ses fadaises.

— Dixon Wecter écrit ici noir sur blanc qu'il est temps pour les ploutocrates de San Francisco de devenir une aristocratie. Il est temps d'écarter les nouveaux riches et de rétablir fermement la vieille garde. La vieille garde, c'est nous, Barbara. Ne l'oublie pas. De toute façon, les nouveaux riches[35] nous supplanteront si nous ne nous extirpons pas de la stagnation.

— Nous sommes dans la stagnation?

Barbara était horrifiée, sans trop comprendre pourquoi.

— Les frontières géographiques de la bonne société vont de Nob Hill, Taylor, Bush et Pine, à Rincon Hill, en plus de quelques lots *varas* près de Mission et des collines du Presidio, et du square Jefferson jusqu'à l'avenue Pacifique.

Eleanor regarda sa fille droit dans les yeux.

— Je veux déménager à Nob Hill.

— Hourra! s'écria Barbara en sautant sur ses pieds. Est-ce que nous pouvons aller habiter avec Jefferson?

Eleanor fronça les sourcils. «Ce n'est pas ce que j'avais en tête», songea-t-elle, tandis que sa fille dansait à travers la pièce.

— Je vais demander à papa!

La fillette s'élança en courant vers l'escalier.

Eleanor plongea sa cuiller en argent dans sa tasse en porcelaine et remua son café.

— Ne te fatigue pas, Barbara. C'est un avare. Il ne me donnera pas de nouvelle maison.

Barbara frappa à la porte de la chambre à coucher de son père et entra en courant avant même d'entendre sa réponse. Elle se précipita

---

35. N.d.T.: En français dans le texte.

sur lui. Il nouait sa cravate devant le miroir surmontant la commode : elle le serra rapidement dans ses bras et s'empressa de sauter sur le lit défait. Barbara n'oserait jamais agir ainsi dans la chambre à coucher de sa mère. Mais ici, elle était libre d'être elle-même.

— Qu'est-ce que tu mijotes aujourd'hui, mon lapin ? demanda Lawrence en souriant.

Il s'approcha du lit, se pencha et embrassa sa fille sur le front.

— Maman dit que nous devons déménager. Elle dit que ce n'est plus acceptable socialement de vivre ici, lança-t-elle pour se faire une idée de la situation.

— Je parie qu'elle a dit bien d'autres choses, marmonna-t-il en fronçant les sourcils et en enfilant son gilet.

— Est-ce que je peux t'accompagner au magasin, papa ?

— Pas aujourd'hui.

Barbara fit la moue.

— Pourquoi pas ? Je m'ennuie de toi toute la journée et parfois, tu rentres à la maison très tard. Pourquoi ?

— Les affaires, mentit Lawrence.

— Oh. Eh bien ! Je pourrais t'attendre et nous pourrions parler.

Lawrence secoua la tête.

— Parle-moi tout de suite.

Barbara croisa les bras sur sa poitrine. Elle leva un menton délicat ses yeux bleus étaient pleins de feu en dévisageant son père.

— J'ai décidé que je voulais devenir journaliste, papa. J'ai écrit quelques histoires qui sont meilleures que tout ce qu'on trouve dans le *Call* et le *Chronicle*.

Lawrence éclata de rire.

— J'en suis certain, mon lapin. J'aimerais bien que tu me les lises. Demain, peut-être.

— Mais papa, je veux que tu m'aides à vendre mes histoires au *Call*.

Lawrence rugit de rire, s'approcha de sa fille et l'entoura de ses bras.

— Ma très chère enfant, tu es absolument délicieuse. Cependant, tu n'as que dix ans, et d'ici à ce que tu termines ta scolarité, je doute que je parvienne à convaincre un propriétaire de journal, quel qu'il soit, de t'engager... pour l'instant.

— Papa, je veux...

— S'il te plaît, Barbara, ne prononce pas ce mot. Ta mère s'en sert déjà beaucoup trop. Il lui tendit la main. Accompagne-moi au rez-de-chaussée et embrasse-moi avant que je parte pour la journée.

Barbara sauta en bas du lit et s'empara joyeusement de la main de son père.

— Et pour la nouvelle maison? demanda-t-elle.

— Dis à ta mère d'oublier l'idée, répliqua-t-il d'un ton peu amène. Même si nous bâtissions une nouvelle maison, Eleanor ne serait pas satisfaite.

Barbara soupira profondément.

— Je sais.

Lawrence ne chercha pas à voir sa femme avant de partir. Au lieu de cela, il serra sa fille dans ses bras et accepta son baiser.

— Au revoir, mon lapin. Je t'aime.

— Je t'aime aussi, papa, répondit-elle d'un ton joyeux. J'attendrai ton retour ce soir, peu importe le temps qu'il faudra.

Lawrence monta dans un fiacre de louage et se rendit à l'appartement qu'il avait loué dans le quartier italien. Peu de gens le connaissaient dans cette partie de la ville. Et il y avait encore moins de gens pour s'interroger sur la présence de la femme chinoise qui livrait le linge à l'appartement avec vue sur la baie.

En entendant la clé dans la serrure, Lawrence sentit son cœur s'emballer. Il se précipita dans l'entrée et ouvrit la porte.

— Est-ce que quelqu'un t'a vue?

— Non, répondit Yin. Mais j'ai toujours peur.

Il la prit dans ses bras et l'embrassa tendrement :

— N'aie pas peur. J'assurerai ta sécurité.

— Tu ne comprends pas. J'avais peur de rater notre rendez-vous. J'avais peur de vivre un jour de plus sans que tu me touches, répondit-elle en lui caressant la joue.

Il la serra contre lui.

— C'est incroyable comme je souffre de ne pas te voir. Maintenant, je sais toute la souffrance que ma mère et Jefferson ont endurée toutes ses années, et si inutilement.

— Ils étaient peut-être sages de ne pas provoquer le destin, répondit-elle en se dégageant de ses bras. Peut-être le temps est-il venu pour nous de... faire plus attention.

— Quoi? Il s'approcha d'elle.

Elle serra les bras autour de son torse.

— Je suis venue aujourd'hui pour te dire que c'est devenu trop dangereux pour nous. Je sens la mort qui rôde autour de nous, et je ne pourrais pas le supporter si quelque chose t'arrivait. Si je ne te mettais pas en garde.

— Yin, s'il te plaît. C'est toi qui es venue à moi au magasin. Tu es venue me trouver. Quand je pense au courage qu'il t'a fallu...

— Le courage ? J'aurais dû te laisser me retrouver le jour où tu es revenu à San Francisco et où nous nous sommes vus sur le quai. Je n'aurais jamais dû attendre pour t'aimer. Parfois, j'écoute trop ce que les étoiles racontent. Mais les bâtonnets du *Yi King* m'ont dit qu'il fallait que j'attende la naissance de ta fille. Ensuite, je serais libre de t'aimer. Quand ta mère est morte, j'ai senti que tu te sentais aussi seul que moi. Mon cœur a volé vers toi. J'ai pensé que tu avais besoin de moi.

— Et c'était le cas. Quand tu es entré dans le magasin, tu n'as pas eu à prononcer un mot. Je n'ai eu qu'à te regarder dans les yeux. J'ai su que je t'avais retrouvée. Toutes ces années, j'avais cru que tu étais une illusion. Je pense parfois que j'ai passé toute ma vie à te chercher. C'était ton esprit qui m'attirait à l'étranger. Tu avais raison. Nous ne formons qu'un seul esprit.

— Tu es mon seul véritable amour, murmura-t-elle.

— Ne parlons plus de vivre séparés. Je voulais te voir pour te dire que je vais demander le divorce à Eleanor. Nous trouverons un moyen pour que tu divorces de Nan-Yung, et ensuite, nous nous épouserons.

Les yeux de Yin s'écarquillèrent.

— Tu veux m'épouser ? Mais ton peuple ne te permettra jamais d'épouser une Chinoise. C'est impossible.

Il secoua la tête.

— J'ai vu ma mère perdre sa vie entière parce qu'elle se sentait soit trop coupable, trop effrayée ou trop préoccupée par l'opinion sociale. J'ai tiré leçon de sa vie. J'ai appris que la vie n'est pas une répétition générale. C'est tout ce que nous avons. Et que je sois damné si je ne mérite pas un peu de bonheur ! Tout comme toi.

Yin sentit fondre ses peurs.

— Je n'ai jamais osé penser ainsi.

Il la saisit par les bras. L'enthousiasme chantait dans ses veines.

— Nous pouvons tout faire. Nous pouvons partir avec Barbara et faire le tour du monde. Je te montrerai le Nil. Londres. Le Parthénon. Je pourrais même te ramener en Chine.

— Non, je ne veux pas retourner là-bas. Elle lui offrit un sourire radieux. Je veux juste être avec toi, mon amour. Quel que soit l'endroit où cela me mène.

Il la serra dans ses bras.

— Je vais nous bâtir une vie incroyable, je te le promets. Je peux tout arranger avec les avocats pour ce qui est de ton divorce. Tu peux rester ici. Ne retourne même pas là-bas pour chercher tes vêtements. Je t'en achèterai d'autres.

— Des vêtements occidentaux?

— Si c'est ce que tu veux. Mais je t'aime exactement telle que tu es.

— Bien. Je ne veux changer ni ma façon de m'habiller ni ma façon de penser.

— Je ne te le demande pas. Je te demande seulement de vivre avec moi... pour toujours.

Yin inspira profondément.

— Je resterai ici. Verras-tu aujourd'hui les hommes qui peuvent régler la question pour nous?

— Oui.

— Oh, mon amour! Je n'aurais jamais osé rêver que je pourrais être aussi heureuse.

— Alors, nous sommes d'accord? la pressa-t-il, anxieux.

Elle acquiesça de la tête.

— Mais avant de partir, est-ce que tu me ferais l'amour?

— Est-ce que je... ?

S'esclaffant de rire, il l'enleva dans ses bras et la porta dans leur chambre à coucher.

* * * *

Le soir même, Lawrence sortit de l'immeuble où il avait passé la journée avec Yin. Le brouillard nocturne était dense comme de la poix. Lawrence ne voyait pas à un mètre devant lui. Son esprit et son cœur étaient occupés à penser à Yin et à la désirer, aussi ne lui vint-il jamais à l'esprit qu'il était en danger.

Il ne vit pas l'attelage qui fonçait sur lui dans l'épais brouillard, mais il entendit les sabots des chevaux qui tonnaient en se rapprochant. Comme il était incapable de voir d'où venait l'attelage, il recula d'un bond sur le trottoir, mais les chevaux arrivèrent par derrière.

Il ne s'était pas encore retourné lorsqu'il sentit l'impact. Il tomba lourdement sur le sol. La douleur le transperça. Il fut piétiné sous les sabots des chevaux, comme si l'équipage infernal s'était arrêté pour l'écraser encore et encore. Pour l'assassiner.

— Barbara. Il murmura son nom à plusieurs reprises, tandis que le sang lui remplissait la gorge.

Il leva le bras dans l'espoir d'attraper quelque chose, luttant sans succès pour sauver sa vie.

Sa main ne rencontra que l'air nocture.

— Dois dire... à Barbara...

Il étouffait, mais il n'y avait personne pour l'entendre.

— Ton... grand-père... Jeff...

Il ouvrit les yeux une dernière fois et crut voir une lumière briller.

— Yin

Puis, il comprit que ce n'était que le brouillard. Il expira et rendit l'âme.

* * * *

Lawrence Mansfield ne rentra jamais à la maison. Son cadavre fut découvert le lendemain matin, devant un bordel de la côte de Barbarie : il avait apparemment été écrasé par un attelage ayant pris le mors aux dents, qui avait fui la scène de l'accident.

Toute la nuit, Barbara avait attendu le retour de son père pour lui lire les histoires qu'elle avait écrites.

Lorsque la police se présenta à la porte de leur résidence pour annoncer à Eleanor la mort de son mari, Barbara était toujours dans le salon à l'attendre.

Elle se glissa dans le vestibule.

— Qu'est-ce qu'ils disent, maman ?

Le visage d'Eleanor exprimait la plus totale confusion.

— C'est impossible. Lawrence ne va jamais là-bas. N'irait jamais... dans un tel endroit ! Mon Dieu, mais qu'est-ce que vous dites ?

— Il est mort, ma'me.

Barbara dévisagea l'officier de police.

— Non, il n'est pas mort! Il a dit qu'il rentrerait à la maison! Il a dit qu'il m'écouterait lire mes histoires! Il a dit qu'il m'aiderait à les vendre! Il n'est pas mort! C'est faux!

Eleanor cria :

— Tais-toi, Barbara!

— Mais ils mentent! cria-t-elle à son tour, les larmes inondant ses joues.

— Je t'ordonne de te taire! Je n'arrive pas à penser.

Elle fit un sourire charmant au policier.

— Écoutez, je ne sais pas qui est cette personne que vous avez trouvée, mais ce n'est pas mon mari.

— C'est pourquoi nous aimerions que vous veniez identifier le corps, madame Mansfield. Que vous fassiez une identification positive.

— Laissez-moi prendre mon châle, dit Eleanor en passant devant sa fille en pleurs. Lawrence ne nous ferait jamais l'injure d'aller sur la côte de Barbarie. Jamais de la vie!

— Je veux t'accompagner, supplia Barbara, toujours en pleurs.

— Non, tu restes ici et tu attends mon retour.

— Maman, je t'en prie. Il faut que je le voie.

— Arrête tout de suite, Barbara. La morgue n'est pas un endroit pour un enfant. Quand je découvrirai où ton père était la nuit dernière, il souhaitera être mort.

Et Eleanor sortit en trombe de la maison.

Barbara se détourna et vit le visage livide des domestiques. C'était la preuve qui lui manquait.

Elle grimpa l'escalier en sanglotant, serrant ses histoires contre sa poitrine. Elle entra dans sa chambre à coucher et ferma la porte à clé.

Puis, elle jeta les pages couvertes d'une écriture méticuleuse dans une poubelle en métal, craqua une allumette en bois et mit le feu à la liasse de feuillets. Hypnotisée par les flammes, elle regarda son monde se recroqueviller, se changer en cendres et mourir.

« Elles sont mortes, maintenant. Comme papa. »

Trente-deux

« Et c'est ainsi que le tour de roue du temps
amène les représailles. »

— WILLIAM SHAKESPEARE,
LA NUIT DES ROIS, ACTE V, SCÈNE I

Jefferson Duke jugea que le pot-de-vin était une solution acceptable pour contrer l'incapacité des forces policières municipales, qui n'arrivaient pas à retrouver le meurtrier de Lawrence.

— C'était un accident, Jefferson, affirma pour la nième fois Ned Phillips, le chef de police.

— Je vous le dis, Lawrence a été assassiné. Il n'allait jamais sur la côte de Barbarie.

— Permettez-moi de ne pas être de votre avis. Je n'ai pas laissé cette information sortir de mon bureau, Jefferson, parce que je sais à quel point vous êtes proche d'Eleanor et de sa petite fille. Mais j'ai des témoins qui sont prêts à jurer sur la Bible que depuis presque un an, Lawrence se rendait souvent dans le bordel en question.

— Je n'en crois rien, répliqua Jefferson en fourrageant dans sa chevelure blonde striée de gris.

Le chef de police planta les poings sur ses hanches :

— Parfait! Alors, allons-y ensemble, et je vous laisserai parler à quelques témoins.

— Vous pensez que je vais les croire?

— Et pourquoi pas, sacrebleu ? Cette idée qu'il a été assassiné est tout simplement insensée, Jefferson. Sur quoi basez-vous vos allégations ?

Jefferson dévisagea Ned Phillips. Comment lui dire la vérité ? Comment confier à un homme intelligent qu'il avait reçu en rêve la visite de sa mère, Rachel, qui lui avait dit que Lawrence avait été assassiné

— Sur rien. C'est une intuition.

— Les intuitions ne valent rien dans ce bureau.

Ned s'approcha de la fenêtre et contempla la ville.

— Sapristi, Jefferson ! Vous êtes ici chaque jour depuis deux semaines. Vous êtes obsédé par cette affaire. Je suis conscient que vous avez pratiquement bâti la moitié de la ville, mais cela ne vous autorise pas à monopoliser le temps que je devrais consacrer aux véritables problèmes. Aux véritables crimes. Comprenez-vous ce que je dis ?

— Oui, Ned. Je comprends, répondit Jefferson, envahi par le découragement.

— Rentrez à la maison et reposez-vous. On dirait que vous n'avez pas dormi depuis une éternité.

Ned assena une claque amicale dans le dos de Jefferson.

En fait, Jefferson n'avait pas dormi depuis la mort de Lawrence. Il n'avait pas eu un, mais plusieurs rêves, où il était averti que la mort de Lawrence était loin d'être un accident. Toutefois, il n'arrivait pas à comprendre pourquoi.

Pourquoi Lawrence ? Quel était le lien avec la côte de Barbarie, et pourquoi maintenant ? Il se passait quelque chose d'insensé dans la vie de Jefferson.

Comme la police refusait carrément de lui venir en aide, il ne lui restait plus qu'à mener l'enquête lui-même.

En sortant du poste de police, Jefferson demanda à son cocher de le conduire directement à la Porte dorée. Selon les forces policières, c'était la maison close où Lawrence entretenait une maîtresse : c'était donc par là que Jefferson commencerait ses recherches.

La côte de Barbarie était constituée d'un chapelet de constructions misérables : maisons de jeux, bars, bordels, ateliers de misère et masures. Il y régnait une odeur d'excréments humains et animaux, d'ordures et de désespoir. Jefferson avait entendu de nombreuses histoires sur les crimes, la dépravation, l'esclavage et la traite des Blanches qui faisaient partie de la vie sur la côte de Barbarie, mais il avait toujours été trop pris par ses affaires, trop engagé dans ses causes sociales, comme l'érection d'un autre opéra, pour prêter attention à la pauvreté et aux misères de sa cité bien-aimée.

Voilà que son inattention revenait le hanter.

La Porte dorée n'était pas dorée du tout : c'était une maison brune à deux étages, en planches usées par les intempéries. Deux fenêtres s'ouvraient de chaque côté de la porte peinte en blanc. Il y avait une véranda, un balcon à l'étage, et le toit était en papier goudronné. C'était l'immeuble le moins imposant de tout le quartier.

Jefferson demanda à son cocher de l'attendre. Ce dernier ne se contenta pas de hocher la tête : il sortit le pistolet qu'il avait dissimulé sous son siège.

— Je ne bouge pas d'ici, monsieur, déclara-t-il.

Jefferson s'approcha de la porte et frappa. Il attendit un bon moment avant que la porte s'ouvre sur une belle femme, d'environ quarante-cinq ans. Plutôt corpulente, elle ne portait pas de maquillage, et sa chevelure était tirée en un chignon serré de matrone. Elle portait une jupe de bombasin noir et un chemisier blanc très convenable avec pour seul bijou un camée piqué au col. Elle ressemblait plus à une institutrice qu'à une tenancière de maison close.

Elle salua Jefferson d'un ton affable :

— Bien le bonjour, monsieur.

— Je m'appelle Jefferson Duke. Je me demandais si vous pouviez me parler de la nuit où mon fils — il se tut brusquement, étonné de constater que pour la première fois, il avait failli dévoiler la vérité — de la nuit où Lawrence Mansfield a été tué.

— Désolée. Je ne connais personne de ce nom.

— Mansfield. Il a été piétiné par les chevaux d'un équipage juste devant votre établissement.

Elle secoua la tête.

— Sais pas de quoi vous voulez parler.

— Lawrence...

Elle lui coupa la parole :

— Écoutez, mon bon monsieur. Ici, y a quelqu'un qui meurt tous les soirs. Ça n'a rien d'étrange ni de nouveau. Je ne demande jamais les noms et je ne pose jamais de questions.

— Vous ne comprenez pas. La police a refusé de m'aider. J'ai essayé, mais on me croit fou. Je me disais que vous pourriez peut-être me parler d'une Chinoise qu'il est censé avoir fréquentée. Je pensais qu'elle travaillait pour vous.

La femme croisa les bras sur sa poitrine.

— Je n'ai qu'une seule Orientale ici. Elle s'appelle Mei Su.

— J'espérais que vous pourriez m'en parler.

— Elle est morte.

— Quoi ?

Jefferson eut la sensation que le sol avait tremblé tellement cette nouvelle le frappait.

L'air guindé, la femme se mordit la lèvre inférieure dans un effort pour maîtriser son chagrin et sa colère.

— Il y a deux jours, une grosse brute orientale s'est présentée ici. Il disait qu'il voulait absolument aller avec elle. C'est ce qu'il a fait. Eh bien, elle saignait par tous les orifices quand je l'ai retrouvée après son départ. Nous n'avons rien pu faire.

— Vous n'avez pas appelé un médecin ?

La femme se mit à rire :

— Il n'y a pas de médecins par ici. C'est la côte de Barbarie. Personne ne pleure quand le monde perd une pute !

Brusquement, elle voulut claquer la porte.

Jefferson frappa le battant du plat de la main pour la garder ouverte.

— Je vous en prie. Essayez de vous rappeler. Lawrence était grand, très beau, bien vêtu, des yeux comme les miens. Il avait une calèche en laque noire avec des garnitures en laiton.

La femme jeta un coup d'œil à gauche et à droite pour s'assurer que personne ne les observait. Elle fit bien attention de ne rien laisser paraître sur son visage.

— Il venait ici deux fois par semaine depuis plusieurs années. Mais Mei et lui n'habitaient pas ici. Ils se voyaient ailleurs. Une de mes filles m'a dit que Mei n'était même pas sa maîtresse. Qu'elle lui servait de couverture pour celle qui l'était.

— Avez-vous une idée de qui il s'agit ?

— Non, seulement qu'elle était plus âgée, beaucoup plus âgée. J'ai entendu une des filles affirmer que Mei était la petite-fille de cette femme. Mais c'est plutôt tiré par les cheveux.

— Pas vraiment. Quel âge avait Mei ?

— Elle disait qu'elle avait quinze ans. Je crois qu'elle a commencé lorsqu'elle en avait douze.

— Comment sa famille a-t-elle pu la laisser faire cela ?

Elle haussa les épaules.

— Les filles chinoises sont rien que du bétail. Pour elles, c'est un progrès dans l'échelle sociale.

— Que pouvez-vous me dire à propos de la nuit en question ?

— Il y avait bel et bien un attelage, mais j'ai entendu dire que les chevaux se dirigeaient droit sur lui. Comme par exprès.

— Il a été assassiné, laissa tomber Jefferson, d'un ton glacé.

— La police affirme que c'est un accident, parce qu'elle ne veut pas aller fouiner du côté du quartier chinois. J'ai vu quatre voyous chinois organiser l'affaire. D'ailleurs, je n'ai rien à voir avec les Chinois. Sapristi, je ne veux vraiment pas me créer de problèmes. Je vous dis ça parce que vous m'avez l'air d'un brave homme. Mais suivez mon conseil. Ne revenez pas ici. Mei est morte. Je le serai peut-être moi aussi demain pour vous avoir raconté ça. Ne parlez de rien de ce que je vous ai dit à personne.

— Que savez-vous de plus sur ces Chinois ? Qui était leur chef ? Pourquoi auraient-ils voulu tuer Lawrence ?

— Je ne sais pas. Éclairez-moi.

— S'il vous plaît, est-ce que vous avez d'autres détails sur ce qui s'est passé cette nuit-là ?

— Non. Et si vous voulez en savoir plus, essayez le quartier chinois. Elle le foudroya du regard. Mais si vous y allez, n'espérez pas en sortir vivant.

Elle claqua la porte et fit glisser le verrou.

Jefferson se rendit dans le quartier chinois et se promena dans sa calèche noire de par les rues étroites. Il souhaitait faire délibérément connaître sa position. Il s'appelait Jefferson Duke, et il connaissait la vérité.

« Je ne laisserai pas ce jeu du chat et de la souris se poursuivre éternellement. »

En observant les regards soupçonneux que sa présence suscitait, Jefferson se souvint de l'histoire que sa mère lui avait racontée au sujet de la querelle qui opposait Andrew Duke à ses ennemis chinois.

« Qu'il est ironique que Lawrence ait trouvé l'amour auprès d'une femme qui appartient au clan ayant juré notre perte. Peut-être qu'il guérissait nos familles sans même s'en rendre compte. »

Jefferson avait l'étrange impression d'avoir été transporté dans un autre temps et un autre lieu. Même l'énergie du quartier chinois était inquiétante. Il y avait longtemps qu'il n'avait eu envie de s'en prendre au monde.

Mais cette fois, il n'avait rien à perdre.

Sauf Barbara.

« Je combattrais Lucifer en personne pour Barbara. Peu importe ce qui sera nécessaire, je ferai en sorte qu'il ne lui arrive rien de mal. »

Finalement, il cogna du pommeau de sa canne au toit de sa calèche.

— Cocher, à la maison.

* * * *

La situation financière d'Eleanor était chaotique.

— Avec mon héritage, je peux bâtir la maison que je veux et où je le veux, déclara la jeune femme à Jefferson.

— Vous devez protéger la fortune de Lawrence pour votre avenir, à Barbara et à vous.

— C'est précisément à son avenir que je pense. Elle fera ses débuts dans quelques années, et il est impératif qu'elle fasse un bon mariage. Je ne peux en arriver là à moins d'avoir la bonne adresse, ainsi que les robes et les soirées qui conviennent, tant pour elle que pour moi.

— Barbara aime cette maison. C'est son foyer.

— Elle aimera la nouvelle encore davantage.

— Eleanor, vous avez une cervelle d'oiseau, laissa sèchement tomber Jefferson en remettant son haut-de-forme.

— Je suis plus pragmatique que vous ne pouvez l'imaginer, Jefferson. Il faut que je fasse quelque chose pour arrêter les rumeurs qui détruisent ma réputation en ville.

— De quoi parlez-vous ?

Jefferson feignait de ne pas être au courant du scandale. Il avait toujours eu pour habitude de faire la sourde oreille aux potins.

Jefferson et Eleanor ne virent pas que Barbara avait descendu l'escalier en catimini et qu'elle se cachait dans le vestibule, derrière un gros palmier en pot, non loin des portes ouvertes du salon. Elle entendit toute la conversation.

— Je parle de la maîtresse de mon mari! J'ai reçu cette note, il y a trois jours.

Eleanor tira de la poche de sa jupe un bout de papier couvert d'une écriture presque illisible, comme si la personne qui l'avait écrite n'avait pas l'habitude de la plume et du papier.

«Ou ne connaissait pas beaucoup la langue anglaise», songea Jefferson.

— Comment l'avez-vous eue?

— On l'avait glissé sous la porte d'entrée. C'est la bonne qui l'a trouvée. Vous voyez? Elle s'appelait Mei.

— Je sais.

— «Vous le savez»? Mais comment est-ce possible? Les avez-vous surpris ensemble?

— Non. C'est la rumeur qui court. Je n'y crois pas. Lawrence n'était pas ce genre d'homme.

— Je suis certaine que cette petite traînée l'avait envoûté!

Jefferson la foudroya du regard.

— Depuis combien de temps aviez-vous banni Lawrence de votre chambre à coucher, Eleanor? Combien de temps l'avez-vous fait attendre? Ne l'avez-vous jamais rendu heureux?

— Taisez-vous! hurla-t-elle. Comment osez-vous me poser des questions aussi intimes!

— Mes excuses. Je ne faisais que souligner un point.

— Et vous n'y avez pas manqué. Elle croisa les bras sur sa poitrine. J'ai déclaré à tous les journalistes de cette ville que Lawrence n'avait jamais mis les pieds dans une maison close, et ils ont ri de moi. Chaque matin, je suis morte de peur à l'idée d'ouvrir les journaux et de découvrir que je suis la cible des caricaturistes. Vous n'avez pas idée de la pression que je vis en ce moment. Les employés du magasin s'imaginent que je devrais les aider. Je suppose qu'ils croient que je devrais ressembler davantage à sainte Caroline. Travaillante. Intéressée par le commerce. Mais ce n'est pas le cas. Je ne connais rien aux affaires et je me fiche de ne jamais rien y connaître.

— Je vous ai proposé de vous aider avec le magasin.

— Je n'ai pas besoin de votre aide. J'ai nommé Jasper Akins président.

— Oh, pour l'amour de Dieu! Jasper est un acheteur, pas un homme d'affaires, laissa tomber Jefferson.

Il lui tourna le dos.

Eleanor était furieuse qu'il désapprouve sa décision.

— Jasper et moi voyons la situation du même œil.

— Je n'en doute pas. Il vous volera honteusement si vous ne faites pas attention. Il est fait du même bois que vous, Eleanor. Vous dépensez follement et outrageusement votre argent sans vous soucier de la provenance de vos profits. L'association de Lawrence et de Jasper fonctionnait parce que Lawrence gardait les rênes de l'affaire bien en main.

Eleanor leva les mains en l'air.

— Bien entendu! Lawrence était parfait, il savait tout! écuma-t-elle.

— Pas tout.

— En tout cas, il savait comment se trouver une maîtresse. Mais pourquoi a-t-il fallu qu'il me déshonore en couchant avec une Chinoise? Tout le monde sait qu'ils vivent comme des rats sous la ville.

— Qui vous a dit cela?

— Des rumeurs circulent. Chez les journalistes, surtout. J'ai déniché d'autres petits potins dans mes échanges avec mes amis journalistes, ajouta-t-elle.

Jefferson n'aima pas la manière dont la voix d'Eleanor avait baissé d'une octave, ni la façon dont elle choisissait ses paroles, comme quelqu'un qui s'apprête à proférer des menaces.

Elle arracha la note de la main de Jefferson.

— Ce n'est que l'un des mystères irrésolus de la série qui vous concerne, mon mari, sa mère et vous. Je sais que vous me croyez ignorante. C'est évident. Vous croyez aussi que je suis gâtée, mais c'est faux. Je veux simplement ce qu'il y a de mieux pour ma fille, c'est tout.

Elle se dirigea lentement vers la cheminée en marbre blanc et fit glisser sa main sur la surface lisse du manteau.

— On me dit que votre intérêt pour ma fille est anormal.

— Quoi?

Le mot piqua la curiosité de Barbara. « Anormal ? Qu'est-ce que ça veut dire ? »

Elle se pencha pour mieux entendre.

Eleanor poursuivit :

— Maintenant que Lawrence est mort, je ne veux pas que la plus petite ombre de scandale effleure la vie de Barbara.

Jefferson protesta :

— Moi non plus.

— Bien. Alors, nous nous comprenons. Je ne veux plus que vous voyiez Barbara. Je ne veux plus que vous l'emmeniez se promener en calèche, le dimanche. Ou que vous lui achetiez des vêtements et des chapeaux. Et par-dessus tout, je ne veux plus qu'elle soit seule avec vous dans votre maison.

La colère et la souffrance assaillirent Jefferson.

— Vous êtes malade si vous pensez réellement que je pourrais toucher à un cheveu de la tête de cette enfant. J'aime Barbara. Je ferais n'importe quoi pour elle.

Eleanor plissa les yeux, et son regard se fit soupçonneux :

— Je vous crois. Mais je ne comprends pas. Pourquoi ? Ce n'est que l'enfant d'un autre homme. Quelle est la raison ? Elle vous rappelle Caroline ?

— Bien entendu ! Et Lawrence, aussi.

Jefferson sentit son cœur craquer sous l'assaut d'Eleanor.

— Ha ! Je parie qu'il n'a rien à y voir, rétorqua la jeune femme.

Jefferson faillit se laisser emporter par la colère, mais il réussit à se maîtriser. Cette femme lui disait qu'il ne pouvait plus voir sa propre petite-fille. C'était une idée inadmissible.

Impossible de confier à Eleanor le chagrin qu'il éprouvait de la mort de Lawrence : il la croyait incapable de comprendre la profondeur de son émotion pour un homme qui n'était « qu'un ami ». La présence de Barbara gardait Lawrence vivant aux yeux de Jefferson. Elle soulageait sa souffrance, et ensemble, ils partageaient leurs souvenirs de lui. C'était ainsi que Jefferson fuyait le vide de son cœur. Barbara était devenue sa raison de vivre.

— J'aimais Caroline plus que vous ne pourrez jamais le comprendre.

— Ha! Et vous dites que je suis malade? Vous commettez l'adultère avec une femme pendant plus de quarante ans et vous osez me dire que je suis malade?

Furieuse, Eleanor laissa éclater sa hargne.

— Je veux que vous sortiez de cette maison! Dehors! Tout de suite!

Elle frappa le manteau de la cheminée du poing.

Jefferson se dirigea vers la porte. En levant les yeux, il vit Barbara. Elle l'observait derrière les longues frondes de l'arec en pot, et ses yeux bleus étaient inondés de larmes.

Elle secoua la tête de droite à gauche et ses boucles brunes se mêlèrent aux frondes du palmier.

— Non, Jefferson! Ne me laisse pas, le supplia-t-elle dans un murmure rauque.

Elle avait les joues rouges comme des tomates à force de lutter pour retenir ses protestations. Lorsque son regard se porta vers le salon et qu'elle vit sa mère approcher, la panique se peignit sur son visage. Elle bondit dans l'escalier et grimpa les marches quatre à quatre pour échapper au regard d'Eleanor.

Jefferson se retourna vers la jeune femme pour lui bloquer le chemin, espérant ainsi donner à Barbara le temps de disparaître sur le palier. Levant les yeux, il vit que la fillette était accroupie en haut des marches. Elle passa la tête entre les colonnes de la rampe, et une larme tomba sur le plancher du rez-de-chaussée, dessinant une petite flaque sur le parquet.

«Une petite larme. Si petite que personne ne la remarquera, sauf moi. Une larme. Le signe que l'enfant a le cœur brisé.»

Le courage chanta dans ses veines. Il confronta Eleanor.

— Barbara a déjà perdu son père. Je suis son ami. Si vous m'empêchez de la voir, elle se sentira abandonnée. Elle n'aura personne vers qui se tourner.

Eleanor éclata d'un rire grinçant qui agressa les oreilles de Jefferson. «Elle est ivre de pouvoir», songea-t-il.

— Elle m'a, moi. Elle n'a besoin de personne d'autre.

— Vous pouvez me fermer les portes de votre demeure, c'est votre droit. Vous êtes sa mère, qu'il en soit donc ainsi. Mais si Barbara veut me voir, elle trouvera un moyen. Elle a beaucoup de Caroline en elle. Elle a du chien. Elle me verra.

— Ne soyez pas si sûr de vous, Jefferson. Vous régnez peut-être sur la moitié de la ville grâce à votre fortune et à votre influence, mais vous ne régenterez plus ma vie. Maintenant, sortez de ma maison.

Jefferson ne céda pas à son désir de lever la tête pour regarder sa petite-fille. S'il cédait, Eleanor la découvrirait, et Jefferson n'y gagnerait rien. Il espérait seulement qu'elle avait saisi le message qu'il lui avait lancé. Il serait toujours là pour elle. Elle n'avait qu'à venir à lui.

Lorsqu'il sortit de la maison, Eleanor claqua la porte derrière lui pour bien faire sentir son rejet.

« Je t'aime, Barbara. Je n'ai que toi. »

Trente-trois

« J'ai buté sur un préjugé
Qui bloquait presque toute la vue[36]. »

— CHARLOTTE PERKINS GILMAN,
IN THIS OUR WORLD, « AN OBSTACLE », 1RE STROPHE

San Francisco, 1901

Jusqu'au tournant du siècle, les habitants de San Francisco représentaient le plus important bassin de consommateurs du continent américain. Quantité de commerces et de sociétés devaient leur existence au flot inépuisable d'argent qui entrait dans la ville par la baie. La nécessité de bâtir des maisons, des écoles, de lancer des entreprises et des manufactures croissait à mesure que la superficie et la population de la ville augmentaient.

Les administrateurs et commissaires municipaux avaient mis au point plusieurs mécanismes pour s'en mettre plein les poches. Ils s'accommodaient de ce qu'ils jugeaient de «légères imperfections», procédaient à des «réductions de coûts» et à l'«élimination des procédures occasionnant des dépenses excessives» dans nombre de projets municipaux touchant l'immobilier, les infrastructures et les citernes trop longtemps négligées, destinées à combattre les incendies. La réalité était que le crime et la pauvreté continuaient d'augmenter. Comme l'argent était aussi facile à gagner qu'à dépenser, peu de gens choisissaient de regarder l'envers plus sombre de

---

36. N.d.T.: Traduction libre.

l'allégresse ambiante. Peu de gens acceptaient de tourner leur regard vers l'avenir à long terme.

Jefferson Duke faisait partie de la poignée d'hommes qui choisirent de ramer à contre-courant de ce flot d'argent facile que fit circuler la municipalité en bâtissant de nombreux bâtiments en bois sans pilotis, sur des sites de décharge instables. Tout comme Dennis Sullivan, le chef des pompiers de la ville, Jefferson était d'avis que «si la ville ne brûle pas de fond en comble, elle tombera comme un château de cartes au premier bon coup de vent».

Depuis qu'il s'était aventuré sur la côte de Barbarie, où la misère et le sentiment de désespoir l'avaient marqué de façon indélébile, Jefferson s'était rendu compte qu'il était temps qu'il change de centre d'intérêt. Plutôt que de fonder de nouvelles sociétés, il profita de ses invitations à dîner et de ses réunions aux clubs comme d'une tribune pour exprimer ses inquiétudes quant à l'absence de services de prévention des incendies, de canalisations d'eau courante et de bouches à incendie. Il avait été choqué par la misère qui régnait dans le quartier chinois et sur la côte de Barbarie il écrivit une lettre aux éditeurs des journaux mentionnant qu'il était convaincu que c'était la pauvreté et le manque d'espoir qui engendraient les criminels.

La ville entière se moqua de lui. Au fil des ans, Jefferson avait été considéré comme un « dingue » et un « excentrique ». Il se rendit à Sacramento et s'adressa au sénat de l'État pour parler des problèmes de la ville. Les autorités l'écoutèrent. Au bout du compte, Jefferson se présenta aux élections et devint sénateur de Californie. En mars 1901, il se rendit à Washington où il rencontra le vice-président Theodore Roosevelt il espérait attirer l'attention de la nation sur les violations de la National Board of Fire Underwriters[37] et sur la corruption des administrateurs de la ville de San Francisco, qui en était la cause. Le vice-président fut très impressionné par Jefferson et lui promit que lorsqu'il viendrait à San Francisco, il descendrait chez lui.

N'importe. Les commissaires municipaux prenaient Jefferson pour un illuminé. Il était donc dans leur intérêt de convaincre le reste de la population civile de la même chose. Presque tous les commissaires recevaient des pots-de-vin : ils ne pouvaient pas se permettre de laisser Jefferson Duke se mêler de leurs affaires. Jefferson se montra implacable, mais l'âge et le temps jouaient contre lui. Lorsque

---

37. N.d.T.: Association nationale de sociétés d'assurance pour la prévention des incendies et le contrôle des dommages, fondée en 1866, aujourd'hui défunte.

les gens commencèrent à se retourner contre lui, il se demanda pourquoi il aimait tant sa ville. Sa seule joie était Barbara.

Depuis le jour où Eleanor avait chassé Jefferson de sa maison, Barbara Mansfield avait saisi toutes les occasions possibles pour défier sa mère. Elle rencontrait Jefferson Duke dans le parc avoisinant le Presidio. L'été, quand il faisait chaud, elle partageait une crème glacée avec lui à la buvette de la rue Powell. Elle l'attendait à la sortie de l'école au club Pacific Union où elle organisait leurs rencontres en envoyant un messager lui porter de petits mots à la maison. Jefferson s'assurait qu'elle avait toujours des quantités de monnaie pour pouvoir payer les services du jeune messager, chaque fois qu'elle en ressentait le besoin.

Barbara déposait l'argent dans une boîte incrustée de nacre dont Jefferson lui avait fait cadeau pour son douzième anniversaire. Elle y conservait des souvenirs qui lui rappelaient son ami : des billets pour le carrousel, une rose d'hiver qu'il lui avait achetée le jour de la Saint-Valentin et une poupée *Kewpie* miniature qu'il avait gagnée pour elle à la foire. Il n'y avait ni bague ni bracelet dans son coffre aux trésors.

— Je ne veux rien qui coûte quelque chose, Jefferson. Je veux juste passer du temps avec toi.

— Oui, le temps. C'est plus précieux que l'or.

— Tu n'es pas vieux pour moi, Jefferson, disait-elle en caressant sa joue ridée. Nous serons toujours ensemble.

— Nous l'avons toujours été, reprenaient-ils en chœur.

— Avant même le début des temps, ajoutait Jefferson.

Le temps. Jefferson en donnait avec joie à sa petite-fille, ainsi que des poèmes sentimentaux qu'il lui écrivait en puisant dans son cœur. Il lui donnait de l'amour et partageait sa vision du monde. Parce que leurs rencontres étaient secrètes, Jefferson réfléchissait souvent à la nature clandestine de son amour pour Caroline. Il supposait qu'il aurait pu éliminer les intrigues de sa vie, mais alors, il n'aurait pu bâtir cette amitié avec Barbara. Jefferson savait que l'amour qu'il recevait d'elle était le plus merveilleux de tous les cadeaux. Elle voulait le voir non parce qu'elle se croyait obligée de fréquenter un grand-père vieillissant, mais parce qu'elle l'aimait.

* * * *

Barbara s'était organisée pour que sa rencontre avec Jefferson ait lieu au Palace Hotel, car c'était le prototype qu'il proposait pour la construction d'immeubles capables de résister aux incendies et aux séismes. À dix-neuf ans, Barbara était devenue la championne de son ami. Elle avait choisi le Palace comme sujet pour un travail scolaire et cité les statistiques que Jefferson lui avait fournies sur la construction de l'immeuble. Érigé sur une fondation massive de piliers enfoncés à plus de trois mètres dans le sol, l'hôtel avait des murs extérieurs de plus de soixante centimètres d'épaisseur, et son armature avait été renforcée grâce à plus de deux mille sept cents tonnes d'acier. En plus d'un gigantesque réservoir d'eau au sous-sol, l'hôtel avait installé sur le toit une réserve de près de cinq cent mille litres d'eau, destinée à éteindre tout foyer d'incendie dans l'hôtel, grâce à un réseau de canalisations de plus de huit kilomètres de long.

Barbara savait que si Jefferson gagnait son combat, tous les immeubles de San Francisco seraient bâtis suivant ces spécifications.

Mais ce jour-là, elle n'avait pas organisé leur rencontre pour discuter de la nouvelle croisade de son ami contre le maire Schmitz, mais pour lui annoncer qu'elle allait se marier.

Le tout nouveau boghei de Jefferson s'arrêta pile devant l'hôtel. Le nouveau cocher, un jeune Irlandais séduisant répondant au nom de Patrick O'Shea, sauta de son perchoir comme une gazelle et ouvrit la portière à son employeur. À quatre-vingt-six ans, Jefferson n'était plus aussi ingambe que deux ans auparavant. Il s'était voûté, et ses pieds refusaient maintenant de bouger avec la résolution d'autrefois. Il accepta l'aide de Patrick, jeune et solide, pour descendre du boghei.

— Jefferson! s'écria Barbara de sa voix naturellement exubérante. Que c'est bon de te voir!

Elle vint vers lui et le serra dans ses bras.

Jefferson lui tapota le dos et laissa ses bras frais l'enlacer.

— On dirait que je ne t'ai pas vue depuis des années.

— Cela ne fait que trois semaines, répondit-elle d'un ton boudeur.

— Trois semaines et demie. Beaucoup trop long, à mon âge.

— Oh, Jefferson. Tu n'es pas vieux. Tu me l'as dit toi-même.

— J'ai dit ça? dit-il en riant.

— Oui. Tu m'as dit que la seule raison pour laquelle tu te permettais de ralentir était pour que les autres puissent te rattraper.

Il lui prit la main.

— C'est bien vrai.

Il pouffa de nouveau et sourit devant ses yeux bleus pétillants.

Barbara glissa un bras autour de la taille de Jefferson elle voulait qu'il s'appuie sur elle, mais il refusa. Il franchit fièrement la porte d'entrée, le bras affectueusement passé autour de ses épaules. Les voituriers et les grooms leur jetèrent des regards à la dérobée et échangèrent quelques sourires discrets.

— Ils croient que tu es ma maîtresse, murmura Jefferson, avec une lueur espiègle dans ses yeux verts.

La jeune fille releva fièrement la tête.

— Bien. Je n'ai rien contre le fait de leur faire croire que tu as une jeune amante.

Jefferson ne put retenir son rire.

— Dieu merci, tu as le sens de l'humour de Caroline. Et organiser une rencontre publique ici est très audacieux de ta part, ma chère. Je suis heureux que tu aies tenu tête à ta mère, toutes ces années.

Barbara détourna le regard, en espérant qu'il ne l'avait pas vue froncer les sourcils. On les conduisit à leur table pour le déjeuner.

— C'est de cela que je veux te parler, Jefferson, répondit-elle, sans dissimuler sa morosité.

Ils prirent place à une table carrée, nappée de fin damas le service était en argenterie anglaise massive et les plats de service en or. Au centre de la table, un vase rond en cristal contenait trois roses hybrides de thé anglaises. Barbara lissa ses jupes, puis le serveur fit claquer une grande serviette de table derrière sa tête avant de la glisser d'un mouvement précis sur ses genoux.

— Aimeriez-vous parler au sommelier, monsieur Duke ? s'enquit le garçon.

Barbara ne dit pas un mot et ne fit pas non plus une des grimaces comiques qu'elle affectionnait lorsqu'elle était enfant. Jefferson la regarda et prit conscience qu'elle n'avait plus rien d'une enfant.

— Apportez-nous une bouteille de Perrier Jouet, demanda-t-il au serveur qui hocha la tête et partit en quête du champagne.

Jefferson reporta son regard sur Barbara.

— Pourquoi est-ce que tu me regardes comme cela ? demanda-t-elle, peu habituée à un tel examen de sa part.

— Tu as grandi, répondit-il, un peu triste.

— Mais Jefferson, je ne suis pas plus vieille qu'il y a trois semaines.

— Je sais. Mais tu es tellement belle. Encore plus que Caroline, si c'est possible.

— Eh bien, ça ne l'est pas, alors ne le dis pas.

— Non, c'est la vérité, répondit-il.

Il admira son abondante chevelure sombre qui coulait en vagues luxuriantes dans son dos, et les bouclettes qui bordaient ses joues et dansaient sous le rebord du coquet petit chapeau bleu roi encadrant son visage. Ses yeux avaient la couleur de l'océan par un bel après-midi d'été. Jefferson remarqua que l'iris était cerclé de bleu marine, ce qui rehaussait l'éclat des étincelles de lumière qui semblaient irra-dier de l'âme de Barbara. Il sentait émaner le pouvoir de son regard, comme si elle lui donnait une parcelle d'elle-même chaque fois qu'elle lui faisait le plaisir de le regarder.

De tout ce qu'il aurait aimé faire, Jefferson aurait souhaité prendre la main de Barbara dans la sienne, fixer son regard captivant — les yeux de Caroline — et lui avouer qu'il était son grand-père.

Mais il n'en fit rien. Le moment était mal choisi.

Il ne saisissait pas très bien pourquoi il n'était pas prêt à lui dévoiler la vérité tout de suite, mais il finirait par le comprendre. Ou alors, Caroline viendrait lui rendre visite en rêve et le lui expliquerait.

Barbara beurra un morceau de pain au levain.

— Je ne te trouve pas vieux du tout, déclara-t-elle.

— Menteuse.

— C'est faux.

— Tu peux à peine contenir tes larmes en pensant que je suis en train de t'échapper. Le temps commence à me manquer. C'est certain. Il lui tapota la main. Faisons en sorte que chaque instant compte.

— Je ne veux pas que tu me quittes... comme papa, balbutia-t-elle.

— Il te manque.

— Terriblement! Parfois, quand je suis avec toi, tu me le rappelles tellement... Les moments que nous avons eus ensemble. Je me sou-viens du jour où la police est venue à la maison, comme si c'était hier.

Il tendit le bras et lui serra la main.

— Il me manque aussi. Nous étions très proches. Lorsqu'il était petit garçon, il avait l'habitude de passer me voir à l'entrepôt et au parc à bois que je possédais à l'époque. Il me racontait ses rêves de voyages à l'étranger. C'était un visionnaire, Barbara. Il vivait ses rêves. Quand il avait ton âge, et même plus jeune, il créait des fantasmes en imagination et avant d'avoir trente ans, il avait réalisé la plupart des choses dont on ne connaît que ce qu'on lit dans les livres et les journaux. Il était remarquable, conclut Jefferson, plein de nostalgie.

— Tu l'aimais.

— Comme s'il était mon propre fils.

Jefferson se demanda si c'était le bon moment, mais Barbara reprit la parole.

— C'est pourquoi j'ai tant de difficulté à te dire ce que j'ai à te dire.

— Ne t'en fais pas. Dis-le, c'est tout, la pressa-t-il, plein d'une assurance aimante.

Barbara inspira profondément.

— Je sais que ma mère et toi ne vous entendez pas. En fait, elle te déteste.

— Mais moi, je ne la déteste pas, Barbara. Je suis tout simplement en désaccord avec ses méthodes de gestion de problèmes, et d'après ce que j'entends, j'avais raison à propos de ses dépenses exagérées. Est-elle dans d'aussi mauvais draps qu'on me l'a rapporté?

Barbara hocha la tête.

— Elle a mis la maison en vente.

— Dieu du ciel! Je ne savais pas que la situation était aussi alarmante. Ce n'est pourtant pas le moment de vendre! L'effondrement du marché des valeurs mobilières en mai a précipité l'économie dans une récession. C'est le temps de s'accrocher à ses biens mobiliers, pas le temps de vendre. Elle aura de la chance si elle obtient la moitié de la valeur de la maison.

Barbara s'affala contre le dossier de son siège elle avait l'air préoccupée.

— J'ai entendu le même genre de rumeurs. Alors, la situation peut tourner très mal pour nous?

Jefferson secoua la tête, puis se frotta le menton, l'air pensif.

— Si Eleanor n'était pas si entêtée, je lui prêterais l'argent dont elle a besoin. Ou dont elle pense qu'elle a besoin. Mais elle n'acceptera jamais que je lui fasse la charité, et franchement, je doute de pouvoir lui faire confiance, parce qu'elle dépensera l'argent sur une satanée robe ou autre chose! Après mûre réflexion, je ne lui prêterai pas d'argent, conclut-il en bougonnant.

Il se pencha vers Barbara :

— Si tu as besoin de quoi que ce soit, tu n'as qu'à me le demander.

Barbara dissimula son rire derrière sa main.

— Qu'est-ce que j'ai dit de drôle?

Barbara mit un long moment à retrouver son sérieux.

— Ta querelle avec mère me fait vraiment rire.

Jefferson était indigné.

— Je ne vois pas pourquoi! Elle m'a chassé de sa maison et elle a fait tout son possible pour nous séparer. Cette femme est aussi infecte que du fumier de mouton!

— Jefferson, franchement! Barbara riait toujours. Mais tu as raison.

Le rire de Jefferson détendit ses lèvres serrées. Il s'esclaffa, les mains sur le ventre.

— Alors, raconte-moi ce qu'elle mijote, ces temps-ci.

C'était comme s'il venait de lui jeter un verre d'eau glacée au visage : Barbara reprit immédiatement son sérieux.

— Elle veut que j'épouse Donald Pope.

Jefferson faillit s'étouffer dans son vin.

— Quoi?

— Si mère clame qu'elle a tant besoin d'argent, c'est entre autres parce que je dois faire des débuts convenables afin de faire un bon mariage. Maintenant que j'ai perdu mes rondeurs de bébé, grandi de sept centimètres depuis l'été dernier et que je n'ai pas la peau brûlée ou pelée par le soleil, je crois que maman a décidé de me regarder plus attentivement. Elle pense que je peux me trouver un bon parti. Elle dit que je devrais être capable de «ferrer n'importe quel des hommes de cette ville», si je le veux. Elle dit qu'ainsi, nous serons toutes les deux «casées» à vie.

Jefferson était stupéfait.

— Et toi, que veux-tu?

Elle posa son coude sur la table et laissa tomber son menton dans la paume de sa main. Elle n'essaya même pas de dissimuler la tristesse de son regard.

— Je voulais aller à Paris comme papa. J'aurais voulu écrire pour un journal, peut-être. J'aurais aimé... oh, quelle différence, de toute façon !

Elle était l'image même de la mélancolie.

— Quelle différence ? Mais c'est de ta vie que nous parlons en ce moment ! Où est passée ma petite fille indépendante et déterminée qui voulait m'aider à changer le monde ?

— Elle a vu clair. Elle a compris que les femmes ne font pas ce genre de choses.

— Vraiment ?

Il serra les mâchoires, il était en colère.

— C'est ce que mère affirme.

— Au diable Eleanor ! Tu vas rentrer chez toi et dire à ta mère que Caroline a très bien réussi sans se marier pour la fortune. En fait, s'il faut dire la vérité, c'est « William » qui l'a épousée pour son argent ! Ou à tout le moins, le potentiel que possédait Caroline pour faire de l'argent. Tu diras à Eleanor que tu as deux fois plus du cran de Caroline que de ses manières égoïstes et manipulatrices à elle.

— Je n'y manquerai pas, Jefferson, répondit-elle, facétieuse.

— Je me laisse un peu emporter..., marmonna-t-il, penaud.

— Un peu, opina-t-elle.

— J'ai réagi de façon excessive. Je ne t'ai pas demandé ce que tu penses de Donald Pope.

— C'est un type bien. Je l'ai rencontré lors d'une fête de Noël, l'an dernier, quand le couvent de Ste-Benecia a fermé pour les vacances. En fait, mon amie Meredith Winters l'aime plus que moi. Mais Donald a confié à sa mère qu'il était amoureux de moi. Sa mère a donc parlé à ma mère qui dépense maintenant toutes ses économies pour organiser une grande soirée à la maison, ce samedi, et... Oh, Jefferson ! Je ne sais tout simplement plus quoi faire !

Il tambourina de ses doigts arthritiques sur la table.

— C'est tout un micmac, mon ange. À mon avis, tu es dans une situation des plus délicates. En faisant plaisir à Donald, tu perds l'amitié de Meredith. En faisant plaisir à ta mère, tu te rends malheureuse. Si tu te fais plaisir, ta mère sera en colère, Donald aura le cœur brisé, mais Meredith sera contente.

— C'est comme ça que je vois la situation. Elle jeta les mains en l'air. Qu'est-ce que je dois faire ?

Jefferson se pencha vers elle, l'air d'un conspirateur.

— Quitte cette ville. Et vite!

Il éclata de rire.

Un sourire étira la bouche de Barbara.

— Serais-tu sérieux?

— Je suis sérieux. Accompagne-moi à Washington. Depuis la mort de McKinley et l'accession de Teddy Roosevelt à la présidence, les choses ont déboulé comme une avalanche. Notre nouveau président m'a demandé d'être l'un de ses conseillers. Sur plusieurs sujets. J'apprécierais de la compagnie.

— Moi? À la Maison-Blanche? En es-tu certain? Je veux dire... ce n'est rien de moins que la concrétisation d'un rêve de journaliste!

Barbara était extatique.

— J'ai pensé que tu verrais la chose ainsi. Dis à ta mère que tu as besoin de réfléchir. Elle n'est pas obligée de dépenser tout son argent dans une fête. Du moins, pas tout de suite. Qu'en dis-tu?

— J'en dis que j'accepte, Jefferson!

Elle saisit son verre de vin et le fit tinter contre celui de son ami. Il sourit.

— Parfois, il vaut mieux prendre du recul et laisser les événements suivre leur cours sans s'engager. En vieillissant, tu découvriras que j'ai raison.

— Je me fiche de ce que mère pensera de ma décision. Je pars. Je déciderai peut-être d'épouser Donald au bout du compte, et alors, qui sait quand j'entreprendrai un autre voyage aussi excitant?

— Que diras-tu à ta mère?

— Que tu ne peux absolument pas faire ce voyage tout seul à ton âge, répondit-elle d'un ton taquin. Je lui dirai que tu as besoin de moi.

— J'ai toujours eu besoin de toi. J'aurai toujours besoin de toi.

Trente-quatre

« Qu'il est amer d'avoir connu l'amour[38]. »

— ALGERNON CHARLES SWINBURNE,
LAUS VENERIS, 103ᴇ STROPHE

— Jefferson, cette traversée du pays m'a transformée, dit Barbara en regardant par la fenêtre du wagon panoramique.
— De quelle manière ?
— Je ne t'avais jamais vu en action. J'ai été très inspirée par ta conférence à l'assemblée d'État, la semaine dernière. Vraiment, tous tes auditeurs étaient envoûtés. Je ne savais pas que tu avais conclu ces ententes avec Rockefeller, J. P. Morgan et Andrew Carnegie. Ne vient-il pas de prendre sa retraite, d'ailleurs ?
— Oui, il a vendu sa société à United States Steel.
— C'est bien ce que je pensais.
— Donc, tu aimes aussi mes amis politiciens ?

Elle reprit avec enthousiasme :
— Je savais que tu avais déjà rencontré le président, mais d'y assister... eh bien, j'étais vraiment très impressionnée. Tu as une influence et un pouvoir incroyables, Jefferson. En es-tu conscient ? Bien entendu, tu l'es. Qu'est-ce que je raconte ?

Elle reprit son souffle et ajouta d'un ton sincère :
— Tu m'as montré que je peux moi aussi essayer de changer le monde. De le rendre meilleur.
— Alors, c'était un voyage enrichissant, conclut Jefferson.

---

38. N.d.T.: Traduction libre.

— Et nous ne sommes qu'à mi-chemin de Washington.

Barbara avait remarqué que le personnel se montrait particu-lièrement déférent envers Jefferson dans le wagon-restaurant où ils allaient se restaurer, ou le wagon panoramique d'où ils contemplaient les Rocheuses. Les passagers souhaitaient aussi le rencontrer, engager la conversation, ou simplement graviter dans son orbite.

Barbara ne fut pas étonnée de voir que Jefferson traitait chacun avec une sérénité polie, même s'il lui confia qu'il préférait rester à l'écart lorsqu'il voyageait.

— Une fois à Washington, nous serons entourés de gens nuit et jour. Quand j'ai la chance d'être seul avec toi, je veux en profiter.

Le soir, il aimait bien se retirer pour se reposer, vêtu d'une vieille robe de chambre en laine à imprimé indien, à la mode vingt ans aupa-ravant, qui n'avait rien à voir avec le genre associé à un multimillion-naire. Dans leur voiture privée, il demandait à Barbara de lui servir un verre d'eau-de-vie de fruit, et de lui lire de la poésie ou des vers à la lumière de la lampe de lecture de style Tiffany.

Elle s'étonnait du genre de lectures qu'il affectionnait, histoires et poésies romantiques douces-amères. Elle n'avait pas compris à quel point il était sentimental. Elle croyait être elle-même une âme sensible ce fut donc une révélation d'apprendre que le cœur de l'homme est tissé de fibres identiques à celui de la femme.

> *Finie la pluie de l'hiver et ses ruines,*
> *Comme la saison des neiges et des péchés*
> *Les jours séparant l'amante de l'amant,*
> *La lumière qui perd, la nuit qui gagne*
> *Le temps retrouvé est un chagrin oublié,*
> *Les gelées sont mortes et les fleurs écloses,*
> *Et sous le couvert et les sous-bois verts*
> *Bourgeon après bourgeon, le printemps renaît.*[39]

Barbara finit de lire la strophe d'*Atalante en Calydon* de Swinburne, le poète préféré de Jefferson.

Ce dernier but la dernière gorgée de son verre d'eau-de-vie et reposa sa tête sur le dossier de son siège. Il fit rouler l'alcool sur sa langue, le savourant jusqu'au bout. Il se rappelait Caroline lui lisant exactement les mêmes vers.

---

39. N.d.T.: Traduction libre.

— Tu as même la voix de ta grand-mère. Son parfum, son énergie. Je pourrais presque me faire croire qu'elle est vivante.

Barbara le regarda : il avait fermé les yeux. Pendant un instant, elle crut qu'il s'était endormi. Mais une larme roula sur sa joue.

— Pourquoi me demandes-tu de te lire ces poèmes attristants ? Ils ne font que te bouleverser.

Lentement, il redressa la tête et la regarda. Ses yeux brillaient de la même passion et de la même vitalité que Barbara voyait dans les siens lorsqu'elle se regardait dans un miroir. En une fraction de seconde, elle eut un aperçu du genre de fougue qui avait dû animer Jefferson lorsqu'il était jeune homme. Elle aurait aimé le connaître alors qu'il faisait partie des premiers pionniers à s'établir à San Francisco. Des frissons lui hérissèrent la peau lorsqu'elle songea à toutes les choses que cet homme avait vues et vécues. Elle comprit que depuis très longtemps, il avait toujours été son héros. Elle voulait lui ressembler, mais elle savait bien que c'était impossible... non ?

— Ne crains jamais la souffrance, Barbara. Sinon, tu ne vivras pas. Pour vivre ici-bas, tu dois courir des risques. Il y en a de toutes sortes, je suppose. Pour ma part, j'ai été chanceux, car ils ont généralement tourné à mon avantage. Mais pas toujours.

— Caroline, tu veux dire.

— Oui, admit Jefferson.

« Et Lawrence. Et Rachel. »

— Tu l'aimais profondément, n'est-ce pas ?

Jefferson posa les mains sur les accoudoirs et ouvrit son cœur à sa petite-fille :

— J'aime à croire qu'une fois dans la vie de chacun passe une personne spéciale que nous sommes destinés à aimer et qui nous aimera de retour. Mais ce n'est pas toujours facile. Dolores Sanchez m'aimait. Pourtant, en dépit du fait qu'elle était belle et merveilleuse, je ne ressentais pas la même chose pour elle. Quand un amour est vraiment juste, il y a une électricité particulière de l'âme.

Encore une fois, j'ai eu de la chance : j'ai aimé Caroline dès le premier regard. J'ai vécu pour elle, et pourtant, je n'ai jamais vécu avec elle. Nous étions dans notre cœur aussi mariés que deux êtres peuvent l'être. C'est ce que je veux te faire comprendre, Barbara. Je n'ai jamais pensé que notre liaison était malhonnête ou immorale. J'ai tout sacrifié pour Caroline, et elle, pour moi. Ma seule consolation en vieillissant est que ma période de solitude tire à sa fin. Je crois qu'elle m'attend juste là, ajouta-t-il en désignant un point dans le lointain.

Le cœur de Barbara se serra. Elle se précipita vers Jefferson et posa sa tête sur ses genoux.

— Qui m'aimera, alors

Jefferson lui caressa les cheveux.

— Je ne te laisserai jamais seule, Barbara, pas plus que Caroline ne m'a laissé seul. La plupart des gens ne comprennent pas cela à propos de l'existence. La vie continue. Je serai simplement dans un autre espace, c'est tout. Mais tu sentiras mon amour affluer vers toi. Je te le promets.

— Oh, Jefferson. Je t'en prie, dit-elle en séchant ses larmes du bout de ses doigts. Ne parlons plus de cela. Je veux me sentir heureuse et gaie durant le voyage.

— Et c'est ainsi que cela devrait se passer. L'an prochain, je t'emmènerai à New York pour ton anniversaire. Nous irons voir une pièce de théâtre nous déjeunerons près de Central Park et nous ferons les boutiques pour t'acheter toutes les nouvelles toilettes que tu désires.

Barbara pouffa et sentit son chagrin se tarir :

— Jefferson ! Comme tu rêves !

— Tu dois rêver, mon enfant. Sans rêve, tu ne créeras jamais ta réalité.

— Je n'avais jamais considéré la chose ainsi, répondit-elle, songeuse.

— Rappelle-moi de te présenter à un de mes amis. Thomas Edison.

— Tu « connais » Edison ? Est-ce que tu connais tout le monde, dis-moi ?

Un sourire espiègle fit trembler les commissures de ses lèvres.

— À peu près.

Il lui prit le recueil de poèmes des mains et le posa sur la table à côté de son siège.

— Et maintenant, je pense que c'est le temps pour ce vieil homme de dormir un peu.

Washington, D. C., 23 décembre 1901

Barbara s'apprêtait à descendre du coach Pullman et à affronter le chaos de la gare ferroviaire de la capitale nationale. La luxueuse voiture était habillée de boiseries en ronce d'orme, garnie de bras de lumière en argent et de sièges en bois de rose, aux riches garnitures touffetées, ainsi qu'aux fenêtres et aux cloisons drapées de velours vert.

Le conducteur du train, assisté de deux valets et d'un acconier pour transporter leurs malles, et leur montagne de bagages, se répandait en attentions.

— Par ici, monsieur, dit-il en s'emparant du coude de Jefferson pour le conduire le long de l'étroit corridor jusqu'à la porte de leur compartiment. Faites bien attention, monsieur ces marches sont parfois très instables.

Il fit glisser la porte coulissante en ronce d'orme et verre taillé :

— Allons-y, monsieur.

Washington était toujours en deuil à la suite de la mort du président McKinley. Toutefois, on avait fait certaines concessions à la période des Fêtes. L'entrée principale de la gare était festonnée de guirlandes de branches de pin et de houx, ornées de grosses boucles en velours rouge et de grappes de petites pommes rouges reluisantes.

Le fiacre que Jefferson et Barbara louèrent pour les conduire à l'hôtel était lui aussi décoré : des branches d'épinette étaient accrochées aux lampes en laiton brillant, et les chevaux avaient des guirlandes de feuilles de laurier autour du cou. Le cocher, qui avait l'air d'un farfadet, avait piqué un brin de gui dans le ruban de son haut-de-forme.

San Francisco comptait déjà quelques automobiles, et on avait même fondé un nouveau « club automobile », mais Barbara n'avait jamais vu autant de voitures qu'à Washington. Ford, Stanley Steamer, Oldsmobile aux capots incurvés, voitures proposant des visites guidées, une Daimler, grandes voitures de touristes et Mercedes spéciales encombraient les rues, en plus des voitures hippomobiles habituelles — fiacres, attelages à quatre, carrosses, phaétons et bogheis.

Le fiacre passa par le quartier des théâtres, et Barbara vit des marquises annonçant *Aïda* et *Floradora*, ainsi que le théâtre Ford où l'attentat de Lincoln avait eu lieu.

Le fiacre s'arrêta devant le Washington House. Un essaim de grooms se précipita derrière le concierge venu accueillir lui-même Jefferson Duke.

— Monsieur Duke! C'est merveilleux de vous revoir, monsieur. Soyez de nouveau le bienvenu à Washington.

— Merci, Reynolds. C'est un plaisir d'être de retour.

— Il n'y a pas eu beaucoup d'action en votre absence, monsieur.

Reynolds, la trentaine, un grand à la barbe et aux cheveux sombres, usait du même genre de flatteries profuses que Barbara en était venue à associer avec Jefferson.

Elle s'avança pour descendre du fiacre. Reynolds eut le souffle coupé lorsqu'il la vit.

— Quelle femme ravissante!

Il se frappa théâtralement la poitrine avant de s'incliner devant Barbara. Puis il lui tendit la main en souriant largement.

— Washington n'a jamais vu une telle beauté, dit-il. L'autre jour, je lisais justement dans le *New York Sun* que seule la beauté d'une Californienne cosmopolite peut éclipser celle de nos aristocrates du Sud, et que la New Yorkaise à la mode, quant à elle, est monnaie courante. L'auteur de cet article doit vous avoir rencontré, mademoiselle...

— Mansfield, répondit brièvement Jefferson, en prenant soudain conscience que la réputation de Barbara pourrait se retrouver malmenée par les commérages notoires qui sévissaient à Washington.

Les hommes comme Reynolds faisaient partie des rouages qui alimentaient de leurs informations la machine à rumeurs de la capitale.

— Barbara, je te présente Harold Reynolds, le concierge de l'hôtel. Il te procurera tout ce dont tu auras besoin lorsque je serai en réunion.

Il se tourna vers Reynolds et lui dit avec aplomb :

— Barbara est la petite-fille de ma défunte fiancée, Reynolds. C'est mon plus précieux trésor. Faites en sorte qu'elle soit traitée comme la princesse qu'elle est.

Reynolds s'enorgueillissait de posséder un esprit des plus vifs et une perspicacité particulièrement éclairée. Il comprit tout de suite que si une seule remarque dénigrante ou la plus petite médisance sur mademoiselle Mansfield revenait aux oreilles de Jefferson, il perdrait son emploi et devrait peut-être même quitter le pays. Son sourire s'effaça. Il frappa dans ses mains pour appeler un nouvel essaim de grooms.

— Ses désirs seront nos ordres, monsieur, répondit-il d'un ton respectueux.

Jefferson offrit son bras à Barbara, et ils franchirent les portes d'entrée en verre et fer forgé de style Art nouveau. Reynolds les suivait comme un jeune chien. Il sortit un crayon et un petit carnet.

— Qui rencontrerez-vous durant votre séjour, monsieur Duke ? Et quels sont les arrangements que vous souhaitez me voir faire pour vous ?

— Je rencontre le président demain matin. À huit heures précises. J'aimerais un fiacre à 7 h 40 exactement. Il faudra que Barbara achète une robe pour le dîner de demain soir à la Maison-Blanche. Assurez-vous qu'on s'occupe d'elle dans les meilleures boutiques de la ville. Vous verrez à ce qu'on m'envoie les factures.

— Très bien, monsieur.

— Demain, j'ai rendez-vous avec plusieurs sénateurs à midi. J'aurai besoin d'un fiacre. J'ai organisé un déjeuner pour Barbara avec Alice.

Barbara s'arrêta net :

— Pas la fille du président ?

— Oui, celle-là même. De qui croyais-tu que je parlais ?

— Pourquoi ne m'en as-tu pas parlé avant notre départ ?

— J'ai pensé que tu serais trop nerveuse. Peut-être même que tu refuserais de m'accompagner.

Barbara avala sa salive avec nervosité.

— Tu avais raison.

Jefferson l'entraîna tout en jetant un regard par-dessus son épaule à Reynolds.

— Je vous ferai part de mes autres projets plus tard. Noël, vous savez. Je ne voudrais pas gâcher mes surprises.

Barbara fut frappée d'horreur.

— Tu veux dire que ce n'est pas tout ?

Jefferson lui fit un sourire énigmatique.

— Je te l'ai dit. Les rêves sont faits pour être réalisés, Barbara.

Ils montèrent dans l'ascenseur en laiton. Le liftier ferma la porte derrière eux et les emporta au cinquième étage où Jefferson avait réservé deux suites.

* * * *

Barbara fut poussée, tirée, mesurée et épinglée par trois couturières qui s'activaient comme si elles seraient envoyées à la guillotine si elles ne produisaient pas une robe spectaculaire pour 17 h 30, le même soir.

Barbara était juchée sur un tabouret rond recouvert de tapis, d'une trentaine de centimètres de haut, et faisait face à six miroirs. Elle observait les couturières tandis qu'elles jetaient et drapaient sur elle des masses de crêpe de Chine crème importé de France, des superpositions de soie crème et de larges panneaux de dentelles assorties. Elle aimait beaucoup le velours bleu roi choisi pour la cape elle serait doublée d'un épais satin crème et bordée d'une tresse bleue et dorée. Il y aurait aussi un manchon assorti.

Les couturières étaient jeunes et travaillaient comme apprenties pour une couturière plus âgée, une Parisienne répondant au nom de Véronique, qui abhorrait le nouvel argot dont elles usaient pour parler entre elles de leur travail.

Carrie s'exclama :

— Elle sera la plus chic de toutes.

— Le chroniqueur du *Washington Post* sera au dîner. Toute la ville ne parle que de cette fête de Noël à la Maison-Blanche, expliqua Mary en retournant Barbara pour qu'elle soit face à elle.

Elle épingla une autre pince sous la poitrine généreuse de la jeune fille.

— Tout le gratin sera là.

Jane ajouta :

— De la haute, voilà ce que vous serez, chère. Ce que je donnerais pour être une petite souris !

Carrie releva la tête de l'ourlet qu'elle était en train de coudre et regarda Barbara droit dans les yeux :

— Vous savez qu'Alice portera une de nos créations. Mais je vous le dis, elle ne vous arrivera pas à la cheville, même si c'est la fille du président.

Jane reprit :

— Alice fait ses débuts le 3 janvier. Vous n'imaginez pas tout ce que nous devons coudre pour elle.

— Seigneur ! Mais je ne crois pas qu'il y ait une femme plus belle que vous dans tout Washington, conclut Carrie.

Les trois apprenties reculèrent pour admirer Barbara dans sa longue robe de bal.

Barbara n'avait jamais vu une aussi belle robe et elle n'avait jamais révélé autant d'épiderme.

Véronique entra dans la pièce et étudia les drapés de l'encolure largement décolletée, les manches gigot en dentelle transparente et la jupe de dessus en dentelle. Elle secoua la tête, l'air désapprobateur.

— Non ![40]

Les trois couturières échangèrent des regards consternés.

Véronique fit le tour de Barbara et l'examina sous toutes les coutures. Elle se tapota la joue de l'index comme si elle essayait de déterminer à quelle étape elle s'était fourvoyée dans ses calculs.

Puis soudain, son visage s'éclaira, et elle sortit en courant de la pièce. Elle revint les bras chargés de larges panneaux de dentelle brodés de perles.

— Maintenant ! C'est magnifique ![41]

— Mais c'était pour la robe de débutante d'Alice ! balbutia Jane, sa voix haut perchée stridulant d'horreur.

— Oui. Mais maintenant, c'est pour Barbara !

Véronique sourit avant d'arracher la jupe du dessus cousue à la taille. Elle découpa au ciseau un panneau en forme de « V » dans la jupe de dessus et le plaqua sur le devant de la robe à la hauteur de l'abdomen.

Les trois jeunes filles se mirent immédiatement à l'ouvrage, sachant déjà l'effet que Véronique cherchait à donner. Elles fixèrent aussi des appliqués de dentelle perlée à l'ourlet de la jupe. Lorsqu'elles eurent terminé, Barbara fut renversée.

Quand elle tournait sur elle-même dans la lumière, comme elle espérait bien tourbillonner sur le plancher de danse, les perles et les

---

40. N.d.T.: En français dans le texte.
41. N.d.T.: En français dans le texte.

cristaux fixés à l'ourlet de la robe étincelaient comme des gouttes de rosée.

— J'ai l'air d'une princesse! s'écria Barbara.

— Oui. C'est vrai[42], opina Véronique en souriant avant de lui planter un baiser sur la joue.

Barbara prit alors conscience que d'une certaine manière, elle allait aussi faire ses débuts.

---

42. N.d.T.: En français dans le texte.

Trente-cinq

« La musique que j'ai entendue avec toi était plus que de la musique, Et le pain que j'ai partagé avec toi était plus que du pain. Maintenant que je suis sans toi, tout n'est que désolation Tout ce qui autrefois était si beau est mort[43]. »

— CONRAD AIKEN,
BREAD AND MUSIC

Washington, D. C.

Les drapeaux à moitié en berne et le crêpe noir n'arrivaient pas à imposer une atmosphère funèbre à la fête privée que le président Theodore Roosevelt donnait à la Maison-Blanche, à l'occasion de Noël. Privée de sa saison d'automne traditionnelle par l'assassinat du précédent président, la bonne société de Washington avait besoin d'une excuse pour se réjouir.

Barbara n'avait jamais vu de femmes plus élégamment vêtues. Il n'y avait pas ici le penchant des San Franciscains pour l'ostentation Barbara n'avait vu aucun solitaire serti de diamants en sautoir, ni tiare ornée de joyaux. Il régnait une sophistication cosmopolite et raffinée qui lui plaisait.

Les hommes d'État plus âgés portaient la queue de pie, mais les plus jeunes, comme le président qui n'avait que quarante-deux ans,

---

43. N.d.T.: Traduction libre.

avaient endossé le smoking. Jefferson portait un smoking noir, un pantalon droit noir, une chemise et une cravate d'un blanc immaculé. Son haut-de-forme et sa cape du soir en laine noire, doublée de riche satin crème et qui ressemblait beaucoup à la cape en velours bleu nuit de Barbara, étaient mis en valeur par sa canne noire à pommeau d'or.

Jefferson garda la main de Barbara dans la sienne, tandis que leur fiacre parcourait les rues légèrement enneigées. Il expliqua à Barbara que c'était une neige mouillée, ce pour quoi elle collait aux branches dénudées des cerisiers et des pommiers qui flanquaient l'avenue Pennsylvania. La lumière des réverbères illuminait la neige de flaques dorées. Lorsque Barbara descendit du fiacre et posa son pied chaussé de soie sur le trottoir couvert de neige, l'ourlet de sa robe scintilla comme les cristaux glacés qu'elle écrasait du pied. Elle était émerveillée devant l'intuition de Véronique et son attention aux détails.

Alors qu'ils pénétraient dans la Maison-Blanche et qu'on les guidait vers la pièce d'apparat où avait lieu la soirée, Jefferson se pencha vers Barbara et lui murmura à l'oreille :

— N'oublie pas que ces gens n'ont jamais été exposés à une vraie beauté de San Francisco. Ne sois pas trop dure avec eux.

Elle pouffa :

— Oh, Jefferson ! Tu me taquines vraiment trop.

— Je disais la vérité, reprit-il avant qu'un homme corpulent s'avance derrière eux et agrippe Jefferson par l'épaule.

— Jefferson Duke ! Par Dieu, vieil homme ! Je n'arrive pas à croire que tu sois ici !

Jefferson se retourna :

— Charles Fuller ! Tu devrais savoir qu'il ne faut jamais douter de ma parole.

Jefferson rit et échangea quelques mondanités avec Charles Fuller et sa femme, Sylvia, avant de leur présenter Barbara.

— Je suis absolument enchantée de vous rencontrer, dit Barbara tandis que Charles lui prenait la main et l'effleurait de ses lèvres.

— Enchanté, répondit-il d'un air appréciateur avant de se tourner vers Jefferson. En vous voyant, je souhaiterais avoir connu votre grand-mère, ajouta-t-il avec profonde sincérité.

Sylvia savait que Jefferson avait été fiancé à Caroline et aussi quel chagrin il avait eu à sa mort. Elle choisit de ramener la conversation vers des sujets plus légers :

— Est-ce votre première visite, ma chère ?

— Oui, répondit Barbara. Je suis sidérée devant l'histoire et le pouvoir que je sens ici.

— Washington est tout cela, et plus encore, convint Sylvia.

Jefferson et Charles se tournèrent vers des sujets d'ordre politique qui les concernaient. Barbara sentait son esprit bourdonner avec l'orchestre qui jouait et le bruit grandissant des conversations des invités, mais c'était la conscience de sa présence dans la maison de pas moins de vingt-six présidents américains différents qui lui donnait le plus grand vertige. Elle se dit que dans son état d'euphorie, le champagne ne ferait que la faire redescendre sur terre.

D'immenses chandeliers en cristal illuminaient les meubles habillés de velours rouge, le tapis rouge à motif floral et les centaines de palmiers en pot. Elle songea que l'ameublement était décevant la plupart des meubles semblaient avoir survécu au règne de Lincoln — et c'était le cas. Mais l'air embaumait le pin et l'épinette fraîchement taillés, et de grands feux ronflaient dans toutes les cheminées.

Des serveurs circulaient à travers la foule, proposant vins, whisky et bourbon. Les invités étaient d'humeur festive et enjouée. Barbara sirota un verre de champagne et sourit pour elle-même.

« Les choses ne sauraient mieux aller que maintenant. »

Michael Trent détestait ce genre de mondanités. Selon lui, s'entasser les uns contre les autres pour boire un verre ou se soûler carrément était un passe-temps ridicule. Pour lui, Noël n'était pas un temps de réjouissances. Dans son métier, c'était la période la plus meurtrière de l'année. Michael était le garde du corps particulier du président. Il surveillait la foule des invités, surveillant le haussement imperceptible de sourcils, le clin d'œil, le geste de la main, le haussement d'épaules ou le regard qui l'avertirait d'un danger.

Michael n'avait confiance en rien ni en personne. Il avait des yeux bruns qui tiraient sur l'or enfoncés dans leurs orbites, ils voyaient ce que la plupart des gens ne remarquaient pas. Le sénateur de l'Illinois, un homme de haute taille aux épaules étroites, avait glissé une flasque dans la poche de son veston à la manière dont il effleurait distraitement sa poitrine toutes les sept minutes et demie, Michael savait que ledit sénateur avait envie de bien plus que les apéritifs servis par le personnel de cuisine. Le travail de Michael ne consistait pas seulement à savoir que le sénateur buvait, mais aussi à découvrir pourquoi. Pourquoi avait-il besoin de boire ? Était-il nerveux ? En colère ? Était-il assez assoiffé de pouvoir pour vouloir assassiner le nouveau président à des fins personnelles ?

Voilà le genre de pensées qui occupaient l'esprit de Michael, nuit et jour. Et ce soir, c'était l'un de ces soirs.

Michael ne se détendit qu'après l'arrivée de toutes les personnes inscrites sur la liste d'invitations qui avait été vérifiée à deux reprises des mois auparavant. L'agent spécial était toujours aussi nerveux qu'un chat dans les premières heures d'une fête.

Il avait fallu trois jours de breffage avec ses hommes pour organiser cette soirée. Rien n'avait été laissé au hasard. Dans trente minutes, lorsque le président serait conduit dans cette pièce pour y rencontrer ses invités, Michael et ses hommes se mettraient sur le pied d'alerte. Michael avait tout prévu. La place de chaque invité à table avait été étudiée et planifiée comme celle des acteurs dans une pièce de théâtre. Étant donné qu'à la base, les gens se comportaient comme des moutons, il pouvait les orienter dans certaines directions sans qu'ils soient conscients des manipulations qu'il mettait en scène.

Sur le plancher circulaient plus de deux dizaines de gardes du corps comme lui ils étaient si parfaitement entraînés qu'ils pouvaient presque lire dans les esprits. Presque. Pour sa part, Michael *savait* qu'il pouvait lire dans les esprits.

Heureusement, cette soirée offrait fort peu de motifs de s'alarmer. La plupart des invités n'étaient pas des politiciens animés de motifs de meurtre. Il s'agissait plutôt de capitaines d'industrie, de gens que le président avait invités à Washington simplement parce qu'il les aimait bien, ou parce qu'ils lui étaient déjà venus en aide. Certains étaient les compagnons de chasse de Roosevelt. D'autres, des écologistes comme lui qui prônaient l'établissement des parcs nationaux. Et certains faisaient partie des hommes les plus riches du pays et possédaient pratiquement des villes entières.

« Des hommes comme... Jefferson Duke. Voilà un homme qu'il convient d'admirer. »

Michael avait rencontré Jefferson Duke trois ans auparavant il avait vingt-cinq ans et il venait tout juste d'arriver à Washington. Il avait eu le privilège d'assister à une rencontre entre Jefferson et Roosevelt, alors que Teddy était gouverneur de New York.

Michael avait été impressionné par le vieux Jefferson qui avait fait subtilement comprendre que personne ne pouvait le faire chanter, l'acheter, ni le manipuler. Il était vieux, mais entêté et déterminé à faire le ménage dans la corruption qu'il avait mise au jour à San Francisco.

Roosevelt avait confié à Michael que Jefferson était probablement l'homme le moins cupide qu'il connaisse.

— Cet homme est une anomalie, Michael. D'une honnêteté irréprochable et plus riche que Crésus. Protège-le : tu feras une grande faveur à notre pays.

Michael redressa ses larges épaules, plia et déplia ses bras musclés. Il sentait la tension de la soirée augmenter. Il frotta sa mâchoire carrée, ce qui indiqua à Jake Patterson que jusqu'ici, tout allait bien. Le regard de Patterson enregistra le geste, mais l'agent n'eut aucune réaction à l'exception d'une petite étincelle dans les yeux. Michael vit qu'il avait compris. Il avait bien formé son coéquipier.

Comme il mesurait 1,88 mètre, Michael pouvait observer ce qui se passait par-delà la tête de toutes les personnes présentes. Sa grande taille était un préalable pour l'emploi qu'il occupait, tout comme son corps d'athlète. Il se tenait en forme en s'entraînant dans un gymnase de boxe : outre les poids et haltères, il se hissait à bout de bras au plafond par un câble de chanvre. Il sortait son cheval tous les matins à l'aube, et pratiquait hebdomadairement le tir à l'arc, ainsi que le tir à la carabine et au pistolet, comme formes d'autodéfense plutôt que comme simple exercice.

Michael tenait à planifier sa vie aussi étroitement que le président lui-même. Il ne laissait rien au hasard.

Barbara dut répondre à une myriade de questions au sujet de San Francisco.

— Y a-t-il des Indiens ?

— Ne vous sentez-vous pas retirés de la civilisation si loin dans l'Ouest ?

— Comment les gens ont-ils réagi en apprenant la nouvelle ?
Elle finit par en avoir assez.

— Nous avons le télégraphe depuis qu'il a été mis en service.

— Seigneur! s'écria madame Milton, la femme d'un lobbyiste. Nous ne parlions pas des nouvelles nationales, mais de nos informations d'initiés, ici, à Washington.

Monsieur Milton abonda dans son sens.

— Les affaires d'État et le commerce font ouvertement l'objet de discussions dans des soirées comme celles-ci, bien avant que quiconque songe à en faire des politiques.

— Faites attention à ce que vous dites, ma chère. Vous pourriez créer un précédent sans même le savoir!

— Je commence à comprendre, répondit Barbara.

Au cours de la soirée, elle avait entendu plusieurs sénateurs discuter des plans privés de Theodore Roosevelt qui voulait se servir de ses pouvoirs exécutifs pour poursuivre un certain nombre de fiducies commerciales. Elle comprenait pourquoi Jefferson avait été invité. Elle saisissait le lien entre Jefferson et le président. Jefferson fournissait en cachette de l'information au président.

«Quel rusé renard, ce Jefferson!»

— J'en ai assez entendu pour remplir mon journal du début à la fin, poursuivit Barbara. J'ai le désir secret de devenir journaliste depuis que je suis enfant. Encore quelques soirées comme celles-ci, et je voudrai probablement publier ce que j'entends, ajouta-t-elle à la blague.

— Eh bien, si vous viviez ici, nous pourrions vous assurer une effervescence quotidienne, reprit monsieur Milton avant de s'esclaffer.

— J'en suis certaine. C'est une bonne chose que je n'aie pas complètement abandonné l'écriture. J'ai tenu un journal durant notre traversée du pays en train. Mon seul regret est de ne pas avoir laissé Jefferson m'acheter un de ces nouveaux appareils Brownie. Les photographies sont tellement évocatrices, ne trouvez-vous pas?

— Au retour, vous pourrez peut-être vous servir de votre nouveau Kodak.

— Bonne idée, opina Barbara en faisant le tour de la pièce du regard.

Elle ne voulait pas rater un seul détail de cette soirée, la plus incroyable de sa vie.

La première fois qu'elle remarqua Michael, il se tenait derrière elle, adossé au mur lambrissé de chêne.

Au-dessus de lui, un bras de lumière en bronze répandait sa lumière dorée sur son épaisse chevelure brune ondulée. Les yeux du jeune homme accrochèrent le regard de Barbara et la transpercèrent si férocement qu'elle eut un haut-le-corps, et faillit renverser sa coupe de champagne.

«Qui est-ce? Et pourquoi est-ce qu'il me regarde... comme cela?»

Nerveuse, elle termina sa coupe, mais refusa de se laisser intimider par le regard effronté et insensible de l'inconnu.

— Madame Milton, qui est cet homme là-bas, près du mur?

— Quel homme?

— Celui qui me dévisage comme si j'avais commis un crime.

La matrone inspira profondément, puis souffla, l'air dédaigneux :

— Juste un garde du corps. Ils se ressemblent tous.

— Vraiment?

Barbara haussa les sourcils. «Ils ne sont certainement pas tous aussi beaux.»

Elle sentit qu'elle rougissait, aussi baissa-t-elle les yeux et fit-elle semblant de s'intéresser à la conversation.

«Je sens ses yeux sur moi. C'est comme s'il me dévêtait en pensée.»

Elle releva la tête.

Il la dévisageait toujours.

Elle le foudroya du regard.

Il ne sourcilla même pas.

«Pas même un tressaillement! Oh! Il me rend folle.»

Ils se dévisagèrent. Se défièrent mutuellement.

Elle se dirigea vers lui.

Il l'observa tandis qu'elle s'approchait, les joues rouges, les yeux pleins de censure. Les cristaux ornant l'ourlet de sa robe et le panneau sur son ventre scintillaient sous la lumière des chandeliers. Une rougeur colorait la longue colonne de son cou, ses épaules doucement arrondies et ses seins hauts et ronds, à demi dévoilés.

«Oh oh! Elle est en colère.»

Il ne comprenait pas pourquoi il n'arrivait pas à détourner le regard. De belles femmes, il en avait vu. Washington en était remplie. «Mais pas un visage comme celui-là.

Reprends tes esprits, Michael. Tu as été formé pour ne pas répondre au désir. Tu n'as qu'à décrocher.»

Il remarqua qu'elle s'avançait vers lui d'une démarche beaucoup plus déterminée que la plupart des femmes. Ses hanches étaient animées d'un mouvement sensuel, et Michael ne put s'empêcher de spéculer à quel endroit, sous le panneau en V orné de cristaux et de perles, se rejoignaient ses jambes. Il eut à peine conscience qu'il avait ouvert les poings et les avait serrés de nouveau.

«La peau, c'est de la peau. La sienne n'est probablement pas plus douce que celle d'une autre.»

Lorsqu'elle fut plus près de lui, il fut enveloppé par la fragrance enivrante du musc et du bois de santal, un parfum exotique qui lui rappelait une expédition en Chine, durant la rébellion des Boxers. Il faisait alors partie des forces secrètes qui s'étaient rendues à Pékin pour faire évader les otages.

Il vit qu'elle ne portait ni poudre ni rouge à lèvres, ni fard à joues, comme la plupart des femmes. Le rose de ses lèvres suaves était naturel Michael se demanda ce qu'elles goûteraient s'il posait sa bouche sur celle de Barbara.

Elle l'apostropha violemment :

— Je veux savoir pourquoi vous n'arrêtez pas de me regarder, monsieur. Et si vous ne me le dites pas tout de suite...

— Vous ferez quoi, répliqua-t-il, sans révéler la moindre émotion, comme il avait été entraîné à le faire.

Barbara s'approcha très près et murmura :

— Vous avez besoin qu'on vous enseigne les bonnes manières.

Elle ouvrit son éventail d'un coup sec et fit volte-face. La plume piquée dans son chignon balaya le visage de Michael.

L'une des plumes colla à la lèvre du jeune homme.

Il la recracha.

Barbara s'éloignait lorsqu'elle sentit une main puissante saisir son bras exactement à l'endroit le plus vulnérable.

— Et où avez-vous appris les vôtres ?

Il la tenait fermement, mais sans lui faire de mal.

— À l'école de maintien.

Elle se libéra d'un mouvement brusque. Il la laissa faire.

— Allez aiguiser vos charmes sur quelqu'un d'autre. J'ai un travail à faire.

— Travail?

Barbara prit soudainement conscience de son faux-pas.

«Mais qu'est-ce qui m'a prise? Je suis à Washington. Les gens d'ici mangent du complot au petit-déjeuner.»

— Oh, mon Dieu!

Elle porta ses mains gantées à ses joues écarlates et s'écria :

— Cela ne me ressemble pas!

— Bien, alors retournez à vos affaires, laissa-t-il tomber d'un ton rogue, tout en respirant la chaleur et la proximité de la jeune femme.

Ses lèvres effleurèrent l'oreille de Barbara. Si elle continuait à se trémousser le derrière contre lui, elle finirait par sentir son érection.

«Quelle situation embarrassante. Qui a eu l'idée d'inviter des déesses à cette soirée?»

Penaude, Barbara se retourna pour s'excuser, mais se rendit compte qu'il fixait sur sa poitrine un regard sombre, le plus concupiscent qu'elle n'eut jamais suscité.

Décontenancée, elle lâcha :

— Il faudrait vous enfermer dans une cage, monsieur.

Michael cligna les yeux, reprenant soudain ses esprits. Elle avait raison.

— Je ferais mieux de retourner...

— Pas si vite, répondit-il, d'un ton bourru.

Il la saisit par le bras et la fit passer par une porte latérale dans le vestibule adjacent.

Elle lui assena un robuste coup d'éventail sur le bras.

— Qu'est-ce que vous croyez être en train de faire? Vous me lâchez ou je crie, menaça-t-elle.

— N'y pensez même pas. Il faudrait que je vous assomme, rétorqua-t-il froidement.

Elle le gifla.

— Vous n'oseriez pas.

— Ce ne serait pas la première fois, avança-t-il.

Il avait la joue cuisante. Mais tout en échangeant des piques avec elle, il n'arrêtait pas de penser que ce qu'il voulait vraiment faire, c'était l'embrasser.

«Cela la ferait taire. Et cela me ferait beaucoup de bien.»

Elle lui lança un regard assassin.

— Je suis contente de vous avoir giflé.

— Heureux de vous avoir rendu service.

— Oh! Je n'ai jamais rencontré d'hommes plus insolents de ma vie.

— Alors, vous avez vécu une vie très protégée.

Elle serra les poings.

— Mais c'est que vous êtes fier de vos regards lubriques.

— Je pense que vous me devez au moins une explication pour m'avoir agressé.

Elle se mordit la lèvre inférieure et s'efforça de s'exprimer lentement.

— Je vous l'ai dit. Je n'aimais pas la manière dont vous me regardiez.

— Je ne vous regardais pas.

Elle jeta les mains en l'air.

— Il faut que je quitte cette ville et que je retourne à San Francisco où les gens sont au moins sains d'esprit.

— San Francisco?

Tout à coup, il comprit. Le seul invité qui venait de San Francisco était Jefferson Duke.

«De toutes les personnes avec qui je pouvais me disputer, je choisis la maîtresse de Jefferson Duke. Quel idiot je fais!»

— Vous êtes en compagnie de Jefferson Duke, n'est-ce pas?

— Oui. C'est mon ami.

— J'aurai grand plaisir à vous ramener à ses côtés.

Michael essaya bien de dissimuler un petit sourire narquois, mais sans succès.

Barbara le surprit. Son cœur se mit à cogner contre sa poitrine. Elle éclata de rire en se tenant les côtes.

— Que Jefferson et moi...!

Elle riait aux larmes.

— C'est tellement ridicule.

— Je vois cela tout le temps dans mon travail, répliqua Michael, d'un air pompeux.

— Ah oui? Et quel genre de travail faites-vous?

— Je garde la vie du président, répondit-il sèchement.

Il y avait dans sa voix une inflexion glacée qui la mit mal à l'aise. Le choc la pétrifia.

«Oh Seigneur! Qu'est-ce que j'ai fait?»

— Vous êtes en train de me dire que j'ai giflé un membre du gouvernement ?

— Oui, répondit-il avec suffisance.

— Est-ce que cela veut dire que vous allez m'enfermer ?

— Pour l'éternité.

— Je ne pourrai plus rentrer chez moi ?

— Ça m'en a tout l'air, laissa-t-il tomber, réprimant une folle envie de rire.

— Je suis désolée. Je ne savais pas. Je pensais que vous étiez une sorte de pervers.

— Vraiment ? Et que savez-vous des pervers ? Y en a-t-il beaucoup à San Francisco ?

— Pas après que je leur ai fait leur affaire, répliqua-t-elle fièrement en songeant aux garçons qu'elle avait « remis à leur place » dans les soirées de famille, lorsqu'elle était en septième au couvent de Ste-Benecia.

Michael se frotta la joue.

— Je vous crois.

Elle suivit des yeux le mouvement douloureusement lent de sa main sur son beau visage. Elle remarqua aussi que sous la veste de son smoking, son pantalon moulait des cuisses particulièrement musclées. Elle essaya de ne pas fixer le renflement entre ses jambes. Elle releva la tête très vite et le regarda dans les yeux. Elle était impatiente de se sortir de cette situation.

— Toutes mes excuses, dit-elle, très vite. Puis-je partir, maintenant ?

— Non.

— Quoi ? « Je vais aller en prison ! »

— Vous avez vraiment perturbé la soirée. Le président est attendu dans cette salle dans quinze minutes. J'ai pour tâche de m'assurer qu'aucun incident malheureux ne se produira ce soir. Vous êtes capable de le comprendre, après l'assassinat du précédent président et la capture de Leon Czolgosz. Les gens d'ici sont très nerveux sur ces questions. Votre comportement de ce soir était inapproprié.

— Toutes mes excuses, répéta-t-elle doucement, les mains tremblantes.

— Mes hommes voudront vous questionner.

— Me questionner ? Les yeux de Barbara glissèrent vers la porte à sa droite. Je ne suis pas un assassin. Je pensais simplement que vous méritiez une bonne leçon parce que vous me dévisagiez. C'est tout. Je n'avais pas de mauvaise intention.

Michael était déchiré entre son devoir et le désir de la garder près de lui.

— Si vous promettez de me rencontrer en privé pour répondre à quelques autres questions, et si vous promettez de ne me causer aucun autre problème ce soir, je vous laisserai partir. Il faut absolument que je regagne mon poste.

— Je comprends. Je vous le promets. Je ferai tout ce que vous voudrez, répondit-elle.

Michael avait toute une liste de choses qu'il aurait aimé qu'elle fasse pour lui, à commencer par retirer les épingles retenant son chignon et laisser glisser sa longue chevelure sombre contre son torse dénudé. Mais c'était un fantasme, et Michael Trent ne s'adonnait pas aux fantasmes.

— Comment vous appelez-vous ?

— Barbara Mansfield.

— Je m'appelle Michael Trent. Une fois que je saurai que le président est en sûreté et que le dîner sera terminé, je vous enverrai un message pour fixer notre prochain rendez-vous. D'accord ?

— Oui. Tout ce que vous voulez.

— Vous pouvez partir, dit-il au bout d'un moment.

Barbara ne perdit pas une seconde. Elle retourna discrètement dans la salle illuminée. Elle se dirigea vers Jefferson qui lui sourit. Il avait été tellement absorbé par sa conversation qu'il n'avait pas remarqué qu'elle s'était éclipsée.

Elle poussa un soupir de soulagement. À l'avenir, elle s'efforcerait de mieux maîtriser ses impulsions plutôt que de les laisser guider ses actions.

Michael retourna à son poste. Jake donna le signal : le président s'apprêtait à entrer dans la pièce. L'orchestre se mit à jouer *Hail to the Chief* en même temps que Michael signalait à ses hommes que tout allait bien.

Theodore Roosevelt accueillit ses invités avec enthousiasme et l'affabilité bonhomme et ouverte qui était sa marque de commerce.

Le président serra la main de Barbara et la remercia d'avoir accompagné son ami Jefferson à Washington. Elle était doublement contente lorsqu'elle vit que pour le dîner, elle était assise avec

Jefferson, non loin du président, de manière que ce dernier puisse aborder plusieurs sujets d'ordre politique avec son ami. C'est seulement lorsque la soupe fut servie que Barbara osa regarder du côté du mur où Michael avait pris position.

Elle ne se rendit pas compte qu'une partie de la lumière qui faisait briller ses yeux s'éteignit lorsqu'elle vit que Michael était parti.

Trente-six

« Ce n'est pas avec un bâton
que le cœur est brisé,
ni avec une pierre
c'est avec un fouet, si petit
que tu ne pourrais le voir,
que je l'ai connu
cingler la créature magique
jusqu'à ce qu'elle tombât. »

— EMILY DICKINSON,
AMOUR, POÈME N° 50, 1ʳᵉ STROPHE

Barbara serrait dans sa main le minuscule bout de papier que Michael lui avait fait parvenir au moment où elle terminait son dessert, à la Maison-Blanche. Elle avait d'abord pensé que sa demande était étrange, car elle craignait encore qu'il la croie capable de comploter contre le président. Mais tandis que les conversations concluaient la soirée, elle jeta de nombreux regards à la note qu'elle serrait dans sa main posée sur ses cuisses, et se rendit compte qu'elle avait bien lu le regard qu'elle avait surpris dans les yeux de Michael. C'était ainsi qu'un homme regarde une femme qu'il désire.

Une gloriette s'élevait derrière l'hôtel, sous l'ombre d'un bosquet de châtaigniers. Les arbres étaient recouverts de plusieurs centimètres de neige étincelante. Lorsque Barbara sortit de l'hôtel par la porte de derrière pour se rendre à son rendez-vous de minuit avec Michael, les sentiers menant à la gloriette n'avaient pas encore été balayés.

La pleine lune répandait sa lumière argentée sur la ville endormie, et Barbara songea aux champs et aux bergers qui vivaient mille neuf cents ans auparavant. Elle captait des bribes étouffées des cantiques qu'on chantait à la messe de minuit, dans l'église qui s'élevait au coin de la rue. On était à la veille de Noël, la nuit la plus sainte de toutes. Elle songea que c'était une nuit magique en arrivant à la gloriette où elle vit que Michael l'attendait.

— Je craignais que vous ne veniez pas, dit-il en lui prenant la main et en l'attirant sur le banc.

— Je croyais que vous alliez me mettre en prison, le taquina-t-elle.

Michael s'adressa à elle d'un ton sérieux, en la maintenant délibérément à bout de bras.

— C'est moi qui vous dois des excuses, mademoiselle Mansfield. Vous aviez raison : je vous dévisageais, et c'était inconvenant de ma part. Sincèrement, je ne comprends pas ce qui m'a pris. Je n'ai jamais agi ainsi. Je me targue de maîtriser mes pensées et mes émotions en tout temps quand je travaille.

— Et quand vous ne travaillez pas ? riposta-t-elle en lui lançant un regard singulièrement scrutateur.

— Je ne sais pas. Quand je ne suis pas en service, je pars généralement seul en vacances. Je vais souvent dans les Adirondacks. Je pratique la photographie. J'aime prendre des photos de la nature. Pas seulement des oiseaux et des arbres, mais aussi de cascades formidables ou de tempêtes de neige impressionnantes au sommet des montagnes. J'aime faire de la randonnée pédestre dans des endroits encore vierges. Avez-vous déjà vu des nuées d'orage au-dessus du Grand Canyon ?

— Non.

— Old Faithful à Yellowstone ou les séquoias de Yosemite ?

— Non.

— On dirait qu'ils pourraient pousser droit jusqu'à Dieu. J'aimerais vous montrer les clichés que j'ai pris d'eux. En fait, une partie de mon travail a contribué à convaincre le président de pousser cette idée de parcs nationaux. Votre ami Jefferson a d'ailleurs vu des exemples de mon travail.

— Ah bon ? Quand ?

— Lors de sa dernière visite à Washington. Je me suis rendu à San Francisco l'an dernier, et je lui ai fait voir une partie des terres que le président veut transformer en parc. Jefferson me connaît.

Il la regarda de nouveau dans les yeux.

— Je suis étonné de ne pas vous avoir vue lors de mon séjour.

— Je connais Jefferson depuis que je suis née. Il était fiancé à ma grand-mère. Elle est morte avant qu'il puisse l'épouser. Je suis un peu comme sa petite-fille. Je l'aime vraiment beaucoup, Michael, mais pas comme vous l'avez insinué.

— Je vous fais mes excuses pour cela aussi.

Il voulait lui prendre la main, mais elle les gardait enfoncées dans son manchon, un geste destiné à l'empêcher de s'approcher, il en était certain.

— Pourquoi avez-vous dit une chose aussi grossière et sans fondement ? J'aurais pensé que dans votre travail, il importe de recueillir les faits avant d'oser une telle affirmation.

— J'étais jaloux, l'interrompit-il.

— C'est ridicule. Vous ne me connaissez pas. Je ne vous appartiens pas. Personne ne le pourra ni ne le fera jamais.

Il hocha la tête et gloussa.

— Croyez-moi. Vous êtes capable de vous défendre. Personne n'oserait se mettre en travers de votre chemin.

Il se tut un moment, puis la regarda dans les yeux.

— Je crois que ce que j'essaie de dire, c'est que je suis tombé sous votre charme. Vous étiez la plus belle femme que je n'avais jamais vue. Ensuite, vous m'avez regardé, comme si vous aviez senti mon regard. Je voulais croire qu'il y avait une sorte de... je ne sais pas, de lien entre nous. Il détourna les yeux et inspira profondément. Je ne m'en sors pas très bien. Je suis venu vous dire que je suis désolé de vous avoir fait subir cette scène, ce soir. Je ne veux pas que vous imaginiez que vous aurez des ennuis, Jefferson et vous. Pour tout dire, je voulais vous revoir. Je voulais vous regarder dans les yeux et m'assurer de votre réalité.

— Personne ne m'a jamais parlé ainsi. Le flirt ne fait pas partie de mon histoire.

— Je ne flirte pas, répondit-il avec brusquerie.

— Alors, que faites-vous ?

— Ce n'est qu'un début, mais je vous parle d'amour.

Barbara inspira fortement.

— C'est vous qui me disiez audacieuse.

— Vous l'êtes. Vous êtes ici, non ?

— Je devrais m'en aller de ce pas.

— Mais vous ne le ferez pas.

Elle sortit une main de son manchon et toucha les doigts glacés de Michael. Elle serra sa main avant de tirer dessus et de la rentrer dans le manchon posé sur ses genoux, où elle la serra entre les deux siennes. Elle n'avait pas conscience de l'intimité et de la sensualité de son geste. Elle n'avait pas conscience qu'une telle avance aurait pu être interprétée comme une invite sexuelle digne d'une courtisane. Barbara ne pensait qu'à une chose : elle voulait toucher cet homme, et en prenant sa main glacée, elle avait voulu le réconforter. Son geste était sincère. C'était un geste du cœur.

Michael la regarda et lui sourit.

— Je n'ai jamais rencontré quelqu'un comme vous, Barbara. Vous paraissez vulnérable, et pourtant, courageuse et forte à la fois. Je gagne ma vie en lisant les gens. Vous êtes différente des autres. Très spéciale. J'aimerais apprendre à mieux vous connaître.

Barbara distinguait la lumière dorée qui brillait dans les yeux de Michael. Elle se souvenait que Jefferson lui avait confié que la lumière qu'on perçoit dans les yeux des gens est un passage vers leur âme. Elle voulait s'engager sur cette voie et voir jusqu'où elle la mènerait. Elle ne craignait pas Michael, comme elle croyait qu'elle aurait dû le faire. Elle voulait poursuivre son exploration. Jefferson lui aurait dit, comme il le faisait toujours, de suivre son cœur.

— J'aimerais apprendre à mieux vous connaître aussi, dit-elle presque dans un murmure.

Michael poussa un soupir de soulagement.

— Formidable ! J'avais peur que vous croyiez toujours que je suis un pervers.

— Et si c'était le cas ?

Sortant sa main du manchon, Michael posa une main froide et une main chaude de chaque côté du visage de Barbara. Le clair de lune teinta ses lèvres d'argent lorsqu'il leva son visage vers lui. Le capuchon de sa cape bleue tomba et déplaça une longue boucle sombre.

— Je suis impatient de te voir avec ta chevelure dénouée, dit-il en caressant la boucle échappée. Je ne nierai pas que j'ai envie de t'embrasser, Barbara. T'embrasser et bien plus encore, mais je ne suis pas un pervers. Mes intentions envers toi sont honorables. Demain, j'ai l'intention de me présenter devant Jefferson, comme c'est ton tuteur, et de lui demander la permission de te faire la cour.

— Non! S'il te plaît, ne fais pas cela!

— Pourquoi pas?

— C'est difficile à expliquer. Jefferson me considère parfois comme une petite fille. Je ne veux pas qu'il pense que quelqu'un d'autre est plus cher à mon cœur que lui.

— Je pense que tu ne lui accordes pas beaucoup de crédit.

— Oui, tu as peut-être raison. Mais pas demain. Pas le jour de Noël. Peut-être plus tard, durant la semaine.

— D'accord. Je te laisse décider du moment et du lieu. Mais Barbara, il faut absolument que je te voie demain. Même si c'est Noël. Comment feras-tu pour t'éclipser?

— Nous pourrions nous revoir ici, suggéra-t-elle.

— Je pensais à un endroit plus chaud, dit-il en frissonnant.

Il lui sourit et ses yeux se firent sombres et intenses.

— Ne t'inquiète pas. Je vais réfléchir à une solution et je te ferai parvenir un message.

Avant qu'elle puisse répondre, il pressa ses lèvres contre les siennes, d'abord doucement, puis avec une possessivité qui la fit gémir. Il l'attira dans ses bras et inclina sa tête vers l'arrière, la couchant sur le bras qui entourait son épaule.

Les lèvres de Michael étaient passionnées, autoritaires, et pourtant tendres et terriblement sensuelles. Barbara sentit des éclairs de chaleur traverser son corps chaque fois qu'ils atteignaient son bas-ventre, ils se changeaient en feu liquide qui allait s'intensifiant. Elle avait la sensation de flotter. Michael mordilla sa lèvre inférieure, enfonça sa langue dans sa bouche et la caressa en de longs mouvements.

Elle fit glisser sa langue contre la sienne, acceptant qu'il la pénètre encore davantage. Elle n'avait aucune idée de ce qui venait après, puisqu'on ne l'avait jamais embrassée avant. Elle se contentait de suivre le mouvement et de faire ce qui lui venait naturellement.

Elle se donnait à Michael pleinement, ouvertement et totalement. Elle voulait se sentir envahie par la chair de poule, percevoir chaque respiration, chaque battement de cœur dans son corps. Elle grava dans sa mémoire les voix des chanteurs qui sortaient dans la nuit glaciale de l'église tout près. Elle voulait se souvenir de l'odeur de la neige qui fondait sur le manteau en laine de Michael, le parfum de son eau de Cologne à l'odeur de rhum. Mais elle voulait surtout se souvenir de son goût, de la sensation satinée de sa langue dans sa bouche et du désir lancinant qu'il allumait profondément dans son ventre, et plus loin, dans cette région secrète entre ses jambes où elle sentait une étrange pulsation s'installer.

Il l'embrassa encore et encore, respirant à petits coups, le souffle chaud et humide. Elle ne sentit pas l'air froid sur sa peau lorsqu'il défit le ruban fermant sa cape et l'entrouvrit lentement pour révéler sa chair satinée, qui semblait renfler encore davantage le corsage de sa robe.

Il détacha sa bouche de la sienne et colla ses lèvres dans le creux qui s'ouvrait à la base de son cou.

— C'est ici que je peux entendre ton pouls, Barbara. J'entends ton cœur, la chaleur et la température de ton sang.

Il fit glisser ses lèvres un peu plus bas, dans l'étroite vallée qui séparait ses seins ronds.

— C'est ici que tu me réconfortes de ta passion. Il pressa ses lèvres sur sa peau, s'enivrant de son parfum. Ses baisers se firent plus intenses.

Barbara ne s'aperçut pas qu'elle s'était abandonnée et qu'elle avait renversé la tête, jusqu'à ce qu'elle sente un frisson délicieux, incroyablement intense, glisser de ses seins à ses côtes et à son ventre avant de plonger profondément, profondément en elle. Elle releva la tête et vit que Michael avait dénudé un de ses seins.

Elle n'avait jamais rien senti d'aussi délicieux, d'aussi agréable de sa vie. Elle ne comprenait pas ce qui se passait, mais elle savait qu'elle voulait aller plus loin.

Elle enfonça ses mains dans l'épaisse chevelure de Michael pressant son sein contre ses lèvres, elle se frotta contre son visage. Des vagues de plaisir faillirent la faire chavirer hors de la réalité.

C'est Michael le premier qui s'éloigna d'elle. Avant que Barbara comprenne ce qui se passait, il avait replacé son sein rosi et gonflé dans son corsage.

— Barbara, je suis désolé. Je me suis laissé emporter.

Elle ne comprenait pas.

— Pourquoi t'arrêtes-tu ?

Il rit doucement.

— Parce que je suis certain que tu n'as absolument aucune idée de la suite, n'ai-je pas raison ?

Elle secoua innocemment la tête.

— Non.

— Bien. Voilà pourquoi je m'arrête. Je veux que les choses restent comme cela. Que « tu » restes comme cela.

Il rattacha sa cape et rabattit le capuchon sur sa tête.

Elle lui sourit, puis pouffa :

— Tes baisers m'étourdissent.

Il haussa un sourcil et baissa le regard vers elle.

— Tes baisers font plus que m'étourdir.

Il se leva et l'aida à se remettre sur ses pieds.

— Je t'enverrai un message. Revoyons-nous demain soir, lorsque Jefferson dormira. Si tu le souhaites.

— Oui, Michael. J'aimerais beaucoup te revoir.

* * * *

Le matin de Noël, Barbara entra dans la suite de Jefferson le salon avait été décoré de guirlandes de branches et de cônes de pin, ornées de rubans de velours rouge. Jefferson avait commandé un brunch hors de l'ordinaire pour deux et demandé qu'on le serve dans leur suite. Une montagne de cadeaux dans des emballages de couleurs vives trônait à côté du foyer où brûlait un bon feu. Tous les cadeaux étaient pour Barbara.

— Jefferson, tu m'as déjà donné cette fabuleuse robe de bal et la cape. Tu en as déjà trop fait, s'exclama-t-elle, dissimulant derrière son dos le cadeau qu'elle lui destinait.

— Laisse-moi faire, mon ange. C'est la première fois en dix ans que je n'ai pas été forcé de me colleter ta mère.

Elle lui fit un large sourire.

— Je comprends tout à fait.

Elle lui tendit le cadeau qu'elle avait apporté de San Francisco.

— Qu'est-ce que c'est? dit-il en prenant avec précaution le cadeau. Je n'ai besoin de rien.

— Il te faut ceci, répondit-elle.

Elle l'embrassa sur la joue et s'assit dans la bergère près du feu, en face de Jefferson, installé sur une chaise Hepplewhite.

Jefferson enleva le ruban doré et l'emballage vert de la boîte, et en souleva le couvercle. Il écarta une épaisseur d'ouate et découvrit une petite pagode chinoise en ivoire sculpté. Sur la face postérieure, on lisait *Son of Heaven*, gravé en anglais.

— Où as-tu eu cela?

— Quand papa est mort, j'ai trouvé une boîte en bois au fond de sa penderie, une boîte dont mère ignore toujours l'existence. Elle contenait plusieurs objets de ce genre. Mère les aurait certainement vendus pour de l'argent depuis le temps, mais je savais qu'ils avaient de la valeur pour papa. Je les ai gardés parce qu'ils avaient de l'importance à ses yeux. J'ai voulu les partager avec toi. À ton avis, que signifie «fils du Ciel»?

Jefferson haussa les épaules.

— C'est le nom que les Chinois donnent à leur empereur. Mais je n'en sais pas plus. Lawrence est allé tant de fois en Chine qu'il aurait probablement pu nous en apprendre davantage. Pourquoi as-tu choisi cet objet en particulier? Tu dis qu'il y en avait d'autres?

— Oui. Je me souviens de quatre pièces de jade qui représentaient des portes. L'une d'elles portait une inscription qui se lisait «Taihemen». Longtemps, j'ai pensé que c'était de l'anglais. Quelque chose à voir avec les hommes, mais j'ai demandé ce que cela signifiait à la blanchisseuse chinoise avec qui mère avait fait affaire une fois. Elle m'a dit que cela veut dire «porte de l'Harmonie suprême». J'ai pensé que c'était un très joli nom.

— C'est vrai que c'est adorable. J'aimerais bien que tu me montres les autres objets, un de ces jours. Jefferson glissa la pagode d'ivoire dans la poche de son pantalon. C'est un objet tout à fait spécial il faut que je l'aie sur moi en permanence.

Barbara sourit, glissa sa main dans la poche de sa jupe et en retira l'écharpe à longue frange en soie blanche qu'elle avait brodée à l'intention de son ami.

— Je t'ai confectionné ceci.

Sachant que Barbara préférait lire, jouer au tennis et écrire son journal à cuisiner et à coudre, Jefferson la taquina :

— Je ne savais pas que tu étais aussi femme d'intérieur.

— Je l'ai faite pour toi. Et si j'étais toi, j'en prendrais grand soin. Je doute sérieusement en faire une autre un jour.

— D'accord ! acquiesça-t-il.

Il l'enroula autour de son cou.

— À ton tour, maintenant. Celui avec le ruban rouge d'abord.

— Quand as-tu fait tout cela ?

— Ce n'est pas moi. C'est le père Noël, répondit-il, espiègle.

Barbara ouvrit la boîte : elle contenait l'appareil photo Brownie dont elle rêvait.

— Je vais pouvoir faire la chronique en images de notre voyage de retour à San Francisco, s'exclama-t-elle, folle de joie.

Les autres boîtes contenaient des parfums, des sachets, des gants, un nouveau réticule en velours bleu doublé de satin crème assorti à sa cape, une commande spéciale réalisée par Carrie, ainsi qu'une nouvelle coiffe confectionnée par Jane.

— Ma chère, les couturières de la boutique t'ont beaucoup aimée. En allant à la messe ce matin, elles sont arrêtées pour laisser ceci.

— Comme c'est gentil, dit Barbara.

Elle mit ses étrennes de côté et serra Jefferson très fort dans ses bras.

Une fois que le serveur eut apporté le chariot de service et soit sorti de la chambre, Barbara servit le brunch. Elle bavarda avec Jefferson de sa première soirée à la Maison-Blanche. Il lui annonça qu'il devrait y retourner pour des réunions tous les jours d'ici à ce qu'ils quittent la ville, dans quatre jours. À midi, ils s'habillèrent et sortirent assister à la messe. Ils étaient ensuite invités chez le sénateur Peter Mannering et sa femme Estelle, qui recevaient également la famille et les amis.

Barbara était stupéfaite de constater à quel point Jefferson était connu, et les anecdotes qu'on lui raconta sur sa générosité, sa loyauté et son patriotisme la ravirent. Il semblait qu'il avait consacré sa vie à essayer de faire des États-Unis un meilleur endroit pour vivre. Aux yeux de Barbara, il était encore plus important que le président.

Michael avait loué un fiacre pour 22 heures, car il voulait faire une promenade à travers la cité. Il voulait montrer à Barbara quelques-unes des résidences magnifiquement décorées pour cette nuit de festivités. Mais surtout, il voulait être seul avec elle. Il voulait la tenir dans ses bras. Il avait besoin de l'embrasser.

Il lui indiqua tour à tour les demeures intéressantes et lui fit un bref historique de chacune, et de ses habitants. Il en profita aussi pour lui parler de lui.

— Je suis né dans une maison assez semblable à ces résidences de style Greek Revival, à Cleveland, en Ohio. Mon père travaille à la bourse des valeurs mobilières de Cleveland. Nous avions l'habitude d'aller en pique-nique au bord du lac, l'été, et je faisais naviguer des bateaux à voiles que je construisais de mes mains. Ma mère est morte quand j'avais quinze ans. Elle me manque terriblement. C'était une femme merveilleuse, elle nous aimait, papa et moi, plus qu'elle-même. Il n'a plus jamais été le même après sa mort. Il est encore en deuil, je crois.

Barbara hocha la tête et songea à Jefferson toujours amoureux de Caroline.

— Alors, tu crois qu'il est possible d'aimer une personne de tout ton cœur ?

— Je sais que c'est le cas, répondit-il, sincère. Je crois qu'on nous donne des occasions d'aimer à différentes étapes de notre vie. Je crois que c'est le choix que nous faisons qui fait la différence, non l'autre personne.

Elle se tourna vers lui.

— À la Maison-Blanche, tu avais choisi de ne jamais rien sentir du tout. N'est-ce pas, Michael ?

— Oui, répondit-il d'un ton grave. C'était sans risque.

— La mort de ta mère t'a beaucoup marqué ?

— Oui.

— Et que sens-tu en ce moment ?

Elle retint son souffle en attendant sa réponse.

— Ce que je sens ? Il la dévisagea. Je sens tout. Je sens la morsure du froid comme je ne l'ai jamais sentie avant. Je sens un vide étrange quand je suis loin de toi, ce qui est pourtant impossible, puisque je te connais à peine.

— Pour le moment, dit-elle, avec un sourire et une étincelle dans le regard.

Le fiacre s'arrêta au coin d'une rue et regardant par la portière, Michael reconnut un petit restaurant familial qu'il connaissait. Même si c'était Noël, le propriétaire était occupé à servir du café chaud et des gâteaux aux hommes et aux femmes pauvrement vêtus qui se pressaient dans son restaurant.

Michael entoura Barbara de son bras et l'attira à la fenêtre.

— Je veux te montrer le véritable esprit de Noël.

Barbara vit un homme corpulent aux cheveux foncés, d'environ soixante ans. Il avait enfilé un tablier par-dessus son pantalon et sa chemise habillés. Tout joyeux, il demandait à une femme de découper une autre tarte et de servir un autre gâteau aux clients amaigris, et à l'air affamé.

— Est-ce que tu le connais ?

— Monsieur et madame Patelli sont des gens formidables. Je mange ici aussi souvent que possible.

Barbara plongea la main dans son réticule et en sortit plusieurs pièces d'or que Jefferson lui avait données comme argent de poche pour le voyage.

— Michael, crois-tu qu'il nous laisserait acheter deux tasses de café au prix fort ?

Michael l'embrassa sur la joue.

— Excellente idée !

Il demanda au cocher de les laisser descendre.

Ils se rendirent à pied au restaurant et cognèrent. Michael salua monsieur Patelli de la main celui-ci déposa sa cafetière et s'approcha de la porte en se dandinant. Il la déverrouilla et ouvrit.

— Michael ! C'est bon de te voir ! Mais il est très tard pour toi, non ? Et qui est cette magnifique jeune personne ?

— C'est Barbara Mansfield, monsieur Patelli. Elle voulait acheter du café et peut-être vous laisser la monnaie pour que vous la donniez à vos amis ?

Barbara tendit les pièces d'or au restaurateur.

La gratitude de l'homme était visible à ses yeux humides.

— Je vais vous préparer un café très spécial, annonça-t-il avant de les faire entrer.

Michael et Barbara se glissèrent dans un box en bois au fond du restaurant, là où ils ne dérangeraient pas les festivités. Barbara parla d'elle à Michael, de son existence à San Francisco. Elle lui confia qu'elle rêvait de devenir journaliste et qu'elle espérait un jour voyager en Europe.

Ils sortirent du restaurant sans attirer l'attention. Monsieur Patelli pourrait distribuer l'argent que Barbara lui avait donné sans que personne ne sache qu'il venait d'elle, comme elle le lui avait spécifié.

Michael entoura les épaules de Barbara de son bras, et le fiacre les emporta à travers les rues de la ville. Ils virent l'éclairage diminuer puis s'éteindre dans les maisons tandis que la ville tombait en sommeil.

— Je suis en train de tomber amoureux de toi, Barbara, dit Michael, tandis que leur fiacre faisait pour la deuxième fois le tour de l'avenue Pennsylvania.

Il la prit dans ses bras et l'embrassa. Cette fois, lorsqu'il plongea sa langue dans le nectar de sa bouche, Barbara souhaita qu'il ne s'arrête jamais. Elle voulait qu'il explore tout son corps et aussi jouir des sensations qu'il faisait naître en elle.

— Caresse-moi comme tu l'as fait hier, Michael, le supplia-t-elle. Prends mon sein dans ta main...

Michael la pressa contre lui et sentit ses seins s'écraser contre sa poitrine. Il lui murmura à l'oreille :

— Seigneur ! Barbara, ne me parle pas ainsi. Tu ne sais pas à quel point ta voix m'excite.

— Michael, je veux te sentir.

Il l'embrassa de nouveau, ne serait-ce que pour étouffer ses paroles. Si Barbara avait été une rouée, Michael aurait jugé qu'elle cherchait à le manipuler, mais il savait qu'elle était innocente. Et qu'elle était en train de le rendre fou.

Il entoura un des seins de Barbara de sa main et caressa le mamelon du pouce et de l'index, jusqu'à ce qu'il se dresse, gorgé de désir. Le sang tonnait dans son cerveau, et il percevait des éclairs de lumière blanche derrière ses paupières fermées, comme un embrasement énergétique primordial. Il finit par saisir le visage de Barbara entre ses mains et plonger son regard dans le sien.

— Barbara, je ne peux pas faire cela, grogna-t-il d'un ton presque colérique.

— Michael, qu'est-ce qui ne va pas?

— Tout va bien. Et pourtant, tout va de travers. Depuis que je t'ai rencontrée, je suis incapable de dormir ou de manger. Je ne pense qu'à toi. Dieu merci, c'est Noël, et je n'ai pas à travailler! Ma capacité de concentration dont j'étais si fier m'a totalement abandonné. Quelle sorte de tentatrice es-tu?

— Je ne suis pas une tentatrice, je ne suis que moi, dit-elle avant qu'il lui ferme la bouche d'un baiser.

Elle le laissa la soumettre et se réjouit du goût suave qui se dégageait de lui. Elle comprenait son hésitation, mais peut-être n'y avait-il entre eux qu'une attirance animale qu'il oublierait une fois qu'elle se serait éloignée de lui. Ou pire : elle l'oublierait.

— Je ne *suis pas* moi-même, gronda Michael entre deux baisers. Dieu me vienne en aide si c'est vraiment ce que je pense — que je me découvre enfin.

— Que veux-tu que je fasse, Michael?

— Je ne veux plus de rendez-vous clandestins. Tu es libre. Moi aussi. Je respecte Jefferson. Je veux qu'il sache ce que je ressens pour toi. Je lui parlerai dès demain.

— Si c'est ce que tu souhaites, répondit-elle, la voix rauque.

Michael regarda ses yeux dont il se sentait capable de chérir la lumière d'amour pour toujours.

— Je veux tellement plus.

Il l'embrassa de nouveau passionnément.

Il la serra encore plus près. Son baiser était profondément bouleversant. Il glissa sur le siège et l'attira sur lui. En s'allongeant, Barbara pressa son bassin contre celui de Michael et sentit son érection. Surprise, elle souleva les hanches, mais il plaqua ses mains sur ses fesses et la pressa contre lui. Il ondula des hanches et se frotta contre son corps.

Elle sentit la température de son corps grimper aussi vite que celle du corps de Michael. Elle voulait être plus près encore. Elle voulait sentir Michael dans tout ce qu'il était.

— Je voudrais que tu ne m'excites pas autant, Barbara. Je voudrais ne pas avoir si passionnément envie de toi, dit-il. Barbara, je te désire comme jamais je n'ai désiré une femme... mais pas comme cela. Tu ne te rends pas compte de ce que tu me fais.

Elle glissa ses bras autour de son cou et nicha son visage au creux de son épaule. Elle avait la sensation d'être emportée par un contre-courant océanique. Elle était contente qu'il soit plus fort qu'elle, parce qu'elle « ne comprenait pas » ce qui lui arrivait. Elle savait seulement que c'était incroyablement sensuel et qu'avec lui, elle se sentait suffisamment à l'aise pour s'autoriser à en jouir.

— Est-ce que je t'ai mis dans l'embarras ? demanda-t-elle.

— Juste ciel, non ! répliqua-t-il en l'aidant à remettre de l'ordre dans ses vêtements. C'est juste que — Je veux t'épouser, Barbara. Je veux que tu viennes vivre à Washington et que tu sois ma femme. Je veux vivre avec toi et vieillir en ta compagnie. Je veux partager tout ce que je suis avec toi.

— Michael.

— Je ne te demande pas officiellement en mariage. Pas encore, ajouta-t-il, sévère.

— Pas encore ?

Il eut un sourire séducteur :

— Demain, puis il éclata de rire et la serra dans ses bras.

Elle s'esclaffa avec lui.

Lorsqu'il la ramena à l'hôtel, il était plus de deux heures du matin. Il n'y avait personne à l'exception du portier et du réception-niste de nuit, endormi dans un fauteuil près du foyer. Le portier demanda à Barbara de ne pas le réveiller. Comme on était le soir de Noël, le réceptionniste devait aussi assumer la tâche de liftier.

Michael promit à Barbara qu'il la verrait le lendemain soir, à 22 h 30, dans la gloriette derrière l'hôtel. D'ici là, il aurait suivi son plan de parler à Jefferson de son désir d'épouser Barbara.

En s'habillant pour aller au lit, et en se glissant entre les draps que la bonne avait changés de frais le matin, Barbara ne pensait plus qu'aux baisers de Michael et à ses promesses.

Le lendemain soir, Barbara attendit jusqu'à ce qu'elle soit certaine que Jefferson soit endormi, avant de s'enfuir pour aller rejoindre Michael à l'heure dite. Elle arriva à la gloriette avec cinq minutes d'avance. Michael n'y était pas.

Elle attendit une demi-heure dans le froid. Il se mit à neiger. Elle patienta encore un quart d'heure. Puis vingt minutes de plus. Michael ne se présenta jamais au rendez-vous.

Elle retourna à sa chambre, en se disant qu'il avait été retenu et qu'il lui enverrait un message. Elle resta assise au coin du feu, tout habillée, jusqu'à l'aube. Michael ne vint pas la chercher.

Le lendemain, elle demanda à Jefferson s'il avait parlé avec Michel Trent.

— À quel propos, ma chère? demanda Jefferson.

C'est alors qu'elle comprit. Michael lui avait menti. Il s'était servi d'elle pour jouer à son petit jeu. Elle avait réagi en idiote imbécile de la côte Ouest. Non seulement il s'était permis quelques libertés physiques, mais il lui avait aussi dérobé son cœur pour rehausser son ego.

Barbara ne dit rien à Jefferson au sujet de Michael elle n'en voyait pas l'utilité. Après tout, qu'est-ce c'était, trois jours dans une vie? Elle n'avait pas perdu sa virginité.

Son idylle avec Michael resterait à jamais secrète. Elle rentrerait à San Francisco, et la vie reprendrait son cours normal.

Barbara avait néanmoins appris une leçon importante : elle avait oublié s'être rappelé le premier soir qu'elle n'était pas chez elle à Washington. C'était une ville d'intrigues.

Elle avait commis le pire crime de tous, selon les règles que lui avait inculquées Jefferson Duke.

«Je n'ai pas écouté mon cœur quand il a essayé de m'avertir.»

Trente-sept

« Les jours raccourcissent,
et l'automne grandit, l'automne
en toutes choses[44]. »

— ROBERT BROWNING,
ANDREA DEL SARTO, LIGNE 35

Barbara n'avait plus la volonté de chercher à s'excuser pour son chagrin d'amour. Jefferson vit bien qu'elle était mélancolique durant le voyage de retour à San Francisco. Bien qu'elle ait pris une multitude de clichés avec le nouvel appareil photo qu'il lui avait offert, Jefferson était conscient que sa petite-fille manquait d'entrain.

— Quelle est la raison de ta morosité, mon ange ?

— Je suis simplement fatiguée après toutes ces réjouissances à Washington. Je ne sais pas comment tu fais, Jefferson.

— Oui, je sais. À mon âge.

Si Jefferson n'avait pas eu l'esprit occupé par l'importance d'être l'un des conseillers du président Roosevelt, il aurait peut-être questionné Barbara davantage. Mais Jefferson savait que dès son retour à San Francisco, il deviendrait le bras droit du président, son conseiller en matière de poursuite en justice des grandes sociétés, de répression de la pratique de la corruption et des pots-de-vin en usage à San Francisco, et même en ce qui concernait sa suggestion de transformer les terres entourant la ville en parcs nationaux. C'était une lourde tâche, même pour un homme jeune. Elle aurait dû écraser un vieillard de quatre-vingt-six ans. Or, Jefferson était enthousiasmé par le projet.

---

44. N.d.T.: Traduction libre.

Lorsque Barbara rentra chez elle, elle trouva Eleanor entourée d'une mer de malles et de cartons. Presque toutes leurs possessions avaient été déménagées.

Patrick, le cocher de Jefferson, déposa les sacs de voyage de Barbara sur le plancher du vestibule.

— Je peux les monter, si vous voulez.

Barbara refusa de la tête. Deux domestiques remplissaient de copeaux des barils de bois dans lesquels elles avaient déposé les porcelaines françaises que son père avait achetées près de vingt ans auparavant, dans une petite boutique à l'écart sur la rive gauche de Paris.

— De toute façon, j'ai l'impression que je devrai simplement les remettre dans le chariot plus tard. Merci, Patrick, fit-elle en lui souriant.

Il inclina son chapeau en tweed.

— À votre service, répondit-il avant de s'éloigner.

Barbara entra dans le salon Eleanor donnait ses instructions à deux costauds qui déplaçaient une grande vitrine.

— Bonjour, mère, dit Barbara. Si je comprends bien, tu as vendu la maison.

Eleanor foudroya sa fille du regard. Il n'y eut ni baiser ni accolade de bienvenue. Barbara savait qu'elle ne devait s'attendre à aucune marque d'affection de la part d'Eleanor.

— Et ce n'est pas grâce à toi.

Barbara soupira, elle prit conscience que le moment était venu d'affronter sa mère. En raison du profond bouleversement émotionnel qu'elle traversait depuis sa rencontre avec Michael, Barbara n'avait pas repensé aux conséquences de son départ précipité et impulsif de San Francisco, deux semaines auparavant. Elle avait oublié tout ce qu'Eleanor avait investi d'attentes dans la soirée de débutante de sa fille.

— En as-tu obtenu un bon prix?

— Dieu merci, oui! Mon avocat s'est chargé des négociations et nous a même déniché une petite maison abordable, non loin de Union Square.

— Cela m'a l'air très bien.

Barbara essaya de réconforter sa mère.

— C'est hideux. Le pire endroit que j'ai habité de ma vie. Malheureusement, c'est tout ce que je peux m'offrir. Après avoir possédé tout cela.

Ouvrant largement les bras, elle engloba la pièce somptueusement meublée.

— C'est comme tomber d'une falaise.

— Ce n'est pas aussi terrible que cela en a l'air.

— Non, Barbara. C'est pire. Après ton départ précipité, ton amie Meredith Winter s'est installée avec Donald Pope. Ils ont annoncé leurs fiançailles, hier.

— Vraiment, ils ne me semblent pas bien assortis, déclara Barbara en pensant à Donald, sensible et compatissant, qu'elle considérait comme un ami très cher en dépit de sa fugue à Washington.

Bien qu'elle soit attachée à Meredith, personne ne comprenait mieux que Barbara ses insécurités et ses défauts. Meredith n'avait pas une once d'humilité. Barbara savait pourtant que ses airs bravaches dissimulaient un grand manque d'assurance. Meredith s'était toujours sentie obligée d'être la meilleure à l'école, la plus jolie fille, la plus populaire auprès des garçons. C'était tout à fait son genre de se jeter à la tête de Donald au moment où elle le savait démonté par la conduite de Barbara, qui avait annulé sa soirée de débutante.

Eleanor porta théâtralement la main à son front :

— Toutes nos chances de te trouver un mari ont disparu !

— Quelle affirmation ridicule ! Je n'ai que vingt ans !

Eleanor laissa tomber son bras et se dirigea vers le foyer.

— Nous avons reçu une invitation hier. Madame Pope donne une soirée en l'honneur de Donald et de Meredith, samedi. J'ai déjà répondu que tu y serais.

Barbara prit l'invitation que lui tendait sa mère. Elle savait qu'Eleanor la mettait au défi de se rebeller, espérait peut-être même qu'elle le fasse de nouveau. Mais pour l'instant, Barbara se désintéresserait complètement de la présence du tsar lui-même à San Francisco. Peu lui importait d'assister à cette soirée ou à cent autres. Elle n'avait plus le courage de se disputer avec sa mère.

— J'y serai. En fait, Jefferson m'a acheté une robe magnifique que j'ai portée lors du souper à la Maison-Blanche. Nous n'aurons pas besoin de dépenser pour une robe de bal.

— Eh bien, en voilà un chef !

Eleanor était en colère.

Les deux domestiques rentrèrent à l'instant dans la pièce, accompagnées des déménageurs.

— Désolés de vous interrompre, mais que voulez-vous qu'on charge ensuite, ma'me?

— Le canapé et le reste des barils de vaisselle.

Eleanor se retourna vers sa fille.

— Tu ferais mieux de passer une tenue de jour. J'apprécierais ton aide.

— D'accord, dit Barbara en quittant le salon.

En pénétrant dans le vestibule, elle vit une jeune Chinoise debout à la porte d'entrée.

Chen Su avait eu vingt ans le même jour que Barbara, mais aucune des deux jeunes filles ne connaissait ce fait à propos de l'autre. Chen avait ouvertement défié Nan-Yung, son grand-père, en refusant de travailler à la blanchisserie, ou dans les ruelles où l'on faisait bouillir les chemises et le linge de maison, et où on le frottait et on le récurait jusqu'à ce qu'il soit propre. Chen écouta Yin, sa grand-mère, qui lui recommanda d'aller travailler chez les Blancs et d'apprendre le métier de femme de chambre. Ainsi, lorsqu'elle serait payée, elle apprendrait à empocher de l'argent pour elle, plutôt que de rester esclave de la maison des Su. Yin avait appris à sa petite-fille favorite à penser par elle-même. Elle lui avait enseigné à utiliser les dons intuitifs qui lui avaient été donnés.

— Tu es la plus douée de mes petits-enfants, comme on me l'avait prédit en Chine. Tu es le septième enfant. En vieillissant, tu verras ta voyance se renforcer. Sers-toi de ton don avec sagesse. Souviens-toi de tes rêves, mais garde les pieds ancrés sur terre. Nous sommes sur le plan physique et souvent, les dictats spirituels ne sont pas tels qu'ils apparaissent sur notre plan. Opte toujours pour la prudence, plutôt que pour l'impétuosité, et tu ne te tromperas jamais.

— Oui, grand-mère. Cette famille où tu veux que je me place, elle est importante pour moi?

— Oui. Rends-toi à cette maison. Yin avait donné une adresse à Chen. La jeune femme qui vit là sera bonne pour toi.

— Tu l'as vue en rêve? demanda Chen.

— Non. Je l'ai observée toute sa vie. J'ai connu son père.

— Son père était l'amant de ma sœur Mei?

Yin fronça les sourcils.

— Je n'ai jamais cru cette histoire. Mei était une bonne fille. Elle m'était loyale. Elle détestait Nan-Yung autant que moi. Ton grand-père ne te fera pas assassiner si tu deviens femme de chambre. Il croira que c'est un travail à ta mesure. Ne lui parle jamais de tout ce que tu apprends.

— Apprends?

— Je veux que tu apprennes les façons de faire des Blancs. Lis leurs livres. Écoute leur musique. Intègre leur sagesse et leurs connaissances, et tu créeras pour toi un monde meilleur que celui qui m'entoure.

Chen hocha la tête.

— Cette jeune femme. Je sens des choses à son sujet avant même notre rencontre. Est-elle puissante?

— Oui. Mais pas plus que toi ou moi. Je veux que tu la protèges, comme je te protège du mal qui t'entoure. Prie pour elle comme je prie pour toi. Deviens son assistante.

— Mais je ne serai pas son amie.

Yin sourit à sa petite-fille et caressa sa chevelure soyeuse.

— Je sens qu'un jour, tu le deviendras. Crois-en ce que je te dis.

— Je te crois, grand-mère.

Le soir même, Chen eut une nuit agitée. Elle rêva à une jeune fille blanche. Elle vit clairement ses cils sombres et son visage ovale. L'apparition lui parla. Elle dit :

— Je m'appelle Barbara.

Chen était maintenant debout devant une porte à la vitre gravée, celle de la maison de Barbara, et la même jeune Blanche aux yeux bleus s'avançait vers elle. Chen était stupéfaite du pouvoir de ses rêves. C'était la première fois qu'elle les prenait au sérieux.

— Bonjour, dit Barbara en ouvrant la porte. Que puis-je faire pour vous?

— Moi ici à propos de l'emploi?

— Vraiment? Je ne savais pas que ma mère engageait de nou-velles gens.

Barbara ouvrit la porte et invita la jeune femme à entrer. Au même moment, les déménageurs pénétrèrent dans le vestibule, chargés d'un canapé en pacanier richement sculpté, habillé de soie blanche.

Chen et Barbara s'écartèrent prestement de leur chemin.

— Venez avec moi, dit Barbara, tandis que les hommes se frayaient un chemin par la porte d'entrée.

Par-dessus son épaule, Barbara jeta un regard à la jolie femme frêle, une Orientale aux yeux foncés et mystérieux.

— Comment vous appelez-vous ?

— Chen, répondit la jeune fille modestement, comme elle savait que les Blancs aimaient qu'une personne de sa race et de son statut social se comporte.

— Mère, voici Chen. Elle est ici à propos de l'emploi.

Eleanor secoua la tête. L'exaspération se lisait sur son visage :

— Je n'engage plus de personnel. Mais si j'en juge par le travail que nous avons, je suppose que je pourrais avoir besoin d'aide. Elle fixa Chen droit dans les yeux. Juste pour un jour ou deux, et je t'offre deux dollars seulement. Mais l'emploi est à toi, si tu le veux.

Chen avait appris à parler couramment anglais avec sa grand-mère. Elle avait aussi appris à ne jamais le parler correctement devant les Blancs et certainement jamais devant son père, Lon Su, ni son grand-père, Nan-Yung.

— Cela bon.

Elle s'inclina poliment.

— Montre-lui ta chambre, Barbara. Elle pourra t'aider à vider tes tiroirs et à emballer tes affaires.

— Très bien, dit Barbara en se tournant vers Chen. Alors, je pense que vous travaillez pour nous, dit-elle.

Chen sourit joyeusement. Barbara ne savait pas que leurs destins étaient liés. Mais le don de prophétie de Chen lui permettait de voir l'avenir. Petite déjà, elle rêvait qu'elle courait à travers les flammes en compagnie d'une jeune Blanche. Ses rêves l'avaient fait pleurer, car elle savait que les dangers qui les entouraient pourraient les tuer. Elle avait confié à sa grand-mère que le rêve était atrocement réel, et cette dernière l'avait réconfortée. Mais le plus effrayant, c'était qu'au fil des ans, le rêve était revenu périodiquement. Chen savait que Barbara et elle étaient destinées à remplir une sorte de mission divine, mais elle ignorait quel en serait le résultat. Elle ne pouvait se fier qu'à son instinct, à ses propres visions, et chercher à les atteindre.

En montant l'escalier, Chen eut un sourire secret. Elle savait qu'elle occuperait cet emploi plus que deux jours.

Beaucoup plus que deux jours.

* * * *

Barbara et Eleanor se rendirent dans un fiacre de louage à la résidence des Pope, sur Nob Hill, pour la fête de fiançailles de Donald. Comme Meredith ne venait pas d'une famille fortunée, Harriet Pope avait insisté pour être l'hôte de la fête.

— De plus, avait-elle confié, cela me donnera une occasion de faire parler de moi dans les chroniques mondaines des journaux. Il faut songer à ce genre de choses.

Barbara lui avait donné raison. Après tout, Eleanor avait déjà été l'enfant chérie des journalistes mondains. Ils l'oublieraient, si elle ne réussissait pas bientôt un bon coup avec Barbara. La jeune fille savait que sa mère pouvait tout supporter, sauf d'être rejetée dans l'ombre.

Le valet de pied lui tendit la main pour l'aider à descendre du fiacre. L'escalier menant à la résidence de style Greek Revival était encombré de femmes vêtues de robes fabuleuses et ornées de bijoux somptueux. Lorsqu'elle pénétra dans le hall et que le majordome eut pris sa cape, plusieurs de ses amies la complimentèrent sur sa splendide robe de bal.

D'ordinaire, les yeux de Barbara auraient brillé aussi gaiement que les perles de cristal serties dans sa robe, mais ce soir, toutes ses pensées restaient tournées vers Michael.

Elle entra dans la salle de bal, et le majordome l'annonça. Elle entendit à peine les salutations des invités, tandis qu'elle s'avançait dans la salle et qu'ils tournaient leurs regards admiratifs et leur sourire appréciateur dans sa direction. Elle avait l'esprit plein de visions de Michael.

— Tu es vraiment adorable, ce soir, Barbara. Comment était Washington ? demanda Sally Ann Jefferson.

— C'était bien, répondit Barbara.

— Je savais que ce serait ennuyeux et compassé. Je ne voudrais jamais y aller.

Barbara n'entendit pas la voix de son ancienne compagne de classe. Elle avait en tête la voix de Michael qui disait : « Je te veux, Barbara. Je veux t'épouser. Je vais parler de nous à Jefferson. Tu ne sais pas ce que tu me fais. »

Si elle avait été faible, Barbara aurait pleuré. « Mais je ne suis pas faible. Je suis juste idiote.

Je ne choisirai plus jamais un homme avec mon cœur. Je serai plus futée je me servirai de ma tête. »

Barbara s'approcha de Meredith elle lui prit la main et lui offrit ses meilleurs vœux.

— Je ne saurais être plus heureuse puisque mes deux amis se sont rencontrés, dit-elle sincèrement avant d'embrasser Donald sur la joue.

Elle se rendit compte que les mains du jeune homme tremblaient, et ses yeux lui confirmèrent qu'elle se tenait trop près de lui.

Elle recula. Elle ne voulait pas que Donald soit amoureux d'elle, car elle était incapable de l'aimer de retour. Il était son ami, rien de plus. Néanmoins, elle eut un élan du cœur vers lui, car elle savait maintenant ce que c'était que d'aimer sans réciprocité.

Barbara se dit que certains des meilleurs mariages ne commençaient pas toujours sous les meilleurs auspices. Peut-être l'union de Donald et de Meredith en ferait-elle partie. Barbara ne pouvait qu'espérer que leur vie conjugale soit de plus en plus heureuse avec le temps.

Barbara venait tout juste de se détourner de Donald et de regarder vers l'entrée de la salle de bal quand le majordome lança un nom qui lui était inconnu.

Il annonça très fort :

— Monsieur Peter Kendrick.

Un homme de haute taille entra dans la salle. Il avait les cheveux blonds, de larges épaules, des hanches étroites et de longues jambes.

— Qui est-ce ? demanda une femme.

Barbara entendit la réponse de son compagnon :

— Un ange, bien entendu. Aucun homme ne peut être aussi séduisant.

Ce à quoi Barbara répondit :

— Il est même franchement beau.

Il avait la même stature que Michael et son corps bien musclé, mais ses yeux bleus frappaient dans son visage bronzé aux traits nobles.

— Ses vêtements sont impeccables. Très coûteux. Il ressemble au...

— Prince charmant, conclut Barbara en le regardant s'approcher du groupe qu'elle formait avec Meredith et les Pope.

— Mon Dieu, je n'ai jamais vu un homme bouger ainsi... ni porter un pantalon aussi serré. Je peux presque distinguer... Meredith murmura la suite à l'oreille de Barbara, d'un ton ouvertement sensuel.

— Meredith. Il va t'entendre.

Elle pouffa :

— Je l'espère bien !

Barbara déglutit péniblement. D'ordinaire, elle ne pensait jamais à ce genre de choses, mais Michael l'avait initié aux plaisirs de la chair. Il lui avait enseigné la sensualité. Il lui avait appris à sentir la vie par tous ses sens. Que ne donnerait-elle pas pour redevenir la Barbara qu'elle était, moins d'un mois auparavant, lorsqu'elle ne connaissait pas d'émotions aussi intenses !

Meredith murmura de nouveau à l'oreille de Barbara :

— Il vient vers nous.

— J'ai vu, répondit-elle avant de s'écarter pour que Peter puisse saluer et remercier ses hôtes.

Harriet Pope se pencha vers elle et lui expliqua :

— Peter vient de déménager ici de Chicago. C'est un nouvel entrepreneur en construction. Il n'est ici que depuis trois semaines, mais déjà monsieur Pope affirme que tous ses amis de l'Union Pacific Club pensent que Peter Kendrick deviendra très prospère, ici. Il est déjà millionnaire, mais il dit qu'il a l'intention de quadrupler ses revenus dans l'année, rien que ça.

Barbara était aux côtés de Harriet Pope lorsque Peter Kendrick vint se présenter.

— Je suis enchanté de faire votre connaissance, madame Pope. Votre mari n'a cessé de chanter vos louanges depuis que je suis arrivé en ville. Je ne peux vous exprimer à quel point je vous suis reconnaissant de m'avoir invité ce soir. Il se tut et coula un regard vers Barbara. Je me sens plutôt seul dans cette nouvelle ville.

— Nous sommes enchantés que vous ayez pu venir, répondit Harriet, qui présenta Peter à Meredith et à Donald.

Puis, elle se tourna vers Barbara :

— Je ne pense pas que vous ayez eu l'occasion de rencontrer Barbara Mansfield. Elle vient de rentrer de voyage dans la capitale de notre pays, ce qui explique probablement pourquoi vous ne l'avez pas encore rencontrée à aucune de nos soirées, ni à l'opéra.

Peter Kendrick se tourna vers Barbara et s'approcha d'elle.

— Je vous ai vue dès mon entrée dans la salle, dit-il. Puis-je vous complimenter sur votre robe tout à fait exquise ? Elle mérite une beauté aussi saisissante pour être vraiment mise en valeur.

Barbara jeta un coup d'œil à Meredith elle semblait prête à s'évanouir devant tant d'obséquiosité, et pourtant, c'était à elle que Peter adressait son compliment. Meredith lança un regard d'avertissement à son amie lorsqu'elle comprit que celle-ci ne répondait pas à l'entrée en matière de Peter.

— Merci, laissa tomber Barbara poliment.

Elle ne l'encouragea pas du regard. Elle ne lui retourna pas son compliment.

— J'aimerais danser avec vous ce soir. Votre carnet de bal est-il tout à fait rempli, mademoiselle Mansfield ?

Voyant que Barbara hésitait une fraction de seconde, Meredith s'interposa :

— Elle vient tout juste d'arriver. Elle n'a vu personne depuis des semaines !

Peter s'esclaffa :

— Puis-je voir votre carnet ?

Barbara le lui tendit, tout en foudroyant Meredith du regard. Après avoir griffonné quelque chose dans le carnet, Peter le lui rendit. Il lui tendit le bras.

— Je pense que cette danse est pour moi, dit-il.

Il lui prit le bras et le passa autour du sien en voyant qu'elle ne réagissait pas.

Barbara se laissa conduire sur la piste de danse en pensant aux mille excuses qu'elle pouvait évoquer pour quitter cette soirée.

Peter l'enlaça et la tint serrée contre lui tout en exécutant des pas de danse parfaits avec une rare élégance. Il portait une eau de Cologne qui lui rappelait Michael. Il avait la même taille que Michael, et le corps de Barbara épousait celui de Peter exactement comme il s'était moulé à celui de Michael. À la hauteur de ses yeux, elle voyait la courbe où le cou rencontrait l'épaule, comme dans les bras de Michael.

Elle leva la tête vers le plafond et essaya de se concentrer sur les chandeliers en cristal de Venise et les fresques peintes à la main de cieux paradisiaques foisonnant d'angelots. Elle songea à mille excuses pour échapper à Peter Kendrick.

«Je pourrais lui dire que j'ai mal à l'estomac. Non, il irait probablement me chercher de l'eau de Seltz ou des sels d'Epsom.

Je pourrais lui dire que ma femme de chambre est en train d'accoucher. Non, cela ne marcherait pas non plus.

Je serai forcée de danser avec cet homme toute la soirée, voilà tout.» En dansant, Barbara observa le visage des jeunes filles qui se tenaient à la périphérie du plancher de danse : elles bavaient littéralement d'envie sur Peter. Elle se demanda ce qu'elles voyaient qui lui échappait.

«Elles n'ont rien à y voir. C'est moi. Peter n'est pas Michael. C'est tout.

Et c'est bien cela le pire.»

La soirée n'en était qu'à la moitié lorsque Peter se tourna vers Barbara et ricana silencieusement.

– Vous savez, mademoiselle Mansfield, je n'ai jamais rencontré quelqu'un comme vous.

«Michael a dit la même chose.»

— Ennuyeuse, n'est-ce pas? répondit-elle en lorgnant vers la table où l'on avait servi le buffet.

— Vous êtes une sorte de défi. Vous avez à peine conscience de ma présence. D'ordinaire, je n'ai qu'à choisir la femme qui me plaît.

Il dit cela sèchement, honnêtement et sans prétention, bien que son aveu trahisse sa vanité.

— Vous feriez peut-être mieux d'investir vos énergies dans quelqu'un d'autre.

— Mais c'est vous que je veux.

«Je te veux, Barbara.»

Elle le crut. Le pire, c'est qu'elle le voulait aussi. Elle fronça les sourcils devant sa conduite : elle pensait à Michael quand il était évident qu'il ne voulait pas d'elle. Elle sourit à Peter d'un air mystérieux :

— Vous me dites que vous me voulez parce que je représente un défi? C'est plutôt ridicule, vous ne trouvez pas?

— Pas pour moi, répondit-il en se penchant plus près.

Barbara avait l'impression qu'il voulait l'embrasser. Maintenant qu'elle avait été bien embrassée par Michael, elle savait ce qu'une femme ressent quand un homme la désire. Elle connaissait l'odeur musquée et chaude qui se dégage d'un homme quand il veut faire l'amour. Elle connaissait la lueur ténébreuse qui lui voile le regard quand il se prépare à saisir sa proie.

« C'est ce que je suis. Une proie. »

Elle recula d'un pas.

— Il faudra plus que quelques paroles bien tournées pour me conquérir, monsieur Kendrick.

Elle venait de lui lancer un défi.

— Je n'en doute pas une minute. Mais je suis prêt à faire ce qu'il faut pour gagner votre cœur.

— Vraiment ?

— Oui, affirma-t-il fermement.

— Pourriez-vous accepter une femme qui travaille comme journaliste ?

— Qu'est-ce que vous dites ?

— J'ai parlé à l'éditeur en chef du *Call*, et après avoir pris connaissance de mes talents d'écrivaine grâce à quelques exemples que je lui ai fournis il y a quelques jours, il a décidé de m'engager. Ma mère n'est pas encore au courant de mes plans de travailler au journal. C'est que, voyez-vous, j'ai toujours rêvé d'être journaliste, et j'ai décidé que c'était quelque chose que je pouvais faire pour me contenter.

Peter sourit d'un air espiègle.

— Il faudra beaucoup plus que quelques articles sur des réceptions en plein air pour me dissuader, mademoiselle Mansfield.

— Réceptions en plein air ? Mais je vais travailler pour l'éditeur en chef et couvrir les informations.

— Merveilleux ! Je suis certain qu'en un rien de temps, vous deviendrez leur meilleure journaliste, répondit-il en s'approchant encore plus près.

Barbara leva fièrement le menton.

— Ce sera le cas. Vous verrez.

— Je n'en doute pas une minute, conclut-il avant de l'entraîner sur la piste de danse pour une autre valse.

Eleanor Mansfield passa la soirée à glaner tout ce qu'elle put sur Peter Kendrick.

Elle découvrit par l'un des cadres de la First National Bank de San Francisco que Peter Kendrick avait câblé plus d'un million de dollars dans un compte qu'il venait d'ouvrir. Il avait obtenu un emprunt pour la moitié de ce montant, pour acheter une parcelle de terre du côté nord de la ville où il avait l'intention de bâtir une série de maisons. Il avait aussi déposé à l'hôtel de ville une demande de permis de construire pour un nouveau cinéma à cinq sous, au bout de la rue Powell.

D'après Eleanor, Peter Kendrick avait sérieusement planté ses bottes dans le sol de San Francisco. Il n'y avait aucun doute qu'il était tombé follement amoureux de Barbara. En observant l'expression pénible qui assombrissait le visage de sa fille, Eleanor comprit qu'elle aurait de la difficulté à la convaincre que Peter Kendrick représentait la réponse à leurs prières.

Mais ce n'était pas la première fois qu'elle se lancerait dans un combat où tout était contre elle.

Trente-huit

« Et le feu et la glace luttent en moi
Dans la nuit suffocante[45]. »

— ALFRED EDWARD HOUSMAN,
A SHROPSHIRE LAD, 4ᵉ STROPHE

San Francisco, 1905

Barbara épousa Peter en pensant qu'elle oublierait Michael.
Elle se trompait.

La prévenance de Peter s'éteignit à la seconde où elle eut la bague au doigt. Le regard du marié était vide lorsque le couple franchit les portes de la petite chapelle décorée de lierre anglais et d'arums blancs, et sortit dans le soleil radieux après la cérémonie intime. Jefferson serra Barbara dans ses bras avant qu'elle monte dans sa calèche de laque noire. Il la leur avait prêtée pour le trajet jusqu'à l'hôtel Fairmont où se tenait la réception de mariage. Il avait les yeux incroyablement tristes.

— Porte-toi bien, avait-il dit.

Barbara avait été étonnée qu'il ne lui souhaite pas d'être heureuse. C'était comme s'il savait qu'elle venait de commettre une terrible erreur.

— Tout ira bien, répondit-elle.

— Bien sûr, fit-il en lui embrassant la joue.

Il l'avait aidée à rentrer son très long voile dans la calèche. Elle l'avait vu jeter un regard de dérision à Peter qui recevait les

---

45. N.d.T.: Traduction libre.

félicitations de nombreux associés d'affaires qu'il avait insisté pour inviter à la cérémonie. Barbara s'inquiétait du fait qu'Eleanor dépensait beaucoup d'argent pour le mariage. Elle avait dû insister pour réduire de beaucoup l'ampleur de la cérémonie et de la réception. Les fleurs et la calèche étaient un cadeau de Jefferson. Comme Peter ne voulait inviter à la réception que les personnes les plus influentes, il avait insisté pour payer le gâteau et le champagne attendus pour la circonstance.

Barbara commençait déjà à se rendre compte que Peter n'était qu'apparence. C'était en fait un homme sans substance.

Mais c'est au moment de sa nuit de noces que la jeune femme comprit que son cœur n'appartiendrait jamais qu'à un seul homme. Elle prétendait que c'était Michael chaque fois que Peter la touchait. Peu importe les efforts de Peter pour faire romantique, Barbara songeait à Michael. D'une certaine façon, elle avait pitié de Peter : il ne pourrait jamais arriver à la cheville d'un souvenir destiné à la hanter comme un fantôme, le reste de sa vie.

Le mariage de Barbara était condamné. Elle le savait et Peter le sentait.

En moins d'un mois, elle comprit qu'elle ne pourrait trouver la fuite que dans l'écriture.

Ayant obtenu un emploi au *Call*, elle travaillait de longues heures et exigeait plus d'elle-même que ses éditeurs.

— S'il faut que je couvre une autre soirée mondaine, William, je crois que je vais vomir, annonça-t-elle à William Melton, l'éditeur en chef.

Il ne releva pas la tête.

— Sur votre bureau. Est-ce que cela attirera votre attention ?

— Taisez-vous, et laissez-moi finir cet article que vous m'avez remis.

Penaude, elle se laissa tomber sur une chaise devant lui :

— Oh. Désolée. Allez-y.

Il tourna la page et leva les yeux vers Barbara :

— Tout ceci est vrai ?

— Absolument.

— Comment avez-vous obtenu du conseiller qu'il avoue ce qui se magouille ?

— Je lui ai dit que s'il ne me donnait pas la primeur, je publierais l'entrevue que j'ai obtenue avec Sheldon Ash, le propriétaire de la société West Coast Concrete and Shell. Monsieur Ash admet avoir vendu son béton de qualité inférieure à la ville. Il affirme que l'administration municipale n'a pas payé pour plus. Il a dit, et je cite : « Le conseil municipal sait que le béton ne suffirait pas à étayer le lit d'une rivière, encore moins à faire tenir un immeuble ». Les membres du conseil ont empoché la majeure partie du budget. Monsieur Ash m'a aussi avoué qu'il n'y a pas de canalisation d'eau sous la rue qu'il a construite dans le Mission District.

— Les bornes-fontaines ?

— Sont fausses.

— Wow ! Il siffla entre ses dents. Comment êtes-vous devenue aussi douée aussi vite ?

— Facile. Jefferson Duke.

Il secoua la tête.

— Vous vous rendez compte que tous les journalistes de ce quotidien vont vous détester.

— Je m'en fiche.

— Ils vont vous rendre la vie impossible. Et c'est le bon côté de la médaille.

— Quant au revers ?

— Savez-vous à quel point il est facile d'engager un assassin dans cette ville ? Si ce que vous dites est vrai, la moitié du conseil municipal et tous les promoteurs immobiliers véreux de la ville voudront votre peau. Qu'est-ce que vous pensez ? Que vous êtes inatteignable ?

— Je compte sur le fait que je suis une femme.

William s'esclaffa. Puis son rire s'éteignit.

— Ça pourrait marcher.

— Je suis prête à courir le risque. Elle se pencha vers lui. Pour parler franchement, je me suis dit que vous n'auriez pas le culot d'imprimer mon article. Une fois qu'il aura paru, le journal pourrait être vandalisé. On pourrait poser des bombes. Ce genre de choses.

William frotta ses yeux très, très fatigués.

— Ouais. Eh bien, le moment est peut-être venu pour nous de tirer les premiers.

— Merci, William. Elle se dirigea vers la porte.

— Barbara, je veux quand même que vous couvriez le bal.

Ses épaules tombèrent visiblement :

— Pourquoi ?

— Dites-vous que ça fera le bonheur de votre mari.

Elle fronça les sourcils et se tourna vers William :

— Il est plutôt transparent, n'est-ce pas ?

William hocha la tête.

— Il grimpe l'échelle sociale trois barreaux à la fois.

— Qu'est-ce que vous essayez de me dire ? Que je devrais surveiller mes arrières ?

— De plus d'une façon. Juste un conseil en passant.

Elle eut un pâle sourire et répondit :

— J'y penserai. À demain.

* * * *

Étant donné ses liens avec Jefferson, on savait que Barbara gravitait dans les cercles les plus fortunés et les plus puissants de la ville, aussi l'entrée de Peter dans la bonne société fut-elle acceptée sans questions.

— J'ai été béni le jour où je t'ai rencontrée, Barbara, dit Peter, tout en nouant son nœud papillon.

Chen faisait chauffer le fer à friser tandis que Barbara regardait le reflet de Peter dans le miroir de sa table de toilette.

— C'est très gentil à toi de dire cela, répondit-elle.

— C'est la vérité, ajouta-t-il, charmant. Je descends boire un verre pendant que tu finis de t'habiller.

— Je n'en ai pas pour longtemps, répondit-elle, en le regardant sortir. Elle se tourna vers Chen. Prends tout le temps qu'il te faut, Chen.

— Vous êtes tendue, ce soir, dit la jeune fille. Je pourrais vous masser les épaules.

— Oh oui, je t'en prie ! Tu as des mains magiques.

— Pas magiques. Éduquées. J'ai appris par ma grand-mère à activer le flot d'énergie vers le sommet de la colonne vertébrale et à travers les méridiens du corps.

— Je remercie le Ciel pour son enseignement. Comment va-t-elle ?

— Elle est très heureuse. Elle m'a donné une fleur de lotus pour vous, répondit la jeune Orientale, en sortant la fleur délicate de la poche de son pantalon.

— Elle est exquise, s'écria Barbara. Mais elle n'avait pas besoin de faire cela pour moi.

— Elle m'a demandé de vous remercier de m'avoir donné la chambre à l'étage et de ne pas m'avoir chassée.

Chen savait qu'elle ne pourrait jamais retourner dans le quartier chinois une fois qu'elle aurait échappé à Nan-Yung. Elle sortait rarement de la maison des Kendrick, de peur de rencontrer quelqu'un des catacombes qui la reconnaîtrait. Qui la poursuivrait. Chen savait très bien qu'elle ne pourrait pas résister seule à la puissance et à la méchanceté du clan Su. Il faudrait qu'elle fasse beaucoup d'argent pour renverser la maison des Su. La seule solution pour elle consistait à faire en sorte de s'en sortir et de ne jamais devenir l'une des esclaves qui vivaient dans les profondeurs des catacombes.

C'était une existence de mort vivant.

Chen savait que Nan-Yung, son grand-père, était un démon qui prostituait de jeunes garçons et torturait des fillettes chinoises pour divertir une clientèle de Blancs déments. Elle savait que Nan-Yung faisait une fortune avec la traite d'esclaves : il vendait des Blancs et des Chinois qui devenaient esclaves sur la côte chinoise. En constatant que la maison des Su vendait des drogues et tenait des fumeries d'opium, Yin s'était illusionnée en pensant qu'elle arriverait à économiser assez d'argent grâce à son commerce, pour échapper à son mari cupide. Au lieu de cela, les perversions de Nan-Yung étaient devenues plus diaboliques avec les années.

Chen n'était pas certaine de pouvoir faire plus que sauver sa peau. Elle rêvait de retourner dans le quartier chinois et de sauver sa grand-mère, Yin, ainsi que sa mère, Ling, et ceux qui, parmi ses sœurs et ses amis, voudraient recommencer leur vie loin des tentacules empoisonnés de la maison des Su.

Elle ne rendait visite à Yin qu'avec beaucoup de prudence et après beaucoup de planification. Elles communiquaient par l'esprit, et bien que le don de Chen ne soit pas aussi développé que celui de sa grand-mère, elle apprenait à s'en servir.

À l'extérieur de la maison des Kendrick, quand elle allait au marché, ou faire des courses avec Barbara, Chen faisait semblant de ne parler que le chinois. Elle ne parlait anglais qu'avec Barbara qui adorait lui enseigner la langue.

La jeune Orientale était bien consciente qu'elle habitait une prison qu'elle avait elle-même forgée, mais à ses yeux, l'incarcération était un état d'esprit. Il y avait bien des sortes de prisons. Celle-ci était un paradis.

— Pourquoi voudrais-je te chasser ? À vrai dire, je compte sur toi pour tenir cette maison. Pour m'aider à continuer. Dieu sait que personne d'autre ne semble se soucier autant de moi.

— Monsieur Kendrick ne m'aime pas.

Les épaules de Barbara se raidirent instantanément :

— Parfois, je crois qu'il ne m'aime pas non plus.

Chen resta silencieuse.

Barbara observa sa réaction dans le miroir.

— Tu le sens aussi, n'est-ce pas ?

— Ce n'est pas ma place de parler de telles choses, répondit Chen, tout en souhaitant pouvoir dire ce qu'elle voyait, ce qu'elle entendait.

— Quel genre de choses ?

Chen cessa son massage et reprit le fer à friser.

— Monsieur Kendrick voudra que vous soyez la plus belle du bal.

Barbara observa Chen dans le miroir tandis qu'elle lui frisait expertement les cheveux.

— Tu sais que Peter me trompe, n'est-ce pas ?

La main de Chen hésita une fraction de seconde. Cela suffit à Barbara.

— Sais-tu avec qui ?

Chen se brûla un doigt. Elle cria et porta le doigt à sa bouche avant de lancer :

— Vous et moi n'avons pas de secrets. Vous devez le savoir maintenant. Je sais que vous avez donné votre cœur à un autre, il y a longtemps, même si vous ne m'en avez jamais rien dit. Je vois son visage près du vôtre.

— Quoi ?

— Là, dans le miroir. Si vous regardez bien, vous le verrez.

— Je n'ai pas besoin de miroir, répondit Barbara d'un ton creux. Je le vois partout où je vais. Elle baissa les yeux. Peter le sait-il ?

Chen inspira fortement pour se donner du courage.

— Il est trop égoïste pour voir quoi que ce soit vous concernant.

— Oh, mon Dieu ! Comment ma vie est-elle devenue si compliquée ?

Chen interrompit son geste.

— Votre vie est parfaitement en ordre. Il y a une raison à tout ce qui vous arrive. Votre destin est d'être avec monsieur Kendrick. Pour l'instant.

— Mais pourquoi ? Pourquoi est-ce que je ne pourrais pas simplement être avec Michael et vivre heureuse ? Et pourquoi n'a-t-il pas voulu de moi ?

— Il voulait de vous. Mais quelqu'un s'est mis en travers de son chemin.

— Quelqu'un ?

Barbara sentit monter en elle une lueur d'espoir pour la première fois depuis qu'elle avait quitté Washington, des années plus tôt.

Les yeux de Chen étaient perdus dans le lointain. Elle avait l'air en transe.

— Je ne vois pas qui. Seulement l'énergie. Une personne égoïste. Comme votre mari, par bien des côtés. Quelqu'un qui fait passer sa cupidité avant tout le reste. Cette personne n'a pas de cœur.

Barbara lui prit le bras et le serra :

— Tu ne peux pas voir qui c'est ?

— Non. Je vais essayer pour vous.

Un coup frappé à la porte les interrompit : Meredith Winters Pole s'engouffra dans la chambre, vêtue d'une robe et d'un mantelet jaune canari.

— Tu n'es pas encore prête ?

— Meredith. Tu es en avance. Barbara jeta un coup d'œil à la pendule. Mais, regarde l'heure ! Je n'avais pas idée qu'il était si tard. Je serai prête dans une minute.

Meredith enfila ses nouveaux gants en dentelle :

— J'ai laissé Donald en compagnie de Peter. Propos masculins. Tellement ennuyeux.

— Chen, occupe-toi de monsieur Pope. Je ne crois pas qu'il aime beaucoup le whisky. Offre-lui plutôt du thé.

Chen s'inclina et quitta la pièce.

S'écartant du chemin de la jeune Orientale, Meredith attendit qu'elle soit sortie avant de demander :

— Comprend-elle ce que tu dis, seulement ?

Pendant un instant, Barbara avait presque oublié la ruse qu'elle avait mise au point avec Chen.

— Elle a compris le mot « thé » et que nous avons des invités. Elle saura quoi faire.

— Je ne comprends pas que tu n'engages pas des domestiques convenables. Tout le monde sait que ces Orientaux ne sont pas assez intelligents pour faire autre chose que la blanchisserie.

— Vraiment ? dit Barbara en tapotant ses boucles élégantes. Je pense qu'ils sont très faciles à former, au contraire. « Contrairement à toi. »

— Eh bien ! Je t'accorde que Chen est une exception. Elle possède l'art de coiffer les cheveux, en tout cas.

— Et tu ne sais pas la moitié du reste, pouffa Barbara, en se faufilant dans son cabinet de toilette. Crois-moi, c'est elle qui m'en apprend.

— Ne sois pas ridicule, Barbara. Qu'est-ce que tu pourrais apprendre d'elle ?

— Oh... des choses. « Si j'ai de la chance, Chen aura peut-être une vision de la maîtresse de Peter. Je saurai au moins à qui j'ai affaire. »

* * * *

En bas, Peter faisait les cent pas.

— Mais que fait Barbara ? Je le jure, Donald, cette femme ne pense qu'à écrire et oublie ce qui est vraiment important.

— Vous n'avez pas à vous excuser, répondit Donald. Personne n'est jamais à l'heure à ces soirées.

— Je suis parfaitement au courant, lança Peter en allumant un cigare. J'adore ces havanes, pas vous ?

— Oui, acquiesça Donald en soufflant la fumée odorante. Mais qui peut se les offrir ?

Peter eut un rire silencieux. « Dieu merci, j'ai raflé Barbara avant qu'elle ait le temps de marier un imbécile comme Donald. »

Peter Kendrick était fier de lui et de ses réalisations. Pourquoi en aurait-il été autrement ? Il avait infiltré les cercles mondains et politiques de San Francisco avec la ruse silencieuse d'une vipère, planifiant tous ses mouvements avec méthode et une grande attention aux détails. Il avait d'abord gagné la confiance des gens avant de se mettre à les voler, petit à petit.

Peter remportait les principales soumissions municipales au détriment des autres entreprises de construction de la ville, en raison de ses liens privilégiés avec la crème de la crème de la société, et grâce à la relation de Barbara avec Jefferson Duke.

Il était devenu l'ami du maire, Eugene Schmitz, et de son copain, Abe Ruef. Il avait écrémé des centaines de milliers de dollars sur le nouvel immeuble des postes qu'il avait construit du côté nord de la ville. Il avait empoché presque cinq cent mille dollars sur l'hôpital qu'il avait bâti dans le quartier ouest, et raflé un autre demi-million avec l'érection d'un nouveau théâtre. Comme Peter était extrêmement rusé et très bien vu en ville, personne ne soupçonnait ses pratiques commerciales frauduleuses. Pas même sa femme.

Le majordome parut à la porte du salon.

— Je suis désolé de vous importuner, monsieur Kendrick, mais il y a un monsieur Clancy à la porte, il fait toute une histoire et refuse de revenir demain. Il dit que c'est urgent et qu'il doit vous parler ce soir.

— Clancy? Peter fronça les sourcils. Faites-le entrer dans la bibliothèque. Je le rejoins tout de suite.

— Très bien, monsieur.

— Je suis désolé, Donald. Il semble que le monde de la construction soit un dérangement perpétuel. Servez-vous un whisky.

— Je ne bois pas.

— Désolé. J'avais oublié.

Alors que Peter sortait de la pièce, Chen apparut dans le vestibule.

— Ah, Chen! Va voir monsieur Pope. Il lui faut quelque chose à boire, dit Peter en comptant plus sur ses mains et ses bras que sur ses paroles pour se faire comprendre de la jeune domestique, dont il croyait qu'elle ne parlait pas l'anglais.

Elle s'inclina, puis traversa le vestibule à sa suite jusqu'à la bibliothèque dont elle ferma les portes d'acajou derrière lui. En se dirigeant vers le salon, elle entendit crier un homme dans la bibliothèque.

Elle réprima un sourire et poursuivit son chemin.

Donald Pope se tenait devant les fenêtres qui donnaient à l'est. Debout devant le mur d'étagères, il étudiait un ouvrage de Longfellow relié en cuir lorsque Chen entra dans la pièce.

Elle avait lu toute l'œuvre du poète. Elle se demanda s'il avait fait la même chose.

Chen avait rencontré Donald quand elle avait commencé à travailler pour Barbara. Les Pope avaient été invités chez les Kendrick peu de temps après que Peter eut terminé la construction de la maison. Lors de cette soirée, Chen avait aidé à servir le repas, car l'une des domestiques irlandaises était malade. La jeune Orientale se targuait d'être une fine observatrice de l'être humain.

En servant les premiers plats, Chen avait remarqué que Meredith Pope s'occupait beaucoup trop de Peter Kendrick, débitant des flatteries sur l'élégante demeure qu'il avait construite et l'énorme somme qu'il avait dépensée pour la meubler. Chen avait vu la douleur secrète dans les yeux de Donald, tandis qu'il regardait sa femme se jeter à la tête d'un autre homme. Chen avait éprouvé de la compassion à l'égard de Donald Pope, car elle avait vu que c'était un homme bon. Même s'il était taciturne, il ne manquait ni de profondeur ni de générosité.

Lors de cette première rencontre, Donald lui avait jeté un regard et Chen avait vu qu'il avait lu l'empathie dans ses yeux.

Lorsque leurs regards s'étaient croisés, Chen avait senti un courant passer entre eux, comme si elle avait été frappée par la foudre. Elle avait compris que ce que sa grand-mère lui avait dit à propos de la rencontre de l'âme sœur était vrai.

Mais il n'y avait qu'un problème, et Chen ne pouvait rien y faire : Donald Pope était blanc. Il était riche et il était marié. De plus, en voyant la façon dont il regardait Barbara, Chen avait compris que Donald Pope était amoureux de sa maîtresse.

Elle éprouvait de la compassion pour ces gens riches, mais malheureux. Ils vivaient dans des résidences somptueuses, pareilles à des palais impériaux. Leurs calèches étaient serties d'or, et leurs vêtements dignes d'une cérémonie de couronnement royal, mais leur cœur était triste et vide. Chen désirait ardemment faire comprendre à Donald Pope qu'il ne pourrait jamais se libérer de Barbara à moins que quelqu'un d'autre lui donne l'amour qu'il désirait si ardemment.

Le fait de savoir que le cœur de Barbara appartenait à un autre homme n'aidait pas Donald non plus.

— J'apporte le thé, finit par dire Chen, pour attirer son attention.

Il ferma le livre et la regarda de ses doux yeux bruns.

— Ce serait fort agréable, répondit-il.

Il l'observa tandis qu'elle s'éloignait gracieusement, traversait le plancher en marbre et gagnait le vestibule.

Elle revint quelques minutes plus tard, portant une théière de thé bouillant, une tasse en porcelaine et une petite assiette de gâteaux et de scones. Elle posa le service sur le guéridon et versa le thé tandis que Donald l'observait. Elle ajouta à la boisson une pleine cuiller à thé de sucre et une tranche de citron presque translucide. Elle tendit la tasse à Donald, les yeux toujours baissés.

— Vous vous rappelez comment je bois mon thé? dit-il à la jeune orientale, soudain conscient de l'odeur délicate de son savon au jasmin.

L'éclairage au gaz frappait sa chevelure lustrée.

— Oui, acquiesça-t-elle à voix basse, comme les domestiques chinois avaient ordre de le faire.

— Et vous comprenez l'anglais. Barbara le sait-elle?

Elle inspira fortement en comprenant qu'il l'avait percée à jour.

— Oui, répondit-elle d'un ton assuré. Mais pas monsieur Kendrick.

— C'est bien, dit-il, l'air conspirateur. Votre secret sera bien gardé avec moi.

— Merci.

Il la regarda s'occuper délicatement du thé. Il se demanda pourquoi elle ne quittait pas rapidement la pièce, ainsi que les domestiques avaient l'habitude de le faire.

Chen lisait ses pensées. Elle savait qu'elle s'attardait trop. Mais elle voulait lui parler. Lui dire qu'elle rêvait de lui, la nuit. Qu'elle aimerait qu'il rende visite aux Kendrick durant la journée. Elle voulait lui dire que chaque fois qu'elle faisait des courses avec Barbara, elle espérait le croiser dans l'un des restaurants ou des parfumeries que Barbara et lui fréquentaient.

Au lieu de cela, elle garda la tête baissée pour que ses yeux ne la trahissent pas.

Donald déposa sa tasse de thé et s'assit dans un gros fauteuil à oreilles Chippendale même si Chen essayait d'éviter son regard, il serait tout de même mieux placé pour voir son visage.

— Et quels autres secrets dissimulez-vous, Chen ?

— Aucun, répondit-elle sèchement.

Donald décroisa les jambes et posa ses coudes sur ses genoux. Quelque chose lui disait que cette fille délicate qui ne pesait guère plus qu'une fleur de pommier savait beaucoup de choses.

— Je sens un mystère autour de vous. Êtes-vous comme ces clair-voyantes de la rue Grant ?

— Vous les avez rencontrées ?

— Oui. Mais ne le dites à personne. Il secoua un doigt devant son visage. D'autres pourraient ne pas comprendre.

— Comprendre quoi ? Avez-vous peur qu'ils vous croient idiot ? Ou désespéré ?

— Les deux.

— Vous voulez savoir si votre épouse vous a été fidèle ? La réponse est non.

— Je le sais déjà. Je veux savoir avec qui.

— Vous le savez aussi.

Donald regarda les portes fermées de la bibliothèque, de l'autre côté du vestibule.

— J'ai bien peur de le savoir. C'est évident, n'est-ce pas ?

— Seulement pour qui a des yeux pour voir.

— Barbara le sait-elle ?

— À sa façon.

— Elle ne sait pas qu'il s'agit de Meredith ?

— Pas encore, répondit franchement Chen.

Donald s'adossa à son siège en soupirant.

— Pauvre Barbara.

— Vous l'aimez toujours ?

Les yeux de Donald s'écarquillèrent :

— Vous ne ratez rien, vous ! Il contempla l'adorable jeune femme à la peau dorée. On dit que le père de Barbara a eu une liaison avec une jeune Chinoise et qu'elle a été assassinée à cause de lui. Et qu'il a été assassiné à cause d'elle.

— J'ai entendu la même histoire, dit-elle en levant les yeux pour le regarder en face. Mais vous pensez que les Chinois sont malpropres?

— Non, répondit-il, retenant son souffle. Je ne pourrais jamais croire que quelqu'un d'aussi beau que vous — Je peux comprendre qu'un homme comme Lawrence Mansfield soit tombé si follement amoureux.

Chen déposa avec des gestes gracieux un petit gâteau sur une assiette en porcelaine. Donald lui prit l'assiette des mains et leurs doigts s'effleurèrent.

— Merci, Chen.

Un frisson lui parcourut le bras. Il imagina qu'il lui montait directement au cœur.

— Je ne dirai à personne que vous parlez si bien l'anglais. Ce sera notre secret.

Elle hocha la tête, sans répondre.

— Je ne veux pas vous créer de problème, Chen.

Il détourna les yeux, en songeant qu'il était fou de penser que ses sentiments relevaient plus que du désir. Après tout, il était Donald Pope, prince couronné de cette ville. Sa famille gouvernait pratiquement la société san franciscaine. On ne comprendrait jamais ses sentiments. Enfer et damnation! Il ne comprenait même pas ce qu'il ressentait. Uniquement qu'il « ressentait » quelque chose.

Chen ne disait pas un mot. Elle percevait le tourbillon qui agitait son esprit. Elle ne savait pas exactement à quoi il pensait, mais elle savait qu'il avait compris qu'elle était amoureuse de lui.

« Je pourrais en faire ma maîtresse. Oui, n'est-ce que pas ce qu'on fait en pareille situation? Si je pouvais juste la toucher de nouveau... »

Il étendit le bras pour toucher la chevelure de la jeune fille, mais se reprit vivement.

Elle ressemblait à une fleur de lotus parfaite. Elle était jeune et très certainement vierge. Barbara lui avait dit que Chen était née le même jour qu'elle, à la même heure. Donald trouvait cela fascinant. Et mystérieux.

« Mais est-ce le destin?

Le destin n'existe pas. J'ai simplement perdu l'esprit. Je suis simplement bouleversé à cause de Meredith et de Peter. »

Il déposa l'assiette sur le guéridon :

— Je... je crois que je ferais mieux de partir.

— Je vais chercher votre épouse.

— Mon épouse ? « Mon Dieu, j'ai perdu la notion du temps. De l'endroit où je suis. Qu'est-ce qui ne va pas chez moi ? »

— Chen, dites à ma femme et à Barbara que je les attendrai dans la calèche. J'ai besoin d'air frais.

Elle leva son visage vers le sien et le regarda hardiment dans les yeux, en laissant tout son amour s'exprimer par son regard.

— N'aie pas peur.

Elle le renversa. Elle le domina. Un seul de ses regards changea sa vie.

— Chen, je...

— Je n'ai plus peur. Plus maintenant.

Il se leva lentement.

— Vous ne m'en voudrez pas si je prends le temps de réfléchir ?

— Non.

Il passa devant elle, s'arrêta. Sans la regarder, il lui tendit la main. Elle la prit.

Il sentit ses nerfs s'embraser.

— Je reviendrai demain. Seul.

— Je sais, répondit-elle tandis qu'il quittait la pièce.

Trente-neuf

« Je L'ai fui, au long des nuits et des jours
je L'ai fui, au long du passage des ans
je L'ai fui, au long des voies labyrinthiques
de mon esprit et au milieu des larmes
je me suis caché de Lui, sous les rires
inextinguibles[46]. »

— FRANCIS THOMPSON,
THE HOUND OF HEAVEN, 1[RE] STROPHE

Décembre 1905

Pour la première fois depuis la fête de baptême de Barbara, on préparait la maison Duke pour une grande réception.

Jefferson recevait en effet le président Theodore Roosevelt.

Les San Franciscains avaient consacré des semaines à se préparer à ce qui devait constituer l'événement mondain de la décennie. Rapaces comme des vautours, les traiteurs avaient soumissionné la réception, chacun proposant des services moins chers que ses concurrents. Des dizaines de fleuristes avaient été mis à contribution pour orner la maison d'une profusion de roses rouges et de poinsettias blancs, et pour décorer le haut des chambranles de porte avec des guirlandes en branches de pin et des brassées de feuilles de magnolia.

---

46. N.d.T.: Traduction libre.

Jefferson avait engagé un quatuor à cordes pour le hall d'entrée, un orchestre pour la salle de bal au troisième et un trio de violonistes pour le grand salon. Il voulait que sa maison retentisse de musique, de rires et de joie.

— Barbara, je vais finir par admettre que j'ai quatre-vingt-dix ans. Je suis vieux.

— Alléluia ! Est-ce que tu vas finalement ralentir et prendre du repos ?

— Dieu du ciel, non ! Je dois au contraire courir deux fois plus vite. Il ne me reste plus beaucoup de temps ! répondit-il à la blague.

— Au moins, tu donnes enfin le genre de soirée pour laquelle cette maison a été construite. Grand-mère en serait fière, reprit-elle en l'embrassant sur la joue.

— Je pensais précisément la même chose. Est-ce que tu accepterais d'être mon hôtesse en son honneur ?

— J'en serais honorée.

Pour confectionner sa robe de bal, Barbara engagea une couturière russe dont on louait les créations et le travail impeccables. La couturière choisit un lourd satin d'un blanc hivernal pour la jupe et un velours bleu nuit pour le corsage. Elle orna l'audacieux décolleté en V de trois sortes de perles : des blanches, en cristal et des tubulaires argentées. Une finition perlée agrémentait aussi les manches longues et moulantes aux poignets se terminant en pointe. Elle ourla également les deux épaisseurs de lourd satin qui formaient la jupe d'une bande de broderies perlées de quinze centimètres de largeur.

Cette nouvelle robe était pratiquement la seule note de gaieté dans l'existence de Barbara.

L'enquête que la jeune femme menait sur la corruption du conseil municipal se révélait pleine de rebondissements. Les indices semblaient indiquer que le maire Schmitz acceptait des pots-de-vin, mais Barbara se retrouvait dans une impasse chaque fois qu'elle se rapprochait d'une preuve tangible.

Lorsque Chen entra dans la chambre, Barbara revoyait ses notes et ne leva pas la tête.

— Il est tard. Vous devriez dormir.

— Monsieur Kendrick est-il rentré ? demanda la jeune femme.

— Non.

— Bien. Dans ce cas, je peux continuer à travailler. L'instant d'après, elle écarta ses notes. Je ne comprends pas ce que je fais de travers. Il faut que je trouve un nouvel angle.

— Que veut dire «angle»?

— C'est... quelque chose de stupéfiant. Il me faut une histoire qui mettra cette ville sens dessus dessous et secouera tous ses habitants. Leur fera voir la vérité.

— La vérité?

Barbara soupira :

— Oui. J'ai fini par m'habituer à ce qu'on me surnomme «la fouine». J'aime bien.

Chen prit son courage à deux mains. Ce qu'elle s'apprêtait à faire pourrait s'avérer dangereux. Extrêmement grave. Pour elles deux.

— J'ai l'histoire qu'il vous faut.

Barbara redressa vivement la tête.

— Vraiment?

Chen hocha la tête.

— Oui. Je vais vous parler de mon grand-père et des trous de puits.

— Les trous de puits?

— C'est là qu'ils torturent des jeunes filles. Dans le quartier chinois, plusieurs filles considèrent la prostitution comme un bon travail.

Barbara était choquée.

— Seigneur! Je le comprends mal.

— Tout ce qui se prostitue dans cette ville verse de l'argent à l'hôtel de ville. Même les Chinois.

— Continue, l'encouragea Barbara.

Elle se rappelait que Larry, l'un de ses collègues, avait déterré une affaire concernant des réseaux de prostitution soutenus par la municipalité.

On avait déposé une demande de permis pour construire un restaurant français sur la rue Jackson or, tous les commissaires municipaux savaient que le premier étage était destiné à servir de bordel. Lorsque Larry était finalement parvenu à convaincre une des jeunes filles de parler, elle lui avait raconté que ses compagnes et elles avaient été enrôlées de force dans le métier par des hommes sans scrupule qui s'étaient fait passer pour des prétendants. Une fois violées par leur prétendu soupirant, les jeunes filles avaient trop honte pour retourner dans leur famille. Les journaux et la police ne comprenaient qu'une chose : une autre jeune fille avait disparu.

Ce que Chen confiait à Barbara pouvait bien être exact.

— Y a-t-il moyen de le prouver, Chen ? Est-ce que je pourrais interviewer un témoin ?

— Yin, ma grand-mère. Elle est très âgée, mais elle pourrait vous aider. Je ne lui ai pas rendu visite depuis deux ans. Elle est peut-être morte. Si je retourne dans le quartier chinois, je serai tuée pour m'être enfuie. Je me cache ici depuis longtemps. Presque quatre ans.

— Et tu penses que ta grand-mère accepterait de me parler ?

— C'est une femme honorable. Elle ne veut pas de cette souffrance dans le quartier chinois. Il y a beaucoup trop de mal et de haine là-bas. Il y a des années, elle m'a dit que c'est mon grand-père qui en est la cause.

— Allons donc, Chen. Un homme seul ne peut être à l'origine de la haine dans toute une ville.

— C'est possible s'il est assez puissant. Il régente la vie des gens. Il leur enseigne la haine par sa cruauté. Ma grand-mère affirme que l'une engendre l'autre. Vous l'avez dit vous-même.

Pensive, Barbara fixait la jeune Chinoise des yeux. .

— Je le crois.

— Vous m'avez dit que vous feriez tout pour découvrir la source de la cupidité et du mal qui règnent à San Francisco. Je vous le dis : Nan-Yung est aussi puissant que Jefferson Duke.

— Le bien et le mal..., murmura Barbara.

Des frissons lui glacèrent l'échine. Elle se frictionna les bras.

— Tu as raison, Chen. Cela pourrait s'avérer très dangereux pour nous. Mais, le feras-tu quand même ?

— Oui, opina la jeune femme.

— Je vais demander à Jefferson de nous aider.

* * * *

— Es-tu follè ? hurla Jefferson. Tu te laisses trop emporter par cette affaire. Il y a des choses qu'une jeune femme ne peut tout simplement pas faire. Se précipiter tête baissée dans un réseau de prostitution chinois en est un exemple. Si tu étais démasquée, tu ne parviendrais plus à sortir de là. Le pire, c'est que je ne te retrouve-rais jamais.

— Mais Jefferson, c'est important.

— Tu n'iras pas sur Jackson. Ni sur Grant ni nulle part ailleurs. Que faut-il que je fasse ? Que j'engage un garde du corps pour te surveiller ? Il fulminait. Je suppose qu'ensuite, tu me diras que tu veux enquêter sur la côte de Barbarie ?

— Eh bien, je...

— J'avais raison. Tu es folle. C'est là qu'ils ont assassiné ton père ! Jefferson posa une main sur la sienne. Barbara, tu es tout ce qui me reste. Je t'en prie, fais-le pour moi. Reste à l'écart du danger.

— J'essaierai.

— Non. Promets-le-moi.

De l'autre main, elle croisa deux doigts sous la table.

— Je te le promets.

— Bien. Je veux être certain que tu vis assez longtemps pour être l'hôtesse de ma soirée.

— Ha ! J'aurais dû m'en douter. Tu avais un motif caché.

Saisissant son verre de xérès, il laissa tomber :

— Je suis vieux. Si je n'avais pas de motifs cachés, je ne serais plus de ce monde.

* * * *

Le soir de la réception, Barbara n'avait toujours pas poursuivi son enquête. Respectant la promesse faite à Jefferson, elle s'était tenue loin de la rue Jackson et du quartier chinois.

Elle n'avait encore rien dit à William, le chef de rubrique local, mais elle voulait rassembler suffisamment de preuves pour qu'on engage des poursuites contre Eugene Schmitz et Abe Ruef. Elle vou-lait que la culpabilité des deux hommes soit établie et qu'ils soient inculpés. Elle ne serait pas en paix tant qu'ils ne seraient pas tous les deux incarcérés.

— Si je réussis, je passerai à l'histoire, songea-t-elle à voix haute.

— C'est bon de vous voir sourire, dit Chen, occupée à remplir de fleurs en bouton les coupes à fleurs de la chambre.

— Je souriais ?

— Oui. Est-ce que vous pensiez à cet homme ?

— Plus jamais à un homme, Chen. Seulement à mon travail.

— Votre écriture n'est pas votre vie. La vie est faite pour être vécue.

— Je vis.

Chen s'immobilisa et fit face à la jeune femme.

— Non. Vous ne vivez pas.

Barbara souffla :

— Je déteste quand tu me mets sur la sellette.

— La sellette ? Je ne sais pas ce que c'est.

— Tu en sais trop sur moi, reprit Barbara en ramassant la pile de notes de sa plus récente entrevue. C'est perturbant.

— Seulement parce que vous avez peur de la vérité.

— Qui, moi ? Moi, Barbara la fouine ? Jamais ! Elle eut un rire nerveux. Bon, d'accord. Je suis morte de trouille. J'ai raison de l'être. Je tiens toujours à rencontrer ta grand-mère, et nous savons toutes les deux à quel point c'est dangereux.

— Ce n'était pas à cela que vous pensiez.

— Ah non ?

— J'ai dit votre « vie ».

— Oh. Ça. Eh bien, je suis tout aussi morte de trouille à ce sujet. Mon mari a une liaison torride, et tous les invités en feront des gorges chaudes ce soir, à la réception chez Jefferson. Je hais les potins. Je les hais.

— Mais vous haïssez encore plus la pitié des gens.

— Comment le sais-tu ? Elle agita les mains devant elle. Oublie la question. Ne réponds pas. Je ne veux pas le savoir.

— Vous êtes drôle. C'est vous, le mystère. Vous cherchez, vous fouillez et vous affrontez des hommes épouvantables et dangereux afin d'écrire des articles sur le mal qui règne à San Francisco, mais vous avez peur de chasser la vipère qui vit dans votre demeure.

— Je ne suis qu'une dégonflée, c'est ça ?

Chen serra les mains devant elle. Elle réfléchissait depuis des mois à ce qu'elle devait faire. Elle recevait des rêves et des visions sur l'avenir de Barbara depuis si longtemps qu'ils étaient comme des détonateurs amorcés. Pour honorer l'amitié qui la liait à la jeune femme, et à moins qu'elle ne le lui demande, Chen n'en parlait jamais. Cependant, plus Barbara s'enfonçait dans le travail, moins elle examinait sa vie. La jeune Chinoise souffrait de voir son amie aveuglée par des œillères. Elle craignait qu'elle ne passe à côté de sa seule chance de bonheur.

— Vous souvenez-vous que je vous ai dit que nous sommes nées le même jour, à la même heure, dans la même ville ?

— Oui.

— C'est important, car cela signifie que nos vies empruntent un chemin similaire. Ce soir, ma vie changera à jamais.

— Comment ?

Barbara était incrédule.

— L'homme que j'aime me revendiquera, ce soir.

— L'homme...

Barbara se précipita vers la jeune Chinoise et la prit dans ses bras.

— Tu es amoureuse ? Qui est-ce ? L'as-tu rencontré dans le quartier chinois ?

— Non. Chen avala péniblement sa salive. Je l'ai rencontré ici.

— Dans cette maison ? Je ne comprends pas. Je ne connais pas de...

— Il est blanc.

— Mais tous nos amis sont mariés...

— Après ce soir, son épouse exigera de vivre avec son amant. Il donnera finalement son accord.

Barbara entendit ce que Chen lui disait, mais il lui fallut un long moment pour remplacer les trous où flottaient les paroles de son amie par des noms et des visages.

— Donald ? Elle inspira. Tu es amoureuse de Donald ?

Soudain, elle agrippa le dossier de la chaise en acajou. Ses genoux se dérobèrent sous elle. Elle se sentait étourdie. Pressant une main sur son front, elle murmura :

— Meredith...

Chen soutint la jeune femme en lui entourant vivement la taille de son bras. Elle resta silencieuse tandis que la vérité se faisait jour dans l'esprit de Barbara.

— Mon Dieu... Mon Dieu ! Comment se fait-il que je n'aie rien vu ? Tout est tellement clair maintenant !

Son front et sa lèvre supérieure se couvrirent de sueur. La chambre tourbillonna autour d'elle avant de se stabiliser d'un coup.

— J'ai froid.

Chen lui frictionna le dos.

— Meredith et Peter.

Elle se mit à rire. Ce fut d'abord un gloussement, du genre qui vient quand on n'est pas disposé à partager la source de son amusement. Mais, lorsque l'aiguillon de la trahison la transperça, le rire de Barbara s'enfla jusqu'à ce que sa voix se brise dans un cri laconique.

— Barbara, est-ce que ça va ?

— Oui.

— Je n'aurais pas dû vous le dire.

— Non, tu as eu raison. Meredith et Peter sont parfaits l'un pour l'autre. Parfaits. Je peux dire sincèrement qu'à ma connaissance, personne n'est plus vaniteux ni égoïste que ces deux-là. Allons donc, nous sommes mal assortis depuis le début. Cela saute aux yeux du premier imbécile venu.

— Imbécile ? Vous n'êtes pas une imbécile.

— Oh, que si ! Je me suis conduite en imbécile à Washington. Et je l'ai été encore plus ici. Elle se redressa. Plus maintenant, déclara-t-elle d'un ton résolu. Chen, nous quitterons la maison de Peter dès ce soir, toi et moi. Je demanderai le divorce à la première heure, lundi matin. J'ignore où nous irons, ne me le demande pas, mais je ne mettrai pas longtemps avant de nous dénicher un appartement convenable. Mon emploi au *Call* suffira à subvenir à nos besoins à toutes les deux.

Elle tapota la main de Chen, comme si c'était elle qui avait besoin de réconfort.

— Va voir Donald. Dis-lui qu'il a ma bénédiction.

— Je le lui dirai, répondit Chen.

— Maintenant, aide-moi à enfiler ma robe. Je veux m'assurer que personne ne me prendra en pitié, ce soir. Qu'on m'envie, oui. Qu'on me plaigne, non.

* * * *

La résidence de Jefferson étincelait de lumières lorsque Barbara arriva, une heure avant les invités. Comme elle était l'hôtesse, elle voulait s'assurer que les chandelles étaient allumées, que les ampoules électriques brillaient et que les arrangements floraux étaient tous disposés au bon endroit.

Elle s'affairait à la mise en scène, mais ignorait encore comment se terminerait la pièce.

Elle percevait une tension dans l'air, cette énergie troublante qui se manifeste quand la vie d'un être est sur le point de changer. En rencontrant Michael, la jeune femme avait cru avoir fait ce changement. Mais elle était jeune et impressionnable, à l'époque.

Elle s'était laissé mener par la vie.

Aujourd'hui, c'était elle qui était à la barre.

Elle se tenait en haut de l'escalier massif en marbre blanc, au tapis chemin bleu nuit orné de fleurs de lys dorées, peintes à la main. Les traiteurs s'affairaient comme des abeilles et s'assuraient que tout était prêt dans le vestibule aux mosaïques de marbre blanc et bleu cobalt. Le fleuriste ajoutait de longues tiges de pieds-d'alouette bleu vif, cultivés en serre chaude, à un arrangement de roses blanches et rouges. On avait placé le bouquet dans un vase en cristal de Waterford sur la table ronde de style Sheridan, qui trônait au centre du vestibule, en forme de rotonde. Même si c'était Noël, Barbara avait demandé qu'on ajoute une touche bleu nuit à certains arrangements, non seulement en l'honneur du président, mais aussi pour les assortir à la palette bleu cobalt, blanche et dorée qui prédominait dans la décoration des pièces de réception de la résidence.

La maison de Jefferson était une reconstitution de l'époque Empire : elle abondait en rideaux de velours bleu roi, en canapés houssés de soie blanche et en ornementations en forme de fleurs de lys dorées. Les précieux lambris de bois sombre mettaient parfaitement en valeur les miroirs dorés de la salle de bal et les étagères qui couvraient les murs de la vaste bibliothèque, du sol au plafond. Partout ailleurs, les murs étaient d'un riche blanc cassé. Des chandeliers électrifiés en bronze et en cristal illuminaient les lieux. Pour l'occasion, toutes les fenêtres répandirent une lumière généreuse sur les jardins extérieurs.

Une dizaine de valets de pied se tenaient près de la porte d'entrée, prêts à accueillir les invités qui arrivaient en automobile ou en voiture hippomobile.

Barbara percevait l'excitation dans l'air. Chacun se déplaçait plus vite, les sourires étaient plus larges, les contacts visuels entre employeur et personnel, un rien plus intenses et plus exubérants. La porte d'entrée s'ouvrit à la volée, et le vestibule s'emplit d'une vague d'hommes en smoking qui firent le tour de la pièce d'un air efficace, avant de se lancer mutuellement des ordres d'un ton sec. La moitié d'entre eux se précipitèrent vers les pièces adjacentes, tandis que les gardes du corps du président prenaient position dans la bibliothèque, la salle à manger, le salon et la salle de musique. Le plus grand des agents resta debout au centre du vestibule, à côté de l'arrangement de roses et de pieds-d'alouette, et désigna différents points de la maison où ses hommes se hâtèrent de prendre position.

En entendant le brouhaha, Barbara s'approcha de l'escalier surplombant le hall.

Et elle le vit.

Sa chevelure brun foncé brillait sous la lumière du chandelier sous lequel il se tenait. Soudain, il immobilisa un haussement d'épaules et retint son souffle. Il pencha imperceptiblement la tête à gauche, comme un animal mis en alerte par un nouveau danger.

Barbara retint son souffle.

Michael prit conscience qu'une paire d'yeux enflammés lui brûlait la nuque. Ce n'était pas la sensation glaciale du danger, mais celle d'une chaleur bien perceptible. Une chaleur qu'il n'avait pas sentie depuis longtemps.

Depuis le jour où le président lui avait dit qu'ils se rendaient à San Francisco, Michael avait espéré revoir Barbara.

Il avait écrit à Jefferson pour lui indiquer les arrangements à prendre afin d'assurer la sécurité du président et d'obtenir l'autorisation de donner cette réception, et il n'avait pu s'empêcher de penser à Barbara. Il avait demandé à Jefferson de lui transmettre ses salutations, mais en lui répondant, ce dernier n'avait rien dit au sujet de la jeune femme.

Michael avait compris que Barbara n'avait pas parlé de lui à Jefferson. C'était ce qu'il avait conclu. Il n'avait été rien de plus qu'un flirt. Il s'était demandé si elle avait repensé à lui. Probablement pas. Les femmes possédant ce genre de fortune et gravitant dans ce milieu n'avaient nul besoin d'hommes comme Michael Trent.

Mais Dieu tout-puissant, qu'il avait vite succombé à son charme! C'était comme s'il y avait une sorte de magie entre eux. Au fil des ans, il s'était dit que c'était dû à la période de l'année : l'esprit de Noël lui avait fait croire que les rêves se réalisent vraiment et qu'il y a de bonnes chances pour que le père Noël existe. Quelque chose lui était arrivé cette nuit-là, et il n'avait plus jamais été le même par la suite.

Parfois, lorsqu'il était coincé à bord d'un navire de charge au beau milieu de l'océan Indien ou étendu sous le ciel étoilé d'Algérie, l'image de Barbara venait à lui comme un fantôme. Elle le hantait comme une enchanteresse en lui rappelant son goût, son contact, semblable au miel et au champagne.

Michael percevait sa présence. Elle était derrière lui. « Barbara, la seule chose que je souhaite depuis des semaines, c'est te voir. »

Il ferma les yeux.

Les rouvrit.

« Sens-tu toujours le jasmin ?

Continueras-tu de me hanter la nuit ? »

Il inspira profondément pour se donner du courage.

« Mes mains tremblent. N'oublie pas, mon vieux, elle t'a quitté. Elle n'a jamais rien fait pour reprendre contact avec toi. Pas de lettre. »

Il s'apprêta à se retourner. « Ne fais pas cela, Michael. C'est une femme fatale. »

Il posa alors le geste le plus courageux de sa vie : il se retourna et lui fit face.

Barbara en eut le souffle coupé. Elle ne vit rien de son smoking à la coupe impeccable, ni de l'arme qu'il dissimulait sous ses vêtements. Elle regarda au-delà de la mâchoire volontaire et du dessin sévère de la bouche. Elle vit la lumière dorée qui brillait dans ses yeux. Il ne lui en fallait pas davantage.

— Michael, murmura-t-elle d'une voix douce.

« Elle est éblouissante. Et j'ouvre la boîte de Pandore. Ah... quel enfer. »

— Michael, reprit Barbara à voix haute en descendant l'escalier.

Elle ne le quittait pas des yeux.

Il était pétrifié.

L'éclairage du chandelier dansait sur la broderie perlée de sa robe de bal. Elle étincelait comme un être céleste.

Mais lorsqu'elle se rapprocha, il prit conscience que son allure éthérée n'avait rien à voir avec sa robe, ni avec le lustre chatoyant de ses boucles sombres. Ses yeux reflétaient la même émotion que

Michael savait qu'elle lisait dans les siens. Il regardait dans les yeux de l'amour.

« Non mais, quel enfer. »

Elle s'approcha et lui tendit la main. Elle prononça son nom comme une prière, avec un sourire timide, mais généreux, sur les lèvres.

« Tu avais raison, Chen. Ma vie est en train de changer. S'il Te plaît, Dieu. Fais que ce soit pour le mieux. »

— Barbara, je ne pensais pas que vous vous souviendriez de moi.

Comment avait-il pu se méprendre sur son compte ? Comment avait-il pu penser qu'elle n'avait fait que badiner ? Pas étonnant qu'il soit tombé amoureux d'elle. Elle était aussi authentique qu'il l'avait cru. Mais quelque chose avait mal tourné. Quoi ?

— Ne pas me souvenir de vous ?

Une expression blessée passa sur son visage. Le jeune homme sentit son cœur cogner contre ses côtes.

— Eh bien, oui.

— Monsieur Trent.

Un de ses hommes l'appelait.

Le jeune homme jeta un coup d'œil aux deux sentinelles qu'il avait postées de chaque côté de l'entrée. Les premiers invités seraient là d'une minute à l'autre. Michael savait que dans un quart d'heure, la place serait bondée. Or, il avait besoin de plus de temps pour parler à Barbara. Il se tourna vers l'homme posté à droite de la porte.

— Smithers, j'en ai pour un moment. Vous savez ce que vous avez à faire. Le président ne sera pas ici avant une bonne heure. Tout semble en ordre. Je serai dans le jardin d'hiver, si vous avez besoin de moi.

— Bien, monsieur, répondit Smithers, le dos raide comme un piquet, son regard sans expression fixé sur son coéquipier posté de l'autre côté du vestibule.

Michael s'empara de la main de Barbara.

— Que faites-vous ? demanda-t-elle tandis qu'il l'entraînait vivement le long du corridor jusqu'au jardin d'hiver vitré.

Il la fit pivoter face à lui.

— Il faut que nous parlions.

Barbara décida de faire fi de son orgueil... pour cette fois. Elle s'écria :

— Tu parles! Tu m'as quittée, Michael! Pourquoi?

— Tu sais pourquoi!

— Je l'ignore totalement, répliqua-t-elle, en colère.

— Je te l'ai expliqué dans le message que je t'ai fait parvenir à l'hôtel.

— Quel message? Je n'ai eu aucun message.

La stupéfaction se lisait sur son visage.

— Mais oui, tu l'as eu. Je l'ai remis au messager chinois qui m'avait apporté ton mot.

— Quel messager? Je ne t'ai jamais envoyé de mot.

— Pourtant si. Je l'ai conservé durant des mois. Tu me demandais de te rejoindre à 21 heures, le lendemain, dans le parc en face de la Maison-Blanche, dans le boisé.

— Je ne connais pas ce boisé. Et je n'irais jamais dans un parc tard le soir. C'est trop dangereux, Michael.

Elle n'avait pas aussitôt prononcé ces paroles qu'elle frissonna et porta les mains à ses joues. Elle tremblait.

En un éclair, Michael comprit ce qui s'était passé.

— Nous avons été victimes d'un coup monté.

— Quelqu'un se préparait à nous faire du mal, cette nuit-là.

L'esprit de Michael tournait à plein régime.

— À mon avis, c'est tout à fait sensé.

— J'aimerais que tu m'expliques, parce que cela n'en a pas pour moi.

— Quand je suis rentré à mon appartement, le capitaine Jeffers était déjà là pour me conduire à la gare du chemin de fer. J'ai embarqué dans le port de Boston le lendemain matin. J'ai demandé au commissaire du navire d'envoyer un télégramme à ton hôtel avant que nous levions l'ancre. Il tremblait. Barbara... je suis allé en Chine.

— Quoi?

— Je comprends aujourd'hui que mon télégramme a été intercepté en cours de route.

— Mais par qui?

— Il est évident que la faction chinoise ne voulait pas que j'arrive jusqu'en Chine.

— Que crois-tu qu'on nous aurait fait dans le parc?

— Enlevés de force, selon moi.

— Esclavage?

— C'est la raison pour laquelle je me rendais en Chine. J'étais sur la piste d'un réseau que nous savions relié à Washington.

— On voulait t'écarter. On s'est servi de moi pour y arriver.

— Ça m'en a tout l'air.

Elle le sonda du regard.

— Que disait ton message ?

Il posa ses mains sur les épaules de la jeune femme et lui avoua :

— Je te suppliais de m'envoyer un message avant que nous levions l'ancre pour me dire ce que tu ressentais pour moi. J'imagine que j'avais besoin d'être rassuré. J'ai cru que le garçon glisserait le message sous la porte de ta chambre d'hôtel. Même si tu en avais pris connaissance seulement au petit-déjeuner, tu aurais eu le temps d'envoyer un télégramme au navire avant mon départ. Lorsque mon message est resté sans réponse, j'ai conclu que tu avais réfléchi à ce que nous faisions. Je veux dire... la vie avec moi ne serait pas facile pour toi. Toujours à courir par monts et par vaux pour le président. Ce n'est pas le genre de vie dont une belle femme comme toi voudrait. Je suis un homme ordinaire. Je ne suis ni riche ni puissant comme Jefferson.

Barbara posa ses doigts sur les lèvres de Michael.

— Cela ne me fait ni chaud ni froid.

— Mais Barbara, tu as bien dû y être sensible, puisque tu as épousé Peter Kendrick.

— Est-ce Jefferson qui t'a dit cela ?

— Non. Il ne sait rien à notre sujet. Lorsque je suis rentré de Chine, je suis venu le rencontrer à San Francisco. En lui posant quelques questions, j'ai découvert que tu étais mariée. Seigneur ! J'ai même loué un fiacre pour passer devant chez toi. Je savais que je ne pourrais jamais t'offrir une existence comme celle-là. C'est là que j'ai compris que tu avais été plus sage que moi. Tu as eu raison de me quitter.

— Mais tu ne vois pas que tout cela était une erreur, Michael ? Tu as failli perdre la vie. Mais tu ne m'as jamais perdue. Jamais vraiment.

— Et Peter ?

— C'est une erreur encore plus désastreuse. J'ai épousé Peter parce que je croyais que tu t'étais joué de moi. Je ne l'ai jamais aimé. En fait, je doute qu'il n'ait jamais ressenti quoi que ce soit pour moi.

Il voulait s'élever dans la société grâce à moi. Il a fait fortune avec des contrats de construction octroyés par l'hôtel de ville. Le pire, c'est qu'il a une liaison avec ma meilleure amie, ajouta-t-elle sans émotion, comme si elle parlait des faits concernant un de ses articles.

Elle était étonnée de constater son absence d'émotion.

Elle était contente.

Michael lui caressa la joue.

— Tant de chagrin. Et tout cela à cause de moi.

Elle posa sa main sur la sienne et porta les doigts de Michael à ses lèvres.

— Ce n'est la faute de personne. C'est ainsi que les choses se sont passées. Nous ne pouvons rien faire pour ce qui est du passé, mais nous pouvons changer l'avenir.

Elle pressa ses lèvres contre la paume.

Il l'attira contre lui et l'enveloppa de ses bras. Posant les mains sur ses reins, il la pressa plus près et plus fort contre lui. Il sentit son sexe durcir. Il enfouit son visage au creux de son cou et embrassa la peau tendre. Il crut qu'il allait perdre l'esprit.

— Seigneur! Je t'aime, Barbara. Je ne veux pas vivre une seconde de plus sans toi.

— Michael, serre-moi dans tes bras. Laisse-moi te sentir.

Elle caressa ses bras en remontant jusqu'à ses épaules et écarta les doigts sur son torse, avant de glisser ses mains sur la veste de smoking sous lequel elle sentait battre le cœur de Michael, son amour pour elle.

— Ton cœur est aussi affolé que le mien, dit-elle.

— Non. Mille fois plus, répondit-il.

Elle s'abandonna à lui.

Il leva la tête et chercha sa bouche. Il pressa ses lèvres contre les siennes et sentit leur douceur élastique. Sans hésiter, elle entrouvrit les lèvres et le laissa butiner de la langue l'intérieur de sa bouche. Un brasier tourbillonnait en elle. Mais cette fois, elle n'était pas certaine de pouvoir attendre. Elle avait besoin de le sentir en elle.

— Michael, j'ai envie de toi.

Elle lui rendit son baiser, animée d'un désir qui menaçait de la submerger.

Michael se détacha de ses lèvres dans un effort surhumain.

— J'ai envie de toi, Barbara. Mais pas comme ceci, pas ici. Pas maintenant. Je veux te faire l'amour toute la nuit. Je veux être avec toi quand tu ne seras plus obligée de te cacher pour venir me retrouver. Je veux que Jefferson le sache, parce que c'est le seul être que tu aimes et dont tu te soucies. Je ne veux rien de dépravé dans mon amour pour toi. Je veux te regarder dans les yeux quand tu me dis que tu m'aimes. Je veux que tu me donnes ton âme. Je ne veux pas une liaison, Barbara. Je te veux, toi. Tout entière. Maintenant. Pour toujours.

Ses paroles lui coupèrent le souffle. Elle ne put s'empêcher de penser que plus tôt le même soir, elle avait annoncé à Chen qu'elles quitteraient la maison de Peter immédiatement après la réception de Jefferson. C'était comme si son cœur préparait le terrain pour l'arrivée de Michael.

Elle posa la tête sur son épaule.

— Je veux la même chose que toi. Jefferson m'a raconté comment ma grand-mère et lui ont dû dissimuler leur amour. Je ne veux pas de cela pour nous. Chen, ma femme de chambre et mon amie, m'a dit que ma vie changerait, ce soir. Je lui ai dit que je demanderais le divorce dès lundi.

— Est-ce vrai?

Michael n'arrivait pas à en croire ses oreilles.

— Absolument.

— Je n'espérais jamais te serrer à nouveau dans mes bras, encore moins ceci. Seigneur, Barbara, es-tu certaine?

— Oui, Michael. Je suis certaine.

— C'est comme une bénédiction que tu as déjà décidé de quitter Peter.

— C'est vrai. C'est comme si le destin nous souriait.

— Ne va pas le retrouver ce soir, Barbara. Je ne pourrais pas le supporter.

— As-tu si hâte d'être avec moi?

Il la serra très fort.

— J'ai attendu quatre ans. Et pourtant, un jour de plus m'apparaît comme une éternité. Oui, j'ai très hâte d'être avec toi.

Barbara entendit l'orchestre se lancer dans le répertoire qu'elle avait choisi, ce qui lui indiqua que les invités arrivaient.

— J'imagine que je devrais m'occuper de mes invités.

Il lissa les boucles de sa chevelure décoiffée par ses caresses. En caressant sa joue, il surprit une sorte de mélancolie dans son regard joyeux.

— Barbara, qu'y a-t-il? À quoi penses-tu?

Elle redressa fièrement le menton et le regarda dans les yeux.

— Combien de temps avant que tu repartes cette fois, Michael? Une nuit? Un jour?

Il lui saisit le menton entre le pouce et l'index.

— Crois-le ou non, c'est ma dernière mission. J'ai mis beaucoup de temps à en venir à cette décision, mais j'en ai assez du danger. Les risques... Te souviens-tu que je t'ai parlé de mon amour de la photographie?

— Oui.

— Eh bien, c'est un nouveau domaine, selon moi en pleine expansion. J'ai mis de l'argent de côté et décroché un emploi comme photographe pour un éditeur new-yorkais qui veut que je fasse un reportage sur l'Ouest avant qu'il ne reste plus une seule région sauvage. Mon nouveau salaire est singulièrement intéressant. Par ailleurs, j'ai écrit à quelques types qui sont en train de fonder une société de production de films dans le sud de la Californie. Ils ont eu pas mal de succès à New York. L'un d'eux s'appelle Samuel Goldwyn. J'aimerais en savoir plus sur le cinéma.

— Tu ne penses pas que ce n'est qu'un engouement?

— J'ai plutôt le sentiment que le cinéma est là pour de bon. De toute façon, j'habiterai San Francisco jusqu'à ce que j'aie terminé mon travail.

— Tu vas habiter ici? Tu veux dire que tu n'es pas seulement ici pour la réception?

— Seigneur, non. Je ne peux pas te donner de détails, mais le président m'a intégré à une équipe spéciale avec le mandat de déloger le maire Schmitz et ses petits copains. Je veux l'expédier en prison.

Les yeux de Barbara s'écarquillèrent de surprise.

— Mais c'est mon travail!

— De quoi parles-tu?

— J'ai mis plus d'un an à convaincre le chef de rubrique local de me laisser enquêter sur Schmitz. Je veux être celle qui l'enverra en prison.

— Mais il est cinglé! C'est dangereux, Barbara. Tu ne peux pas fouiller dans les affaires de types aussi impitoyables.

— Tu ne vois pas que je peux me permettre de faire des choses interdites à un homme sans être inquiétée, justement parce que je suis une femme? Je peux me rendre à certains endroits sans attirer les soupçons. J'ai aussi quelques bons indices qui me permettraient d'établir un lien entre la prostitution et les commissaires municipaux, si ce n'est carrément avec le bureau de Schmitz.

Il se passa une main sur le front.

— N'y a-t-il rien pour t'arrêter?

— Absolument rien, répondit-elle résolument. Nous ferions mieux de mettre les choses au clair tout de suite, Michael. Je ne suis pas le genre de femme qui restera à la maison à repriser tes chaussettes. Je veux prendre part à l'histoire, exactement comme ma grand-mère.

— Je parie qu'elle n'a rien tenté d'aussi dangereux.

— Elle a fait bien plus que cela.

Il lut la détermination dans son regard. Elle se montrerait implacable dans son travail.

Elle était courageuse voilà pourquoi c'était une femme d'un genre particulier. Mais il n'en voulait pas d'autre.

— D'accord. Faisons un marché : travaillons ensemble sur cette affaire, proposa-t-il en songeant qu'il pourrait se charger de la plus grande partie du travail d'investigation et qu'elle pourrait écrire autant qu'elle le souhaiterait. Je te fournirai tous les renseignements que tu désires. D'accord? Mais entendons-nous : si la situation tourne au vilain, et que j'ai le sentiment que ta vie est en danger, tu acceptes de te retirer et de me laisser prendre la relève.

Elle réfléchit un instant.

— Je crois que nous devrions définir «tourne au vilain».

— Barbara...

Il n'était pas d'humeur à négocier.

— D'accord. Nous sommes d'accord que le but consiste à faire tomber Schmitz?

— Entendu, dit-il.

Michael tendit la main pour sceller leur entente, mais lorsque Barbara s'en empara, il l'attira dans ses bras et murmura, avant de presser sa bouche contre la sienne :

— Tu ne sais pas que les amoureux scellent leurs ententes d'un baiser?

— Je n'ai jamais rien entendu de tel, répondit-elle avant de le laisser s'emparer de sa bouche.

Quarante

« La teinte [de son visage] devint semblable
à celle que quelque grand peintre compose quand
il trempe son pinceau dans la lueur du tremblement
de terre et de l'éclipse. »

— Percy Bysshe Shelley,
Laon et Cythna, chant V, 23ᵉ strophe

Janvier 1906

— Jefferson, je suis amoureuse, annonça Barbara, qui descendait la rue Union avec lui dans sa calèche.

— Je sais.

— Quoi ?

Elle resta bouche bée devant son sourire sagace.

— Tu n'as pas eu cette mine depuis Washington. Es-tu enfin prête à me parler de lui ?

— Je n'en crois pas mes oreilles !

— Penses-tu que tu es la seule à enquêter dans cette fam… dans cette ville ?

Prenant conscience qu'il avait bien failli se trahir, Jefferson garda les sourcils froncés et l'air accusateur.

— Est-ce que c'était visible à l'époque ? Vraiment ?

— Absolument. Il détourna les yeux, puis les ramena sur elle. J'aurais tant aimé que tu me mettes dans la confidence. J'aurais voulu savoir qui t'avait rendue aussi radieuse. Et tout aussi vite, tu as sombré dans une tristesse sans mesure. Je voulais être là pour toi. J'aurais pu te venir en aide.

— Jefferson... j'ai manqué d'égards. Je suis désolée.

Il leva la main.

— N'en parlons plus. Je me suis rendu coupable de la même faute. Il nous faut tous avoir des secrets, Barbara. Parfois, je pense que ce sont eux qui nous permettent de continuer.

Le regard rempli de compassion, la jeune femme regarda son ami qui avait baissé la tête.

— Jefferson, as-tu quelque chose à me dire?

En débit de sa faiblesse, il releva vivement la tête. Ses yeux la transpercèrent. Elle sentit ses nerfs s'enflammer. Quelque chose n'allait pas. Pas du tout.

Il ouvrit la bouche.

Le silence plana entre eux.

Jefferson expira de façon audible.

— Non. Pas encore.

— Mais il y a quelque chose?

— Oui. Mais ce n'est pas le moment. Aujourd'hui, c'est ton tour de parler.

— Que de mystère, Jefferson! Néanmoins, que tu es bon de toujours faire passer mes besoins avant tout le reste, ajouta-t-elle en se penchant vers lui pour lui presser la main.

— C'est le sens de la vie et de l'amour.

Barbara acquiesça :

— C'est ce que je suis en train d'apprendre. Il s'appelle Michael Trent.

— Sapristi! Je le savais. Il se frappa la cuisse et sourit. J'approuve.

— Mais tu ne sais rien de lui.

— Je parie que j'en sais plus que toi. Il est aux côtés de Roosevelt depuis le début. C'est un jeune homme honorable. Dévoué. Honnête. Loyal. J'ai fait affaire directement avec lui lorsque j'ai planifié ma réception. En le rencontrant à Washington, il y a des années, je me suis dit que c'était exactement le genre d'homme qui te conviendrait.

— Tu me fais marcher.

— Non. C'est vrai. Son expression se fit morose. Et Peter?

— J'ai demandé le divorce. Chen et moi avons quitté la maison.

— Comment Peter a-t-il réagi ?

— Il s'est montré à peu près aussi apathique que le jour de notre mariage. J'ai servi ses desseins. Sur tous les plans.

— C'est donc vrai qu'il avait une liaison, conclut Jefferson.

— Oui.

— Eh bien, voilà une occasion où j'aurais souhaité avoir prêté attention aux rumeurs. J'ai appris à faire la sourde oreille, depuis le temps que je suis la cible des potins. Je croyais que c'était simplement de la jalousie.

— Non, c'était la vérité, cette fois. Néanmoins, je suis contente de la façon dont les choses ont tourné. Je suis heureuse. Michael me donne un coup de main dans mes enquêtes pour le journal. Je pense vraiment que je suis sur une bonne piste, Jefferson.

Il lui serra la main, l'inquiétude inscrite sur le visage.

— Ton sérieux t'honore, mon ange. Mais ta naïveté m'effraie. Je suis trop vieux pour être ton chevalier servant, et cela m'ennuie beaucoup. Je t'en prie, demande-moi de l'aide chaque fois que tu le peux. Je veux t'aider. Mais surtout, je veux que tu te gardes du danger.

— Tout ira bien, Jefferson. Michel ne laissera rien de mal m'arriver.

— J'en suis certain, acquiesça-t-il d'un ton ferme.

Il ne ressentait rien de l'assurance qu'il tentait de lui transmettre. S'il y avait une personne qu'il connaissait, c'était bien sa petite-fille. Elle était fougueuse, et c'était une militante.

Jefferson était certain qu'en s'entêtant à fouiller dans le cloaque de San Francisco, elle s'engagerait sur la voie d'un destin qu'on lui avait prédit, mais qu'il n'avait jamais souhaité pour elle. Il ne voulait pas que sa petite-fille devienne une nouvelle Jeanne d'Arc.

Seule une volonté indomptable pouvait se lancer dans un combat contre le mal.

Bien qu'il fasse partie des fondateurs de la ville, Jefferson doutait d'avoir la force nécessaire pour combattre les démons.

Barbara l'observait, le visage radieux, les yeux brillants de son amour pour Michael.

Jefferson se souvenait que les yeux de Caroline avaient la même lumière lorsqu'elle le regardait.

Il réprima son émoi et reprit :

— À bien y penser, Barbara, fais ce que tu crois devoir faire. Ne vacille pas. Donne le meilleur de toi. Dieu est de ton côté. Tu vas gagner.

— Oh! Merci pour ces paroles, Jefferson, répondit-elle en inspirant profondément.

Elle pressa une main contre son plexus :

— J'ai cette intuition, là, que c'est ce que je suis censée faire. Je ne sais pas pourquoi, mais chaque pas amène au suivant. Je ne peux ni reculer ni m'arrêter. Je dois tout simplement continuer.

— Et tu n'as pas peur ?

Elle eut un rire nerveux :

— Je suis terrifiée.

— Dans ce cas, je prierai pour toi. Chaque soir, dans mes prières, je t'envelopperai dans les ailes d'un ange. Tout ira bien.

Le visage de la jeune femme resplendit d'assurance.

— J'en suis certaine.

17 avril 1906

L'agent de police Leonard Ingham se réveilla couvert d'une sueur froide.

— Seigneur, Bess ! Il est revenu, dit-il à sa femme.

— Le rêve à propos de l'incendie de l'hôtel Palace ?

— Oui.

— Leonard, tu fais ce rêve depuis plus de deux mois. Ça ne peut vouloir dire qu'une chose.

— Ça va se produire, acquiesça-t-il, morose.

L'agent Ingham avait quarante ans il était fier de son travail même s'il faisait encore la ronde de la rue Dolores, où il vivait. Cependant, ce rêve récurrent d'incendie était un avertissement. Il n'y avait qu'un seul problème : personne ne le croirait.

C'était toujours le même rêve obsédant.

Le quartier de la Mission, un entassement de maisons en bois, de manufactures et de gares de triage, était toujours le premier à être détruit par l'appétit dévorant des flammes imaginaires. L'incendie se propageait ensuite dans Market, bondissait de l'autre côté de la rue pour s'en prendre au Palace et aux principaux immeubles de la ville.

— Qu'est-ce que tu vas faire, Leonard ?

— Deux choses. Demain, je vais rencontrer le capitaine Dinan. Peut-être que Jeremiah pourra me montrer comment arrêter les voleurs, comme Peter Kendrick qui a rempli l'ancien lit de l'océan avec des déchets et de vieux meubles, plutôt que d'utiliser du sable et du gypse pour construire les rues. Prends le coin de Battery et Union, au sud de Market. Kendrick a bâti tout ce quartier. Eh bien, il n'y a pas une seule bouche à incendie sur Montgomery.

— Mais pourquoi tant de négligence ?

— Tu veux rire ? La ville l'a payé une fortune pour construire ces rues. Il bâtit de la merde par-dessus de la merde. Il a presque volé cet argent. Tu as vu les hôtels miteux, les maisons de pension misérables, les entrepôts et les manufactures pitoyables qu'il a construits. Même scénario. C'est le rêve de tout bon incendiaire. Tout ce que ça prendra pour faire tomber un des taudis de Kendrick, c'est un petit mouvement à la suite d'un petit séisme parmi les centaines que nous encaissons chaque année. Et est-ce que Kendrick s'en préoccupe ? Pas du tout. D'après ce que j'ai entendu dire en faisant ma ronde, il jette son argent par les fenêtres pour une maîtresse de la bonne société.

— Mais sa femme Barbara écrit pour le *Call*. Je ne manque jamais de lire sa chronique. Je me demande si elle est au courant.

— Eh bien, demain, je vais faire un brin de reportage à mon tour. Elle le saura bien assez tôt, répondit-il, bourru.

Bess s'appuya contre son oreiller et regarda son mari.

— Et la deuxième chose ?

— Je vais faire un saut à la société d'assurance contre l'incendie Hartford, sur California, pour parler à l'agent chargé du Pacifique. Je pense qu'il s'appelle Adam Guilliland. À mon avis, pour la maison, une police de deux mille dollars devrait suffire.

* * * *

Michael Trent fit irruption dans le bureau du maire, une épaisse chemise en papier manille sous le bras. Il combattait toujours pour le président.

— Qu'est-ce que c'est, cette fois ? grogna le maire d'un ton impatient.

— Juste ceci, répondit Michael d'un ton égal en lançant la chemise sur le bureau de Schmitz pour marquer l'évidence.

— C'est de Dennis Sullivan, le chef des pompiers.

— C'est exact. Il m'a fait parvenir un rapport qui m'intrigue, dit Michael en tapotant le dossier du doigt. Il semble qu'en ce moment, tout le monde s'inquiète des possibilités d'incendie.

— Y a-t-il quelque chose de nouveau sous le soleil ? répondit Schmitz, dédaigneux.

— J'ai lu dans le *Call* que vous avez refusé de financer la construction de nouvelles citernes. Dans son rapport, Sullivan indique qu'il a maintes fois demandé des fonds à votre bureau pour bâtir un système additionnel d'eau salée. Vous avez refusé chaque fois. Il a donc demandé des fonds pour remettre en service les réservoirs négligés depuis longtemps, puisqu'en dépit de leur état déplorable, ils vaudraient mieux que rien. Il a aussi demandé des fonds pour acheter des explosifs brisants et entraîner ses hommes à les utiliser en cas d'incendie majeur.

— Et alors ?

— Pourquoi ? demanda Michael.

— Le budget municipal n'a pas d'argent pour ces sottises.

— Je vois.

Michael sortit un autre document.

— J'ai ici une requête du ministère de la Guerre de Washington : il accepte de cantonner un corps d'ingénieurs et de sapeurs compétents, avec les explosifs nécessaires, au Presidio, afin qu'ils restent sur le pied d'alerte. Il a demandé à la ville de verser mille dollars pour la construction d'une voûte en briques sur le terrain du Presidio, afin d'y entreposer les explosifs. Dans ce cas aussi, vous avez refusé.

— Et puis après ? Je vous ai dit que nous n'avions pas cette somme.

Michael ne tint pas compte de l'objection et poursuivit :

— Par ailleurs, j'ai ici le rapport de la National Board of Fire Underwriters, daté du mois d'octobre 1905, soit l'automne dernier, ajouta-t-il d'un ton condescendant. On y lit que : « en ne brûlant pas, San Francisco a violé l'ensemble des traditions et des précédents des assureurs. Le fait que la ville n'ait pas encore brûlé est en grande partie dû à la vigilance du service d'incendie sur lequel on ne peut compter indéfiniment pour repousser l'inévitable ».

— Je suppose que vous allez me dire quelque chose que j'ignore, lança Schmitz.

— Le brigadier général Frederick Funston, commandant intérimaire du Presidio, met de la pression sur Washington pour qu'on vous fasse changer d'idée ou qu'on vous expulse de la ville. Et Washington met de la pression sur moi, monsieur le maire.

Michael posa les paumes sur le bureau et se pencha très près du visage mécontent de Schmitz.

— Comment vous sentez-vous dans le trou que vous avez vous-même creusé?

— Sortez.

Michael resta intraitable.

— Il y a treize ans, des géologues ont découvert que San Francisco est bâtie le long de la faille de San Andreas. Andrew Lawson, qui en passant est le meilleur géologue qui soit, a informé Washington que la région est encore très active, en matière de déplacement et d'inclinaison. En un mot, cela signifie que nous sommes mûrs pour des séismes. De gros séismes. Tous les bâtiments que j'ai inspectés puent vos pots-de-vin et vos dessous de table, ainsi que ceux d'Abe Ruef et de votre copain, Peter Kendrick. Comment expliquez-vous cela?

— J'ignore de quoi vous parlez. Par ailleurs, si vous aviez des preuves de ce que vous avancez, vous seriez en train de parler au procureur général, William Langdon.

Michael sourit.

— Nous rassemblons les preuves ensemble.

Le maire déglutit péniblement. Il songea à sa maison de style pain d'épice dans la partie la plus huppée de la rue Fillmore : c'était une résidence dont le coût dépassait de loin le salaire d'un maire. Mais il aimait posséder de belles choses. Il les méritait.

— J'ai quelques clous pour votre cercueil, monsieur le maire. Par ailleurs, il semble que vous soyez en train de doubler votre partenaire. Vous avez octroyé une franchise pour la construction d'une voie ferrée interurbaine vers Santa Cruz. N'est-ce pas le projet fétiche de Downey Harvey? N'est-ce pas lui le principal actionnaire de la Ocean Shore Railway? Vous semblez avoir oublié d'exiger de Harvey qu'il verse son pot-de-vin régulier. Et maintenant, votre copain Ruef est vexé.

Le maire était pétrifié.

Michael attendit sa réaction un long moment, mais rien ne vint.

— Vous savez, Eugene, vous pouvez escroquer le gouvernement un temps, vous pouvez aussi escroquer la ville un temps, mais tôt ou tard, nous allons vous arrêter. J'espère juste que votre copain Ruef ne nous coupera pas l'herbe sous le pied.

Michael vit le front de Schmitz se couvrir de sueur. Une fois qu'il constata qu'il avait poussé le maire là où il le voulait le voir, Michael sortit de son bureau.

17 avril 1906

Leonard Ingham n'était pas le seul résident de San Francisco à faire ce rêve de la cité en flammes. Chen le faisait aussi. Nuit après nuit, les hurlements des victimes brûlées vives et le fracas des immeubles qui s'effondraient la réveillaient en sursaut.

Néanmoins, la jeune femme savait que les rêves récurrents ne concernent pas toujours l'avenir.

Elle savait qu'ils représentent parfois des communications télépathiques entre deux esprits.

C'est ainsi que Chen comprit que sa grand-mère l'appelait. Depuis que Barbara avait quitté la maison de Peter pour s'installer dans cet appartement douillet dont Chen occupait trois grandes pièces en sous-sol, les cauchemars de la jeune femme étaient devenus plus réels que ses heures d'éveil.

«Quelque chose d'horrible est arrivé à Yin.»

Chen perçut ce qui était arrivé à l'aide de son troisième œil.

Elle regardait par la fenêtre de sa chambre à coucher, à l'étage inférieur de la maison. La fenêtre en baie donnait sur un mur en briques, et le niveau du trottoir arrivait à moitié de l'ouverture : Chen n'était donc qu'à moitié sous terre. Elle n'était pas dans un trou de puits, comme sa grand-mère.

«Nan-Yung a mis Yin dans un trou de puits! Mais pourquoi? Qu'a-t-elle fait?»

Brusquement, elle comprit. Toutes les fibres intuitives de son corps étaient chargées d'électricité. Yin avait fait la seule chose qu'elle avait toujours recommandé à Chen d'éviter. Ne jamais dévoiler l'avenir à Nan-Yung. Ne jamais lui dire la vérité.

Chen concentra son esprit sur sa grand-mère. Yin ne ressentait aucun remords. Elle était contente d'avoir tenu tête à Nan-Yung. Cependant, son esprit était saturé de pensées concernant la mort.

« Non, grand-mère. Tu ne dois pas abandonner. Je trouverai le moyen de te sauver.

Mais comment ? »

Aux yeux de Chen, il n'y avait d'autre solution que de descendre elle-même dans les souterrains pour y retrouver Yin.

« Est-ce que j'agis stupidement ? Comment réussirai-je à tromper la vigilance des gardes du corps de Nan-Yung ?

Et si j'affrontais Lee Tong ? Il n'y a pas plus vicieux comme homme de main. »

Dans l'esprit de Chen, il n'y avait aucun doute que Lee Tong la tuerait, car elle s'était non seulement enfuie loin du quartier chinois, mais loin de lui. C'était à cause de Lee Tong que Chen avait vécu toutes ces années dans la peur. C'était à cause de lui qu'elle craignait de sortir de la maison. Chen avait espéré que leur protection serait assurée maintenant que Michael habitait avec elles.

Mais la jeune Chinoise ne se sentait pas en sûreté. Elle avait l'impression que le danger se rapprochait. Qu'il s'insinuait dans son cercle.

Elle commençait à comprendre que si elle ne se rendait pas dans la tanière de Lee Tong, celui-ci viendrait la chercher dans la sienne.

De quel côté qu'elle se tourne, elle y laisserait peut-être la vie.

La seule pensée de Lee Tong suffisait à la faire frissonner d'inquiétude. C'était un psychopathe, et il avait voulu l'épouser.

Lorsqu'elle avait eu dix-huit ans, Nan-Yung avait dit à son sbire :

— Lee Tong, je veux te récompenser de tes actes de bravoure à mon service. Je te donne une de mes petites-filles en mariage. Laquelle choisis-tu ?

Lee Tong s'était tourné vers Chen, la dernière des six filles alignées sur un seul rang, à la manière des esclaves que l'on présente à l'encan.

— Chen.

— Pourquoi la plus jeune ? avait demandé Nan-Yung.

— Parce qu'elle a toujours ri de ma bravoure.

Impulsivement, Chen avait cru qu'il lui restait une petite chance de se sauver.

— Ha! Tu appelles le fait de briser le cou des petits enfants pour t'amuser et d'étrangler des femmes à moitié mortes d'avoir été violées par toi des actes de bravoure? Ce sont les actes épouvantables d'un démon. Je ne serai jamais ta femme!

— Que oui. Ton grand-père le souhaite.

Elle ferma les yeux :

— J'ai vu mon avenir. Je ne me vois pas avec toi. Il y a quelqu'un d'autre.

L'homme de main l'empoigna par le bras et la tira à lui jusqu'à ce qu'ils soient nez à nez. Chen sentit son haleine fétide, chargée de l'odeur du vin de prunes et de l'opium qu'il chiquait.

— Écoute-moi bien. Tu seras à moi dès aujourd'hui. Ton grand-père m'a fait cadeau de toi. Je suis le plus puissant de ses guerriers.

— Nous ne sommes pas en Chine.

— C'est vrai. Nous sommes en Amérique où j'ai la chance de devenir empereur. Sang royal ou pas.

Il la projeta sur le sol avec une telle rudesse qu'elle se meurtrit la hanche.

— Je suis heureux de voir que tu fais preuve de fermeté à son égard, Lee Tong, dit Nan-Yung en se levant.

Il tourna les yeux vers Chen et ajouta à son adresse :

— Défie-moi, et je t'enverrai dans un trou de puits.

Chen inspira fortement, mais ne dit rien.

Depuis toujours, elle connaissait les trous de puits, ces fosses circulaires creusées dans la terre, où il n'y avait d'espace que pour un corps. Enterré jusqu'au cou, aucun prisonnier ne s'échappait jamais des trous de puits. Jamais.

Les six petites-filles de Nan-Yung et Yin, son épouse, s'inclinèrent devant lui tandis qu'il quittait la pièce. Lon Su resta debout. Ling, son épouse, s'inclina le plus bas de toutes.

— Fais en sorte que ta fille soit prête pour son mariage, lança Nan-Yung à Lon Su.

Puis, il ajouta en se tournant vers son homme de main :

— Viens, Lee Tong, j'ai une autre mission à te confier.

Le colosse sortit de la pièce à la suite de son maître.

Chen ne mit que quelques secondes à organiser sa fuite.

Elle s'y prit simplement. Elle grimpa l'échelle derrière ses sœurs pour remonter dans la buanderie, ouvrit la porte de devant et détala à toute vitesse.

Dans le quartier chinois, personne ne courait aussi vite que Chen.

Elle regretta de ne pas avoir confié son plan à Yin et à Ling. Mais pour se sauver, elle devait s'enfuir en courant. Elle savait qu'elles comprendraient.

Aujourd'hui, il était temps pour Chen de rendre la pareille à sa grand-mère. Elle retournerait dans le quartier chinois.

La jeune Chinoise avait très, très peur.

* * * *

Barbara et Chen rencontraient le chef de police, Jeremiah Dinan, à son bureau.

— Je veux que vous fassiez une descente à la fumerie d'opium, dit Barbara.

— Je ne mets pas les pieds dans le quartier chinois. Le labyrinthe qu'il y a là-dessous est sans fin. De toute façon, à quoi servirait de fermer une fumerie ? La réponse est « rien ». Personne ne s'intéresse aux Chinois.

Barbara lui lança un regard méprisant. Elle se rapprocha de Chen d'un air protecteur.

— Écoutez, je suis de votre côté. Je pense que vous avez abattu de la sacrée bonne besogne avec votre série d'articles dans le *Call*.

Barbara fronça les sourcils et repensa aux quatre mois que Michael et elle avaient consacrés à recueillir les faits. Ils étaient tous deux prêts pour le coup de grâce. Mais Barbara était sur le point d'exploser tellement sa frustration était grande de ne pas voir d'action, de véritable action. Elle changea de sujet pour en aborder un autre, tout aussi controversé :

— Le bordel sur Jackson, dans ce cas. Faites du grabuge. Secouez les gens, argumenta-t-elle.

— Ben oui. Et après ? Le vice n'a rien de nouveau à San Francisco. La vie ne vaut pas cher dans cette ville, madame Kendrick. Dans le Tenderloin et sur la côte de Barbarie, on peut faire tuer un homme pour le prix d'une bouteille de whisky. Tenez, ce matin même, mes agents ont rescapé un garçon de quinze ans qu'on tentait d'enlever de force sur Dupont.

Chen opina de la tête :

— Embarquement de force.

— Oui, convint Dinan. Écoutez, cette ville est un cloaque. Les combines de protection pullulent. Il m'arrive de penser que si l'on abolissait le vice, on briserait l'image de la ville. On vient ici pour acheter du sexe, de la drogue et de l'alcool, dans cet ordre. Une descente dans le bordel de la rue Jackson coûterait plus cher que ne vaut mon boulot. Personne ne veut réellement nettoyer San Francisco. J'envoie mes hommes périodiquement, mais la ville se désintéresse de mes efforts. J'ai maintenant une force de sept cents hommes. Nous utilisons la photographie pour détecter les crimes et obtenir des condamnations. J'ai augmenté le nombre de cabines téléphoniques où les officiers peuvent demander du renfort, mais c'est comme un coup d'épée dans l'eau.

— Vous accomplissez un travail admirable. Je veux simplement qu'on fasse davantage.

— N'est-ce pas ce que nous voulons tous ? Dinan soupira, excédé. Faites-moi une faveur, madame Kendrick, allez faire tourner quelqu'un d'autre en bourrique.

Barbara sourit.

— Faites-moi une faveur ? Peter et moi serons divorcés le mois prochain. Appelez-moi Barbara Mansfield, comme avant.

— Divorcés ? J'en suis heureux. Je ne l'aime pas. Vous savez très bien que je le crois de mèche avec Ruef. J'aimerais simplement pouvoir le prouver.

— Ne vous inquiétez pas, je m'en suis chargé, répondit-elle d'un ton sec.

— Quoi ?

— J'ai transmis les résultats de mon enquête au procureur général, hier. Mais je ne pourrai témoigner qu'une fois divorcée.

— D'où tenez-vous cette finesse d'esprit ?

— J'ai eu de bons conseillers, répondit-elle avec un sourire rusé.

— C'est ce que je vois, acquiesça-t-il en s'approchant de la fenêtre pour contempler la ville. J'aime cette ville, Barbara. Je fais de mon mieux, si on considère mes adversaires. Il se fait tard, et ce soir, j'emmène ma femme écouter Caruso à la Grand Opera House. Faisons une trêve, voulez-vous?

Barbara acquiesça.

— Mais je reviendrai.

Dinan raccompagna Barbara et Chen, et ferma la porte de son bureau.

Chen regarda Barbara :

— Il ne nous aidera pas à libérer ma grand-mère?

— Pas ce soir, répondit Barbara.

Elle tapota le dos de Chen tandis qu'elles s'éloignaient dans le crépuscule d'avril.

— Il ira plutôt à l'opéra ce soir.

— Il nous faut faire quelque chose, reprit Chen.

* * * *

Barbara entoura du bras les épaules de son amie.

— Je le sais. J'aimerais seulement savoir quoi.

Barbara alluma la cuisinière à gaz avec une allumette de bois et mit de l'eau à bouillir pour le thé.

Le thé vert était le préféré de Chen. Barbara espérait qu'il lui remonterait le moral, car elle avait semblé désespérée au dîner.

Barbara s'assit à la table et regarda les petits pots de bulbes de fleurs blanches qu'elle forçait sur l'appui de fenêtre, l'égouttoir à vaisselle où séchaient les assiettes bon marché dans lesquelles Michael et elle avaient pris leur petit-déjeuner.

Il n'y avait ni chandelier en cristal ni robinetterie en or, ni éclairage électrique comme dans la résidence de Peter. À part son inquiétude pour la grand-mère de Chen, Barbara n'avait jamais été aussi heureuse.

En regardant les documents juridiques que Michael et elle avaient aidé le procureur général à préparer contre le maire Schmitz, elle prit conscience qu'elle s'apprêtait non seulement à entrer dans l'histoire, mais qu'elle avait aussi la capacité de changer les choses.

Barbara agissait de telle sorte que sa vie fasse une différence.

Elle ferait la même chose pour Chen.

«Mais il faudra probablement du temps.»

Barbara et Michael travaillaient depuis des mois à creuser dans les couvertures labyrinthiques qu'Eugene Schmitz et Abe Ruef avaient mises en place pour dissimuler leurs malversations.

Pour Barbara, le plus grand choc avait été de découvrir le rôle de Peter dans cette affaire de corruption. En quittant le foyer conjugal, elle avait emporté par inadvertance dans ses affaires personnelles une boîte contenant les reçus d'affaires de son ex-mari. Elle avait pu ainsi prouver que Peter avait rempli le lit marin avec des déchets et de vieilles épaves. Il avait falsifié les reçus pour des achats de sable et de gypse qu'il n'avait jamais faits.

— Je peux le faire jeter en prison, conclut-elle à voix haute.

Elle n'avait pas vu que Chen se tenait sur le seuil de la porte.

— Faire jeter qui en prison?

— Peter, répondit Barbara.

La bouilloire se mit à siffler.

— J'espérais que tu parlais de Lee Tong, dit Chen en sortant deux tasses et deux soucoupes d'une armoire.

Elle les posa sur la table, à côté de l'édition du soir du *Call*.

Chen maîtrisait beaucoup mieux l'anglais depuis que Barbara le lui enseignait. Elle parcourut l'article de Barbara sur le bal du printemps.

— Monsieur Peter Kendrick était accompagné de Meredith Pope. Chen ne chercha pas à dissimuler son étonnement. Tu as écrit ça?

— Il est à peu près temps qu'on sache que je suis au courant.

— Mais Donald...

— Est à New York pour transférer les fonds de sa famille afin de bâtir un grand magasin tout neuf près de Central Park, compléta Barbara. Je ne veux pas blesser Donald, mais Meredith affiche sa liaison depuis trop longtemps.

Chen découpa un citron.

— Il sait.

— Quoi?

— Il a déménagé ses affaires et engagé un avocat pour qu'il récupère la maison. Il se fera accompagner de la police ce soir, lorsqu'il ira flanquer Meredith à la porte.

— C'est une blague? Comment le sais-tu? Puis, elle sourit et leva les mains. Non, laisse. Je sais comment tu le sais. Quand est-il rentré?

— Il y a trois jours, répondit Chen, penaude.

— Le petit polisson ! Il ne m'a rien dit.

— Il a dit que tu avais bien assez de soucis en tête.

Barbara se rassit et considéra Chen d'un œil neuf.

— Combien de fois l'as-tu vu depuis son retour ?

Le visage de Chen rougit fugitivement.

— Chaque jour. Chaque nuit.

— Il t'aime ?

— Oui. Et je l'aime, répondit la jeune femme en s'asseyant.

Les mots s'échappèrent de sa bouche :

— Voilà pourquoi je dois affronter Lee Tong. Je ne veux pas qu'il sache, pour Donald. S'il me retrouve et découvre que Donald me rend visite, il nous tuera tous les deux. Je ne veux pas.

Il y avait de la peur dans la voix de Barbara :

— Nous devons être extrêmement prudentes, Chen. Je ne savais pas que le béguin de Donald était devenu si sérieux.

— Tu comprends maintenant ma hâte de retrouver ma grand-mère ? Une fois que je saurai qu'elle est en sûreté, je quitterai San Francisco. J'irai ailleurs.

— Mais, que feras-tu, pour Donald ? demanda Barbara.

— Il n'est pas au courant pour Yin, ni pour Lee Tong. Je ne peux pas le lui dire. Il voudra venir avec moi et Lee Tong nous trouverait. J'aime trop Donald pour le mettre en danger.

Barbara enlaça Chen :

— Promets-moi que tu ne sortiras pas de cette maison avant que j'aie réfléchi à ce qu'il faut faire. Jusqu'à ce que j'aie songé à un plan. Et promets-moi que tu ne reverras pas Donald avant que nous ayons décidé de ce que nous allons faire.

Chen sentit un serrement douloureux lui étreindre le cœur.

— Il ne comprendra pas, mais je le ferai.

— Nous lui sauvons la vie, Chen.

La jeune Chinoise hocha tristement la tête.

Barbara se frotta le front.

— Nous ne pouvons agir seules. Nous avons besoin d'aide. Mais qui ? Il est évident que je dois en parler à Michael. Je devrais peut-être m'adresser aussi à Jefferson. Elle regarda Chen. Il est venu à mon bureau aujourd'hui, mais c'était une rencontre vraiment étrange. Il m'a donné un dossier de très vieux documents à lire. Ses yeux se tournèrent vers la salle de séjour, où elle avait laissé les journaux de Rachel.

— Comment pourrait-il nous aider ? Il est tellement vieux...

— Jefferson a de l'argent et beaucoup d'influence. Nous aurons peut-être besoin d'argent pour soudoyer certains de tes anciens voisins, expliqua Barbara.

— Je croyais que nous étions contre les pots-de-vin.

Barbara secoua le doigt.

— Pas quand ils sont justifiés.

— Ah.

Chen hocha la tête.

— Il faut que tu dises la vérité à Donald. Ce n'est que justice qu'il connaisse les dangers.

— D'accord, fit Chen en poussant un profond soupir. Je le ferai, mais pas ce soir. Demain.

Elle se leva en emportant son thé avec elle.

— Michael devrait rentrer bientôt, n'est-ce pas ?

— Oui, répondit Barbara en jetant un coup d'œil à la pendule. Sa réunion a pris fin il y a plus de vingt minutes.

— Je vais te dire bonne nuit tout de suite, reprit Chen.

Caressant du bout des doigts les documents juridiques sur la table, Barbara murmura :

— La vérité te rendra toujours libre, Chen. Ne l'oublie pas.

Chen se retourna pour regarder son amie :

— Il y a plusieurs vérités. J'ai bien peur que cette fois, elle arrive trop tard.

Quarante et un

« Je vois sur une échelle gigantesque, et aussi clairement que si c'était une démonstration en laboratoire, que du bien sort du mal que l'impartialité de la providence naturelle vaut mieux que ce que nous dépassons nous rend plus forts que l'homme est homme parce qu'il est libre de faire le mal autant que le bien que la vie est aussi libre de créer des formes hostiles qu'amicales que le pouvoir sert celui qui le mérite que la maladie, les guerres et les forces primitives dévastatrices et déchaînées ont toutes contribué à développer et à endurcir l'homme, et à luiconférer sa fibre héroïque[47]. »

— JOHN BURROUGHS,
ACCEPTING THE UNIVERSE

— La vérité, murmura Barbara avec vénération en terminant la lecture des *Journaux de Rachel*.

Son esprit explosa sous l'assaut de ce qu'elle venait d'apprendre.

« Tant de vérité. Elle songea à Jefferson. Grand-papa. Mon grand-père. Qu'il est triste que tu n'aies pas été capable de me dire la vérité à ton sujet ! Qu'il est triste que tu aies eu peur de me laisser t'aimer encore davantage. »

---

47. N.d.T.: Traduction libre.

Elle écarta les documents et tituba jusqu'à la chambre.

— Michael ?

Elle avait les yeux brûlants de larmes. On aurait dit qu'une enclume venait de s'abattre sur sa poitrine.

Il se retourna et l'interrogea d'une voix ensommeillée :

— Qu'y a-t-il ?

— Je t'en prie, serre-moi dans tes bras, répondit-elle en se jetant dans ses bras.

Il l'enlaça.

— Barbara, dis-moi ce qui se passe.

— J'ai lu *Les journaux de Rachel*, ceux que Jefferson m'a remis, hoqueta-t-elle entre deux sanglots.

— Seigneur, ma chérie. Il écarta une boucle de cheveux de sa joue. Que contenaient-ils pour te bouleverser autant ?

— Jefferson est mon grand-père.

— Quoi ?

— J'aurais dû m'en douter. Quand j'étais enfant, j'aurais dû comprendre... Je n'ai jamais ressenti pour personne ce que je ressens pour Jefferson. Nous étions si proches. Comme je l'étais de mon père. Comment ai-je pu être aussi aveugle ?

— Mais pourquoi diable ne te l'a-t-il pas avoué ?

— C'est un quarteron. Un esclave en fuite. Il a combattu ses craintes toute sa vie.

Michael secoua la tête.

— Mais, toi, de toutes les personnes au monde ! Tu n'as pas une once d'intolérance.

Barbara regarda par la fenêtre les lumières de la ville qui vacillaient devant l'aurore.

— J'ai toujours pensé que les gens sont simplement des gens. J'imagine que c'est à cause de ma mère qui est bourrée de préjugés. Elle déteste tout ce qui n'est pas pareil à elle, choses ou gens. En fait, elle fait preuve d'une belle magnanimité en la matière. À ma façon, je me suis rebellée contre elle et son point de vue étroit. Je n'ai jamais voulu lui ressembler. Eleanor n'a jamais aimé personne d'autre qu'elle-même. Ni mon père, et certainement pas moi. Il n'y a jamais eu de place dans son cœur pour nous par conséquent, comment aurait-elle pu en trouver une pour quelqu'un d'aussi gentil que Chen ?

Elle poursuivit :

— Pauvre Jefferson. Avoir honte de son héritage. Il pensait que j'aurais honte de lui et que je le rejetterais. Quand on aime quelqu'un, on ne peut pas le rejeter, n'est-ce pas, Michael ?

Il souleva son menton du doigt et la regarda dans les yeux :

— Je t'aime, Barbara. Toutes les parties de toi. Je me fiche que tu sois bleue et pourpre, tu es toi. Il l'embrassa tendrement. Je n'ai jamais été mesquin. À côté des vrais fléaux de cette planète, le racisme est vain. Qu'est-ce que ça donne ? Notre monde grandirait si les gens prenaient simplement conscience que nous sommes la somme de toutes nos parties, que c'est quelque chose sur lequel on bâtit, ce n'est pas ce qu'on devient. Chacun a le potentiel de devenir ce qu'il veut. Nous pouvons choisir entre le bien et le mal. Nos erreurs et nos succès nous reviennent entièrement. Nous sommes tous responsables de notre vie. Pas nos ancêtres.

— Oui, c'est peut-être ce que Rachel essayait de dire dans ses journaux. C'était peut-être la leçon qu'elle voulait que Jefferson apprenne. Et moi.

— Ça m'en a tout l'air.

— Maintenant, je comprends pourquoi toutes ces années, Jefferson s'est battu avec Eleanor pour me voir. Je me demande si elle sentait que les instincts territoriaux de Jefferson s'étendaient à ma vie. Leur querelle dure toujours, tu sais. Elle se tut un instant. Il y a autre chose, Michael. L'effort de Jefferson pour éradiquer la corruption à San Francisco remonte à une centaine d'années.

— Quoi ?

— Jefferson a découvert que la famille de Chen, la maison des Su est le nom qu'elle se donne, a juré de se venger des ancêtres de Jefferson, Andrew et Ambrose Duke. C'était il y a des années et des années, en Chine. Par la suite, les Su ont émigré en Amérique. Dans les dernières pages qu'il a rédigées, j'ai lu que Jefferson avait engagé un détective privé en constatant que la police ne l'aiderait pas à découvrir l'assassin de mon père. Il a découvert que Nan-Yung Su avait ordonné la mort de papa, et que ses assassins étaient aussi responsables de la mort de Dolores Sanchez.

— Qui est-ce ?

— Une femme tragique. Elle était follement amoureuse de Jefferson, mais lui n'aimait que Caroline. Le père, un Castillan, avait interdit à sa fille de se marier en dehors de sa lignée. Elle est morte une nuit, alors qu'elle était partie chevaucher, mais certaines circonstances entourant sa mort ont toujours intrigué Jefferson. Selon son journal, sa liaison avec Caroline a commencé le jour où elle est arrivée à San Francisco. Papa était le fils de Jefferson. Mais elle avait épousé William Mansfield et ne voulait pas le quitter.

— Elle ne croyait pas au divorce ?

— Apparemment pas.

Michael la serra dans ses bras.

— Dieu merci, les temps ont changé. Je suis heureux que toi, tu y croies, sinon nous ne serions pas ensemble.

Elle l'embrassa.

— J'en suis heureuse, moi aussi.

Elle posa sa tête contre sa poitrine.

Il lui caressa les cheveux et reprit :

— Tu voudrais que j'aide Chen, n'est-ce pas ?

— Comment le sais-tu ?

— J'observe, répondit-il en riant.

— Ce sont des assassins, Michael. Jefferson m'a avoué une chose étrange, aujourd'hui. Il m'a dit qu'il savait qu'il allait mourir bientôt, mais qu'il ignorait si ce serait de la main de Dieu ou de la main d'un homme.

— À ton avis, qu'est-ce qu'il voulait dire par là ?

— Après avoir lu ses papiers, je crois qu'il se sent toujours coupable de ne pas avoir avoué la vérité à Caroline. Je pense qu'il a le sentiment que par certains côtés, sa vie a été une mascarade motivée par la peur. C'est pour cela qu'il craint la vengeance de Dieu. Et il y a évidemment la haine de la famille Su. Il est curieux que je sois aussi proche de Chen. Je l'aime comme une sœur. Je ferais n'importe quoi pour elle. Pourtant, son grand-père a passé sa vie à haïr mon grand-père.

Elle réfléchit un moment et reprit :

— Un jour, Jefferson m'a dit qu'il n'y avait pas de coïncidences. Je l'ai répété à Chen qui m'a répondu que lorsque nous avons des liens émotionnels intenses avec quelqu'un, c'est que nous l'avons connu dans une vie passée. Nous revenons sur terre pour être avec cette personne encore une fois.

— Nous revenons peut-être aussi pour redresser les torts qui nous ont été faits, ajouta Michael, laconiquement.

Barbara frissonna.

— Je ne sais pas si nous devrions agir en ce qui concerne Nan-Yung et la famille Su. Ils ont assassiné mon père, dit-elle en déglutissant péniblement. Je pense que ce clan a des liens directs avec le bureau du maire. Chen m'a dit qu'il y avait autre chose que de la prostitution dans les souterrains. Elle m'a appris que Nan-Yung verse des pots-de-vin à Schmitz pour garder ses fumeries d'opium ouvertes.

— Elle a raison, dit Michael d'un ton bref.

— Tu étais au courant?

— Je ne te raconte pas tout. C'est trop dangereux.

— Si nous pouvions obtenir des preuves contre Nan-Yung, nous pourrions les mettre hors jeu, Schmitz et lui, pour l'éternité.

— J'y ai pensé.

— Je parlerai à Chen demain matin, dit Barbara en bâillant.

Michael se retourna et jeta un coup d'œil au réveil.

Il était 5 h 12.

— C'est déjà le matin. Il s'étendit sur elle. Ne parlons plus de Jefferson pour l'instant, dit-il avant de l'embrasser profondément.

— De quoi alors? répond-elle en souriant.

— La seule histoire dont je veux parler est celle que nous faisons ensemble en ce moment.

18 avril 1906 — 5 h 00 à 5 h 12

Aux abords du quartier chinois, la cloche de la vieille église Ste-Mary résonna cinq fois à travers les collines de San Francisco. Le son ne pénétra pas sous terre, où Chen Su se tenait devant Lee Tong et son grand-père, Nan-Yung.

Sous les rues sales où les Chinois s'entassaient dans des maisons de rapport, très loin dans ses catacombes, Nan-Yung leva un doigt presque squelettique et le tendit vers Chen.

— Tu as osé me désobéir!

Lee Tong gifla Chen avec une telle violence qu'elle s'écroula sur le sol. Elle sentit sur sa joue brûlante l'empreinte de ses doigts. Elle se refusa à crier. Elle ferait bien plus que ravaler ses larmes. Elle les combattrait tous les deux à mort par la force de sa volonté.

Repoussant sa longue chevelure noire, elle se releva et lança d'un air de défi :

— Où est Yin ?

Peu importe qu'ils la battent à mort, ils ne tueraient jamais son esprit.

Le visage flétri de Nan-Yung ne refléta aucune compassion, aucune miséricorde. Il hocha la tête en direction de Lee Tong.

Celui-ci gifla de nouveau la jeune femme, et elle craignit d'être décapitée par la force de l'impact, mais sa tête resta attachée à son corps. Elle resta debout. Elle leva lentement le visage vers Nan-Yung. Ses yeux révélèrent des parcelles glaciales de haine pure. En elle, l'amour qu'elle ressentait pour Donald, le respect qu'elle avait pour Barbara et sa loyauté envers Yin changèrent d'axe et se transformèrent en haine.

Elle rassembla ses émotions et les raffina, elle en fit des armes qui lui serviraient, l'une après l'autre, à combattre son ennemi.

Nan-Yung fut atterré en découvrant l'expression de son regard.

— Tu ne peux pas lutter contre moi.

— Je le peux et je le fais, gronda-t-elle à voix basse, comme un animal sur le point de frapper.

— Ha ! Tu n'es qu'une femme ! Lee Tong peut te briser le cou comme une allumette. Je n'ai qu'à lui en donner l'ordre, reprit son grand-père, fièrement.

Elle foudroya le colosse du regard.

— Il n'est rien. Il sait qu'il n'est rien. Ha ! Lee Tong ressemble à un eunuque. Il combat uniquement des adversaires sans défense. Il n'a pas de couilles !

Le visage impassible, l'homme de main brandit son énorme poing et le plongea dans l'abdomen de Chen. La jeune femme s'écroula, pliée en deux par la douleur. Elle faillit laisser échapper un cri de souffrance. Elle eut l'impression d'avoir été déchirée en deux à l'intérieur. Elle savait qu'il lui avait cassé des côtes. Incapable de respirer, elle haleta et essaya de remplir ses poumons, mais rien ne se produisit.

« Je dois rester en vie. Je dois trouver Yin. »

— Te tuer sera comme écraser un insecte, laissa tomber Lee Tong. Rien qu'un moustique.

La chevelure de Chen cacha son visage et dissimula ses yeux menaçants, des yeux qui commencèrent à se fermer à la suite des coups reçus.

— Mais comme le moustique, je suis une peste. Trop petite pour qu'on l'attrape. Trop rapide pour qu'on l'emprisonne. Ce que tu crains le plus, Lee Tong, c'est ce que je vois. Elle se redressa.

Le colosse jeta un coup d'œil à son maître.

Chen surprit le mouvement.

— Vous avez tous les deux peur de moi. Et vous faites bien. Même si vous m'aveuglez, vous savez que je verrai toujours. Je vois l'avenir. L'avenir de tout le monde. Je suis plus douée que Yin. C'est là votre peur. Les dieux du vent et de la terre s'expriment à travers moi. Les anciens esprits des morts s'expriment à travers moi. Les forces qui créent le futur trouvent ma voix et s'expriment à travers moi.

Elle passa une main dans sa chevelure et l'écarta de son visage pour qu'ils puissent voir son regard dans toute sa furie.

— Vous ne pourrez jamais avoir ce que je possède, car c'est un don. Vous pensez pouvoir me faire taire ? Je parlerai de ma tombe et je vous hanterai pour l'éternité.

Les yeux vides de Lee Tong s'emplirent de terreur. Il pouvait affronter mille guerriers sur un champ de bataille, mais les superstitions de ses ancêtres le terrifièrent. Depuis des années, ses rêves étaient hantés par les démons. À chacun de ses meurtres, le colosse avait le sentiment qu'il pouvait sentir la force vitale quitter ses victimes. Il s'était toujours demandé où elles étaient parties. Serait-il possible que ses victimes soient à l'affût et qu'elles attendent sa mort pour que son esprit soit forcé de combattre le leur ? Il ne savait pas comment se battre dans l'invisible.

Il ne craignait personne dans le monde matériel. Mais il avait peur de tout ce qui hantait le monde spirituel.

Nan-Yung savait que Chen essayait d'intimider son homme de main.

— Imbécile ! Ne l'écoute pas !

Tout à coup, Chen comprit qu'elle était sur le point de gagner.

— Tu as encore le temps de te sauver, Lee Tong, avant que les forces ne s'unissent pour te tuer. Dis-moi où je peux trouver ma grand-mère, et je te dirai comment échapper à la mort, cette nuit.

Lee Tong inspira fortement.

— Je dois mourir ce soir?

— Oui. Elle tourna les yeux vers lui. Ta mort sera longue et douloureuse. Ce sera comme si la nature et la terre conjuguaient leurs forces pour débarrasser le monde de ta présence. Et de celle de mon grand-père. Rien ne pourra arrêter les dieux du ciel et de la terre. Tout ne sera que chaos et incendies.

Ses yeux étaient aussi sombres que le ciel nocturne et reflétèrent un néant sans fin, semblable à l'éternité. Son visage n'avait aucune expression, et sa bouche bougeait comme manipulée par un marionnettiste. Sa voix était si basse qu'on aurait cru celle d'un homme.

Lee Tong croyait ce que disait Chen, mais il avait peur du châtiment que Nan-Yung lui réservait s'il cédait.

Chen était en transe. Elle n'était plus consciente de son corps, ni de son environnement. C'était comme si elle flottait au-dessus du monde, observant de haut des étrangers.

— Lee Tong, satisfais à sa requête! Conduis-la à sa grand-mère. Montre-lui les trous de puits où j'envoie tous ceux qui me défient!

Le colosse était content que la sentence soit tombée. Il agrippa Chen par un bras et la traîna hors de l'appartement luxueux où Nan-Yung vivait et travaillait. Il était devant la porte ornée de sculptures complexes lorsque Nan-Yung l'arrêta.

— J'ai une autre tâche pour toi, Lee Tong. J'ai choisi de me venger de mon ennemi, avant l'aube.

Chen sortit brusquement de sa transe. Elle songea à Barbara et à Jefferson. Elle ressentit le besoin de les protéger.

— Te venger?

Le sourire de Nan-Yung était malveillant.

— La maison de Duke tombera à l'aube.

Chen sourit intérieurement.

— La maison de Duke possède des passages secrets dont tu ne sais rien. C'est ton sang qui sera répandu, aujourd'hui.

— Je ne veux plus entendre d'autres divagations!

Battant l'air de son bras maigre, Nan-Yung renvoya Lee Tong et sa petite-fille.

Une fois seul, il traîna son corps vieilli à travers la pièce jusqu'à l'élégant bureau où des piles de pièces d'or attendaient son attention. De ses mains ridées, il lissa les plis de sa tunique écarlate richement brodée, et se laissa tomber sur son siège qui ressemblait à un trône.

Une fois que Lee Tong aura tué Jefferson Duke, Nan-Yung ordonnera la mort de Chen. Il songea distraitement qu'il était probablement temps de se débarrasser de Yin. Il avait bien fait de faire tuer Lin Yutang, le mois précédent, après tous les ennuis qu'elle avait causés à son fils, Lon Su.

Ling Yutang avait essayé de retourner Lon Su contre Nan-Yung. Elle avait harcelé son époux pour découvrir où se trouvait Yin.

Lon Su avait le don de se montrer évasif. La seule raison pour laquelle Nan-Yung avait permis à Ling de vivre aussi longtemps était que Lon Su affirmait l'aimer et avoir besoin d'elle.

La sentimentalité de son fils unique rendait Nan-Yung malade. Les sentiments étaient faiblesse. Or, Nan-Yung ne pouvait pas tolérer une faiblesse longtemps, quelle qu'elle soit.

Lon Su s'était révélé décevant. L'abus d'opium avait transformé son esprit en bouillie. Deux jours après l'assassinat de Ling Yutang, Lon Su était allé à sa propre fumerie d'opium, s'était étendu sur l'une des paillasses et avait délibérément fumé assez d'opium pour tuer trois personnes.

Nan-Yung avait déjà songé que la faiblesse de Lon Su n'était pas bonne pour les affaires. Les tenanciers des fumeries avaient souvent commenté son appétit démesuré pour la drogue. Ils avaient accusé Lon Su de fumer tous les profits. Nan-Yung songea qu'il était probablement aussi bien que Lon Su se soit suicidé. Son geste acheta la paix entre les employés.

Le vieux Mandchou saisit une première pièce d'or. Il régnait sur le quartier chinois depuis plus de cinquante ans et il en avait apprécié chaque journée. Mais son plus grand pouvoir était de savoir que durant toutes ces années, il aurait pu faire tuer Jefferson Duke, n'importe quand. Nan-Yung contemplait sa vie et songea qu'il n'y avait pas d'expérience plus enivrante que de prendre chaque matin la décision de laisser encore une journée à son ennemi.

Ce n'étaient pas les corps apeurés des Chinois qui le suppliaient de les épargner, ni les yeux terrifiés des fillettes qu'il violait avant de les vendre comme esclaves, ni les mains tremblantes des opiomanes qu'il avait délibérément enchaînés à la drogue qui procuraient de la joie à Nan-Yung.

La puissance consistait à régner sur autrui par la peur.

Mais commander à la mort était la plus puissante des drogues.

Tandis que l'aube se leva sur le matin d'avril, Nan-Yung se sentait joyeux.

Quarante-deux

« Le but de la vie est de vivre
en accord avec la nature. »

— Diogène Laërce,
Vies des philosophes illustres, livre septième, section LXXXVII

18 avril 1906 — 5 h 00 à 5 h 12

Meredith remonta le drap sur ses seins nus et regarda Peter qui enfilait son pantalon, et boutonnait sa braguette.

— Je n'en ai pas fini avec toi ! s'écria-t-elle, furieuse.

— Eh bien moi, j'en ai sacrément terminé, répondit-il d'un ton froid.

En s'élançant hors du lit, le drap à sa suite, elle trébucha.

Peter la fusilla du regard.

— Tu es ridicule. Pourquoi tant de pudeur ? Je ne vois rien d'autre ici qu'une putain.

Elle le gifla. Il détourna le visage avant de tourner son regard furibond sur elle. Elle le gifla une seconde fois.

— Salaud !

Il la saisit brutalement aux épaules. Le drap tomba en tas sur le plancher.

— Parce que c'est moi, le salaud ? Tu crois que tu m'impressionnes encore avec tes mensonges, tes machinations et tes combines ? Peut-être que ça marchait quand il s'agissait de dépouiller Donald de son argent, mais je suis plus intelligent que lui.

— Tu as dit que tu m'épouserais !

— Eh bien, j'ai changé d'idée, répondit-il durement avant de plonger les poings dans les manches d'une chemise immaculée. Tu as épousé Donald pour son argent et tu crois maintenant mettre la main sur ma tirelire ? Je ne pense pas.

— Ah, je comprends. Tu retournes auprès de Barbara. La douce, la généreuse Barbara.

Il s'immobilisa une fraction de seconde.

C'était suffisant pour que Meredith comprenne qu'il éprouvait des regrets.

Cela la chagrina plus qu'elle ne l'aurait cru.

Il la regarda d'un air furieux.

— Je n'y pense même pas, pas plus que tu ne songes à retourner avec Donald. J'ai obtenu d'elle ce que je voulais. Elle m'a présenté aux gens qu'il fallait. Maintenant, ils font affaire avec moi, et elle n'est plus qu'une petite journaliste qui gagne vingt dollars par semaine. Personne ne se soucie d'elle.

— Elle a obtenu un règlement de la cour.

— La cour ne peut lui donner qu'une partie de ce que j'ai avoué posséder.

Riant sous cape, il brossa son épaisse chevelure et admira son beau visage dans le miroir.

Meredith n'avait pas l'habitude d'affronter des hommes avisés, de ceux qui connaissaient les règles du jeu. Elle avait l'habitude de Donald qui était facile à duper. Pour la première fois, elle comprit combien Peter était intelligent. Combien il était rusé. Et dangereux. Elle ne faisait pas le poids. Elle était tellement furieuse qu'elle voulût casser quelque chose. Lancer quelque chose. Elle dut faire un effort pour maîtriser sa colère sinon, elle serait incapable de réfléchir.

Elle prit conscience qu'elle ne pourrait retourner la situation à son avantage qu'en faisant preuve de présence d'esprit. Elle déclara avec morgue :

— Tu ne peux pas faire ça ! C'est une violation de contrat.

— Ma chère, je ne pense pas que les propositions murmurées entre personnes adultères n'aient de valeur en cour. Tu n'avais pas encore divorcé quand je t'ai demandé de m'épouser.

— Pourquoi m'as-tu demandé de t'épouser, Peter ?

Il leva la tête vers le plafond, et une expression de totale exaspération se peignit sur son visage.

— Pour te mettre dans mon lit, tiens! Pour quelle autre raison?

— Tu ne peux pas m'utiliser ainsi, Peter!

— C'est exactement ce que je viens de faire, laissa-t-il tomber en glissant ses pieds en chaussettes dans ses chaussures.

— Maintenant, si tu veux bien m'excuser, je sors faire ma promenade quotidienne. Arrange-toi pour être partie à mon retour.

Meredith bouillonna de colère. Elle n'avait jamais ressenti une telle fureur meurtrière. En cet instant, elle voulait que Peter Kendrick meure.

— Tu ne t'en tireras pas comme ça! hurla-t-elle en se précipitant sur lui, les mains tendues devant elle, prêtes à lui égratigner le visage.

* * * *

Donald Pope se retourna dans son lit. Il avait l'impression que quelqu'un venait de s'asseoir à côté de lui.

— Meredith?

Il se réveilla en sursaut. Il n'y avait personne dans le lit, ni dans la chambre à coucher.

— Dieu merci.

Le lit bougea de nouveau.

Puis, Donald entendit et sentit un grondement profond, un grondement terrible. Le sol se mit à onduler. Brusquement, c'était comme s'il se trouvait sur un radeau lancé sur un océan déchaîné.

«Un séisme!

Je vais mourir!»

* * * *

Eleanor Mansfield plongea à travers la pièce pour attraper le vase en porcelaine de Sèvres peint à la main, qui tombait du manteau de la cheminée. Au plafond, le chandelier tremblait tout seul, comme si des doigts fantomatiques l'avaient chatouillé.

Eleanor poussa un cri muet : «Que se passe-t-il?»

Brusquement, assiettes et tasses se mirent à bouger toutes en même temps dans le vaisselier. Des pièces de cristal français se brisèrent en morceaux. Le grondement qui fusait tant à l'intérieur qu'à l'extérieur de la maison était assourdissant. Eleanor aurait aimé se boucher les oreilles, mais elle ne voulait pas qu'il arrive malheur à son vase.

«Il vaut une petite fortune. C'est Lawrence qui me l'a dit.»

* * * *

Le séisme prit naissance à quarante brasses sous la mer. Partant de Point Arena, à cent quarante-cinq kilomètres au nord de San Francisco, et voyageant à trois kilomètres à la seconde, il déchira le lit marin et se rua hors de l'océan en direction du continent à 11 265 km/h. Le phare de Point Arena, qui mesurait trente-quatre mètres de hauteur, oscilla comme un brin de zostère marine dans le vent. En quelques secondes, le bâtiment n'était plus qu'un tas de ruines et de verre brisé.

La fracture chargea vers le sud. Déplaçant des milliards de tonnes de terre et projetant des masses de pierres vers le ciel, elle souleva sur son passage des falaises là où il n'y avait qu'une plaine, quelques instants auparavant.

Percutant le littoral à la hauteur du comté de Humboldt, le séisme fit tomber les forêts de séquoias et aplatit les promontoires de schiste bitumineux. Il replongea dans la mer en arrivant aux falaises de False Cape tel un dragon chinois en colère, le soubresaut de sa queue projeta des millions de tonnes de schiste dans l'océan et reconfigura le littoral.

Une secousse détruisit la petite ville de Fort Bragg, avant que le séisme reprenne son souffle et se rue de nouveau sur Point Arena. À Bodega Head, un hôtel fut aplati en un clin d'œil. À la gare de Point Reyes, quatre wagons furent projetés dans les airs. La puissance de la pression souterraine déforma les rails, et des wagons mis en porte-feuille déraillèrent, écrasant les coquelicots qui poussaient le long de la voie.

Fermes et ranchs se virent réalignés après le passage de l'onde de choc. On vit des cyprès tourbillonner dans le ciel comme des chandelles romaines.

À Bolinas, un village de pêcheurs, les bateaux rompirent leurs amarres, et le quai s'abîma dans la mer. Le séisme descendit le littoral : il remodela les crêtes, creusa des vallées et, semblable à une furie démente et griffue, brisa en deux des séquoias plusieurs fois séculaires, comme s'il s'agissait de vulgaires allumettes.

À Salinas, la manufacture de sucre de Rudolph Spreckel fut détruite de fond en comble, en même temps que la loge des Élans, le temple maçonnique et le centre des Odd Fellows. À San Jose, le séisme fit vingt et une victimes.

À Hinckley Gulch, une avalanche entraîna des centaines de milliers de tonnes de terre dans un ravin et ensevelit neuf hommes. Cruelle ironie, le séisme déposa un séquoia de trente mètres de haut à l'endroit où les hommes disparurent.

* * * *

Jefferson Duke n'entendit pas qu'on força la serrure de la porte de derrière. Il n'entendit pas non plus les pieds chaussés de satin noir qui gravissaient l'escalier en marbre au tapis chemin bleu roi et s'approchaient de sa chambre à coucher.

Par contre, il entendit très bien le long et profond rugissement du séisme qui se ruait sur la ville.

L'onde de choc remontait la rue Washington. À quelques pâtés de maisons de là, dans l'immeuble de l'*Examiner*, John Barrett était à son bureau. Il travaillait sur un article pour le journal, lorsqu'il entendit un gémissement surnaturel et vit les immeubles voisins virevolter sur leurs fondations, comme des danseuses maladroites. Puis, l'immeuble de l'*Examiner* vacilla et fit tomber à pleine face le personnel rentré au petit matin.

L'immeuble s'inclina vers la rue avant de revenir sur son axe, comme si une déité descendue du ciel le tirait à hue et à dia, tel un jouet. Quand l'immeuble revint sur son axe et que le personnel entendit un grondement terrifiant, il comprit qu'il s'agissait du dieu de la terre.

Et celui-ci était très en colère.

Au sommet de Russian Hill, Bailey Millard peignait la lumière de l'aube : la secousse détruisit son chevalet et projeta le peintre au sol. De son point de vue du plus haut sommet des alentours, Bailey vit les murs de briques des grandes maisons de Nob Hill vaciller puis s'effondrer en piles de gravats. Stupéfait, il vit la ville entière vaciller, onduler et apparemment se déplacer vers l'océan.

Crac ! Pareil au claquement d'un fouet, le bruit résonna encore et encore chaque fois, une cheminée tomba, une tourelle se brisa et les maisons furent éventrées, sens dessus dessous.

Incrédule, le peintre vit la vaste résidence à la mode de Peter Kendrick s'effondrer en un clin d'œil et se transformer en un tas de ruines.

Peter se retourna à temps pour voir Meredith se précipiter sur lui, prête à l'attaquer comme une vipère. Mais il se produisit alors une chose extrêmement bizarre. Un bruit étrange, semblable au claquement d'un fouet, déchira la maison en deux. Meredith ouvrit la bouche pour crier, mais Peter n'entendit qu'un grondement assourdissant qui étouffa même le son de sa voix.

— Peter !

Meredith tomba face contre terre. Elle rata sa cible de quelques centimètres, et ceux-ci devinrent des mètres quand la chambre à coucher s'ouvrit en deux. Alors qu'elle était emportée loin de lui, Meredith leva les yeux vers Peter. Il n'y avait pas de panique dans son regard, juste de la curiosité. Puis, le plafond s'effondra et l'écrasa.

Ses yeux se fermèrent.

— Pour l'amour du...

Peter leva les yeux juste à temps pour voir l'autre moitié du plafond s'écrouler sur lui. Il ne put s'empêcher de se rappeler les dernières paroles de Meredith : « Tu ne t'en tireras pas comme ça ». On dirait bien que non.

* * * *

Michael était en train d'embrasser Barbara quand un grondement rappelant la collision de deux montagnes remplit la maison.

— C'est un tremblement de terre !

Le jeune homme sauta sur ses pieds et attrapa la main de Barbara. Il la tira hors du lit juste au moment où le plafonnier en albâtre s'écrasa au milieu, là où ils étaient étendus l'instant d'avant.

Barbara hurla :

— Mon Dieu ! Nous avons failli nous faire tuer !

— Tiens !

Il lui lança la jupe et le chemisier qu'elle portait la veille, et enfila prestement son pantalon.

Barbara ne savait pas par où commencer.

— Michael?

— Prends tes notes. J'attrape les miennes. Ensuite, sortons d'ici. Tu t'habilleras dans la rue, une fois que nous serons en sûreté!

Elle hocha la tête et se précipita dans le salon où elle rassembla les documents de Jefferson ainsi que les notes qu'elle avait prises pour son enquête sur l'hôtel de ville. Elle courait déjà vers la porte lorsqu'elle se souvint de Chen.

— Il faut que j'avertisse Chen, cria-t-elle à Michael.

— Fais vite!

Elle se précipita dans l'escalier de service menant à la chambre de Chen. Le lit était vide.

— Chen! Chen!

Elle rebroussa chemin et courut jusqu'à la petite pièce qui servait de salon à son amie. Elle vit les livres de Chen, son papier à écrire, son encre et ses fusains. Mais aucune trace de la jeune femme.

— Barbara! Pour l'amour de Dieu, qu'est-ce que tu fais? Il faut que nous sortions d'ici. Le toit vient de s'effondrer!

Michael lui tendit la main.

Barbara s'élança hors de la maison, à demi vêtue. Une fois dans la rue, elle enfila sa jupe et finit de boutonner son chemisier. Tandis que Michael l'aida à se vêtir, ils jetèrent un œil autour.

— Dieu du ciel! siffla Michael.

La rue était fissurée et les voies de tramway enlacées se dressèrent vers le ciel, comme du sucre filé cristallisé. Surgissant des maisons éventrées, des arbres donnèrent l'impression d'y pousser depuis toujours. D'autres résidences avaient été aplaties : leurs occupants eurent moins de chance que Michael et Barbara. Les gens couraient dans tous les sens en criant, les bras chargés de photographies, de souvenirs ordinaires et de biens précieux. Les chiens jappaient en entendant le son étrangement plaintif du séisme. Les enfants braillaient, et les femmes pleuraient. Et pourtant, il planait un silence inquiétant. C'est qu'on n'entendait pas d'oiseaux chanter, ni d'insectes ramper ni de sabots de chevaux, ou la rumeur des commerçants qui ouvraient pour la journée. Le bruit qu'on entendait était celui de la fin du monde.

Barbara tourna des yeux terrifiés vers Michael.

— Jefferson!

— Viens! lança Michael en la prenant par la main.

Ils remontèrent la rue en direction de Nob Hill.

— Il faut qu'il soit vivant.

Barbara n'arrêta pas de marmonner ces mots comme une litanie à mesure qu'ils se frayaient un chemin au travers des décombres, des trottoirs gauchis, des poteaux de téléphone tombés et des lampadaires brisés.

— Il faut absolument qu'il soit vivant.

Michael la mit en garde :

— Ne pense pas comme ça.

— Attention! cria Barbara qui leva les yeux à temps pour voir tomber un poteau de téléphone.

— Cours!

Le poteau s'écrasa sur le sol et les rata de peu.

— Michael, il faut que nous nous hâtions. Chaque seconde compte!

Pressée par le temps, Barbara s'élança par-dessus une large fissure ouverte dans la rue. Le schiste et la pierre s'égrenèrent sous ses pieds.

Elle hurla.

— Prends ma main! cria Michael, qui tendit le bras pour l'attraper.

Au moment où le sol s'enfonça et s'ouvrit en un gouffre béant, il la souleva et la ramena vers lui.

— Nous n'y arriverons jamais, gémit la jeune femme.

L'adrénaline la fouetta de part en part.

— Nous y arriverons, grogna Michael. Viens.

«Jefferson savait que cela allait se produire. Il savait qu'il y aurait un séisme. Voilà pourquoi il avait peur que Dieu l'emporte bientôt. Mais comment était-il au courant? Par Rachel? Yuala?

Et s'il était au courant pour le séisme, pourquoi avait-il peur d'un meurtrier?»

En un éclair, Barbara comprit tout.

Tous ses nerfs s'enflammèrent... avant de se frigorifier.

— Michael, je sais ce que Jefferson voulait dire. Nan-Yung va le faire assassiner aujourd'hui.

— C'est ce que j'avais compris, répondit Michael en lançant une branche d'arbre cassée loin d'eux.

Barbara évita un fragment de toiture métallique en plein vol. Il s'écrasa sur la chaussée déformée et continua de tourner comme une toupie.

Une cacophonie de pleurs d'enfants et de cris de mères remplit l'air matinal. Les gens se précipitèrent dans les rues et coururent dans toutes les directions pour sauver leur vie.

Certains coururent vers l'océan. D'autres allèrent de maison en maison à la recherche de leurs voisins et de leurs amis. De vingt, ils furent bientôt cent. Puis deux cents.

Ils semblèrent tous descendre de Nob Hill en courant, tandis que Michael et Barbara cherchèrent à remonter la côte.

Une femme hystérique fonça sur Barbara et l'empoigna.

— L'avez-vous vu? L'avez-vous vu?

— Qui? Votre mari? demanda Barbara.

— Non! répondit la femme. Avez-vous vu le Seigneur?

— C'est un séisme. Ce n'est pas la fin du monde.

Barbara essaya de la raisonner et de la rassurer, mais la pauvre était inconsolable.

Michael s'empara de la main de la jeune femme.

— Jefferson, lui rappela-t-il.

— Oh, Michael. Tous ces gens. Ils ont besoin d'aide.

— Et nous les aiderons. Mais plus tard.

Les yeux de Barbara se remplirent de larmes, et elle pleura sur le monde.

Une cheminée s'écroula sur leur droite : les briques tombèrent et explosèrent comme des bombes en touchant le sol. Projetés dans toutes les directions, des fragments de mortier égratignèrent les bras et le cou de Barbara.

— Couvre ton visage de tes mains! cria Michael.

Il l'entraîna et lui fit contourner les décombres.

Barbara ne songea pas au danger qui la guettait. Jefferson occupa toutes ses pensées.

«Et si j'arrive trop tard?

Qui le sauvera?

Dieu, Vous l'avez laissé vivre jusqu'à aujourd'hui, laissez-le vivre encore un peu. Laissez-moi le temps de lui dire que je l'aime. Que je l'aimerai toujours. Laissez-moi la chance de lui dire que je n'ai pas honte d'être de son sang.»

Quarante-trois

« Enfin, je l'ai achevé cet ouvrage que ne pourront détruire ni la colère de Jupiter, ni les flammes, ni le fer, ni la rouille des âges ! »

— OVIDE,
LES MÉTAMORPHOSES, LIVRE XV, LIGNE 871-872

18 avril 1906 — 5 h 12 à 5 h 30

Bailey Millard avait une vision panoramique de la ligne d'horizon de San Francisco qui dansait un inquiétant ballet. Celui-ci s'accompagna d'une cacophonie insensée de cloches d'église et prêta à la scène une atmosphère maléfique. Bailey Millard se disait qu'à n'en point douter, le diable était arrivé en ville.

La zone au sud de Market ondula en vagues qui s'élevaient de soixante centimètres à plus d'un mètre de hauteur. Elles agitèrent le sol comme un monstrueux serpent de mer explosant hors de sa matrice souterraine. Les fondations tremblèrent, les immeubles vacillèrent et des milliers de murs de briques s'écroulèrent, comme si un aspirateur superpuissant avait aspiré tout leur mortier. Ce qui était autrefois une maison, un magasin, un entrepôt n'était bientôt plus que gravats.

Dans cette chorégraphie, l'hôtel de ville tenait le rôle de première danseuse. En quelques secondes, l'immeuble perdit l'équivalent de plusieurs millions de dollars en sculptures de pierre et en briquetage soigneusement élaboré. Néanmoins, la structure tint bon elle se dressait dans le ciel matinal comme une gigantesque cage à oiseaux.

Soudain, le sol cessa de trembler.

Bailey compta jusqu'à dix. Puis il se mit à quatre pattes en se demandant si ses jambes paniquées allaient le soutenir. Il se redressa.

Mauvaise idée.

La deuxième secousse commença par un son encore plus étrange que le gémissement sourd de la précédente. Le bruit rappela celui des clous arrachés du couvercle d'une caisse et signala l'effondrement de milliers de toits, aux quatre coins de la ville. Les chevrons de toits s'écartèrent et firent exploser les murs des immeubles qui s'écrasèrent dans un bruit de tonnerre.

On aurait cru que dans la fosse d'orchestre de l'Enfer, les violonistes rivalisaient de dissonances.

À mesure que les cheminées des maisons s'écroulèrent sur les occupants endormis, les cris d'agonie, de souffrance et de mort se mêlèrent à la cadence des cloches d'église qui sonnaient sans relâche.

Partout, le plâtre se défit et forma de gigantesques colonnes et des nuages de poussière. On aurait cru que l'ange vengeur de la mort venait de surgir de son royaume souterrain.

Et tandis que Bailey voyait les gens tenter de s'échapper de leurs maisons qui s'écroulaient, les chevaux écrasés par les murs de briques qui s'effondraient, et les carrioles et les calèches renversées par la vague ondulante de la secousse, le plus grand de tous les fléaux arriva.

À n'en pas douter, on assistait au Jugement dernier.

Le Seigneur des flammes de l'Enfer apparut.

Dix-sept minutes après la secousse, alors que pas une seule sonnette d'alarme n'avait retenti, on rapporta plus de cinquante incendies au centre-ville seulement. Logé dans un immeuble du quartier chinois, le poste central du service d'incendie fut annihilé.

La première secousse avait renversé cinq cent cinquante-six des six cents piles liquides indispensables au fonctionnement du système.

Dennis Sullivan, le chef des pompiers, n'avait pas dormi de la nuit à cause d'un cauchemar : il avait rêvé que la ville brûlait. Lorsque la première secousse le réveilla, il était assis dans le grand salon du logement qu'il occupait avec sa femme, au-dessus du poste d'incendie de la rue Bush. Sa première pensée fut de sauver sa femme qui dormait dans la chambre à coucher de derrière.

Or, la grande tour ornementale du California, l'hôtel voisin, s'effondra sur le toit de la caserne, ouvrant la chambre à coucher en deux et en emportant la moitié. Dennis tomba dans la faille avec une avalanche de briques et atterrit trois étages plus bas, sur un chariot à incendie. Il se fractura le crâne, les côtes, les jambes et les bras.

Les pompiers le secoururent et le retirèrent des décombres. Ils l'installèrent avec soin dans une charrette et filèrent à toute allure jusqu'à l'hôpital Southern Pacific, à travers les rues qui ressemblaient à une zone de guerre.

Dennis Sullivan fut le vingt-septième patient admis d'urgence à l'hôpital depuis la première secousse. L'infirmière nota l'heure exacte de son admission : 5 h 30.

Eleanor Mansfield courut se réfugier sous le chambranle de la porte d'entrée. Elle tenait toujours le vase en porcelaine de Sèvres. En traversant le vestibule, elle réussit à attraper au passage son samovar en argent. Mais elle n'avait que deux mains. Elle ne put emporter le reste du service.

« Combien de fois Lawrence m'a-t-il répétées qu'un ensemble incomplet ne vaut rien à l'encan ? Oh, que vais-je faire ? »

— Mes biens ! Mes biens !

Refusant de quitter ses précieux biens et sa maison, Eleanor s'accrocha fermement au chambranle et, choquée, assista à l'effondrement du toit : il écrasa ses canapés houssés de soie, ses chaises de salle de séjour de style Chippendale, ses armoires françaises, ses chandeliers en cristal de Waterford, ses quatre services en porcelaine de Limoges et toutes les autres antiquités sans prix que Lawrence avait passé sa vie à accumuler. Les murs tombèrent l'un sur l'autre comme un jeu de cartes. Le bruit qui accompagna cette destruction était tel qu'Eleanor sut qu'elle ne l'oublierait jamais. Elle ne voulait pas l'oublier.

— Mon Dieu, qu'est-ce que j'ai fait pour mériter ça ?

« Mon assurance ne pourra jamais remplacer le miroir de coiffeuse ayant appartenu à Marie-Antoinette. Il était authentique ! »

— Comment puis-je remplacer les bols chinois que Lawrence m'a offerts pour notre cinquième anniversaire de mariage ?

Un nouveau fracas déchira l'air.

— Ma collection d'oiseaux en cristal! Lawrence les aimait tant, pleurnicha-t-elle.

Ses yeux se remplirent de larmes.

Le mur nord s'effondra.

Eleanor sentit la vie se retirer de son corps. Ses genoux se dérobèrent sous elle, et elle s'affaissa sans force contre le chambranle. Elle gémit :

— Mes oiseaux. Mes précieux oiseaux. Oh! Lawrence, c'est tout ce qui me reste du temps où tu m'aimais. Au début...

L'esprit d'Eleanor remonta le temps. Elle était dans la salle de bal. Lawrence venait de s'approcher d'elle.

Elle l'avait désiré toute sa vie.

Elle le désirait toujours.

C'était la première fois qu'Eleanor comprenait que son besoin d'amasser des biens matériels allait plus loin que le simple fait de les acheter et d'en jouir. Pour elle, chaque objet était une preuve tangible de l'affection que Lawrence avait eue pour elle.

— Je suis désolée, Lawrence. Je suis désolée. Elle leva les yeux au ciel. Je ne t'ai jamais donné l'amour que tu méritais. Je le comprends, aujourd'hui.

Eleanor prit conscience que c'était la société et son éducation qui lui avaient fait croire que les hommes étaient au-dessus des sentiments amoureux et du besoin d'être aimés.

Elle baissa tristement les yeux sur le Sèvres.

— Et pourtant, à ma façon, je t'aimais, mon chéri. Je voudrais tant que tu sois toujours vivant.

Soudain, elle eut une vision du visage de Barbara. Eleanor se sentit sombrer en enfer quand elle repensa à toutes les opportunités qu'elle n'avait pas saisies de témoigner de la bienveillance et de l'amour à sa fille unique.

— Tout ce que j'aurais pu faire. Toutes ces nuits où j'aurais pu la serrer dans mes bras.

Elle avait le corps couvert de chair de poule.

Elle enfouit son visage entre ses mains : elle comprit que le séisme était l'outil de la vengeance. Il lui fit comprendre qu'elle avait été une mère lamentable et que Lawrence ne lui reviendrait jamais.

«Comment pourrai-je jamais me racheter aux yeux de Barbara?

Comment vais-je survivre à la perte de Lawrence ?

Ne pourrai-je jamais me regarder de nouveau en face ? »

Un nuage de poussière monumental enveloppa la maison on aurait dit le brouillard qui venait de la baie, les jours d'hiver. Il obscurcit la vision d'Eleanor et, miséricordieusement, l'empêcha de constater la dévastation. Elle était heureuse de ce répit momentané.

* * * *

Un mur de fumée s'éleva de Union Square, bloquant le passage entre l'immeuble de l'*Examiner* et le bureau du service des postes, et du télégraphe, non loin de l'angle de Market et de Montgomery. Les flammes rugirent comme des dragons cracheurs de flammes médiévaux.

Mais aucun saint Georges n'était présent pour les occire.

L'incendie étendit ses bras sinueux d'un immeuble à l'autre et les enlaça l'un après l'autre comme un amant. Couvrant les murs de baisers gourmands, les flammes dévorèrent les charpentes en bois. Puis, elles exhalèrent la chaleur torride de leur souffle et firent fondre le verre. La passion du brasier s'enfla à un rythme monstrueux. Amant insatiable, il était déterminé à nourrir son désir en dévorant tous les immeubles de la ville. Son grondement se mua en ricanement devant les efforts futiles des chaînes humaines qui se formèrent pour le combattre. Elles n'étaient pas de taille devant la voracité du brasier. Il voudra bientôt satisfaire son plus ardent désir, sa fièvre de chair humaine.

Jefferson Duke se redressa dans son lit en même temps que cessèrent les secousses. Comme il avait dépensé deux fois plus d'argent que tout le monde pour les fondations, les piliers et les murs de sa résidence, le séisme ne dévasta pas sa forteresse comme il le fit aux alentours.

Seules de minuscules fissures se formèrent dans le plâtre du plafond de la chambre à coucher, un réseau ténu de craquelures qui s'étendit lentement. Jefferson leva la tête et regarda le chandelier suspendu au-dessus de lui, qui finit d'osciller.

Le fracas des maisons qui s'écroulèrent autour noya les autres bruits dans la maison.

En haut de l'escalier, Lee Tong s'arrêta un moment sur le palier pour essayer de déterminer, parmi les portes ornées de sculptures précieuses, laquelle s'ouvrait sur la chambre principale où il pourrait trouver sa proie.

Des gouttes de sueur avaient perlé sur le front de l'assassin pendant le séisme. Il n'arriva pas à chasser de son esprit les prédictions funestes de Chen.

« Chen avait-elle raison ? Je pensais qu'elle cherchait à gagner du temps. En espérant ne pas être torturée. Et si elle avait le "don" de Yin, après tout ? »

Il déglutit péniblement et chercha à rassembler son courage.

Lee Tong avait toujours eu peur de Yin et de ce qu'elle voyait. Il lui était arrivé de penser que les personnes — oui, même les femmes — qui conjuraient des visions étaient des mages dont l'esprit était assez puissant pour créer l'avenir avec leurs pensées. Le colosse était un homme puissant sur le plan physique. Ses talents tenaient au jeu et à la taille de ses muscles, à ses mains larges comme des battoirs et à la puissance de ses bras et de son dos. Il ne connaissait guère le fonctionnement de l'esprit, et son ignorance en la matière le remplit de frayeur.

Toutes ces années, Nan-Yung lui avait répété qu'il serait l'outil de la vengeance grâce auquel il pourrait apaiser l'âme de son père. Lee Tong croyait que le sommet de son existence serait atteint le jour où il enfoncerait enfin sa dague sertie de joyaux dans le cœur de Jefferson Duke.

Son geste redresserait une injustice qui avait accablé des générations. L'honneur de la maison des Su serait restauré. Même si l'empereur de Chine n'apprenait jamais la bravoure de Lee Tong, les dieux, eux, le sauraient.

Les légendes entourant Jefferson Duke et son pouvoir avaient créé un ennemi monstrueux dans l'esprit de l'assassin. Jefferson Duke représentait tout ce que Lee Tong méprisait dans le monde de l'homme blanc. Le colosse était un être de violence il se servait du meurtre pour compenser le peu d'avantages que le destin lui avait consentis à la naissance. Lee Tong désirait ardemment le même genre de richesses et de pouvoir que détenait Nan-Yung. Une fois qu'il aurait assassiné Jefferson Duke, la dette de son maître envers lui serait impossible à combler. Lee Tong croyait que Nan-Yung le récompenserait en lui léguant son empire, le jour où il passera dans l'autre monde.

Tout en descendant le corridor de l'étage à pas de loup et en s'approchant de la plus grande des portes, Lee Tong prêta l'oreille au fracas que faisaient les maisons qui s'effondraient sur elles-mêmes. Il glissa la main sous sa tunique et dégaina sa dague en or dont la poignée de jade était une sculpture en forme de serpent. Il pressa du pouce les deux rubis sertis dans les yeux du reptile.

Dehors, quatre foyers d'incendie indépendants naquirent au cœur des décombres où les cendres des foyers et des fournaises crachaient des étincelles sur les poutres et les bardeaux bien secs. Pareilles à des fées étincelantes, les étincelles sautèrent d'une poutre à l'autre et répandirent sur leur passage leur poudre de fée brillante. À l'origine innocentes, elles finirent par atteindre des hauteurs phénoménales à mesure qu'augmenta leur appétit : elles dévorèrent rideaux, meubles, lambris et anciens manteaux de cheminée en bois, très vieux et très secs. Les flammes tourbillonnèrent ensemble, tournèrent et virevoltèrent comme des amants en train de s'accoupler, et au moment où leur chaleur atteignit son paroxysme dans une finale explosive, elles sautèrent sur le toit de la maison Duke.

— La maison tiendra, dit Jefferson à voix haute, comme s'il ordonnait aux murs de ne pas tomber.

« Mais le toit ? »

Il était solide, mais il ne pourrait pas arrêter la main de Dieu.

Soudain, la porte de la chambre à coucher s'entrouvrit. Lee Tong se profila dans les ombres matinales. Les traits orientaux de l'assassin prirent une allure démoniaque tandis qu'il s'approchait de Jefferson.

— C'est toi ?

Lee Tong ne répondit pas.

— Qu'il en soit ainsi, murmura Jefferson, comme pour lui-même.

Durant des semaines, il avait cru que mourir de la main de Dieu signifierait qu'il avait déplu à son Créateur.

Mais, il comprit dans un éclair. Il leva les yeux et constata que le plâtre s'émiettait et que le feu s'immisçait dans les fissures et léchait la surface du plafond.

« Dieu n'est pas en colère contre moi. Il ne l'a jamais été.

Il m'a toujours aimé. Exactement comme tu l'as dit, mère. Il m'a toujours souri. »

Dieu lui avait donné l'amour de Caroline, et il avait duré toute sa vie. Dieu lui avait donné Lawrence et Barbara.

C'est l'homme qui l'avait volé. L'homme qui édicta les règles qui avaient dupé Caroline en lui faisant croire qu'elles étaient plus importantes que son amour.

— Tu m'as pris Lawrence, dit Jefferson à son assassin.

Silence.

— Et maintenant, tu veux me tuer.

Craaaac!

Jefferson leva les yeux et vit qu'une grande partie du plafond s'apprêtait à tomber.

Un éclat de lumière fugitif se refléta sur la lame de la dague chinoise.

Jefferson reporta les yeux sur le portrait de Caroline.

— Mon amour. Je suis avec toi, murmura-t-il.

Il voulait que son visage fût la dernière chose qu'il vit en mourant.

Le plafond s'effondra.

Écrasé, Jefferson mourut sur le coup.

Lee Tong eut un mouvement de recul. Estomaqué, il comprit qu'il n'avait pas vengé la maison des Su.

— C'est impossible! Cela ne se peut pas!

D'autres parties du plafond s'effondrèrent à leur tour dans la chambre. Des langues de feu tombèrent à leur suite.

Lee Tong perdit l'esprit.

Cet assassinat était le geste par lequel il établirait son règne sur terre et son immortalité dans l'Au-delà.

«J'ai été volé! Aux yeux des dieux, je suis le dindon de la farce!»

Il se rua sur le lit et se mit à déblayer frénétiquement le plâtre. Il leva sa dague à deux mains et de toute la puissance de ses muscles, plongea la lame dans le cœur de Jefferson.

— Je vais quand même gagner cette bataille!

Il recula d'un pas et se mit à rire aux éclats.

— Personne ne me volera mon jour de gloire. Pas même le destin!

Agile et brûlant, le feu coula, liquide, du plafond sur le tapis, mais aussi sur le chapeau, la tunique et le pantalon en soie noire de Lee Tong.

La natte de l'assassin se mit à fumer, puis s'enflamma. Comme elle était épaisse, sa peau commença par grésiller avant de brûler.

Comme il avait toujours eu l'esprit faible, Lee Tong ne comprit pas que son corps robuste était maintenant aux prises avec l'incendie. Il s'esclaffa et dansa dans la pièce en agitant les bras comme s'il voulait enlacer les flammes.

Il sortit en trombe de la chambre à coucher et descendit le corridor en courant, fournissant ainsi aux flammes affamées l'oxygène dont elles avaient besoin pour vivre.

L'assassin dévala l'escalier et fit irruption hors de la maison, mais il fut arrêté par le mur de fumée provenant des maisons qui flambaient autour de la propriété de Duke. Quand il tomba dans la rue comme un énorme tison, Lee Tong était devenu une torche humaine.

* * * *

L'opérateur principal du bureau du service des postes et du télégraphe était toujours à son poste, même si les flammes léchaient les murs des immeubles avoisinants. L'homme tapa frénétiquement ce qu'il croyait être son dernier message au monde extérieur. Il envoya le télégramme suivant à New York :

« *Il y a eu séisme à 5 h 15, plusieurs immeubles détruits ainsi que nos bureaux. On sort les morts des édifices effondrés. La ville est en flammes. Il n'y a pas d'eau, et nous n'avons plus d'électricité. Je vais sortir du bureau, car il y a de petites secousses à tout bout de champ et pour moi, c'est une question de vie ou de mort.* »

À New York, l'opérateur prit ce premier message. Moins de trente secondes plus tard, il en reçut un second.

« *Nous sommes à pied d'œuvre et nous allons essayer de nous accrocher.* »

L'opérateur nota l'heure : il était six heures.

Se tenant par la main, Michael et Barbara s'efforcèrent d'éviter les briques qui tombaient et la pluie de plâtre. Des nuées de poussière se mêlèrent aux nuages de fumée noire de plus en plus nombreux. Les deux jeunes gens coururent au cœur des nuages en ayant le sentiment d'être des fantômes qui traversaient des murs sans savoir ce qu'ils découvriraient de l'autre côté.

Barbara songea que le bruit des murs qui s'écroulaient ressemblait au fracas des sabres et des canons, qui accompagnait le combat des forces du bien et du mal. Des poutres tombèrent devant eux, les ratant de justesse.

— N'y a-t-il aucun endroit sûr, Michael ?

Elle jeta un coup d'œil au passage à l'intérieur des maisons dont les fondations avaient été emportées. Les rues bougèrent et tremblèrent encore, et les ruelles étaient jonchées d'arbres arrachés.

Ils traversèrent l'enfer.

Mais ils n'avaient d'autre choix que de continuer.

Michael n'avait jamais vécu une telle expérience, et pourtant, il s'était retrouvé dans des zones de guerre, il avait essuyé les feux de tireurs embusqués et il avait été entouré et menacé par un gang chinois qui l'avait pris pour cible, à Pékin. Quand son adversaire était un homme, il savait qu'il pouvait toujours se montrer plus malin que lui. Mais les forces de la nature ignoraient la logique. La nature ne raisonnait pas. Elle était aimante comme une brise d'été, ou bien elle était furieuse.

Tous les sens du jeune homme étaient en alerte.

Il fit taire son mental et laissa libre cours à ses instincts. Il sentit le feu avant de le voir. Il entendit le bois craquer avant de voir la poutre s'effondrer. Il perçut la secousse qui s'en venait au travers des muscles de ses jambes. Le courant passa à fond dans ses nerfs qui étaient prêts à l'action immédiate, comme la détente sensible d'un revolver. Il fallait qu'il sente quand bifurquer à gauche pour éviter une chute de gravats, et quand se faufiler à droite pour ne pas tomber dans un cratère qui venait de se former.

Sur Nob Hill, c'était la pagaille. Les flammes se répandirent de chaque côté de la rue comme les torches des jongleurs de cirque.

Barbara s'écria :

— Oh, mon Dieu ! Michael ! Nous arrivons trop tard.

— N'y pense pas. Continue d'avancer, lui conseilla-t-il après l'avoir serrée un instant contre lui.

Il savait bien que rien ne la calmerait avant d'avoir trouvé son grand-père.

Lorsqu'ils parvinrent enfin à la maison de Jefferson, les résidences voisines étaient des brasiers qui irradiaient une chaleur stupéfiante. De l'autre côté de la rue, une maison explosa et des fragments de verre furent projetés en tout sens, comme une nuée de rasoirs volants.

Barbara se couvrit le visage de ses mains, baissa la tête et continua jusqu'à la porte d'entrée.

Dans la rue devant la maison, Michael aperçut le cadavre d'un homme complètement calciné. Il avait déjà vu un corps calciné en Inde, une femme qui s'était jetée sur le bûcher funéraire de son mari.

Il était soulagé que Barbara ne l'ait pas vu, mais l'état du cadavre l'inquiéta beaucoup. Il se demanda ce qu'elle trouverait à l'intérieur.

Il s'élança derrière elle.

— Laisse-moi entrer en premier.

Dans la bibliothèque près de la porte d'entrée, Michael aperçut un grand secrétaire placé contre un mur. Pénétrant dans la pièce, il ouvrit le secrétaire.

— Qu'est-ce que tu fais ?

— Donne-moi tes notes. Et les papiers de Jefferson, répondit-il en retirant l'un des deux tiroirs. C'est ce que je pensais, il y a un double fond. Et voici la clé du secrétaire.

Il rangea rapidement les documents dans les tiroirs.

— Je les mets en sûreté. La nature humaine étant ce qu'elle est, dans une crise comme celle-ci, il ne faudra pas longtemps avant que les pilleurs n'arrivent.

— Les pilleurs ? Je n'y avais pas pensé.

Michael ferma le secrétaire à clé et empocha la clé.

— Allons-y.

Barbara s'élança dans l'escalier. La maison sembla presque intacte et étrangement calme.

— Grand-père ! cria-t-elle.

Elle se rendit compte qu'elle avait à peine respiré depuis qu'elle était entrée dans la maison. Les larmes lui montèrent aux yeux.

— Grand-papa !

«Je ne l'entends pas.»

Son cœur se pétrifia.

La crainte s'insinua dans ses os.

— Grand-père! Où es-tu? Est-ce que ça va?

Percevant soudain une odeur de fumée et de feu, Barbara succomba à la panique. Elle franchit les dernières marches d'un bond.

— Grand-père! Grand-père!

Elle courut le long du corridor et ne remarqua pas sur le tapis les morceaux de satin noir brûlé, ni les restes d'une natte chinoise.

Elle fonça dans la chambre à coucher.

— Grand-père!

Elle s'immobilisa.

— Oh, mon Dieu! Grand-père!

Dans la chambre, le feu s'était éteint de lui-même. Il ne restait rien des fées de lumière dansantes, sauf quelques mouchetures calcinées sur le tapis bleu nuit. Une fine couche de poussière de plâtre farinait le dessus des meubles.

Le seul signe de dommage était le grand trou au plafond au-dessus du lit de Jefferson et le sol près de son lit.

Jefferson était couché sur le dos, une grosse dague au manche doré plongée dans la poitrine.

Michael arriva en courant dans la chambre. Il attrapa Barbara d'un geste protecteur et l'entoura de ses bras.

— Ne regarde pas.

Elle ferma les yeux. Elle pensait pouvoir lutter contre ses larmes, mais elles étaient trop fortes, trop persistantes, trop déterminées.

— Je t'en prie, je dois le voir.

— Il est mort, Barbara. Ne te torture pas.

Elle avait les yeux pleins de larmes.

— Mais c'est mon grand-père. Mon ami.

— Je sais.

Michael garda son bras autour de Barbara, et ils s'approchèrent ensemble du corps de Jefferson. Elle glissa son bras autour de la taille de Michael et le serra contre elle avant de le relâcher, et de s'agenouiller près du lit.

Elle avait l'impression que son cœur allait exploser.

— Comme tu vas me manquer!

Elle lui toucha la main. Elle était encore chaude.

— Tu étais toujours chaleureux. Son cœur était chaleureux, dit-elle, un spasme brûlant dans la gorge. Je t'aime, Jefferson.

Michael lui caressa les épaules.

— Il le sait, ma chérie. Il sent ton amour. Exactement comme moi.

Elle posa sa main sur celle de Michael et renifla.

— Je l'espère.

Elle n'arriva pas à détacher ses yeux de la dague.

— Ce n'est pas juste. On l'a tué, et ce n'était pas son heure. Il aurait pu vivre au moins un jour de plus. Une heure de plus. C'était tout ce dont j'avais besoin. Une heure de plus.

Michael s'agenouilla à côté d'elle.

La jeune femme pencha la tête sur le bras de Jefferson.

— Oh, grand-papa! Pourquoi ne me l'as-tu pas dit plus tôt?

Elle releva son visage mouillé de larmes et laissa Michael la serrer dans ses bras. Il lui caressa le dos et lui murmura des paroles de réconfort à l'oreille. Lissant sa chevelure emmêlée, il dégagea sa joue.

— Ne pleure pas, ma chérie, je t'en prie.

— Tu ne comprends pas, Michael.

— Je pense que je comprends plusieurs choses. Tu as perdu ton meilleur ami. C'est la plus grande perte de toutes. Mais j'ai le sentiment que Jefferson te poserait une question s'il était ici.

— Laquelle?

— Si tu avais su la vérité avant, aurais-tu pu l'aimer davantage? Différemment? Votre relation n'était-elle pas aussi spéciale que vous la faisiez tous les deux?

Barbara hocha la tête.

— C'est vrai que notre amitié était spéciale, n'est-ce pas?

— Oui, ma chérie. C'est vrai.

— Entre nous, il y avait...

— De la magie, Barbara. Ce genre d'amour est unique. Rien ni personne ne pourra jamais te l'enlever.

Elle sentit les bras de Michael lui donner de la force. Il avait raison. L'amour était une force, son pouvoir reposait sur le fait que c'était à nous de le garder et à nous de le donner.

Quarante-quatre

« Cela prit fin...
Son corps se changea en lumière,
Une étoile brille pour toujours dans le ciel[48]. »

— L'ENVOL DE QUETZALCOATL (AZTÈQUE)

Michael baissa les yeux sur le visage de Jefferson et constata qu'il était couvert d'ecchymoses.

— Barbara, je ne pense pas que Jefferson soit mort du coup de poignard.

— Quoi?

— Non.

Michael se remit debout et étudia le plâtre autour d'eux. Puis, il leva la tête vers le plafond. Il baissa ensuite les yeux sur le corps de Jefferson et observa l'angle bizarre de sa tête sur l'oreiller.

— Je crois qu'il était déjà mort quand l'assassin est entré.

Il remarqua les traces noires là où le feu avait brûlé le plafond et fait cloquer la peinture avant de s'éteindre. Il observa le tapis calciné par endroits. Reculant de quelques pas, il vit des morceaux de satin noir brûlé sur le sol. La dague chinoise très décorée lui indiqua que le meurtrier était oriental. Cependant, si son hypothèse était bonne, il ne s'en était pas tiré. D'une façon ou d'une autre, il y avait eu assez de flammes dans la pièce pour mettre le feu aux vêtements de l'assassin.

« Le tison humain dans la rue est le meurtrier. »

Michael se tourna vers Barbara qui lui agrippa le bras :

---

48. N.d.T.: Traduction libre.

— Michael, c'est l'un des hommes de main des Su qui a fait cela.

— Je pense la même chose.

— Je viens de penser à autre chose. Tu te souviens de notre rencontre à Washington ? J'étais en compagnie de Jefferson. Les Su nous ont probablement suivis jusque là-bas. Ce sera donc l'un d'eux qui aura intercepté nos messages et délibérément omis de les livrer. Ils planifiaient déjà d'assassiner Jefferson.

— Tu pourrais bien avoir raison. Mais j'étais là, à l'époque. J'aurais représenté une menace.

— Et comment auraient-ils pu manipuler les événements pour te faire assigner en Chine ?

— Ils ne l'ont peut-être pas fait. Mais peut-être que si.

— Mon Dieu, c'est terrifiant de penser que leur pouvoir leur permettrait d'atteindre la Maison-Blanche.

Il secoua la tête.

— Ils n'auraient pas nécessairement été obligés de se rendre aussi loin. Juste assez pour écrire une lettre à mon supérieur. Mais c'est possible. Néanmoins, mon travail là-bas était important.

— Tu crois que c'est juste une coïncidence ?

— Non, ce que je dis, c'est que mon destin est aussi d'arrêter le mal, comme toi. Où que nous le débusquions. Nos destins sont liés, Barbara. Je le sais. Je crois les histoires de Jefferson au sujet des visites que lui faisaient ses ancêtres. Je crois qu'ils nous aident. Nous ne comprenons pas les raisons derrière le rythme qu'ils choisissent pour certains événements, mais ils sont là.

— Ils nous observent ?

— Ils nous guident, ajouta-t-il, en lui caressant la joue. Tout comme Jefferson nous observe et nous guide probablement, en ce moment.

Barbara frissonna.

— Tu as tout à fait raison. C'est drôle, mais le simple fait de parler de lui le garde vivant à mes yeux. Songe combien ce serait merveilleux si je pouvais le revoir.

— Alors, c'est ce que nous allons souhaiter.

Barbara regarda le corps de Jefferson.

— Je vais fermer la maison à clé pour la protéger des...

Ses yeux revinrent à Michael. Elle s'écria d'une voix chargée de peur :

— Chen ! Nous avons oublié Chen !

Elle saisit ses jupes à deux mains et s'élança vers la porte.

— Il faut nous hâter.

Michael la rejoignit en un éclair. Il l'agrippa par le bras et la retint :

— Es-tu folle ? Et si Chen faisait partie du complot des Su pour faire tomber les Duke ? S'ils savaient la vérité à propos de Jefferson et toi ? Tu serais en danger de mort. Je ne te laisserai pas y aller.

Elle hocha la tête, une main sur la poitrine de Michael.

— Non, Michael, Chen n'est pas comme cela. Elle est comme une sœur pour moi. C'est mon amie. Mon cœur me le dit. Si je ne peux pas suivre mon cœur dans cette vie, pourquoi suis-je ici ?

— Barbara...

— Tu ne vois pas ? protesta-t-elle. Jefferson a suivi son cœur pour bâtir cette ville, mais quand il s'en est abstenu, comme quand il n'a pas avoué ses origines à Caroline, il a perdu. Je dois y aller, ajouta-t-elle, le suppliant des yeux.

— Mais où iras-tu ?

— Je sais que ça pourra sembler insensé, mais je l'entends m'appeler. Ici, expliqua-t-elle, en se tapotant la tempe du doigt. Elle est nécessairement dans le quartier chinois. Elle m'a parlé de la prostitution et des trous de puits où on enferme et torture des gens. Elle voulait à tout prix retrouver sa grand-mère.

— Nous ne pouvons pas descendre là-dedans. As-tu une idée de la superficie du quartier chinois ? Ces souterrains...

— Passent juste sous la buanderie de son grand-père sur l'avenue Grant. Je sais où c'est ! J'y ai été une fois avec ma femme de chambre nous sommes allées chercher des vêtements. Je n'y ai pas fait attention à l'époque. Je prenais des notes pour un article et j'attendais dans la calèche. Mais j'y suis déjà allée, Michael.

— Barbara, c'est trop dangereux. La moitié de la ville est en flammes et l'autre moitié est en ruine. Quelqu'un a envoyé un assassin ici pour tuer Jefferson, et maintenant, tu veux partir en quête de Chen ?

— Je l'aime. Je t'aime aussi, toi. Je ramperais sur des tessons pour te retrouver.

— Ce serait probablement la partie la plus facile, maugréa-t-il. Je vois bien que la raison ne te fera pas changer d'avis. Si j'y vais, resteras-tu ici jusqu'à mon retour ?

— Nous sommes mieux d'y aller à deux. Nous pourrons couvrir le même terrain en moitié moins de temps.

— Je ne peux pas te laisser m'accompagner.

Barbara retraversa la chambre en direction de la porte.

— Ne me donne pas d'ordre, Michael. Je devrai simplement te mentir et partir de mon côté. Je déteste mentir.

Il grinça des dents. « Le pire, c'est que tu le ferais ». Il se rendit :

— D'accord, mais reste près de moi.

Elle sourit faiblement, puis regarda le corps de Jefferson. Michael comprit à quoi elle pensait.

— Dès que nous aurons retrouvé Chen, nous nous occuperons de Jefferson.

— D'accord, soupira-t-elle.

En quittant la maison avec lui, Barbara sortit la clé de la porte d'entrée de la cachette que Jefferson lui avait révélée avant la réception, plusieurs semaines auparavant, alors qu'elle travaillait avec les fleuristes et les traiteurs. Michael s'assura que toutes les portes et les fenêtres étaient verrouillées, à l'épreuve des intrus.

Ils prirent ensuite la direction du quartier chinois.

* * * *

14 h 20. Au bureau du service des postes et du télégraphe, l'opérateur principal envoya le message suivant :

> *La ville est pratiquement détruite par le feu. L'incendie n'est plus qu'à quelques immeubles du journal. Le* Call *a brûlé de fond en comble, l'*Examiner *vient de s'effondrer.*
>
> *L'incendie fait rage tout autour, dans toutes les directions et très loin dans le quartier résidentiel.*
>
> *La destruction due au séisme est terrible : le dôme de l'hôtel de ville est arraché et seule la charpente tient encore. L'église et le collège de Saint-Ignace ont été rasés. Le grand magasin n'existe plus, tout l'édifice a brûlé, ainsi que le vieil immeuble des crues. Beaucoup de nouveaux immeubles terminés depuis peu sont complètement détruits. On dynamite les édifices encore debout sur le chemin de l'incendie. Pas d'eau. C'est horrible. Aucun moyen de*

communication nulle part, tout le système téléphonique est grillé.
Je dois sortir d'ici ou je vais être dynamité.

Les jets d'eau de l'hôtel Palace arrosèrent l'immeuble durant six heures. À l'instar de la moitié de la ville, Abe Ruef observa la lutte que le Palace menait pour sa survie, symbole du refus des San Franciscains d'admettre la défaite.

L'imposant édifice A. Ruef avait craqué sous la force du séisme une équipe de dynamitage devrait en achever la destruction, plus tard dans la journée. Mais ce n'était rien comparé au choc qu'Abe avait eu plus tôt ce matin, quand l'un de ses informateurs était passé à la maison après le séisme, pour lui parler du groupe de travail mandaté par Rudolph Spreckels et le président Roosevelt, qui préparait un acte d'accusation pour corruption contre lui.

Les belles années de gloire de Ruef étaient terminées.

Bien des mécréants ont découvert Dieu une fois devant Satan : le maire Schmitz, lui, trouva son salut dans le séisme.

À midi, il invita un groupe intersectoriel, composé de cinquante des hommes d'affaires les plus influents de la ville, à former un comité chargé de l'administration civile de San Francisco. Tandis que la ville toujours secouée continuait de brûler, le maire s'assura que ni Ruef ni aucun des commissaires municipaux ne furent invités à la rencontre.

Il déclara au groupe réuni qu'il avait compris, dans le tonnerre du séisme, que «sa vie venait de recommencer réellement».

Toute la journée, il avait l'air en transe. Il garda les yeux tournés vers le drapeau qui flottait sur le Palace, tandis que l'hôtel combattait pour la gloire. Il persuada tout le monde que ses yeux avaient été dessillés et qu'il avait compris ses erreurs.

Abe Ruef se disait que Schmitz mentait pour sauver sa peau.

James Hopper, journaliste au *Call*, se mêla à la foule des réfugiés qui descendaient Market. Il se sentit comme les Juifs avaient dû se sentir en s'avançant entre les eaux de la mer Rouge. Des murs de flammes ronflaient de chaque côté de la rue, tandis que les hordes silencieuses descendaient de Mission Hill, en fuyant par la seule rue qui leur permettait d'atteindre la baie. Plus tard, James Hopper écrirait que «les gens parlaient peu, ou sinon à voix basse. Le silence était intense. Chacun paraissait dépassé par la terrible magnificence du spectacle qui se déroulait autour de nous».

Donald faisait partie de ceux qui descendaient la rue mécaniquement et silencieusement. Il s'était rué hors de son lit dès que le séisme avait secoué la ville. Il avait échappé à la mort en sortant très vite de sa maison avant l'effondrement du toit. Il avait pensé brièvement aux trésors qu'il laissait, mais s'était ensuite souvenu que tout avait été choisi par sa femme Meredith, dont il avait toujours jugé le goût vulgaire. Leur divorce serait prononcé le mois prochain, et il ne douta pas qu'ils ne se réconcilient jamais. De toute façon, son mariage avec Meredith avait toujours été une mascarade.

Il examina sa maison et se rendit compte qu'elle était en grande partie intacte. Les murs étaient solides et toujours debout. On pourrait aisément refaire la toiture. Donald décida qu'il se débarrasserait de tous les meubles et qu'il recommencerait à zéro.

Il supposa que ce n'était que la curiosité qui le poussa à se frayer un chemin à travers les décombres et les flammes pour se rendre jusqu'à la maison de Peter Kendrick, où il savait instinctivement que se trouvait Meredith. Il n'était pas surpris de constater que la maison avait été démolie de fond en comble. Peter était un opportuniste il avait détourné les fonds de la municipalité durant des années. Il avait appliqué la même éthique au moment de bâtir sa maison. L'ornementation était abondante, mais les fondations peu solides.

Donald resta dans la rue à regarder le tas de gravats de la maison Kendrick.

— Si je fouillais dans les débris, je trouverais juste Meredith dans les bras de Peter.

Il détourna le regard.

— J'ai déjà ma vérité.

Il haussa les épaules et s'éloigna.

— Laissons tout ça aux pilleurs.

Donald se joignit ensuite à la multitude de sans-abri. Il demanda à l'homme à côté de lui :

— Où allez-vous ?

— Au parc.

— Pourquoi ?

— Pour attendre, répondit l'homme, comme si cela expliquait tout.

— Pour attendre, répéta Donald, songeur. Oui, c'est ce que je vais faire. Je vais attendre.

« Mais quoi ? »

Tout à coup, Donald sourit intérieurement. La révélation le remplit de joie.

— Je vais attendre que ma nouvelle vie commence.

— Exactement, opina son compagnon de la tête.

Dans le parc du Golden Gate, les troupes du Presidio avaient apporté des tentes et des sacs de couchage pour les réfugiés. À Los Angeles, on rassembla dans des wagons qui devaient partir pour San Francisco dans l'après-midi des rations de l'armée, de l'eau et des denrées données par la population.

Donald Pope s'assit à côté de l'homme qui avait étalé une couverture sur le sol avant de s'allonger, la tête appuyée sur sa grosse serviette. Donald constata qu'elle portait l'emblème du consul britannique.

— Walter ?

— Oui ? grogna l'homme.

— N'êtes-vous pas Walter Courtney Bennett, consul général de Grande-Bretagne ?

— Oui.

Proclamation du maire

J'autorise les troupes fédérales, les membres des forces policières municipales et tous les officiers de la police spéciale à TUER toute personne trouvée coupable de pillages ou de tout autre crime.

J'ai demandé à toutes les sociétés de gaz et d'électricité de ne pas recommencer leurs opérations avant que je leur en donne l'ordre. Par conséquent, vous devrez vous attendre à ce que la ville reste dans l'obscurité durant une période indéterminée. Je demande à tous les résidents de rester à l'intérieur, de la tombée de la nuit à l'aube, et ce, tous les soirs jusqu'à ce que l'ordre soit revenu.

Je METS EN GARDE tous les citoyens contre les dangers d'incendie que constituent les cheminées endommagées ou détruites, les conduites de gaz ou les équipements au gaz brisés ou qui fuient, et tout autre élément du même genre.

E. E. Schmitz, maire
18 avril 1906

* * * *

Comme une horde de scarabées en marche, les orientaux sortirent du quartier chinois par groupes vêtus de noir, portant sur leur dos leurs biens aussi enveloppés de noir.

Au coin de Dupont et de California, Barbara et Michael examinèrent la foule à la recherche de Chen.

— Je ne la vois nulle part, dit Barbara.

— Moi non plus.

La jeune femme lut un graffiti en anglais sur le mur d'un immeuble : « Je hais l'Africain parce c'est un citoyen, et je hais le Chien jaune parce qu'il ne veut pas le devenir ».

— C'est ce genre d'intolérance que je ne peux pas supporter, lança-t-elle d'un ton coléreux.

Barbara savait qu'à San Francisco, les habitants d'origine orientale n'avaient pas droit à l'éducation, ils étaient constamment harassés par la police et exploités par la communauté d'affaires blanche. Rien de surprenant à ce qu'ils restent entre eux et vivent dans des taudis, comme c'était le cas. Tandis que l'incendie faisait rage, Barbara prit conscience qu'ils n'auraient même plus de taudis vers lesquels revenir.

Le couple se fraya un chemin jusqu'à la buanderie de la famille Su, où Barbara espéra trouver Chen.

Étonnamment, le commerce était en grande partie intact. Le pâté de maisons suivant était en flammes. Deux portes plus loin, l'immeuble avait été démoli, mais Barbara et Michael ne coururent pas autant de danger qu'ils s'attendaient à affronter en arrivant.

Barbara jeta un coup d'œil par la devanture.

— Il n'y a personne.

Michael essaya d'ouvrir la porte : elle n'était pas verrouillée.

— Chen ? appela Barbara en entrant.

Silence.

La jeune femme se tourna vers son compagnon :

— Chen m'a dit qu'il y a une trappe dans le plancher au fond.

— Je l'ai trouvée !

Michael souleva la trappe : une échelle conduisait au réseau des souterrains.

Barbara descendit à la suite de Michael.

— Mon Dieu, c'est exactement comme Chen me l'a décrit.

Ils descendirent un tunnel qui déboucha sur un espace plus vaste, semblable à un square, mais pas aussi grand. Des dizaines de portes s'ouvraient sur cette place centrale.

— C'est comme une ville. Je n'ai jamais rien vu de tel.

— Moi si, répondit Michael. Sur la côte de Barbarie. C'est là qu'on fait la contrebande d'hommes, de femmes et de butin, tous les jours de l'année. La seule différence, c'est qu'on nomme les tunnels, là-bas, expliqua-t-il tandis qu'ils s'avançaient dans les souterrains vides.

— C'est silencieux comme une tombe.

Barbara étudia les murs en briques, les portes qui s'ouvraient sur des logements, des fumeries d'opium et d'autres lieux sombres et innommables. Elle frissonna.

— Je ne veux même pas savoir ce qui se passe derrière ces portes.

Michael lui prit la main.

— Fie-toi à moi!

Elle comprit que dans les heures qui avaient suivi le séisme, les habitants avaient été trop effrayés par les secousses pour rester dans leurs catacombes. Une fois le danger écarté, elle savait que les pilleurs et les violeurs arriveraient pour ravager les échoppes et les logements.

Son cœur battait la chamade. Elle avait la bouche sèche. Elle dit à Michael :

— C'est bon. Tu avais raison. Je n'aurais pas dû venir.

— Eh bien! Il est trop tard maintenant. Reste près de moi.

— Ne t'inquiète pas, répondit-elle en jetant un regard par-dessus son épaule.

— Je sais que tu as peur, ma chérie, mais je suis content que tu sois avec moi.

— Ah oui?

— Oui. Les pilleurs sont certainement lâchés dans les rues à l'heure qu'il est. Ils n'hésiteront pas à battre quelqu'un à mort juste pour un anneau de mariage. J'ai bien peur que la vie à San Francisco ne vaille pas très cher, en ce moment.

— Parle-moi du nom qu'on donne aux tunnels de la côte de Barbarie.

Elle espérait que le changement de sujet atténuerait sa peur.

Michael jugea qu'il était bon qu'elle ait peur. Ainsi, ses sens seraient plus aiguisés, et ses réflexes plus rapides, s'ils se faisaient prendre.

— La ruelle de l'Homme mort, pointe Exécution et allée Bull Run[49].

— Charmant.

— Chen pensait que sa grand-mère était en prison, n'est-ce pas ?

— Elle les appelait des trous de puits.

— Alors, je crois que nous devrions descendre plus bas.

— Tu veux dire qu'il y a plusieurs paliers ?

— Si ces souterrains sont comme ceux de la côte de Barbarie, oui. On utilise là-bas un deuxième niveau expressément pour les prisonniers. Selon moi, on a eu recours au même architecte ici, expliqua-t-il avant de s'élancer vers une porte peinte en noir et ornée d'un coq rouge tenant une lumière dans son bec.

Il voulut ouvrir la porte, mais elle était verrouillée.

— Pourquoi ici ?

— Parce que sur la côte de Barbarie, il y a une maison de passe qui affiche la même enseigne. Le Coq rouge. Certaines des filles sont chinoises. À mon avis, c'est d'ici qu'elles proviennent.

Il donna un coup d'épaule dans la porte et fractura le verrou.

La pièce de devant ne contenait qu'une table et une chaise. Il n'y avait personne. Michael s'avança dans la pièce et écarta deux rideaux délabrés en coton : ils cachaient une porte qui s'ouvrit sans difficulté. Ils pénétrèrent dans un vestibule donnant sur une demi-douzaine de chambres.

Barbara ouvrit les portes d'un côté, tandis que Michael se chargea de l'autre. Chaque chambre était meublée d'un lit de camp, d'un matelas recouvert de coutil souillé, d'une chaise, d'une table et d'un pot de chambre en porcelaine.

Barbara était sous le choc.

— C'est cela, un...

— Bordel. Oui. Pas très élégant, mais après tout, la direction n'a pas à demander plus cher pour les fanfreluches.

Ils ouvrirent la dernière porte : toujours aucune trace de Chen.

— Michael, où allons-nous, maintenant ? demanda Barbara.

Michael prit brusquement conscience qu'il avait négligé un détail. Il passa d'une chambre à l'autre et souleva les matelas posés

---

49. N.d.T.: En référence à la bataille de Bull Run, premier véritable affrontement de la Guerre de Sécession américaine, le 21 juillet 1861, entre l'Union (Nord) et la Confédération (Sud).

sur le sol. Dans la pièce du milieu du côté droit, il trouva ce qu'il cherchait. Une seconde trappe.

Il saisit fermement Barbara par les épaules :

— Cette fois, j'y vais, et tu restes «ici». Je ne veux pas qu'il t'arrive quoi que ce soit. Et je ne veux pas que tu voies ça.

— D'accord.

Elle n'avait pas le cœur à discuter.

Michael souleva la trappe : la puanteur d'urine et d'excréments humains qui s'en dégageait était insoutenable. Barbara se couvrit le nez et la bouche de la main pour ne pas vomir. C'était comme si Michael s'enfonçait en enfer.

— Sois prudent.

C'était tout ce qu'elle trouva à dire.

Le jeune homme ôta sa chemise et la noua devant son visage. Il fut obligé de se pencher pour entrer dans le tunnel qui était non seulement très bas de plafond, mais guère plus large que les épaules. Il n'avait pas fait un mètre qu'il entendit des gémissements.

Il posa le pied sur une grille en bois.

— Chen ?

Un autre gémissement, puis un grognement plus audible.

Michael hurla à pleins poumons.

— Chen ?

L'esprit de Chen avait quitté son corps des heures auparavant. Elle savait que sa vie était terminée. Lee Tong l'avait battue jusqu'à l'inconscience, en s'acharnant sur sa tête et ses épaules. Elle avait ensuite été descendue dans un trou de puits de deux mètres de profondeur, un tombeau circulaire qui n'était guère plus large que son corps frêle. Elle ne pouvait ni s'asseoir ni s'étendre. Elle pouvait seulement rester debout. On l'avait laissée ici pour qu'elle meure. Elle mourrait de faim, de soif, ou noyée dans ses propres excréments.

L'espoir voleta brièvement dans son esprit tandis qu'elle s'enfonça dans ses rêves. Elle eut une vision de l'incendie qui allait consumer la ville. Dans ses rêves, elle vit que sa grand-mère était emprisonnée dans une des cages placées dans le tunnel adjacent aux trous de puits.

Mais dans ses visions, elle n'avait jamais vu qu'elle serait sauvée par Michael et Barbara.

Elle connaissait la voix de Michael, mais elle était si intensément présente dans le monde onirique qu'elle douta d'abord qu'elle fût réelle.

— Chen ! Pour l'amour de Dieu, réponds-moi ! C'est Michael ! Je sais que tu es ici !

Il entendit soudain une cacophonie de voix altérées qui l'appelaient à l'aide dans une langue qu'il avait souvent entendue, mais qu'il ne comprenait toujours pas.

Il posa le pied sur une autre grille. La lumière provenant de la pièce au-dessus n'arrivait plus jusqu'à lui. Il ne voyait plus rien.

— Chen !

La réalité fouetta durement le visage de Chen. Elle sentit son aiguillon. Elle ouvrit les yeux. Comme ses yeux étaient accoutumés à l'obscurité, elle vit ce que Michael ne pouvait pas voir. Elle distingua la forme d'une chaussure masculine au-dessus de sa tête.

Elle murmura :

— Michael.

— Chen ?

Michael fit volte-face. Il n'était pas certain d'où provenait sa voix.

— Chen, où es-tu ?

— Ici. Dessous.

Michael se mit à quatre pattes et fit glisser ses mains sur le plancher. Il avait l'impression d'être aveugle.

— Comment fait-on pour retirer la grille ?

— Il y a une cheville de bois sur le côté. Soulève-la.

Michael retira la grille et enfonça ses mains dans l'obscurité.

— Tends-moi une main.

— Mes bras sont pris le long de mon corps. Je ne peux pas les lever. Il faut que tu me sortes en me tirant par les cheveux.

— Je ne veux pas te faire mal.

— Je n'aurai pas mal. Plus maintenant. S'il te plaît, tire.

Michael savait que la meilleure manière de procéder consistait à tirer vivement d'un coup sec. Chen était aussi légère qu'une plume. Elle fut sortie du trou de puits avant que le bras de Michael n'ait accusé son poids.

— Peux-tu marcher ?

— Non, répondit-elle en sentant ses jambes se dérober sous elle.

Michael la souleva et la ramena en sûreté.

À l'autre extrémité du tunnel, Barbara était frénétique.

— L'as-tu trouvée?

— Oui, dit Michael en atteignant la trappe. Elle ne peut pas marcher. Je vais la soulever pour que tu la tires à toi. Fais attention. Je pense que ses bras sont cassés.

— Chen! Oh mon Dieu! Oh mon Dieu! Qu'est-ce qu'ils t'ont fait?

Barbara éclata en sanglots en voyant le corps mutilé de son amie.

Chen s'écroula sur le sol comme une poupée de chiffons. Son visage était tellement tuméfié qu'elle était méconnaissable. Elle était couverte de bleus.

— Ma grand-mère. Je t'en prie. Elle est dans une cage. Il y a un tunnel juste après le trou de puits où j'étais. Son nom est Yin. Elle parle anglais. Je t'en prie, Michael.

Michael repoussa la chevelure d'ébène du visage de Chen.

— Ne t'inquiète pas, je ne partirai pas d'ici avant d'avoir libéré tout le monde. Il leva les yeux vers Barbara. Trouve des vêtements pour ces gens. Des guenilles aussi pour les aider à se nettoyer. De l'eau surtout. Ils sont à moitié morts. Entre par effraction dans un appartement s'il le faut. Essaie la boutique à côté.

— Il y a une boutique à côté? Comment le sais-tu?

— C'est difficile sans fenêtres, mais l'enseigne porte le seul symbole chinois que je connais. C'est une boutique de tailleur. J'avais l'habitude de faire confectionner mes chemises par un tailleur chinois.

— D'accord, répondit-elle.

Elle posa la tête de Chen sur ses genoux.

Michael voulut repartir dans le tunnel, mais il suspendit son geste.

— Donne-moi la chandelle sur la table. Vois-tu des allumettes?

En furetant dans la pièce, la jeune femme trouva une boîte d'allumettes en bois sur la tablette au-dessus de la table. Elle tendit la boîte et la chandelle à son compagnon.

— Ça me sera utile.

Michael redescendit dans le tunnel et retrouva rapidement le chemin des trous de puits.

— Yin! M'entendez-vous? Je m'appelle Michael.

— Le nom du Sauveur, répondit faiblement une voix de femme.

Michael s'accroupit en direction de la voix.

— Je croyais qu'il s'appelait Jésus.

— Aussi. Et Mohammed pour certains. Allah pour d'autres.

— On parle de types illustres, poursuit Michael en s'approchant de la cage.

Deux yeux étincelants éclairèrent le visage d'une femme d'âge mûr. Elle sourit :

— Je suis Yin. Pas si illustre.

Son visage s'éclaira comme le soleil. Michael cligna des yeux en se demandant si elle ne venait pas d'allumer une autre chandelle.

— Je suis ici pour vous ramener près de Chen.

— Je sais, répondit-elle en hochant la tête.

Michael baissa les yeux sur l'énorme cadenas qui fermait la porte de la cage.

— Je n'ai pas apporté d'outils. Comment est-ce que je vais vous sortir de là ?

Yin sourit de nouveau :

— On voyage toujours avec tout ce dont on a besoin, dans la vie.

Elle désigna la boîte d'allumettes en bois.

— Ceci fera l'affaire.

Elle enfonça la main dans sa poche et en sortit une petite poignée de poussière noire.

— De la poudre, annonça-t-elle.

Michael était stupéfait.

— Et vous ne l'avez pas utilisée ?

— Je vous attendais. Ainsi que les allumettes, répondit-elle.

Michael versa rapidement la poudre dans le cadenas et fit craquer une allumette.

Il y en avait juste assez pour faire sauter le cadenas. Il tendit les bras à Yin :

— Venez.

Yin pesa encore moins lourd que Chen. Lorsqu'il aperçut dans la cage des bols d'eau et de nourriture, il supposa que la seule raison pour laquelle Yin était encore en vie était que quelqu'un ne voulait pas qu'elle meure, contrairement à Chen, qui n'avait aucune valeur.

Michael porta Yin jusqu'à la pièce où il avait laissé Barbara et la rendit à sa petite-fille.

— J'y retourne, dit-il.

— Sois prudent, répondit Barbara, après l'avoir embrassé.

Elle ne l'arrêta pas.

Dans les six trous de puits, il ne restait que deux prisonnières vivantes. Michael découvrit quatre autres cages et libéra les femmes qui y étaient enfermées, dans l'attente d'une rançon, comme l'expliqua Yin.

Barbara aida les prisonnières à enfiler des vêtements propres, après avoir retiré leurs guenilles souillées et les avoir empilées dans un coin. Pendant ce temps, Chen pleurait dans les bras de sa grand-mère.

— Je ne ravalerai plus jamais mes larmes, sanglota-t-elle.

— Moi non plus, jura Yin.

Même si elle avait été sauvagement battue, Chen constata que ses bras n'étaient pas cassés. Elle les souleva pour prendre le visage de Yin entre ses mains et l'embrasser.

— Il t'a fait bien du mal? demanda Yin.

Chen se contenta de hocher la tête.

— Mais il n'a pas pu briser mon esprit.

Ses lèvres tuméfiées esquissèrent un sourire.

Les yeux de Yin étaient pleins de feu. C'était la même lumière que Nan-Yung avait vue lors de ce premier voyage à Pékin, quand la jeune Yin était passée en palanquin. Ses yeux brillèrent autant que le soleil, la lune et les étoiles. Elle serait toujours la fille au visage rayonnant.

— Pas plus qu'ils n'ont pu briser mon âme, dit-elle fièrement, exprimant ainsi l'assurance et le profond amour de soi que Nan-Yung avait craints et haïs.

— Nous avons été trop fortes pour eux.

— Tu es le sang de mon sang. Tu auras toujours le pouvoir de vaincre. Comme moi, répondit Yin.

Chen sourit doucement devant le visage rayonnant de Yin. Elle pressa son front contre le front de sa grand-mère.

— Je savais que tu étais vivante. Je te voyais dans mes visions. J'étais décidée à te chercher jusqu'à ce que je te retrouve et que tu sois en sûreté. Elle leva les yeux vers Barbara. Je devrais avoir honte de me servir de mes amis. C'était très dangereux.

Yin tourna les yeux vers Barbara et posa une main ridée sur la joue lisse de la jeune fille. Elle plongea ses yeux dans son regard et y aperçut des étincelles d'argent.

— La lumière divine est dans tes yeux. Comme Chen.

— Merci.

Chen enlaça sa grand-mère et elles échangèrent sur ce qu'elles avaient vécu durant les années où elles avaient été séparées. Yin apprit à Chen que sa mère Ling-Yutang avait été assassinée par Nan-Yung, l'année précédente.

Chen éclata en sanglots et s'accrocha à sa grand-mère.

— Voilà pourquoi je ne pouvais plus la trouver, sauf en rêve.

Michael avait trouvé de l'eau et de la nourriture pendant que Barbara nourrissait les prisonnières, il commença à les transporter l'une après l'autre à la surface.

Barbara décida qu'ils se rendraient à la maison de Jefferson où il y avait assez de lits, de nourriture et d'espace pour tous les accueillir confortablement.

Barbara sentit que Yin ne vivrait probablement plus très longtemps. Elle était la plus fragile parmi les rescapées. La malnutrition avait fait son œuvre, et Barbara pensa que la chair purulente de ses bras indiquait la lèpre. Mei Yin, une autre prisonnière, était aussi en très piteux état. Les autres n'avaient pas souffert autant. Il faudrait des semaines pour les ramener à la santé, mais elle voulut croire qu'elles s'en remettraient toutes.

Lorsque Michael eut fini de remonter les rescapées au niveau de la rue, Chen put de nouveau marcher.

— Je suis contusionnée, mais bien décidée à aider ma grand-mère, déclara-t-elle.

— Dans l'état où sont les rues, je ne pourrai jamais emmener nos malades en calèche jusqu'à Nob Hill. Il faudra que je les transporte une à la fois.

— Nous pourrions prendre des matelas et en faire une civière. Nous pourrions alors transporter deux femmes à la fois, et je pourrais t'aider, proposa Barbara.

— Bonne idée.

À l'aide de cordes et de matelas, Michael et Barbara s'organisèrent pour ramener Yin et Mei Yin, l'autre prisonnière mal en point, jusqu'à la maison de Jefferson.

Avant qu'ils partent, Chen leur dit :

— Je resterai ici avec les autres jusqu'à votre retour.

Michael la mit en garde :

— Arrange-toi pour rester hors de vue.

— Ne t'inquiète pas, répondit-elle. « Je resterai vraiment hors de vue. »

Elle se détourna et entra dans la buanderie de son grand-père. Elle se rendit au fond de l'échoppe et descendit l'échelle. Elle savait que rien ne ferait sortir son grand-père de sa tanière dorée, pas même un séisme.

Quarante-cinq

« Il n'y a pas de hasard et ce qui nous
semble purement aveugle et fortuit découle
précisément des sources les plus profondes. »

— FRIEDRICH VON SCHILLER,
LA MORT DE WALLENSTEIN, ACTE II, SCÈNE III

18 avril 1906 – 15 heures

Chen jugea fort à propos de tuer son grand-père précisément à l'heure où de nombreux chrétiens prétendaient que leur dieu était mort sur la croix. « Quinze heures. Un nombre fatidique. »

San Francisco, le seul monde qu'elle avait connu, était en ruine. Elle sentit que sa grand-mère ne vivrait plus très longtemps. Une seule personne était responsable de tout cela : Nan-Yung.

Elle se rendit dans l'une des maisons votives où, des années auparavant, elle avait pris soin des hommes de Nan-Yung en leur apportant leurs repas et des vêtements propres. Elle s'approcha du bureau placé dans la pièce de devant et en palpa le dessous. Souriant intérieurement, elle mit la main sur la dague que l'un des hommes y avait dissimulée en cas d'urgence. Elle avait toujours jugé étrange que l'entourage de Nan-Yung pensait à sa protection comme au seul cas d'urgence qui pourrait se présenter. Depuis le temps qu'elle cohabitait avec Barbara, elle avait appris qu'il existait d'autres genres de crises et d'autres façons de défendre sa vie, et son honneur, que la violence physique.

Elle quitta la maison votive et reprit le tunnel.

Elle posa la main sur la poignée en or massif de la porte en laque noire, qui fermait la salle du trône de son grand-père. Comme elle s'apprêta à ouvrir la porte, une poutre bougea au plafond. Un filet de terre compactée s'écoula par-dessus l'arête de bois. Une deuxième poutre bougea. Une pierre tomba. Puis une brique.

— Je m'en fiche si je meurs écrasée sous toute la terre de Californie. Tant que je tue Nan-Yung.

« Ensuite, je me reposerai. »

Nan-Yung entendit la porte craquer.

— Qui est là ?

Il retint son souffle.

Les poils de sa nuque se hérissèrent.

La mort passa au-dessus de lui.

« J'avais raison. C'est arrivé. Le jour de ma vengeance a enfin sonné. La maison des Su a survécu grâce à moi. »

— Je suis ici.

Il s'adressa aux ombres d'un ton anxieux.

Il avait attendu cet instant toute sa vie. Lee Tong était parti depuis l'aube, et Nan-Yung s'impatientait. Il avait besoin d'entendre de la bouche de son sbire que Jefferson Duke était mort. Nan-Yung n'avait pas ressenti une telle émotion depuis le jour où son père, Luang Su, avait été exécuté.

Toute sa vie, Nan-Yung s'était enorgueilli de sa capacité à conserver « l'équilibre » de ses émotions en toutes choses. Il ne s'excita pas lorsqu'il apprit qu'un chargement particulièrement important d'opium lui rapporterait des montagnes d'or. Il n'avait ni remords ni regrets en prenant la virginité des jeunes filles qu'il vendait ensuite comme prostituées ou esclaves. Elles n'étaient que de la marchandise après tout, des sources de profit. Il avait besoin d'elles pour remplir un besoin, et rien d'autre. Il avait appris à ne pas s'attacher à Yin, à ne pas craindre ses prédictions funestes et à ne pas faire passer les sentiments ou les besoins de ses petites-filles ou de son fils, Lon Su, avant ses propres besoins et appétits.

Même sa haine de la maison des Duke et son désir de vengeance avaient été adéquatement canalisés dans un long jeu du chat et de la souris, un jeu auquel Nan-Yung jouait contre lui-même depuis toutes ces années, puisque Jefferson Duke ne savait rien de la mort de Luang Su. Quoi qu'il en soit, le jour où Dolores Sanchez avait été tuée, Nan-Yung s'était permis de ressentir un certain plaisir.

Le jour où Lawrence Mansfield avait été assassiné, il s'était autorisé à sourire. « La patience accroît la tension. La tension qui s'installe quand on retarde délibérément le plaisir intensifie la jouissance. »

Aujourd'hui, il céderait à une explosion d'autosatisfaction. La mort de Jefferson Duke aura bien valu cette longue attente tortueuse.

— Lee Tong ? murmure-t-il, à l'intention de la silhouette sombre qui émergea des ombres près de la porte.

— Non. Ce n'est pas Lee Tong.

Chen s'approcha.

Nan-Yung constata qu'il s'était mépris. Il sentit la puanteur qui collait aux vêtements de qui était allé dans un trou de puits.

Il comprit.

— C'est Chen, dit-elle, en avançant dans la lumière qui tombait de l'antique lampe à l'huile posée sur le bureau.

Ses lèvres étaient enflées après le passage à tabac que Lee Tong lui avait infligé, mais elle ne sentait pas la douleur. Elle voulait sourire, mais décida d'attendre. Plus tard.

« Il a l'air d'un squelette. »

La lumière projeta des ombres hideuses dans les orbites profondes et sur les joues creuses de Nan-Yung. Ses longues moustaches blanches tombèrent sans grâce de chaque côté de sa bouche. Chen remarqua que ses mains tremblèrent quand il s'empara d'une poignée de ses précieuses pièces d'or pour les compter. Sans la force brutale de Lee Tong, la puissance de Nan-Yung était grandement diminuée.

Mais Chen savait qu'elle ne devait pas le sous-estimer. Elle vit bien à l'éclat glacé de ses prunelles sombres que l'esprit de Nan-Yung était toujours aussi malveillant. Leur affrontement serait un duel à mort.

— Comment ? Comment t'es-tu échappée ?

Nan-Yung était profondément choqué de voir sa petite-fille, même s'il luttait pour garder son calme et ne pas se laisser affecter par sa présence.

— J'ai des amis maintenant. Ils m'ont sauvée.

— Personne dans le quartier chinois ne descend dans les trous de puits sans que je le sache.

— Mes amis sont blancs.

Nan-Yung cracha sur le sol.

— C'est dégoûtant !

— Pourquoi ?

— Ça me rend malade que tu sois aussi stupide. Les Blancs ne font qu'utiliser les Chinois. Nous sommes leurs bêtes de somme. Rien de plus. Bah ! Tu es moins que ce que je croyais. Avec une telle famille, ma disgrâce est grande.

Les yeux remplis d'une haine fulgurante, Chen le fusilla du regard :

— C'est toi ! C'est toi qui as causé notre disgrâce. De ta vie, tu n'as jamais rien fait qui me rende fière de toi.

— Qui se soucie de ce que tu penses ? Tu n'es qu'une femme. Une merde. Retourne dans les trous de puits. Là au moins, tu sers à quelque chose.

— Il n'y a plus de trous de puits. Mes amis ont sauvé ma grand-mère en même temps que les autres prisonnières. Ton règne de terreur est terminé. Lorsque les Chinois reviendront dans leur quartier, je leur dirai que c'est moi maintenant, le chef de la maison des Su. Beaucoup de choses changeront dans le nouveau monde que je vais bâtir avec mes amis.

— Silence !

Il leva les mains pour la faire taire, mais les laissa immédiatement retomber.

Chen sourit de travers avec ses lèvres tuméfiées.

— Tu l'entends, n'est-ce pas, grand-père ?

— Quoi ?

— La vérité de mes paroles.

— Bah !

— Tu prends conscience que tu as négligé de reconnaître le déclin de ta propre existence. Tu as attendu, et même planifié la mort de Jefferson Duke, mais tu n'as jamais anticipé la tienne. Tu vois que tu as été l'instigateur de ta propre mort. Sans la souris comme proie, tu n'as plus aucune utilité.

— Tais-toi ! J'ai plus d'argent que trois empereurs.

— Qui s'en soucie, vieillard ? Tu ne peux plus engendrer d'enfants. Tu es trop vieux. Tu ne ressens même plus de désir sexuel. Je le sais. Les trous de puits parlent. Ces dernières années, tu n'as vécu que pour infliger la souffrance.

— Hors de ma vue ! siffla Nan-Yung.

— Tu m'entendras. Tais-toi.

Il se couvrit les oreilles, mais Chen haussa le ton.

— Toute ta vie, tu as méprisé les femmes parce que nous sommes des créatrices. Tu ne crées rien. Tu as mis Yin dans une cage, parce qu'elle n'avait plus d'utilité dans ta vie. Eh bien, vieillard, tu n'en as plus dans la mienne.

— Les femmes sont émotives. Faibles. Elles me dégoûtent.

— Faibles ? Pas Yin. Je le vois dans tes yeux. Tu es étonné qu'elle soit toujours vivante. Qu'elle ait eu la volonté de vivre envers et contre tout. Elle t'a toujours impressionné et même effrayé, avec ses intuitions et ses visions de l'avenir. Tu ne possèdes aucun de ses pouvoirs.

— Elle n'est pas exceptionnelle à ce point.

— Vraiment ? Elle m'a raconté qu'avant votre arrivée en Amérique, elle te confiait ses visions, mais qu'avec le temps, elle t'en a dit de moins en moins. Tu la croyais déloyale. Tu l'as punie, en la battant si souvent qu'elle a fini par ne plus se laisser affecter par la souffrance. Ensuite, tu as compris que tu pouvais la blesser en torturant tes petites-filles. Yin m'a dit qu'elles sont toutes mortes.

— Toutes, sauf toi, confirma-t-il d'un air de défi.

— Il ne reviendra pas, reprit-elle d'un ton froid.

— Qui ?

— Lee Tong.

Elle prononça son nom lentement, en laissant chaque syllabe ricocher dans les méandres de l'esprit de Nan-Yung. Elle obtint la réaction escomptée.

La lèvre inférieure de Nan-Yung trembla, non d'émotion, mais d'incrédulité. Il essaya de parler, mais s'en trouva incapable. La vérité le frappa comme une blessure fatale. Il se recroquevilla comme s'il venait de recevoir un coup de poing dans l'estomac. Sa colonne vertébrale heurta le dossier de la chaise.

— Ne... reviendra pas.

— Il est mort.

— Comment le sais-tu ?

— J'ai eu une vision.

— Ha !

— Tu sais que j'ai un pouvoir. Tu crois que j'ai un pouvoir. C'est pour ça que tu voulais me détruire.

Les yeux de Nan-Yung tournèrent dans leur orbite. Il battit des paupières. Il leva la main à son front et la laissa retomber dans son giron. On aurait dit que la force de vie l'avait déserté. S'il avait été debout, Chen était certaine qu'il se serait effondré.

La jeune femme n'avait jamais aimé voir quelqu'un souffrir. Mais Nan-Yung méritait sa torture. Elle ne sourit pas, mais continua de le fixer d'un regard froid. Elle ne lui faisait pas confiance.

« C'est un piège. Nan-Yung ne ressent jamais d'émotion. Il réagit exagérément pour me duper. »

Elle enroula ses doigts autour de la poignée de sa dague.

Du bout de son pied gauche, Nan-Yung chercha le ressort sur le côté droit de son bureau qui ouvrait le tiroir où il rangeait son pistolet. Si les amis de Chen l'avaient sauvée, ils étaient peut-être encore dans les environs. Il ignorait comment, mais ils avaient réussi à tuer Lee Tong.

Nan-Yung ne ressentit aucun chagrin en apprenant la mort de son garde du corps. Cependant, c'était un vieil homme, et il avait besoin du colosse pour le protéger.

Son seul véritable regret était qu'il ne savait pas si Lee Tong avait rempli sa mission ou non. Jefferson Duke était-il vivant ou mort ? Comment pourrait-il le savoir ?

Et voilà que sa petite-fille se dressa devant lui, le feu brûlant de la vengeance dans les yeux. Il ne douta pas qu'elle le tuerait, car il avait vu le même regard dans son miroir. Pour s'en sortir, il devrait se fier à son ingéniosité et à l'arme qu'il avait cachée.

Il chercha à l'appâter :

— Donc, tu es venue me tuer ?

— Oui.

Elle retourna la dague dans sa main et fléchit le bras derrière le dos.

— Sottise ! Ce que tu veux, c'est que je te cède mon empire, étant donné que tu es le seul membre de ma famille toujours en vie.

— Il y a Yin.

— Elle est vieille. Et sans doute malade. Elle n'a pas ton ambition. C'est ce que je lis dans tes yeux. L'ambition et le désir. Tu veux le pouvoir que j'ai acquis au cours des ans.

— Tu as tort, grand-père. Ce que je veux, tu ne peux pas me le donner.

Son sourire était froid et énigmatique.

— Et que veux-tu ?

— Je veux que la maison des Su repose en paix. Absolument et complètement. Aucun homme blanc ne te vengera, car notre disgrâce vient de l'intérieur. Pas de l'extérieur. Andrew Duke n'a pas causé la mort de notre ancêtre. Ton grand-père a choisi l'opium qui a fait entrer le meurtre et le suicide dans notre maison.

— Comment le sais-tu ?

— Je te l'ai dit. Mon pouvoir est plus grand que celui de Yin. Je vois les vies antérieures. Je vois nos ancêtres réunis dans cette pièce. Ils me disent la vérité. La vérité, grand-père. Pas les faits dénaturés. Ils me disent que ce n'est pas Ambrose Duke qui a ordonné la mort de Luàng Su. Sa propre avarice l'a condamné. Tu n'as jamais accepté cette vérité. Toute ta vie, tu as vécu en attribuant à quelqu'un d'autre la disgrâce de notre famille. Au lieu de bâtir une nouvelle vie, tu as vécu une existence basée sur un mensonge, axée sur la haine et la vengeance. C'est pathétique !

Elle s'esclaffa avant de reprendre :

— Qui plus est, c'est un mensonge que tu t'es raconté. Seul un Su peut redresser le tort d'un Su. Elle fit un pas en avant. Affronte-moi, grand-père. Je suis ton ange vengeur.

Nan-Yung pressa le ressort ouvrant le tiroir de son bureau. Il sortit subrepticement le pistolet du tiroir et le braqua sur le front de Chen, avant qu'elle ait le temps de comprendre ce qui s'était passé.

— Tu n'es qu'une femme. Tes sentiments nuisent à ton action.

Il pressa la détente.

Chen ne broncha pas en lançant la dague affûtée comme un rasoir dans le cœur de Nan-Yung. L'arme s'enfonça profondément dans sa poitrine.

Il grogna :

— Quoi ?

Du sang perla sur sa tunique en satin doré. Ses yeux exprimèrent l'incrédulité. Sa bouche s'ouvrit de stupéfaction.

Le pistolet tomba sur le sol à côté de lui, et le coup partit.

La balle percuta le mur. Nan-Yung s'écroula, tête première sur son bureau.

Une poutre bougea au plafond. Un peu de poussière tomba sur la tête du vieux Mandchou.

— Je ne reviendrai jamais ici, jura Chen avant de quitter la pièce et les souterrains pour toujours.

* * * *

Donald Pope tendit une couverture à Claudia Grant, une amie de longue date. Elle était toujours sous le choc de l'incendie de sa résidence de Nob Hill. Donald lui frictionna les bras, puis lui prit les mains. Elles étaient glacées.

— Tout ira bien, Claudia. Tu verras.

Elle secoua la tête.

— Nous sommes au beau milieu de Golden Gate Park, Donald. Je n'ai plus de maison, plus de biens. Je ne retrouverai jamais tout cela.

— Mais tu es indemne. Et ta fille vit à Santa Barbara. Tu pourras vivre chez elle en attendant de rebâtir.

— J'ai cinquante ans, Donald. Pourquoi voudrais-je recommencer ? Donald sourit.

— Et pourquoi ne le voudrais-tu pas ?

Elle réfléchit longuement à sa réponse en observant les centaines de réfugiés qui l'entouraient. Elle avait siégé avec tous ces gens dans des comités d'organismes de bienfaisance. Elle ne comptait plus le nombre de bals et de réceptions qu'elle avait donnés au fil des ans, afin de réunir des fonds pour les hôpitaux, les églises et les nécessiteux. Elle n'avait jamais pensé qu'elle deviendrait une sans-abri un jour ou qu'elle aurait besoin de l'aide de qui que ce soit. Elle avait toujours su prendre soin d'elle-même. Elle n'avait plus qu'un choix maintenant : s'en remettre à Dieu et Le laisser pourvoir à ses besoins.

Elle sourit à Donald.

— Oui. Pourquoi est-ce que je ne le voudrais pas ?

Donald lui frictionna de nouveau les mains, puis lui sourit :

— Quelles nouvelles de vos voisins ? enchaîna-t-il pour changer de sujet.

— C'est un phénomène des plus étranges, Donald. Ma maison, les maisons de chaque côté de la mienne et deux autres de l'autre côté de la rue ont brûlé de fond en comble. Mais la maison de Jefferson Duke a à peine été touchée. Les fondations n'ont pas bougé, il n'y a que le toit qui a souffert. On dirait que sa maison...

— Quoi?

Donald la pressa de poursuivre en levant les yeux vers Nob Hill et la résidence Duke. Il songea à Barbara et à sa beauté, le soir où Jefferson avait accueilli le président Roosevelt chez lui. Il se rappela combien elle était proche de Jefferson. Et de lui.

Il était heureux qu'elle ait rencontré Michael Trent, qui semblait si profondément amoureux d'elle. Barbara, une amie très chère. Il avait voulu l'épouser lorsqu'ils étaient plus jeunes, mais il prenait aujourd'hui conscience que leur relation avait toujours été particulière à sa façon.

Penser à Barbara lui rappela Chen. L'adorable et délicate Chen. Il songea au contact de sa main quand elle lui avait servi le thé, la dernière fois qu'il était passé à l'appartement que Barbara partageait avec Michael.

Il songea à la manière dont Chen le regardait, avec des yeux remplis de tant...

— Es-tu certaine que la maison n'est pas endommagée?

— Oui, répondit Claudia. On dirait que sa maison était protégée par les anges.

— Ou l'amour.

Donald garda les yeux fixés sur la colline.

— Quoi?

Claudia se demanda quelle mouche avait piqué Donald.

— Je me suis rendu à la maison de Peter Kendrick. Elle a été complètement démolie. Je me suis rendu au nouvel appartement de Barbara Kendrick : il a été détruit lui aussi. Je n'ai pas pensé à la résidence de Jefferson.

— Qu'est-ce que Barbara a à voir avec Jefferson? demanda Claudia.

— Ils sont très proches.

Donald baissa les yeux. Il frictionna toujours les mains de son amie.

— Comment te sens-tu maintenant, Claudia?

— Beaucoup mieux, je te remercie, Donald.

Celui-ci se mit debout.

— Bien. Je dois partir, Claudia. Mais je reviendrai te chercher. Je pense qu'après tout, nous aurons probablement un toit, ce soir. Mais avant tout...

Il s'interrompit.

Claudia se dit que le visage de Donald arbora un bien curieux sourire. On aurait dit qu'il venait de se rendre compte d'une chose très agréable. Vraiment très agréable.

Et le voilà qui s'éloigna à toute allure.

— Où vas-tu, Donald ?

— Retrouver quelqu'un.

— Je croyais que tu étais amoureux de Barbara, lança Claudia.

Il se retourna et répondit dans un sourire :

— Ce n'est pas Barbara. Elle s'appelle Chen Su.

Claudia regarda les tourbillons de fumée qui venaient d'annihiler la seule vie qu'elle n'eut jamais connue. Elle reporta son regard sur Donald et lui sourit de toutes ses dents :

— Tu ferais mieux de te hâter, Donald. Tu ne voudrais pas la perdre.

Donald se mit à courir.

* * * *

Chen aida Barbara à baigner Yin dans l'eau qu'elles avaient fait chauffer, après l'avoir tirée de l'imposant réservoir installé au sous-sol de la solide résidence de Jefferson.

— Dieu merci, elle n'a pas la lèpre, en fin de compte, fit remarquer Chen à Barbara.

— Oui. Je pense que c'est un type de scorbut dû à une carence en fruits et en légumes. Il vous reste encore de belles années à partager, répondit Barbara, les larmes aux yeux. J'aimerais seulement que mon grand-père soit lui aussi toujours vivant.

Chen posa une main sur l'épaule de son amie.

— Jefferson n'est pas parti, Barbara. Il est toujours dans la maison. Je sens son amour.

— Moi aussi, Chen. Moi aussi.

Chen entra dans la chambre à coucher où Yin se reposait dans un immense lit en ronce de noyer. Elle retapa l'oreiller de sa grand-mère qui l'observait. Yin laissa tomber :

— Tu l'as tué, n'est-ce pas ?

Chen hocha la tête sans mot dire.

— C'était ton destin. Ne te sens pas coupable. Jamais. Tu as été guidée par le destin, et tu n'avais pas le choix. Il fallait arrêter son cœur malfaisant.

Chen laissa tomber sa tête dans le giron de sa grand-mère.

— C'était comme si je n'étais pas moi-même. Je m'en souviens à peine, et pourtant, c'est arrivé il y a quelques heures. Je ne suis pas une meurtrière.

— Personne ne saura jamais la vérité, sauf toi et moi. Il arrive qu'on doive simplement s'abandonner au destin. Tu as fait une bonne action. Lorsque Nan-Yung m'a enfermée dans la cage, j'ai su que je serais rescapée un jour. Une nuit, je t'ai vue le tuer dans une de mes visions. Je savais qu'il me fallait rester en vie pour te dire que tu avais fait ce qu'il fallait. Il y a tant de choses merveilleuses qui t'attendent, mon enfant. L'amour. Les enfants. Et même le respect des habitants du quartier chinois. Un jour, tu seras toi-même un grand chef de file. Mais tu devras régner avec bienveillance.

Yin caressa la chevelure satinée de Chen. Elle saisit une mèche et laissa sa douceur soyeuse lui caresser les doigts.

— Je veux croire à toutes ces choses, grand-mère.

— Crois, et tu les feras se concrétiser.

— Est-ce vrai, grand-mère ? Nous ne sommes pas seulement la proie du destin ?

Yin leva les yeux vers le plafond et inspira profondément.

— J'avais prévu te raconter cette histoire un jour, mais je n'ai jamais pu décider quand ce serait le bon moment.

— Le bon moment pour quoi ?

Chen était perplexe.

Yin se tourna sur le côté, glissa une main sous l'oreiller et sortit un petit carnet. La couverture était en cuir vieilli et taché de sueur, marqué de taches sombres, comme s'il avait été éclaboussé d'eau ou taché de larmes. Yin le manipula avec soin, comme si c'était un joyau précieux. Les larmes brouillèrent son regard quand elle le contempla. Elle en caressa amoureusement la couverture.

— J'ai gardé ce carnet sur moi jour et nuit presque toute ma vie. À l'exception de la poudre, c'est tout ce que j'ai emporté dans la cage. Les gardes ne l'ont pas trouvé parce que je l'ai dissimulé sous mes vêtements.

— Qu'est-ce que c'est?

— Mes poèmes. Des poèmes d'amour. Je les ai écrits lorsque j'étais jeune comme toi, et follement amoureuse.

— Tu écrivais des poèmes à grand-père?

— Non.

Le visage de Yin s'adoucit, et Chen vit que son esprit vagabondait dans le passé. Dans cette autre vie qu'elle avait partagée avec un autre homme que son époux.

— Il était blanc. Et beaucoup plus jeune que moi. La première fois qu'il m'a vue, c'était dans un parc à bois. Nan-Yung s'était rendu au parc à bois débités de Jefferson Duke pour acheter le bois qui lui servirait à bâtir ses souterrains et ses fumeries d'opium. Nan-Yung insistait pour que je rapporte le bois sur mon dos, mais Jefferson a pris ma défense et refusé de charger les lourdes pièces de bois sur mes épaules. Il a plutôt ordonné à ses employés de livrer la marchandise chez nous. Nan-Yung était indigné.

Plus tard, mon amour m'a raconté qu'il avait été témoin de la rencontre et qu'il avait pensé qu'il n'avait jamais vu de femmes plus belle, ni plus délicate. Je me suis souvenu de lui, jeune garçon aux yeux verts scintillants. J'ai su immédiatement qu'il était le fils de Jefferson Duke. Mais comme la famille Duke était l'ennemie jurée des Su, j'ai gardé le secret dans mon cœur.

Après avoir vieilli et parcouru le monde, mon amour m'a retrouvée, mais il était déjà marié. Je voulais simplement me promener et converser avec lui. Nous avons échangé des anecdotes sur Pékin, étant donné qu'il y était allé. Il a effleuré ma main, et j'ai su que nous deviendrions amants.

Nous sommes restés amants des années. Puis, je me suis mise à craindre que Nan-Yung ne découvre notre amour. Ce fut la période la plus heureuse de ma vie, et pourtant, la plus douloureuse. J'ai dû dire à mon amour que je ne pourrais plus jamais le revoir, non parce que j'étais mariée, mais parce que c'était trop dangereux pour nous.

Il a compris, même si ma décision l'a terriblement blessé. Je savais que je lui avais brisé le cœur. Il m'en a voulu pendant un moment.

Les yeux de la vieille femme étaient remplis de larmes. Silencieuse, Chen lui tint la main et lui insuffla le courage de poursuivre son récit.

— S'il te plaît, grand-mère, raconte-moi la suite, la pressa-t-elle.

— Je ne pouvais pas vivre sans lui. Il me manquait terriblement sans lui, j'étais vide à l'intérieur. Quand je n'étais pas avec lui, j'avais l'estomac qui brûlait. J'ai cru que mes sentiments s'émousseraient avec le temps, mais ce ne fut pas le cas. En fait, plus le temps passait, plus mon besoin de lui grandissait. Les heures se traînaient. Les jours duraient une éternité. Finalement, quand sa fille et toi avez eu à peu près deux ans, il est venu à moi. Nous avons conçu un plan pour égarer les soupçons.

Comme les femmes de chambre de cette ville ont la langue bien pendue, il m'a dit que tout le monde savait qu'il ne dormait pas avec sa femme. À l'époque, j'étais chargée de livrer le linge de maison au bordel de la côte de Barbarie que Nan-Yung approvisionnait en jeunes filles. Je ne pouvais pas faire grand-chose pour les sauver, mais je pouvais profiter de mes visites pour voir mon amour.

J'avais une complice, ta sœur Mei, qui vouait à Nan-Yung une haine implacable. Elle aurait fait n'importe quoi pour lui nuire, y compris servir de paravent pour que je puisse rencontrer mon amour.

La nuit où mon amour a été assassiné, Nan-Yung a découvert que Mei l'avait trahi. Il a ordonné sa mort aussi. Deux personnes sont mortes pour me protéger, ajouta Yin dont les joues étaient baignées de larmes.

— Qu'est-ce que grand-père t'a fait en découvrant que tu avais pris un amant?

— Il m'a battue et torturée. Il a ordonné à Lee Tong, son homme de main, de m'exciser.

Frappée d'horreur, Chen se couvrit le visage des deux mains. Elle était contente d'avoir tué Nan-Yung. Le peu de remords qui lui restait s'envola.

— Il était plus que cruel, il était diabolique!

— Oui, répondit Yin. Mais une fois mon amour disparu à jamais, tout m'indifférait. J'avais peu de raisons de vivre. Elle caressa la joue de Chen. Tu n'avais que dix ans, et pourtant, j'avais déjà des visions de toi, adulte. Je t'ai vue assassiner Nan-Yung. J'ai vu que tu étais la force qui redresserait les fléaux de la balance. Ton destin et toi avez été les seules raisons qui m'ont permis de continuer.

Barbara ne troubla pas la conversation intime de Chen et de sa grand-mère. Elle attendit à côté de la porte entrouverte. Yin avait commencé son récit en chinois, mais était passée à l'anglais en parlant de Jefferson et de Lawrence. Barbara en entendit juste assez pour pouvoir réunir les éléments qui lui manquaient sur la mort de son père.

Barbara connaissait assez la personnalité sensible de ce dernier pour savoir que ce n'était pas le genre d'homme à acheter les faveurs sexuelles d'une étrangère pour une heure ou deux, le samedi soir, peu importe à quel point Eleanor se montrait abominable avec lui. Même si elle ne s'était jamais bien entendue avec sa mère, Barbara savait que Lawrence avait aimé Eleanor à sa manière. Elle avait été sa femme. Elle lui avait donné une fille.

La jeune femme savait aussi que les profondeurs du cœur de son père étaient trop vastes pour qu'on les sonde. Lawrence ne pouvait que donner son amour à une femme hors de l'ordinaire.

« Yin sort de l'ordinaire, en effet. Je ne sais pas si j'aurais le courage et la force de volonté de rester en vie durant des décennies de mauvais traitements physiques et psychologiques. »

— Et son seul péché a été d'aimer mon père.

Barbara ferma discrètement la porte de la chambre et laissa les deux femmes à leur intimité.

Chen effleura la joue fatiguée de sa grand-mère.

— Il faut que tu te reposes maintenant, grand-mère. Je reviendrai plus tard avec un épais potage pour te revigorer.

Yin se contenta de hocher la tête et ferma les yeux. Elle dormait déjà. Chen lui embrassa la joue et quitta lentement la pièce, réfléchissant à ce que Yin lui avait confié.

* * * *

Dans le jardin derrière la maison, Michael lança une dernière pelletée de terre sur la tombe de Jefferson. Dans le testament que Jefferson avait remis à Barbara, avec ses journaux et *Les journaux de Rachel*, il avait demandé qu'on l'enterre sous le pommier en fleurs.

Barbara sanglota sans retenue dans les bras de Michael. Elle essuya ses larmes du bout des doigts en sentant Michael la serrer plus fort. Entre deux sanglots, elle dit :

— Il me manque déjà.

— Je sais, ma chérie, je sais.

— Il aurait dû avoir de grandes obsèques. Une fête. Il aurait aimé ça. Avec des tonnes de fleurs. Mais avec la moitié de la ville en flammes, et des centaines de morts à enterrer, il n'est qu'une victime parmi tant d'autres.

Elle se tut un moment.

— Ça me paraît injuste. N'était-ce de Jefferson Duke et de quelques autres hommes de vision, il n'y aurait peut-être même jamais eu de San Francisco. Il était l'un de ses piliers les plus solides. Il était comme un...

— Dieu ? suggéra Michael.

— Non. Il était juste un homme, mais animé d'une vision divine. J'aimerais qu'il y en ait davantage comme lui.

— Il y en a.

Michael posa un baiser sur le sommet du crâne de la jeune femme, entoura ses épaules de son bras et l'entraîna vers la maison.

— Je pense que cette cérémonie ici, avec juste nous deux, est exactement ce qu'il aurait souhaité. Il t'aimait, Barbara. Tu es l'héritage qu'il laisse au monde. Toi seule as le droit d'être ici.

— Tu as raison, soupira-t-elle.

Elle appuya la tête contre l'épaule de Michael, et ils rentrèrent dans la maison par la porte de derrière.

Chen fit la ronde des Chinoises qu'ils avaient tirées des trous de puits et des cages le ventre plein, elles dormaient.

Elle descendait l'escalier en direction de la salle à manger, où Barbara et Michael avaient servi des tranches de dinde froide et des légumes frais, quand on frappa à la porte.

En ouvrant, elle découvrit Donald Pope, hors d'haleine, appuyé au chambranle. Dès qu'il vit son visage tuméfié et ses blessures, il se redressa, entra dans la maison et prit tendrement son visage entre ses mains.

— Qui t'a fait ça, Chen ?

Elle nota au passage le ton protecteur et furieux de sa voix.

— Ça n'a plus d'importance. Ils sont tous morts.

— Tous ? Dieu du ciel, qui pourrait vouloir te faire du mal ?

— J'ai refusé de me plier à leur volonté.

Elle baissa les yeux : elle ne voulait pas qu'il voie la souffrance dans son regard.

— J'aurais aimé être là pour te sauver.

Elle leva les yeux :

— Mais tu es ici maintenant, Donald.

— Pour ça, oui.

Elle tendit la main vers lui. Elle sentit le courant d'énergie qui revenait chaque fois qu'ils se touchaient. Il y avait une étincelle, un lien excitant, et pourtant familier.

— Est-ce que tu le sens ?

— C'est pareil chaque fois que nous nous touchons, acquiesça-t-il. Comme si deux âmes se retrouvaient.

— Nous étions peut-être ensemble au paradis avant de venir sur terre.

— Peut-être que le paradis n'existe pas. Peut-être qu'en fait, il se trouve sur terre, dit-il en se penchant pour l'embrasser. Peut-être que le paradis, c'est toi.

* * * *

Il était tard, et toute la maisonnée était endormie. La tête de Barbara reposait au creux de l'épaule de Michael. Il avait la main posée sur la courbe douce de sa hanche.

Au travers des rideaux en dentelle, ils voyaient les incendies ravager la ville. Des colonnes de fumée noire montèrent et se mêlèrent au ciel nocturne.

— Le Golden Gate Park est plein de réfugiés, dit Barbara.

— Ils auront besoin de notre aide, demain.

— Oh, Michael, il faudra tellement de travail pour tout rebâtir. Quand je songe à tout ce que Jefferson a fait. Il a consacré sa vie à faire de San Francisco une grande ville.

— Nous la rebâtirons encore plus grande, répondit-il avant de l'embrasser tendrement.

— Nous y arriverons, n'est-ce pas ?

— Bien sûr, opina-t-il en lui prenant la main. Tu vas m'épouser, n'est-ce pas ?

Étonnée, elle sourit :

— Mais j'ai le sentiment d'être ta femme depuis le jour de notre rencontre.

— En y repensant, je me dis que nous aurions dû nous marier à Washington. J'aurais dû te faire ma demande à l'époque.

— Quoi ? Elle feint d'être choquée. Mais alors, j'aurais pu être enceinte deux fois depuis le temps.

— Où est le problème ?

— Tu n'aurais pas voulu me priver du plaisir de participer à tes efforts pour mettre Abe Ruef et le maire Schmitz en accusation, non ?

Taquin, il lança :

— J'aime quand tu parles d'être enceinte. Je t'aime.

— Je t'aime aussi de tout mon cœur, dit-elle avant de l'embrasser.

Elle enfouit son visage dans son cou et le couvrit de petits baisers affectueux.

— Barbara, j'ai lu le testament de Jefferson. Il te laisse absolument tout. Sa maison, sa fortune, ses sociétés. C'est énorme à gérer, non ?

Elle pressa un doigt sur ses lèvres.

— Pas pour deux personnes. Après tout, Jefferson a fait ça tout seul. Moi, je t'ai.

— Nous sommes là l'un pour l'autre.

— Quand j'étais petite fille, Jefferson m'a dit qu'il avait bâti sa maison par amour. Maintenant que je connais toute l'histoire, je comprends à quel point cet endroit est spécial. Donald dit que les archanges l'ont protégée du séisme et de l'incendie.

— Oui, dit Michael, en l'attirant dans ses bras. Et maintenant, il y a un autre ange pour nous protéger.

— Jefferson, murmura la jeune femme. J'aime à le penser. Je me sens moins seule.

— Mais ma chérie, ne vois-tu pas que personne n'est jamais seul ?

Barbara tourna son regard vers le ciel pendant un instant, elle eut l'impression de voir Yuala, Rachel, Caroline, Lawrence et Jefferson sourire à leur amour. Elle sentit son cœur se remplir d'une vague d'amour.

Elle était à la fois émerveillée et pleine d'une crainte respectueuse.

— Est-ce que tu les vois, Michael ?

Le jeune homme comprit immédiatement ce qu'elle voulut dire. Il n'avait pas besoin de regarder dehors. Il contempla Barbara et répondit :

— Je les vois chaque fois que je te regarde.

Barbara sut qu'elle ne pourrait jamais être certaine de ce qu'elle avait vu dans le ciel.

Mais elle avait la foi.

Épilogue

« Il n'y a qu'un bonheur dans la vie,
aimer et être aimé »[50].

— GEORGE SAND,
CORRESPONDANCE, LETTRE À LINA CALAMATA

San Francisco, octobre 1906

Le groupe de travail spécial nommé par le président Theodore Roosevelt recueillit assez de preuves pour engager des poursuites. Les crimes furent répartis en trois catégories :

— Protection policière, à savoir extorsion d'argent pour la protection d'entreprises illégales (par exemple, les restaurants français)

— Trafic d'influence pour les franchises, c'est-à-dire pots-de-vin exigés pour l'obtention de concessions ou de privilèges (par exemple, la franchise du Home Telephone, celle des tramways électriques de la United Railroad, le monopole de la boxe professionnelle, où l'on payait pour s'assurer qu'un certain regroupement de promoteurs pourrait acheter le droit d'organiser des combats de boxe lucratifs)

— Trafic d'influence pour les tarifs, c'est-à-dire pots-de-vin pour consentir des tarifs avantageux à des entreprises quasi publiques (par exemple, les tarifs de gaz, d'eau et d'électricité).

Le jury fut assermenté le 9 novembre 1906. Le 15 novembre, cinq accusations d'extorsion furent portées contre Abe Ruef et Eugene Schmitz. Ruef se rendit immédiatement au shérif O'Neal. Au moment où les accusations étaient portées contre lui, Schmitz rentrait d'un

---

50. N.d.T.: Traduction libre.

voyage en Europe où il avait essayé sans succès de convaincre les sociétés d'assurance allemandes de payer les primes dues aux victimes du séisme. Il fut arrêté dès qu'il franchit la frontière de l'État de Californie.

Le procès n'eut lieu que le 4 mars 1907. Abe Ruef plaida non coupable, et le juge Hebbard, ivre au moment de la comparution de l'escroc, consentit à sa libération sous caution. Ruef disparut.

Trois jours plus tard, il était toujours introuvable en dépit des recherches entreprises par ses petits copains, le shérif, le coroner et la police. Un groupe de travail spécial fut nommé par la cour. Michael Trent et William J. Burns mirent la main sur Ruef en deux heures : il se terrait au Trocadero, son relais tout confort situé à une dizaine de kilomètres du centre-ville.

En matière de trafic d'influence pour les franchises, le jury d'accusation porta soixante-cinq accusations contre Ruef pour corruption des superviseurs[51]. Plus de trois cent cinq accusations concernaient les restaurants français.

Le 13 juin 1907, Eugene Schmitz fut déclaré coupable d'extorsion dans l'affaire des restaurants français et expédié en prison, dans l'attente de sa sentence.

Ce n'est que le 10 décembre 1908 que le jury parvint à un verdict de culpabilité dans le cas d'Abe Ruef. Il écopa d'une condamnation maximale de quatorze ans au pénitencier de San Quentin.

Il passa l'année suivante à la prison du comté. En décembre 1909, on le relâcha moyennant une caution de six cent mille dollars. Il ne fut pas incarcéré à San Quentin avant le 7 mars 1911.

En 1912, Eugene Schmitz fut de nouveau accusé de corruption et de nouveau acquitté. Par la suite, il eut l'audace de se présenter comme maire, mais perdit la course. Néanmoins, il fut deux fois élu au conseil des superviseurs de la ville, chaque fois pour un mandat de deux ans. Il mourut, aimé et pardonné, le 20 novembre 1928.

Abe Ruef sortit de prison le 23 août 1915, après quatre ans et demi seulement de détention sur quatorze. Il ne fut plus jamais autorisé à pratiquer le droit et mourut ruiné, le 29 février 1936, à San Francisco.

Michael Trent et Barbara Mansfield Kendrick se marièrent trois jours après le séisme, à la résidence de Jefferson, dont Barbara avait hérité. Les seuls invités étaient Eleanor Mansfield, Yin Su, Donald

---

51. N.d.T.: Le Board of Supervisors, appareil gouvernemental de la ville de San Francisco.

Pope et Chen Su. Étant donné la destruction massive de la ville, il n'y eut ni fleurs ni musique, ni rafraîchissements.

Tout de suite après la cérémonie, Donald épousa Chen devant le même juge, Allen Chesterfield.

Eleanor pleura tout le long des deux cérémonies.

— Il aura fallu un séisme pour me remettre sur les rails de mon destin, avoua-t-elle à Barbara en ajoutant que ses larmes étaient des larmes de joie.

C'étaient les premières qu'elle versait de sa vie.

Notes géologiques et historiques

Dans ce récit, les descriptions d'ordre géologique sont exactes tant sur le plan scientifique qu'historique.

À l'exception des personnages principaux, la partie traitant de la Chine est basée sur des faits véridiques. Le Chinois décapité, à partir duquel le personnage de Luang Su a été créé, l'a cependant été par l'empereur lui-même qui a procédé devant les émissaires de la Compagnie anglaise des Indes orientales.

Tout ce qui concerne San Francisco est historiquement exact. À l'époque du séisme, de grands efforts ont été faits pour dépeindre les événements tels qu'ils se sont produits. L'enquête sur la corruption municipale a eu lieu exactement comme je l'ai dépeinte, à la différence que l'enquêteur principal était William J. Burns et non Michael Trent. Burns travaillait directement sous les ordres du président Theodore Roosevelt.

Il faut signaler que les journalistes et les reporters de magazine ont rapporté plusieurs rêves prémonitoires concernant le séisme et l'incendie de 1906, deux mois au moins avant les événements. Tant le chef des pompiers que le chef de police ont rapporté avoir rêvé à un «grand incendie» deux semaines avant le séisme.

Le maire de San Francisco, Eugene Schmitz, et son promoteur, Abe Ruef, ont tous les deux fait de la prison pour corruption. Plus de la moitié des conseillers municipaux ont aussi été poursuivis et condamnés pour corruption.

À propos de l'auteure

La première fois qu'elle a soumis un manuscrit, Catherine Lanigan était étudiante de première année à l'université. Après avoir brièvement commenté son travail, le professeur de son cours de création littéraire plissa les yeux, grimaça, puis lança sans détour :

— Votre écriture est nulle. Vous ne gagnerez jamais votre vie comme romancière..., mais je vais faire un marché avec vous. Je vais vous faire passer le cours si vous me promettez de ne plus jamais écrire.

Catherine se souvient encore de l'impact de cet épisode dévastateur. Heureusement pour ses centaines de milliers d'admirateurs partout dans le monde, cet événement fut l'étincelle qui fit jaillir la détermination élégante qui encore aujourd'hui nourrit sa remarquable carrière.

Catherine est l'une des plus prolifiques et des plus éloquentes parmi les voix littéraires du monde de l'édition. Elle est l'auteure de plus de vingt romans, y compris les très populaires *À la poursuite du diamant vert* et *Le diamant du Nil*, qui ont précédé les grands succès cinématographiques du même nom. Son plus récent roman (publié chez MIRA Books), *Les portes du destin*, fait déjà beaucoup parler dans les coulisses de l'industrie : on s'attend en effet à une réception enthousiaste de la part du monde de l'édition et du fidèle lectorat de l'auteur.

Les livres de Catherine Lanigan ne sont pas seulement un succès sur le plan commercial, ils font aussi vibrer une fibre viscérale chez ses lectrices. Dans les nombreuses lettres qu'elle reçoit, plusieurs lui décrivent leurs prises de conscience profondes et les raisons qui font qu'elles se sentent inspirées par les femmes de ses romans. Contrairement aux héroïnes à l'esprit de sacrifice que l'on retrouve habituellement dans la plupart des fictions contemporaines, les protagonistes de Catherine Lanigan sont des femmes en quête d'autonomisation qui, en dépit d'obstacles de taille, acquièrent un arsenal personnel de sagesse, de courage et de dignité, grâce auquel elles arrivent finalement à vivre en accord avec leur vérité personnelle. Elles s'ouvrent au changement avec cran, aplomb et élégance, même si intérieurement, elles sont terrifiées.

À L'AFFÛT DES ANGES

Frissons, signes, rêves et
coups de pouce divins

Catherine Lanigan

éditions

www.AdA-inc.com
info@AdA-inc.com